CYMRO I'R CARN
Cofiant Gwilym Prys-Davies

CYMRO I'R CARN

— *Cofiant* —

GWILYM PRYS-DAVIES

— *D. Ben Rees* —

bwthyn
GWASG Y BWTHYN

Cyhoeddwyd gan Wasg y Bwthyn yn 2022
ISBN 978-1-913996-13-0
Hawlfraint © Gwasg y Bwthyn 2022
Hawlfraint © D. Ben Rees 2022
Mae D. Ben Rees wedi datgan ei hawl
dan Ddeddf Hawlfreintiau, Dyluniadau a
Phatentau 1988 i gael ei gydnabod fel awdur
y llyfr hwn.

Cyhoeddwyd gyda chymorth ariannol
Cyngor Llyfrau Cymru.

Cyhoeddwyd gan:
Gwasg y Bwthyn, 36 Y Maes, Caernarfon,
Gwynedd LL55 2NN
post@gwasgybwthyn.cymru
www.gwasgybwthyn.cymru
01558 821275

Cyflwynir y gyfrol i'r

Arglwydd John Morris o Aberafan

ffrind da i Gwilym o ddyddiau y Coleg
yn Aberystwyth hyd derfyn y daith.
Bu'r ddau yn ffyddlon i ddatganoli
fel gwleidyddion.

Cynnwys

Cyflwyniad gan Emyr Llywelyn, 9

Rhagair, 12

1	Y blynyddoedd cynnar a chyfaredd plwyf Llanegryn	15
2	Dyddiau Ysgol Tywyn a'r Ail Ryfel Byd	28
3	Dyddiau'r *Wawr* yng Ngholeg Prifysgol Cymru, Aberystwyth (1946–1952)	38
4	Mudiad Gweriniaethol Cymru	63
5	Rhoddi clust i addewidion y gwleidydd Goronwy O. Roberts	80
6	Bwrw ei brentisiaeth fel datganolwr, cefnogi gwasg newydd a chael siom ym Meirionnydd	91
7	Isetholiad pwysicaf yr ugeinfed ganrif: Etholiad Caerfyrddin 1966	108
8	Trychineb Aber-fan	126
9	Cadeirydd Bwrdd Ysbytai Cymru (1968–1974)	148
10	Cynorthwyo John Morris yn y Swyddfa Gymreig a'r ymgyrch dros ddatganoli	163
11	Hybu'r iaith Gymraeg hyd Ddeddf Iaith 1993	183

parhad trsosodd/

12 Newid byd yn llwyr:
    gwahoddiad i Dŷ'r Arglwyddi (1982–1992) 212

13 Gweithio o blaid y Cynulliad a datganoli 231

14 Cymwynaswr di-ail 249

15 Brwydro o fewn y genedl 267

16 Dylanwadu a dal i obeithio 290

17 Diwedd dyddiau 302

Ffynonellau a Llyfryddiaeth, 313
Mynegai, 327

Cyflwyniad

GWILYM PRYS-DAVIES, drwy ei lafur cudd dros nifer o flynyddoedd, a osododd seiliau sefydliadau datganoledig i Gymru. Tu ôl i'r llenni ef oedd prif bensaer y newidiadau cyfansoddiadol pwysicaf yn hanes Cymru ers Deddf Uno 1536. Mae'r gyfrol werthfawr hon gan ei gyfaill, y Parch. D. Ben Rees, yn dangos y modd y dylanwadodd Gwilym yn drwm ar wleidyddion pwysig ei ddydd sef Jim Griffiths, John Morris a Cledwyn Hughes. Gwilym a luniodd y dogfennau yn rhoi'r dadleuon dros ddatganoli grym i Gyngor Etholedig yn ei bamffled *Cyngor Etholedig i Gymru* (1963).

Wedi i Lafur ennill yr etholiad daeth cyfle i wireddu breuddwyd Gwilym pan sefydlwyd swydd Ysgrifennydd Cymru (1964) a'r Swyddfa Gymreig (1965). Bu sefydlu'r Swyddfa Gymreig yn gatalydd i ragor o ddatganoli. O fewn pum mlynedd i'w sefydlu cafwyd rheolaeth dros Barciau Cenedlaethol, y Llyfrgell Genedlaethol, yr Amgueddfa Genedlaethol, Iechyd, Twristiaeth, Coedwigaeth, Henebion, Amaeth a Physgodfeydd, ac Ysgolion Cynradd ac Uwchradd. Parhaodd Gwilym i weithio'n ddiflino dros ddatganoli pellach drwy frwydro dros sefydlu Cynulliad Cenedlaethol drwy gyfrwng Pwyllgor Cymru dros y Cynulliad.

Etifedd i draddodiad diwylliannol a radicalaidd y fro rhwng dwy afon, Dyfi a Mawddach, oedd Gwilym. Cafodd dau o ffermwyr yr ardal eu gyrru o'u ffermydd oherwydd iddyn nhw fentro dadlau dros Ryddfrydiaeth a digio eu meistr tir yn 1892, ac fe gafodd y radicaliaeth honno ei throsglwyddo drwy dad Gwilym a thad Merêd i'r ddau fab fel ei gilydd.

Mae'r bennod ar ei blentyndod yn Llanegryn yn dangos yn glir ddylanwad radicaliaeth a diwylliant Cymraeg naturiol y fro honno ar ei dad, William Davies. Roedd William Davies a Richard Evans, tad Merêd, yn arloeswyr y mudiad sosialaidd ym Meirion ac fe fu'r ddau yn gyfrifol am sefydlu Undeb Llafur Llanegryn sef un o'r canghennau cyntaf o'r Blaid Lafur Annibynnol, sef yr ILP. Ei dad hefyd a sefydlodd gangen o Undeb Llafur yn Llanegryn, ynghyd â chynnal dosbarthiadau nos Cymdeithas Addysg y Gweithwyr yn y pentre a cheisio agor siop gydweithredol yn Nhywyn. Ef hefyd oedd awdur *Hanes Plwyf Llanegryn*.

Pennod werthfawr yn y gyfrol yw'r un sy'n croniclo hanes Mudiad Gweriniaethol Cymru, a sefydlwyd gan Gwilym yn 1948 pan oedd yng Ngholeg Aberystwyth. Roedd y mudiad yn cynnwys Cymry amlwg megis Trefor Morgan, Ithel Davies a Harri Webb.

Ni chafodd Gwilym gymeradwyaeth y dorf ar lwyfannau na sylw yn y wasg ac ar y cyfryngau megis nifer o'i gyfoedion – yn ddiddiolch ac yn ddi-glod y llafuriodd ef. Camp y gyfrol hon yw cofnodi rhai o gyfraniadau mawr Gwilym i bob agwedd o fywyd Cymru yn ei gyfnod. Mae'r rhestr o'i gymwynasau â'i genedl yn hir ond dyma grynodeb byr iawn.

Ar gais y Parch. D. Ben Rees ymgymerodd Gwilym â'r gwaith o gynrychioli rhieni'r plant a laddwyd yn Aber-fan; ef oedd yn gyfrifol am neuaddau'r gweithwyr a'u llyfrgelloedd yn ne Cymru am 30 mlynedd; ef fu'n cynghori arweinwyr y glowyr ar faterion cyfreithiol adeg Streic Fawr 1984–85; ef fel Cadeirydd Bwrdd Ysbytai Cymru a sicrhaodd drosglwyddo cyfrifoldeb am iechyd i'r Swyddfa Gymreig; ef fu'n llais dros sianel deledu i Gymru ar Weithgor Silberry; ef oedd un o aelodau mwyaf brwd y gweithgor i geisio sicrhau Deddf Newydd yr Iaith Gymraeg – cyhoeddwyd *Deddf Newydd i'r Iaith - Argymhellion* a dechreuwyd ymgyrch dan ei arweiniad ef a Merêd a arweiniodd at Ddeddf yr Iaith 1967.

Fe greodd Gwilym hanes wrth ddefnyddio'r Ddeddf Iaith honno i amddiffyn aelodau o Gymdeithas yr Iaith yn Llys Ynadon Caerdydd yn 1967. Dyma'r tro cyntaf i amddiffyniad gael ei gynnal yn gyfan gwbl yn Gymraeg. Yn ôl Arwel Vittle, 'Ni ofynnodd Gwilym Prys-Davies am ganiatâd i gynnal yr achos yn Gymraeg' ond yn hytrach 'roi wythnos o rybudd o'i fwriad i wneud hynny'. Yn Gymraeg yr holwyd y tystion ac annerch y fainc. Er bod yr erlynydd yn ddi-Gymraeg, y Gymraeg yn unig a ddefnyddiodd ef yn ystod yr holl achos. Priodol iawn oedd mai'r Gwilym Prys ifanc a fu'n astudio Cyfraith Hywel a osododd y sylfeini ar gyfer gwneud y Gymraeg yn iaith cyfraith yn y llysoedd barn unwaith eto.

Roedd Gwilym yn ddyn tyner ac addfwyn a bu'n gymwynaswr i lawer iawn o bobl. Cefais i'n bersonol y profiad o'i gael yn gymorth hawdd ei gael gyda'i gefnogaeth a'i gyngor cyfreithiol yn nyddiau helbulus brwydr yr iaith. At Gwilym y byddwn yn troi bob tro am gyngor a nawdd.

Tyfodd nawdd Gwilym dros y blynyddoedd yn gyfeillgarwch cynnes, a melys yw pob atgof sydd gennyf amdano. Un o'r troeon diwethaf i mi ei weld oedd pan gludais Merêd o Gwmystwyth i Bontypridd i gyfarfod coffa Llinos, gwraig Gwilym, a fu'n gefn iddo ar hyd yr holl flynyddoedd. Un o freintiau mawr fy mywyd oedd i Gwilym ofyn i mi ddarllen cerdd Waldo 'Pa beth yw dyn?' yn y cyfarfod coffa hwnnw.

Priodol iawn mai cyfaill mawr i Gwilym, y Parch. D. Ben Rees, a luniodd y gyfrol hon er cof amdano. Diolch iddo am gofnodi'r hanes am y modd y gwasanaethodd Gwilym ei iaith a'i bobl yn ddiflino, ac am ddatgelu'r modd y llafuriodd yr eneidfawr hwn ar hyd ei oes dros y pethau gorau. Roedd Gwilym Prys-Davies yn sicr yn un o fawrion ein cenedl.

Emyr Llywelyn,
Ffostrasol,
19 Rhagfyr 2020

Rhagair

BRAINT FAWR oedd derbyn gwahoddiad teulu Gwilym Prys-Davies i wasanaethu yn ei arwyl ef a'i briod Llinos yn Llanegryn, a hefyd i fynd ati i gasglu defnyddiau ynghyd i lunio cofiant i un o wŷr mawr Cymru ein cyfnod ni. Credaf fod Syr Goronwy Daniel wedi costrelu'r cyfan mewn un frawddeg a luniodd mewn llythyr a anfonodd at Gwilym chwarter canrif yn ôl:

> Bydd pob un sydd â diddordeb yn hanes Cymru ac yn enwedig yn yr ymdrechion dros yr iaith a chynulliad Cymreig yn drwm mewn dyled i chwi.

Gwir y dywedodd.

Atgyfnerthir hyn yng nghyflwyniad Emyr Llywelyn i'r cofiant hwn. Diolchaf iddo am ddarllen fy nheipysgrif yn fanwl, ac am ei eiriau caredig. Gwyddai ef am safiad Gwilym Prys ar hyd y blynyddoedd, ac fel y bu'n ei amddiffyn ef yn y llys barn. Yn wir, gwelai Gwilym debygrwydd mawr rhwng Emyr ac Aneurin Bevan o ran angerdd a rhethreg finiog. Compliment o'r mwyaf.

Cefais y fraint o adnabod Gwilym am gyfnod hir. Yn 1962 y dechreuais ar fy ngweinidogaeth yng Nghwm Cynon, sef eglwysi Presbyteraidd Cymraeg Penrhiw-ceibr ac Abercynon ac yn ddiweddarach Merthyr Vale, a'r rheini'n bentrefi glofaol, yn gadarnleoedd i'r Blaid Lafur. Yn Abercynon y deuthum i adnabod, yn eglwys y Tabernacl, rieni Llinos, priod Gwilym Prys, sef Abram ac Olwen Evans, dau berson cwbl arbennig, a chofiaf Olwen Evans yn dweud wrthyf, "Mae'n rhaid i chwi gyfarfod â Gwilym, fy mab yng nghyfraith. Mae gennych gymaint yn gyffredin."

Dau a'u gwreiddiau yn y fro Gymraeg, dau a fu yng Ngholeg Aberystwyth, a dau oedd yn credu mewn annibyniaeth i

Gymru ac yn caru'r iaith Gymraeg yn angerddol oedd Llinos a Gwilym. Daeth Gwilym a minnau o gefndir Anghydffurfiol. O'r cyfarfyddiad hwnnw yn 1962 blagurodd y cyfeillgarwch. Daethom yn gyfeillion oes. Pan oeddwn yn byw yn Abercynon yn y chwedegau byddem yn seiadu yn gyson, yn ein cartref yn Teify House, ac yna i'r Rhondda yr aem, i Ben-y-graig ac wedyn i Luest ym mhentref Ton-teg, lle y bu croeso cynnes ar hyd y maith flynyddoedd. Braint oedd cael fy nghyfrif yn gyfaill iddo a'i gefnogi a derbyn ei gyfarwyddyd ym myd cyhoeddi llyfrau Cymraeg, materion cyfreithiol personol, trasiedi Aberfan ac ymgyrchoedd yr iaith a sosialaeth. Gallaf ddweud fel yr Arglwydd John Morris fod Gwilym gyda mi bob amser. Roedd ef fel craig yr oesoedd. Gallwn ddibynnu arno gant y cant. Pan euthum ati i sgrifennu yn yr iaith Gymraeg gofiant Jim Griffiths, yr oedd wrth ei fodd. Am dair blynedd gyfan, nid aeth diwrnod heibio heb inni fod yn trafod y dasg, ac yn arbennig pan euthum ati i lunio'r penodau. Darllenai hwy yn fanwl, gan gynnig gwelliannau ac ail-lunio. Canlyniad y cyfan oedd fy mod wedi fy ngorfodi i lunio tair fersiwn o'r gwaith. Roedd ef yn disgwyl perffeithrwydd. Ond weithiau byddai'n llithro gan ofyn imi ail-lunio paragraff a minnau wedi gwneud hynny ar sail ei awgrymiadau mewn llythyr blaenorol! Ond pan ddaeth y gyfrol hardd o'r wasg yr oedd yn falch dros ben, a derbyniais gyflwyniad caredig oddi wrtho, yr hwn a welir yn y cofiant.

Ar ôl llunio cofiannau i'w gyfeillion gwleidyddol, Jim Griffiths a Cledwyn Hughes, braf yw cael cofiant i Gwilym Prys-Davies, tri gwleidydd a chenedlgarwr y medrwn ymfalchïo ynddynt. Rhoddodd tair merch Llinos a Gwilym bob cefnogaeth imi ac astudiais yn fanwl ei bapurau a'i erthyglau, ei hunangofiant hyd 1990, a'r deunydd am y chwarter canrif ar ôl hynny – blynyddoedd toreithiog, pwysig. Diolchaf i'r Barchedig Eleri Edwards, Manceinion am gymorth i deipio'r tair pennod gyntaf, i'r Parchedig Robert Parry, Coed-llai, fy nghynorthwywr, am deipio'r rhagair a'r mynegai, ac i Iola Bailey, Swyddffynnon am ofalu am y gweddill. Darllenwyd y gwaith yn dra gofalus gan ysgrifennydd ein heglwys weithgar yn Lerpwl, Dr Pat Williams. Dyledus ydwyf hefyd i Marred a Meinir o Wasg y Bwthyn am lywio'r gwaith ar gyfer y cyhoedd. Nid dyma'r gyfrol gyntaf i Wasg y Bwthyn ei chyhoeddi o'm gwaith. Elwais gryn lawer ar sylwadau darllenydd dienw y wasg a fu mor drylwyr, a manteisiais ar y cynghorion gwerthfawr.

Gwerthfawrogaf y cyfle a ddaeth i mi i ddarlithio ar ein gwrthrych i Gymdeithas Gymraeg Lerpwl a hefyd i Gymdeithas Lyfryddol Caerdydd ym Mhrifysgol Caerdydd. Daeth cynulleidfaoedd teilwng ynghyd i gydnabod cyfraniad un o arweinwyr gwleidyddol pwysicaf Cymru yn ei gyfnod. Trueni na fuasai mwy o arweinwyr gwleidyddol Cymru o bob plaid wleidyddol yn meddu'r un weledigaeth am genedl y Cymry â'r gwron Gwilym Prys-Davies. "Da was, da a ffyddlon. Dos i mewn i lawenydd dy Arglwydd."

D. Ben Rees,
Lerpwl, 1 Ionawr 2022

PENNOD 1

Y blynyddoedd cynnar a chyfaredd plwyf Llanegryn

BU 2017 YN FLWYDDYN GOLLEDUS iawn i'r Cymry Cymraeg, gan y bu farw yn ystod y flwyddyn ddau oedd yn gydoeswyr â'i gilydd yng Ngholeg Prifysgol Cymru, Aberystwyth, sef yr ysgolhaig Dafydd Bowen a'r Cymro cadarn, yr Arglwydd Prys-Davies, neu fel y gelwir ef yn y cofiant hwn, Gwilym Prys-Davies (1923–2017).[1] Dau arall a ddaw i'r cof ydyw Dr Glyn Tegai Hughes, Gregynog a'r bardd a'r Calfinydd cyflawn, Dr Bobi Jones.[2] Pob un ohonynt yn bobl yr oeddwn yn dra chyfarwydd â hwy ac yr oedd Gwilym a Bobi ymhlith fy ffrindiau gorau. Pedwar Cymro cadarn a gyflawnodd gampau ac a adawodd waddol cyfoethog.

Sylwaf nad yw Gwilym Prys-Davies yn sôn o gwbl yn unman am fan ei eni; sôn a wna am blwyf Llanegryn yn Sir Feirionnydd, ond nid yno y'i ganwyd. Fe'i ganwyd ar 8 Rhagfyr 1923 yn nhref y ffin, Croesoswallt yn Swydd Amwythig. Perthynai Gwilym i'r gwleidyddion Cymreig hynny a anwyd nid yng

---

1   Gw. D. Ben Rees, 'Cofio'r Arglwydd Gwilym Prys-Davies (1923–2017): Cymro i'r Carn', *Barn*, Mai 2017, 652, 16–17; yr Arglwydd Morris o Aberafan (John Morris), 'Derwen fawr ein cenedl', *ibid.*, 17–18.

2   Derec Llwyd Morgan, 'Cyflwyniad', *Yr Hen Bant: Ysgrifau ar Williams Pantycelyn* gan Glyn Tegai Hughes (Talybont, Ceredigion, 2007), 9–13. Ganed Dr Glyn Tegai Hughes yr un flwyddyn â Gwilym Prys-Davies a bu'n Warden Gregynog o 1964 hyd ei ymddeoliad yn 1989. Bu farw ym mis Mawrth 2017. Yr oedd D J. Bowen yn ffrind cywir i Gwilym yn y Coleg a cheir ysgrif o'i eiddo o dan y testun 'Gorfodaeth Filwrol', *Y Wawr*, Cyfrol III Rhif 2, 37–8. Am Bobi Jones, gw. J. E. Caerwyn Williams, 'Bobi Jones yn ateb cwestiynau'r golygydd', *Ysgrifau Beirniadol, 9* (1976), 376–407.

Nghymru ond yn Lloegr a gwledydd eraill. Ganwyd yr anhygoel David Lloyd George ym Manceinion ar 17 Ionawr 1863 ond ei fagu yn Llanystumdwy.[3] Felly hefyd Dafydd Wigley, Llywydd Plaid Cymru o 1981 i 1984, a anwyd yn Derby ar 1 Ebrill 1943, ond fe'i magwyd yn y Bontnewydd ger Caernarfon.[4] Ganwyd Eirene Lloyd White ar 7 Tachwedd 1909 yn Belfast a'i magu fel Gwynfor Evans yn nhref y Barri.[5] Yr oedd tref Croesoswallt yn llawer Cymreiciach yn y dauddegau nag ydoedd y rhan fwyaf o drefi a oedd yng nghysgod Clawdd Offa. Ceid capeli Cymraeg yn perthyn i'r Eglwys Fethodistaidd, y Methodistiaid Calfinaidd a'r Bedyddwyr Cymraeg, a chlywid Cymraeg ar strydoedd y dref pan ddeuai pobl y wlad o Ddyffryn Tanat a dyffrynnoedd eraill ym Maldwyn i brynu a gwerthu. Yn 1921 symudodd rhieni Gwilym, William a Mary Matilda Davies, i gadw gwesty gwely a brecwast yn y dref. Y flwyddyn ddilynol ganwyd eu merch Mairwen a hynny dros Glawdd Offa ar 4 Hydref 1922 ac ychydig dros flwyddyn ar ôl hynny daeth brawd iddi yng ngenedigaeth Gwilym. Roedd llawenydd a bodlonrwydd y rhieni yn amlwg i weddill y teulu.

Yr oedd William Davies yn un o naw o blant – pump o fechgyn a phedair o ferched. William oedd y trydydd bachgen; yr hynaf oedd James, yna John, William, Ifan ac Edward. Enwau'r merched oedd Elizabeth, Nell, Jane a Charlotte.[6] Ganwyd plant iddynt, ond yn niwedd oes Gwilym dim ond un cefnder oedd ar dir y byw, sef William Davies, mab James Davies. Cyfarfyddais ag ef yn arwyl Gwilym yn Llanegryn.[7] Yn Ebrill 2017 yr oedd ef yn byw yn ninas Coventry. Yr oedd ei fam Mary Matilda (*née* Roberts) yn ferch fferm ym mhlwyf Llangelynnin, sy'n gyfagos

---

3   Ivor Thomas Rees, *Welsh Hustings 1885–2004* (Llandybïe, 2005), 187–8.

4   *Ibid.*, 308.

5   *Ibid.*, 307.

6   Gwybodaeth gan ferch Gwilym Prys-Davies, Mrs Catrin Waugh, Llundain.

7   Daw'r holl fanylion am ei rieni o lythyr oddi wrth yr Arglwydd Prys-Davies, Llundain, dyddiedig 16 Rhagfyr 2016. Da oedd cael un neu ddwy ffaith bwysig o enau ei gefnder, William Davies o Coventry.

i Lanegryn. Un o bump o blant ydoedd. Priododd ei chwaer Catherine a'i brawd Lewis ond ni fu plant o'u priodasau. Aeth y mab arall, John Awen Roberts, yn fferyllydd i'r Drenewydd. Cafodd ef a'i briod un plentyn sef Helena a bu hi a'i phriod, rheolwr banc, yn byw yn nhref Wrecsam. Bu farw Helena yn gymharol ifanc ac yn drist iawn bu farw ei merch Glenys yn 2015 o ganser. Yr oedd hi a'i phriod yn ffermio yn Llandrillo, ger Corwen.[8]

Priododd Elizabeth ag Evan Pughe a bu'r ddau yn amaethu yn Llanrhystud, i'r de o Aberystwyth. Cawsant ergyd fawr ym marwolaeth eu merch Gironwy yn bymtheg mlwydd oed. Aeth y mab Mannod Pughe i ffermio yng nghyffiniau y Drenewydd. Ac felly, Gwilym Prys-Davies oedd yr unig un o blant teulu ei fam a oedd ar dir y byw pan oeddwn mewn cysylltiad ag ef ar fater coeden y teulu cyn Nadolig 2016. Pan oedd Gwilym yn bump oed dychwelodd ei rieni i Lanegryn, y plwyf rhwng Dyfi a Mawddach, a chafodd y mab ei blesio yn fawr.[9] Yr oedd cefn gwlad Meirionnydd yn apelio llawer mwy ato na phalmentydd a siopau a swyddfeydd Croesoswallt. Nid ysgrifennodd air am y dref na'i phwysigrwydd, ond ni fu ball ar ei ddisgrifiadau o dirlun Llanegryn a phlwyfi Llanfihangel-y-Pennant a Llangelynnin. Soniai am yr enwau Cymraeg a ddaeth i'w glyw, yn arbennig y mynyddoedd a adnabyddid fel Trum y Groes, Esgair Berfedd a'r Allt-lwyd. Soniodd ei dad wrtho am Sant Egryn ac am yr eglwys blwyf anghyffredin lle gwelir un o ryfeddodau'r cylch, sef y groglofft. Cofiai ei dad yn mynd ag ef i'r mynydd ar bererindod i weld am y tro cyntaf erioed Garnedd Bedd y Brenin a Charnedd Goleuwern ac yntau yn llencyn deng mlwydd oed. Ysgrifennodd am y profiad yn ei hunangofiant:

Cofiaf am y tawelwch dwys heblaw am sisial afon Cwmllwyd yn y pellter, cân yr hedydd a bref y defaid, am

---

8 *Ibid.*
9 *Ibid.*

y cyngor a gefais i barchu'r llannerch hon oedd yn hŷn na'r plwy.[10]

Profiad braf iddo oedd cael mynediad i Ysgol Llanegryn a sefydlwyd yn 1659, un o'r rhai hynaf yng Nghymru cyn iddi gau yn 2015 ar ôl 355 o flynyddoedd. Clywodd pan oedd yn Ysgol Llanegryn mai yn Llys Cwmwd Tal-y-bont ar 6 Hydref 1275 yr ysgrifennodd Llywelyn ein Llyw olaf ei lythyr pwysig at archesgobion Caergaint a Chaerefrog.[11] Gwyddai ef a'i ffrindiau ysgol am leoliad ceg Ogof Owain Glyndŵr ar lan Bae Ceredigion, y fangre y maentumid y bu un o feibion plasty Peniarth yn ei fwydo pan oedd yn dianc rhag caethiwed. Yng ngwyliau'r haf byddai Gwilym a'i ffrindiau yn cerdded i'r ogof, ac ar ôl cyrraedd yn 'plymio ar ein pennau o'r Garreg Halen i ddŵr glas y môr, ac yn ymdrochi yno hyd yr hwyr. Wedyn cerdded tair milltir hirfaith adref, bron yn rhy flinedig i lusgo'r broc môr y disgwylid amdano'.[12]

Yr oedd ei deulu yn aelodau cefnogol yng nghapel yr Annibynwyr a saif yng nghanol pentref Llanegryn, a chafodd Gwilym a'i chwaer Mairwen fagwraeth o fewn canolfan Anghydffurfiol y fro. Soniai yn gyson am Hugh Owen (1639–1700), 'apostol Meirion', y Piwritan a arolygai Anghydffurfwyr Annibynnol Meirion o'i bencadlys ym Mron-y-cludwr, plwyf Llanegryn. Llwyddodd yn 1672 i gael trwydded i bregethu yn ei gartref a bu'n brysur yn addysgu pobl y plwyf. Galwodd y Dr Thomas Richards ef yn 'esiampl berffaith ymron o Gristion cywir, pregethwr diwyd a gŵr tringar, tymherus'.[13] Gwelai Gwilym yn blentyn ei gofgolofn yn ymyl y capel pan fynychai'r oedfaon a chyfarfodydd y plant yn ysgol Sul yr Annibynwyr lle y dysgwyd ef gan y Gymraes uniaith Mari Jones. Yn wir, yn

10 Gwilym Prys-Davies, *Llafur y Blynyddoedd* (Dinbych, 1990), 13.
11 *Ibid.*, 14.
12 *Ibid.*
13 Thomas Richards, 'Hugh Owen (1639–1700)', [yn] *Y Bywgraffiadur Cymreig hyd 1940* (Llundain, 1953), 663–4.

ôl Cyfrifiad 1931 yr oedd 102 o drigolion plwyf Llanegryn yn Gymry uniaith. Ymhlith y 102 hyn yr oedd ei nain Pen-y-banc a'r hen wraig, Anne Williams; yn wir, nid oedd ei fodryb Lisa fawr o Saesnes cyn i'r ifaciwîs ddod o Lerpwl i Lanegryn ar ddechrau'r Ail Ryfel Byd.[14]

Ymfalchïai Gwilym Prys yn hanes nifer o wŷr llên y cylch, yn arbennig Richard Powell (1753–1795), Elen Egryn (1807– 1876) a gafodd ei chefnogi gan ei gweinidog yn Lerpwl, Gwilym Hiraethog (1802–1883), ac yn ei gyfnod ef, Morus Cyfannedd (1895–1982) o Gyfannedd Uchaf a enillodd lu o gadeiriau eisteddfodol yn ei ddydd.[15] Daeth Gwilym i ymfalchïo yn fawr yn hanes y fro, gan ddilyn llwybrau ei dad yn hyn o beth. Yn blentyn ysgol, yr oedd yn ymwybodol mai bro Gymraeg oedd Llanegryn ac yn ystod ei oes, gwelodd newid syfrdanol. Yn 1939, o boblogaeth o 538 dim ond 39 oedd yn uniaith Saesneg. Ar wahân i staff Peniarth, lle y lleolid Llyfrgell Hengwrt, Cymry glân gloyw oedd trigolion Llanegryn. Gwyddai am erledigaeth teulu Wynniaid Peniarth ar y Cymry a safodd heb blygu glin dros egwyddorion Anghydffurfiol a Rhyddfrydol yn y bedwaredd ganrif ar bymtheg. Hwy oedd yn gyfrifol am amddifadu nifer o denantiaid o'u ffermydd am wrthod pleidleisio i'r Toriaid.[16] Er hynny, rhydd Gwilym yn ei hunangofiant *Llafur y Blynyddoedd* deyrnged i'r teulu am fod yn gryn gymwynaswyr i werin Llanegryn.

Creodd teulu'r Wynniaid ofn parhaus ymysg gwerin y plwyf ond nid oedd pob unigolyn yn barod i fod yn wasaidd. Un o'r rhai a oedd yn barod i herio oedd ei dad, William Davies. Yn wir, aeth William Davies a Richard Evans (tad Dr Meredydd Evans), cyn

---

14   Gwilym Prys-Davies, *Llafur y Blynyddoedd*, 18–19.

15   Am Richard Powell, gw. Isaled, 'Rhisiart Powell', *Y Genhinen*, X 1910, 44–8 ; Am Elen Egryn, gw. John Davies, Nigel Jenkins, Menna Baines, Peredur I. Lynch, *Gwyddoniadur Cymru yr Academi Gymreig*, (Caerdydd, 2008), 269; gw. hefyd *Telyn Egryn* (Honno, Aberystwyth, 1998). Am Morris Jones (Morus Cyfannedd, 1895–1982), gw. *Cydymaith i Lenyddiaeth Cymru*, gol. Meic Stephens (Caerdydd, 1986), 324.

16   Gwilym Prys-Davies, *Llafur y Blynyddoedd*, 17.

iddo symud i Danygrisiau, ati i sefydlu cymdeithas a elwid 'Gwŷr Llafur Llanegryn'. Tri arloeswr arall o'r gymdeithas honno oedd Griffith Evans, Ifan Jones, Rhoslefain, a James Gabriel o'r Castell Mawr. Trwy ymdrechion y rhain sefydlwyd ym Meirionnydd un o ganghennau cynharaf y Blaid Lafur Annibynnol, a gysylltir bob amser â Keir Hardie a Ramsay MacDonald.[17] Ychwanegodd yr arloeswyr hyn at y dystiolaeth sosialaidd trwy sefydlu Undeb Llafur ac agor siop gydweithredol yn Nhywyn.

Cafodd Gwilym bob chwarae teg gan ei rieni, y teulu a'r cymdogion. Safai un person ar ben ei restr, sef Nain Pen-y-banc. Perthynai hi i fyd hud a lledrith ac fel Hugh Evans o Wasg y Brython, yr oedd ganddi ddiddordeb anghyffredin ym myd y Tylwyth Teg. Byddai wrth ei bodd yn adrodd am y Tylwyth Teg a oedd yn trigo ar fynydd Llanegryn a'r cartrefi a gysylltid â hwy yno.[18] Treuliai amser yn adrodd am ddraddodiadau wrth ei hŵyr bach, ofergoelion a storïau a oedd yn dirwyn yn ôl i'r cyfnod cyn dyfodiad y Diwygiad Methodistaidd. Teimlodd chwithdod mawr yn 1957 pan fu farw Nain Pen-y-banc, a hithau wedi cyrraedd yr oedran teg o 94 mlwydd oed.[19]

Aelwyd lengar, sosialaidd, ddiwylliedig oedd aelwyd ei febyd a'i lencyndod gan fod ei dad wrth ei fodd yn ymchwilio ac yn llenydda. Dywedodd y mab: 'Fe ges i fy magu ar aelwyd sosialaidd yn Sir Feirionnydd. Roeddwn i wedi anwesu delfrydau Llafur'.[20] Anfonai ysgrifau i'w tafoli gan O. M. Edwards. Dylanwad mawr ar ei dad oedd O. M. Edwards.[21] Un o'r cyfrolau a drysorai oedd

17 *Ibid.*, 18.

18 Cyhoeddwyd y gyfrol hardd *Y Tylwyth Teg* yn 1935 wedi marw'r awdur, Hugh Evans. Gw. William Williams, 'Hugh Evans (1854–1934)' yn *Y Bywgraffiadur Cymreig hyd 1940* (Llundain, 1953), 223.

19 Gwilym Prys-Davies, *Llafur y Blynyddoedd*, 19.

20 Gwilym Prys-Davies, 'Brwydr Olaf y Cymunedau Cymraeg', *Barn*, Mai, 2001, 18.

21 Galwodd yr hanesydd Dr Gwyn A. Williams Owen M. Edwards yn 'remarkable, popular and academic hero', a greodd 'the first modern populist history of the Welsh'. Gw. Gwyn A. Williams, *When Was Wales? A History of the Welsh* (Llundain, 1985), 232.

Gweithiau Barddonol Ieuan Gwynedd (y diwygiwr a wnaeth gymaint yn Nhredegar) a dderbyniodd William Davies yn rhodd gan O. M. Edwards, Cymrawd Coleg Lincoln, Prifysgol Rhydychen ar 9 Hydref 1900, am ei gefnogaeth ddi-ildio i'r cylchgrawn *Cymru*, neu y 'Cymru Coch' fel y'i gelwid.[22] Daeth ei dad yn arweinydd Ymneilltuaeth gan gynnal cymdeithasau diwylliannol ac addysgol y fro. Byd digon cyfyng ac anodd oedd ei fyd ef a'i debyg yn blentyn, meibion a merched i weithwyr cyffredin a oedd yn brwydro'n ddyddiol yn erbyn tlodi ac afiechyd. Dywedodd Gwilym am ei dad a'i ewythr John:

Roeddynt yn gymeriadau wyneb agored a diweniaith, ac nid oedd gwaseidd-dra yn eu llwybrau. Edmygent ddewrder.[23]

Byddai'r ddau yn siarad yn blaen, gan godi eu lleisiau, ac roeddynt yn arweinwyr naturiol. Disgrifiodd ei ewythr John Davies, y crydd a drigai yn Abergynolwyn, fel Annibynnwr o argyhoeddiad a sosialydd tanbaid. Ei weithdy a'i gapel yn Abergynolwyn oedd canolfannau ei gymdeithas. Credai yn ddiysgog yng ngwaith yr ysgol Sul, y Seiat a'r ddyletswydd deuluol ar ddechrau'r dydd. Y cewri yn ei olwg oedd yr addysgwr o'r ddeunawfed ganrif, Griffith Jones, Llanddowror, y diwygiwr cymdeithasol o'r bedwaredd ganrif ar bymtheg, Samuel Roberts ('SR'), Llanbrynmair, yr athronydd Syr Henry Jones a'r diwinydd D. Miall Edwards.[24] Y gelynion a'r bobl na allai eu dioddef oedd

22 Am Evan Jones (Ieuan Gwynedd, 1820–52), gw. T. Roberts (gol.), *Gweithiau Barddonol Ieuan Gwynedd* (Dolgellau, 1876); Brinley Rees, *Ieuan Gwynedd, Detholiad o'i Ryddiaith* (Caerdydd, 1957); Gwilym Prys-Davies, *Llafur y Blynyddoedd*, 21.
23 Gwilym Prys-Davies, 'Dau Frawd', *Lleufer*, Cyfrol II, Rhif 4, Gaeaf 1955, 191.
24 Am Griffith Jones (1683–1761), gw. R. T. Jenkins, *Gruffydd Jones, Llanddowror* (Caerdydd, 1929); W. J. Gruffydd, 'Griffith Jones a'i Eglwys', *Y Llenor*, ii, 181–7; am Samuel Roberts (1800–85), gw. D. Ben Rees, *Samuel Roberts*, cyfres Writers of Wales (Caerdydd, 1988); Glanmor Williams, *Samuel Roberts Llanbrynmair* (Caerdydd, 1950); am Syr Henry Jones (1852–1972), gw. Daniel Davies, 'Syr Henry Jones' yn *Y Bywgraffiadur Cymreig hyd 1940*, 438–9; am David Miall Edwards

y Pab o Rufain, Machiavelli a Syr Haydn Jones, Aelod Seneddol y Rhyddfrydwyr ym Meirionnydd o 1910 i 1945 a pherchennog chwarel Abergynolwyn.[25] Ymdrwythodd yng nghyfrolau Thomas Hardy, George Bernard Shaw a David Thomas. Nid dau beth ar wahân oedd ei grefydd a'i wleidyddiaeth, ond yr oedd y cyfan yn undod perffaith iddo. Efengyl Crist a sosialaeth bur oedd yr hanfodion. Gwarchodai safonau y Bregeth ar y Mynydd yn ei weithdy, gan wasanaethu hyd eithaf ei allu fel sosialydd Cristnogol. Gwnaeth argraff arhosol ar ei nai ymchwilgar.

Yr oedd ei dad William Davies, fel Aneurin Bevan, yn 'llawn o ryferthwy'r gŵr tymhestlog'.[26] Bu'n gorwedd yn ei wely am ddeng mlynedd yn siamber Plascorniog pan oedd yn ddyn cymharol ifanc. Dros gyfnod yr Ail Ryfel Byd a chychwyniad y Wladwriaeth Les dioddefodd boen a blinder, gorfoledd a siom, gwynfyd a diffeithwch digalondid. Yn ôl y mab:

> Parchai'r tlawd yn ddiddiwedd fel ei frawd [John] ac ymunodd â'r Blaid Lafur, gan siarad ar ei llwyfan dros ei hegwyddorion.[27]

Byddai'n arferiad gan y ddau frawd dreulio prynhawniau haf yn trafod y byd a sgwrsio am Gymru a'i thynged yng Nghwm Llanfihangel-y-Pennant. Saif y cwm ar y groesffordd rhwng Llanegryn ac Abergynolwyn. Arwres fawr y ddau werinwr oedd Mary Jones (1784–1864), un o'r enwocaf o holl ferched Cymru.[28] Gwybu hi am dlodi ar hyd ei hoes yn Llanfihangel-y-Pennant a Bryn-crug, ond câi ei hedmygu am iddi yn 1800 gerdded yn droednoeth o'i chartref i'r Bala i brynu Beibl o law y diwinydd Calfinaidd Thomas Charles, taith o o leiaf 45 milltir un ffordd

(1873–1941), gw. *Cydymaith i Lenyddiaeth Cymru*, 174–5.

25 Am Syr H. Haydn Jones, gw. *Welsh Hustings 1885–2004*, casglwyd gan Ivor Thomas Rees (Llandybïe, 2005), 160.

26 Gwilym Prys-Davies, 'Dau Frawd', 192.

27 *Ibid.*

28 *Gwyddoniadur Cymru yr Academi Gymreig*, gol. John Davies, Menna Baines, Nigel Jenkins a Peredur I. Lynch (Caerdydd, 2008), 488.

dros erwau a mynydd-dir angharedig a charegog. Bellach y mae
ei hanes i'w ganfod mewn o leiaf ddeugain o ieithoedd ac i John
Davies nid oedd neb i gymharu â hi. Dywed y nai:

I'm hewythr, pen blaenor gyda'r Annibynwyr, angen
hanfodol ein cymdeithas oedd magu gwerin â stamp
Mary Jones ar ei hysbryd.[29]

Ond ni chwenychodd William Davies gael bod yn y sêt fawr
yng nghapel Llanegryn ar ôl dod yn ôl o Groesoswallt.
Aeth ati i ddiwyllio ei gyd-fforddolion gan ddarllen yn eang a dotio at
ysgrifau y bardd o Geredigion, Prosser Rhys, cynnyrch llenorion
cylchgrawn *Y Llenor*, ac ysgrifau godidog Saunders Lewis.[30] Bu
llosgi Ysgol Fomio Penyberth ar Benrhyn Llŷn ar 8 Medi 1936
yn ddigwyddiad a ddylanwadodd ar William Davies. Cyneuwyd
tân yn rhai o'r cytiau ar y safle gan dri gŵr athrylithgar o Blaid
Genedlaethol Cymru – Saunders Lewis, ei Llywydd, Lewis
Valentine, gweinidog gyda'r Bedyddwyr, a D. J. Williams, a oedd
yn athro yn Abergwaun. Cynhyrfodd Penyberth a'r carcharu
a fu ar y tri mewn carchar yn Llundain y tad a'r mab yn fawr.
Daeth amheuon am y Blaid Lafur Brydeinig a'i hathroniaeth
ryng-genedlaethol i feddwl y ddau, ac mae'n amlwg i'r tad daflu
ei bwysau o blaid y Blaid Genedlaethol. Ni sonia Gwilym fod ei
dad nac yntau wedi dod yn gefnogwyr brwd i Gwynfor Evans
pan oedd ef yn ymgeisydd yn etholaeth Meirionnydd ar gyfer
Etholiad Cyffredinol 1945. Ond mewn llythyr at Gwilym o'r
Dalar Wen, Llangadog ar 9 Mai 1974, anfona Llywydd Plaid
Cymru ei gydymdeimlad ar farwolaeth Mary Matilda Davies.
Dywed:

29 Gwilym Prys-Davies, 'Dau Frawd', 192.
30 Ysgrifennodd Rhisiart Hinks gofiant i E. Prosser Rhys a gyhoeddwyd
yn 1980; a gwnaeth T. Robin Chapman yr un cymwynas â W. J. Gruffydd a
J. Saunders Lewis. Gw. T. Robin Chapman, *W. J. Gruffydd*, cyfres Dawn Dweud
(Caerdydd, 1993), ac *Un Bywyd o Blith Nifer: Cofiant Saunders Lewis* (Llandysul,
2006).

Clywais heddiw am farw eich mam, a daeth y newydd trist ag atgofion siriol imi am y croeso a gawn yn Llanegryn gan eich mam a'ch tad, genhedlaeth yn ôl. Cofiaf gerdded trwy'r eira o'r Tywyn yn gynnar un noson aeafol; 'roedd ein hysgrifennydd wedi cymryd yn ganiataol na ddeuwn ar y fath ddiwrnod a bu'n rhaid i'ch tad hel ychydig ynghyd i gael cynulliad. Ond eich mam a baratoes y wledd.[31]

A dyna oedd y drefn a'r patrwm yn y tridegau. Magwyd y mab ym mwrlwm y gweithgarwch ym maes addysg oedolion trwy ymdrechion y WEA, Cymdeithas Addysg y Gweithwyr a'r Gymdeithas Lenyddol. Llwyddai William Davies i gael mawrion y grefft o ddarlithio i bentref Llanegryn bob gaeaf. Yr oedd dau o'r darlithwyr hyn yn ffefrynnau mawr. Robert Owen (1885–1962) oedd y cyntaf, y gŵr a adnabyddid ym mhob rhan o Gymru fel Bob Owen, Croesor. Yn ei gartref yng Nghroesor crynhodd lyfrgell anferth o 47,000 o lyfrau, llawer o'r cyfrolau yn rhai prin, a meddyliai y byd o'r teulu i gyd.[32] Yr ail ffefryn oedd yr Athro Robert Thomas Jenkins (1881–1969) o Fangor, hanesydd a llenor unigryw. Yr oedd William Davies wedi ymserchu yn ei gyfrolau *Yr Apêl at Hanes* a *Ffrainc a'i Phobl*, dwy gyfrol a gyhoeddwyd pan symudodd o Gaerdydd i Fangor yn 1930.[33] Yr oedd ymweliad y ddau hyn, ac eraill, yn dynfa i werin ddiwylliedig Meirionnydd, a deuai John Davies o Abergynolwyn i'r darlithiau hyn, taith o chwe milltir bob ffordd ar gefn ei feic. Ceid cynulleidfaoedd yn llenwi'r neuadd a thrafodaeth fyw, gynhyrfus pan fyddai Bob Owen wrthi yn

---

31 Llyfrgell Genedlaethol Cymru, Papurau yr Arglwydd Prys-Davies. Llythyr Gwynfor Evans at Gwilym Prys-Davies, dyddiedig 9 Mai 1974.

32 Am Robert Owen (Bob Owen Croesor, 1885–1962), gw. ei gofiant gan Dyfed Evans a gyhoeddwyd yn 1977, a phennod arno gan awdur di-Gymraeg, Philip O'Connor, yn ei gyfrol *Living in Croesor*, a gyhoeddwyd yn 1962.

33 Cawn flasu pererindod yr hanesydd R. T. Jenkins yn ei hunangofiant, *Edrych yn ôl* (Llundain, 1968).

dinoethi un o farwniaid y pulpud ar ddechrau'r bedwaredd ganrif ar bymtheg, John Elias o Fôn.[34]

Cofiai Gwilym yn dda y paratoi ar gyfer y darlithiau hyn, a chyfraniad ei fam fel yr awgryma Gwynfor Evans yn ei lythyr. Hi yn arbennig 'ar adnoddau digon prin' a ddarparai wledd o swper ym Mhen-y-banc i'r darlithydd, ei gŵr a'i mab, y brawd John a phwy bynnag arall a wahoddwyd i'r aelwyd. Ac ar aelwyd Pen-y-banc y clywodd Abi Williams, un o feibion Llanegryn, a fu'n Llywydd Plaid Cymru, yn esbonio'n daer, lawer tro, fel y deuai byd helaethach i aelwydydd llwm Dyffryn Dysynni a Chymru yn sgil hunanlywodraeth. Yr oedd William Davies a'i fab yn glustiau i gyd, yn rhy ddeallus i lyncu'r propaganda heb ei ddadansoddi ond yn gweld bod gan y cenedlaetholwyr neges berthnasol.

Ciliasai William Davies o'r llwyfan gryn dipyn erbyn llencyndod Gwilym ac er ei fod yn glerc y Cyngor Plwyf, ei brif ddiddordeb oedd hanes a thraddodiadau'r fro. Er gwaethaf poenau dirdynnol a chloffni yn ei goesau, teithiai'n gyson i'r Llyfrgell Genedlaethol yn Aberystwyth i astudio llawysgrifau a'r ffynonellau gwreiddiol. Daeth y Llyfrgellydd Cenedlaethol Syr William Davies i'w edmygu yn fawr a daeth y ddau yn bennaf ffrindiau. Teithiai William Davies o Dywyn ar y trên i Aberystwyth a threfnu iddo gael ei gludo i fyny Allt Penglais i'r llyfrgell. Byddai'n dychwelyd gyda gwyll y nos ar y trên i fryniau Meirionnydd ac i'w gartref ym Mhen-y-banc yn flinedig a bodlon, gan fod ganddo ffeithiau i gadarnhau ei osodiadau ar gyfer y *magnum opus*, *Hanes Plwyf Llanegryn*.

Yn ei deyrnged i'w dad, dywed y mab:

> Perthynai ef i'r hen Gymru Brydeinig y perthynai Cwm
> Llanfihangel-y-Pennant o hyd iddi, bro ei deidiau,
> bro Owen Glyn Dŵr, bro Llewelyn ap Gruffydd, bro

---

34 Am agwedd wahanol i agwedd Bob Owen tuag at John Elias (1774–1841), gw. Bobi Jones, 'Achub Cam John Elias', *Porfeydd*, 1973, 11–14.

Gwyn ap Nudd, bro ffansi a chwedl. Pryderai fy nhad am gyfraniad yr hen fro i fywyd Cymru'r dyfodol. A fyddai'r cyfraniad a'r bywyd ar batrwm hanes ein cenedl ni, ynteu ar batrwm cenedl estron?[35]

Erbyn diwedd ei oes, yr oedd paratoi cyfrol safonol ar blwyf ei febyd yn genhadaeth i'r gwerinwr o Ben-y-banc. Dywed y mab:

> Er gwell neu er gwaeth ceisiodd achub y plwyf a garai drwy ddehongli ei orffennol a datguddio'i drysorau.[36]

Pen-y-banc oedd ei ddinas noddfa, un o gartrefi mwyaf diddorol y plwyf, gan iddo fod yn dafarn ac yn dŷ busnes; bu Thomas Edwards ('Twm o'r Nant', 1739–1810), pencampwr yr anterliwt, ar y ffald yn perfformio, a'r Methodistiaid Calfinaidd yn cynnal ysgol Sul ac oedfa yn y parlwr. Yn nyddiau William a Matilda Davies bu'n llythyrdy, a chynhaliai Cymdeithas Addysg y Gweithwyr ddosbarthiadau nos yno o fis Medi i fis Mawrth y flwyddyn ganlynol. William Davies oedd twrnai'r plwyf ac arbedai arian lawer i'r gwerinwyr a ddeuai ar ei ofyn. Ysgrifennai lythyron yn feunyddiol dros ei gymdogion a'i gyd-aelodau yn y capel at y gwahanol awdurdodau, yn arbennig y llywodraeth ganolog yn Llundain, Cyngor Sir Feirionnydd a'r Cyngor Dosbarth.

Yr oedd ei fam yn caru'r encilion, ac yn meddu ar swildod a etifeddodd y mab. Y teulu oedd yn bwysig iddi – ei phriod a'r mab a'r ferch a'i pherthnasau. Pan alwai'r achyddwr Bob Owen byddai hi'n ei holi ac yn ei herio i olrhain ei hachau. Gwnaed hynny. Medrai olrhain y teulu yn ôl o leiaf chwe chenhedlaeth i Huw Tudur (1713–1801), perchen Tyddyn Bron-llety-ifan ar y ffin rhwng Llanegryn a Llangelynnin, ddwy fitlltir dda o Lyn Gwernen. Tystiolaeth ei mab amdani oedd hyn:

---

35 Gwilym Prys-Davies, 'Dau Frawd', 194.
36 *Ibid.*, 193.

Ymfalchïai bob amser yn ei ffordd fwyn ei hun, yn
ei thras, a chofiaf fel yr âi i gladdu pob perthynas,
ymhell ac agos. Ymfalchïaf innau yn y goeden deulu a
drosglwyddwyd i mi.[37]

Cafodd Gwilym Prys-Davies fodd i fyw yn nyddiau Ysgol
Llanegryn ac, yn wir, ar ôl ei dderbyn i Ysgol Ramadeg Tywyn.
Oherwydd y cysylltiadau a nodwyd – y capel, Cymdeithas
Addysg y Gweithwyr, y Cyngor Plwyf, y llythyrdy – daeth
Gwilym i wybod ymhle y lleolid pob fferm a phob tŷ a phwy
oedd yn byw ym mhob un ohonynt. Byddai hyn yn gaffaeliad
amhrisiadwy pan fyddai'n mynd o amgylch i ddymuno'n dda
ar fore cynta'r flwyddyn, ac yn casglu calennig fel y gwneid ym
mhlwyfi Cymru. Derbyniai wahoddiadau bob haf i helpu aml
i fferm yn y cynhaeaf gwair a gwenith – gwaith blinderus ond
bywiog i blentyn ar ei dyfiant. Gwerthfawrogai'r cyfeillgarwch
gyda Rhydwyn Lloyd Pughe yn nyddiau Ysgol Llanegryn.
Arhosodd ef yn Llanegryn i ffermio Pant a Gwyddfryniau gan
fod yn gaffaeliad mawr i'r fro. Denodd Gwilym ef yn 1949 i'r
Mudiad Gweriniaethol. Bu ei farwolaeth ar 21 Mai 1991 yn
destun galar dwys i'w ffrind bore oes. Derbyniai Gwilym groeso
mawr yn y gwahanol ffermydd. Cymraeg oedd iaith bob dydd yr
aelwyd a'r gymuned, a dysgodd enwau'r caeau a'r ffermydd y bu'n
gweithio ynddynt, a medrai eu cofio yn ei henaint.

---

37 Gwilym Prys-Davies, *Llafur y Blynyddoedd*, 20.

PENNOD 2

Dyddiau Ysgol Tywyn a'r Ail Ryfel Byd

A ELOD SENEDDOL MEIRIONNYDD Henry Haydn Jones, a wasanaethodd yr etholaeth o 1910 i 1945, oedd yn gwbl gyfrifol am sefydlu Ysgol Ramadeg Tywyn.[1] Perthynai i deulu nodedig. Gellid galw Haydn Jones yn dad yr ysgol, ac ef am 50 mlynedd oedd Cadeirydd y Llywodraethwyr. Yn ŵr ifanc pump ar hugain oed, sefydlodd bwyllgor yn Nhywyn i ystyried sefyllfa ysgol uwchradd ar gyfer plant Meirionnydd. Fel ysgrifennydd y pwyllgor gwreiddiol gwnaeth gais am ysgol yn Nhywyn dan Ddeddf Addysg 1889. Bu'r cais yn llwyddiannus a thrwy haelioni John Corbett o Ynysmaengwyn cafodd ysgol newydd sbon ei hagor yn 1894 ym Mrynarfor. Llwyddodd yr ysgol yn rhyfeddol oherwydd bod Haydn Jones yn gyfaill agos i deulu cyfoethog Llandinam. Rhoddodd David Davies, a ddaeth yn Aelod Seneddol Sir Drefaldwyn, fenthyciadau er mwyn prynu Bryntirion a symiau eraill yn ôl y galw. Olynwyd Thomas Jones ar ôl naw mlynedd ar hugain fel prifathro gan Dr G. Brychan Rees, ysgolhaig yn yr iaith Almaeneg. Dr G. Brychan Rees oedd y prifathro pan aeth y llencyn gwledig yno yn ddisgybl ym mis Medi 1934. Bu'r symudiad o Ysgol Llanegryn i Ysgol Ramadeg Tywyn yn brofiad nad anghofiodd weddill ei ddyddiau. Bachgen swil ydoedd yr adeg honno ac yr oedd tref Tywyn yn perthyn i fyd gwahanol i'r plwyf gwledig. Anaml y bu yn y dref yn blentyn, er mai dim ond pedair milltir o ffordd oedd rhwng Llanegryn a Thywyn. Teimlai yn un ar ddeg oed fod y pellter yn llawer mwy,

---

1   Llyfrgell Genedlaethol Cymru, Papurau yr Arglwydd Prys-Davies, Bocs 1/4. Anerchiad ar Ysgol Tywyn; adroddwyd yr atgofion ar 30 Mawrth 1997 i Gymdeithas yr Hen Ddisgyblion, tudalennau 1–13.

fel petai'n bedwar can milltir, neu yn wir, fel y dywed ei hun, yn bedair mil o filltiroedd.

Fel y soniodd lawer tro, yr oedd tri dosbarth o blant yn Nhywyn. Y grŵp cyntaf oedd plant Cymraeg eu hiaith o ardaloedd cyfagos fel Llanegryn, Llwyngwril, Bryn-crug, Abergynolwyn a Maethlon. Yr ail grŵp oedd plant di-Gymraeg a siaradai Saesneg ac a ddeuai o'r dref, o Aberdyfi ac o'r Friog yn bennaf. Y trydydd grŵp oedd plant o bob rhan o Loegr a Chymru a chyfandir Ewrop a oedd yn lletya yn yr ardal. Yn nhymor 1937–1938 cofiai ddau blentyn o gymuned Iddewig Awstria a oedd wedi dianc rhag yr Holocost ac wedi cael noddfa ym Mhrydain a chyfle i gael addysg yn Ysgol Tywyn.

Saesneg oedd iaith yr ysgol ac ni cheisiodd y prifathro, Dr G. Brychan Rees, wneud dim byd am gyflwr isel yr iaith Gymraeg. Meddai ar weledigaeth arbennig a roddai le i ddiwylliant Saesneg ac yn arbennig i ddramâu William Shakespeare. Trefnai fod y plant hynaf yn cael mynd i weld dramâu Shakespeare yn Stratford-upon-Avon. Yn ystod ei gyfnod ef yn brifathro adeiladwyd pafiliwn chwaraeon ysblennydd, er nad oes dim tystiolaeth fod Gwilym Prys-Davies yn perthyn i dîm pêl-droed yr ysgol.[2]

Mewn ysgrif am yr ysgol gofynna'r cyn-ddisgybl y cwestiwn: Beth fu dylanwad yr ysgol arnom? A medrai ateb yn gadarnhaol. Teimlai yn ddidwyll iawn iddo dderbyn yn helaeth o'r hyn a eilw yn 'Cabinet Dr Brychan Rees'. Sonia am dri ohonynt, sef T. V. Davies, Miss A. M. Evans a Richard Jones. Heb y tri hyn byddai wedi bod yn dlotach o lawer arno ar gychwyn ei rawd.[3]

Athro Saesneg oedd T. V. Davies a gwelodd yn fuan allu'r disgybl o Lanegryn ac aeth ati i swcro ei dalent. Trwy ei ymroddiad ef daeth Gwilym yn feistr ar y Saesneg.[4] Disgwyliai T. V. Davies iddo gyfieithu gwahanol ddarnau o'r Gymraeg i'r

2   *Ibid.*, 11.
3   Cafodd T. V. Davies a'i briod brofiad dirdynnol ym marwolaeth eu hunig fab, Vernon, o polio, pan oedd yn gwasanaethu yn yr India. Gw. yr Anerchiad, tudalen 8.
4   *Ibid.*, 11.

Saesneg a dod â hwy iddo i'w tafoli. Byddai aelwyd Pen-y-banc yn derbyn cyflenwad o gylchgronau Cymraeg fel *Yr Haul*, *Y Ford Gron*, *Y Llenor*, *Heddiw*, *Y Dysgedydd* a *Bathafarn*, ac felly nid oedd prinder deunydd Cymraeg i'w gyfieithu.[5] Treuliodd T. V. Davies flynyddoedd gorau ei fywyd yn dysgu iaith a llenyddiaeth Saesneg i blant Tywyn a'r cyffiniau. Ef a ddilynodd Dr Brychan Rees fel prifathro yn 1945, a hynny ar adeg anodd yn ei fywyd gan iddo golli ei unig fab, Vernon, yn yr India pan fu farw o polio ac yntau yn lifrai milwr. Ond gofalai T. V. Davies anwybyddu hyd y medrai yr iaith Gymraeg. Aeth mor bell un diwrnod â cheryddu un o'i hoff ddisgyblion, Gwilym, a dau Gymro arall am eu bod yn meiddio siarad Cymraeg â'i gilydd. Trodd T. V. Davies atynt yn gynhyrfus gan godi ei lais: 'Boys, Welsh counts for nothing east of Machynlleth – siaradwch Saesneg.'[6] Ond bu'n ffodus o ddosbarthiadau T. V. Davies. Ac yn y dosbarth hwnnw ceid bachgen peniog o'r enw Peter Richmond a ddaeth maes o law yn is-olygydd y papur dyddiol dylanwadol, y *Daily Mail*.

Yr ail ddylanwad arno oedd Miss A. M. Evans, athrawes ymroddedig a ddysgai Ddaearyddiaeth trwy'r ysgol. Un o Geredigion ydoedd a phlannodd yng nghalon Gwilym ddiddordeb mawr yng ngwledydd cyfandir Ewrop a'u gwleidyddiaeth. Byddai'n cyfuno yn ei gwersi ei hymweliadau hi â'r gwledydd y byddai'n sôn amdanynt. Mewn anerchiad am yr hen ysgol dywedodd amdani: 'Ni fedraf heddiw ymweld â dinasoedd Ewrop heb gofio am garedigrwydd, hyder a neges fy hen athrawes o Sir Aberteifi.'[7]

Y trydydd athro a fu'n wir gyfaill iddo oedd yr athro Cymraeg, Richard Jones. Dysgai hefyd Ladin a Groeg i nifer ddethol o ddisgyblion. Roedd yn enedigol o Drawsfynydd. Yn anffodus, ychydig o lyfrau Cymraeg a welid yn llyfrgell yr ysgol ond byddai Richard Jones yn rhoddi benthyg cyfrolau o'i gasgliad ei hun.

---

5   *Ibid.*, 12.
6   *Ibid.*
7   Gwilym Prys-Davies, Anerchiad ar Ysgol Tywyn (30 Mawrth, 1997), 12.

Bu'n ddylanwad mawr ar Gwilym fel person ac fel cefnogwr iddo. Dywed yn annwyl amdano: 'O aelodau'r staff a fedrai siarad Cymraeg, efô yn unig a siaradai â mi bob amser yn fy iaith fy hun.'[8] Perthynai rhadlonrwydd mawr i'r athro Cymraeg ac yr oedd yn hynod o wybodus am ei bwnc. Gwelid ef yn ei oriau hamdden a'r bibell bob amser yn ei geg. Daeth Gwilym yn gryn ffrind i Richard Jones.

Bu dyfodiad yr Ail Ryfel Byd yn ysgytiad mawr i aelwyd Pen-y-banc. Yr oedd ei dad William Davies wedi byw drwy'r Rhyfel Byd Cyntaf. Oherwydd cyflwr bregus ei iechyd ni fu'n rhaid iddo ymuno â'r miloedd o Gymry a wrandawodd ar apeliadau David Lloyd George a'i gefnogwyr. Gwyddai o brofiad am y colledion mawr a wybu'r broydd trwy Gymru gyfan. Ac yn 1939 pan ddaeth hi'n rhyfel arall, ystyriodd William Davies o ddifrif beth fyddai'r goblygiadau i Gwilym ei fab. Nid oedd am iddo ymuno â'r lluoedd arfog. Cynnyrch capel yr Annibynwyr yn Llanegryn oedd William Davies a'i deulu, ac erbyn hynny roedd yn fwy o gefnogwr i Blaid Cymru na'r Blaid Lafur. Yr oedd Plaid Cymru yn cynnwys carfan fawr o heddychwyr, llawer mwy o ran cyfartaledd na'r Blaid Lafur.

Yr oedd y mudiad heddwch yn amlwg ymysg yr Ymneilltuwyr, a Gwynfor Evans yn un o heddychwyr amlycaf ei gyfnod. Y gwir oedd fod gwrthwynebiad i orfodaeth filwrol yn fwy amlwg ac eang yng Nghymru nag ydoedd ym Mhrydain yn gyffredinol. Denodd Pleidlais Heddwch 1935 bleidleisiau 62% o oedolion Cymru, o gymharu â 38% ym Mhrydain gyfan. Gwyddai William Davies fod amaethyddiaeth a gweithio ar y tir yn cael eu cyfrif yn alwedigaeth arbennig o ran gorfodaeth filwrol. Ni ddisgwylid i feibion ffermwyr yng nghylch Dysynni ymuno â'r lluoedd arfog. Rhoddid iddynt yr hawl i weithio gartref. O ganlyniad, pan ddaeth Gwilym yn un ar bymtheg oed perswadiodd ei dad ef i adael Ysgol Tywyn am waith amaethyddol. Yr oedd wedi llwyddo i sefyll ei arholiadau Lefel O ond heb gael cyfle i baratoi ar gyfer

8   *Ibid.*

Lefel A. Llwyddodd William Davies i gael lle iddo yn gweithio ar fferm deuluol yn Nyffryn Dysynni. Ewythr a modryb iddo (brawd a chwaer ei dad) oedd yng ngofal y fferm, un yn hen lanc a'r llall yn hen ferch. Yr oedd ganddynt was yn barod, a chafodd Gwilym ei gyflogi fel gwas bach i wneud negeseuon i'w fodryb ac i fod yn help i'w ewythr a'r gwas mawr. Gwaith caled digon diflas oedd gofynion y fferm i blentyn galluog, peniog, a daliodd Gwilym wrth ei waith am ddwy flynedd. Pan gyrhaeddodd ei ddeunaw oed penderfynodd nad oedd am ddal ati ar y fferm a bod dyletswydd arno i ystyried llwybr y lluoedd arfog. Nid oedd am droedio llwybr y gwrthwynebydd cydwybodol a dywedodd yn ddiweddarach wrth ei ferch hynaf, Catrin, na ellid delio â'r gelyn dichellgar, sef Natsïaid yr Almaen, heb iddo ef ymuno yn y rhyfel.

Ni soniodd wrth neb ohonom pam y penderfynodd ymuno â'r llynges yn hytrach na'r fyddin, ac yn fwy anffodus ni rannodd ryw lawer o'r profiadau a ddaeth iddo dros gyfnod yr Ail Ryfel Byd, o 1942, pan gofrestrodd, hyd y diwedd yn 1945. Bu hyn yn golled fawr i'n dealltwriaeth o'r gyflafan trwy lygaid Cymro ifanc ymroddgar. Ond mae'n amlwg fod gwaith caled y tyddyn yn ei flino, a chan nad oedd yn heddychwr gwelai yn glir y dylai yntau ymuno fel y mwyafrif o'i gyfoeswyr yn ardal Tywyn. Cawn wybod yn archif Plaid Cymru yn y Llyfrgell Genedlaethol am ymateb llu o Gymry ifanc tebyg iddo, ar ôl ymuno fel milwyr a morwyr. Cymro twymgalon o Lanelli oedd T. R. Evans. Ni chafodd ei anfon i faes y gad ond yn hytrach i gicio'i sodlau yng ngwersylloedd milwrol Lloegr a Chymru. Credai'r llanc, fel Gwilym, mewn hunanlywodraeth ac yn ei lythyr trwsgl ei iaith at Drefnydd y Blaid Genedlaethol, J. E. Jones, adroddodd ei brofiad:

> Yr ydwyf wedi dysgu llawer yn y fyddin, sef bod y Sais yn gwneud sbort a dirmyg ar ben y Cymro, ni chwrddais a un Cymro pan cefais fy alw lan ond fy dodi ynghanol nifer o

Saeson yn Hampshire. Yr ydwyf lawr yma am ei bod wedi methu gwneud dim byd a fi yn Lloegr.[9]

Anfonwyd ef i wersyll Castellmartin yn Sir Benfro lle yr oedd yn fwy dedwydd ei fyd.

Ceir cyfeiriad at genedlaetholwr arall yn yr archif, y tro hwn Cliff Bere, ac yntau yn y Dwyrain Canol ac yn llawn hwyl. Derbyniodd fudd mawr yn eisteddfod y Cymry a gynhaliwyd yn ninas Cairo. Dymuniad Cliff Bere oedd dod o hyd i lyfryn a luniwyd gan Saunders Lewis. Dywed Bere wrth J. E. Jones: 'Byddai'n dda gennyf weld llyfryn Mr Saunders Lewis, *Cymru Wedi'r Rhyfel.*[10]

Mentrodd Gwilym o Lanegryn i Lerpwl ac i fyd caletach na'r hyn a welir yn y dyfyniadau a nodwyd. Ac o Lerpwl teithiodd ar y trên er mwyn ymuno â'r *Collingwood,* llong oedd yn aros y tu allan i borthladd Portsmouth. Cyrhaeddodd yno ar 4 Awst 1942. Ni wyddom ryw lawer am y dyletswyddau y byddai'n eu cyflawni, ond gwyddom y byddai'n dibynnu ar frechdanau *corned beef* ar gyfer yr ymarferion dyddiol.

Daeth cyfle i'r awdurdodau ei hyfforddi i ddefnyddio radar a bu ar nifer o longau'r Llynges Frenhinol fel *Valkyrie, Mercury, Archer, Pretoria, Bristol* a'r llong danfor *Excalibur.* Cafodd dymor yng Ngholeg Polytechnig Northampton sef y sefydliad a leolid yn Clerkenwell, Llundain o Ionawr i Fehefin 1945. Daeth y coleg hwn yn brifysgol ac yno y bu Catrin ei ferch yn fyfyrwraig heb wybod i'w thad fod yno. Mae'n debyg mai yn y cyfnod hwn y lluniodd lythyr godidog y deuthum ar ei draws, llythyr a anfonodd fel y cenedlaetholwyr eraill a nodais at Drefnydd Plaid Cymru, J. E. Jones. Lluniwyd y llythyr yn Hostel St Barts, Shepperton Road, Islington, Llundain N1. Nid oes dyddiad ar

---

9   Llyfrgell Genedlaethol Cymru, Casgliad Plaid Cymru, B1325. Llythyron oddi wrth y milwyr. Llythyr T. R. Evans o wersyll Castellmartin at J. E. Jones (dim dyddiad, rywdro yn 1944, mae'n debyg).
10 *Ibid.* Llythyr Signalman C. J. Bere o'r Aifft at J. E. Jones, dyddiedig 18 Chwefror 1944.

ben y llythyr ond fe'i hysgrifennwyd ar nos Sul yn 1945. Y mae'r llythyr yn rhoddi i ni bortread byw o'r deallusyn ifanc sydd yn edrych ymlaen at yr etholiad cyffredinol a oedd yn amlwg yn agos. Dywed wrth J. E. Jones:

> Bu Churchill a'r wraig yn siarad yma ac acw yn Essex ddoe – clywais iddo gael ei 'heclo' gan ryw ychydig, ond dim rhyfedd yn y byd.[11]

Yr oedd ef yn darllen yr adeg honno am waith y llenor Eingl-Wyddelig James Joyce. Mae'n debyg iddo ddod o hyd i'r llyfr yn siop Griffs yn Llundain neu yn Foyles. Astudiaeth o James Joyce gan Aneirin Talfan Davies, *Yr Alltud*, a gyhoeddwyd yn 1944, oedd y gyfrol a ddarllenai.

Clywodd hefyd am un o gyfeillion pennaf Hitler, sef Himmler, yn gorff marw ac 'wedi ei gladdu mewn beddrod oer mewn coedwig unig, anghysbell, coedwig ddi-enw'.[12] Nid oedd ganddo ddim i'w ddweud wrth y Ffrancwr De Gaulle na'r rhai a eilw yn 'Wleidyddwyr Saesnig'. Ar ddiwedd y rhyfel yr oedd ei ymwybyddiaeth Gymreig yn gryfach nag y bu pan oedd T. V. Davies yn bychanu iaith ei aelwyd a'i dreftadaeth pan fynychai Ysgol Tywyn. Cadwodd mewn cysylltiad â Richard Jones. Pan ddeuai cyfle i fynd adref am dro o'r llynges galwai i'w weld ym Maesgwyn, Tywyn, ac yn ystod un o'r sgyrsiau hyn pwysodd Richard Jones arno i fynd ar ddiwedd y rhyfel i astudio'r Gyfraith yng Ngholeg y Brifysgol, Aberystwyth. Dyna gyngor doeth iddo.

Gwelir ei edmygedd o Gwynfor Evans yn ei lythyr. Dywed:

> Bydd rhaid torchi llewys yng Nghymru. Y mae'n debyg bydd Gwynfor yn cychwyn ar ei daith genhadol ym Meirionnydd yn bur fuan.[13]

---

11   *Ibid.* Llythyr Gwilym Prys-Davies, St Barts Hostel, Shepperton Road, Islington, Llundain, N1, at J. E. Jones (dim dyddiad, ond rywdro ym mis Mehefin 1945).
12   *Ibid.*
13   *Ibid.*

Yna sonia am y talcen caled i'r Blaid Genedlaethol yn sir ei febyd. Sobrir ni gan yr hyn a ddywed:

Gardd bur fudr sy'n Meirion, rhaid wrth chwynnu egnïol ond rhaid cofio bob amser cyn y gellir medi'r cynhaeaf, rhaid hau yr had. Dymunaf yn dda i Gwynfor.[14]

Hwn oedd y gwleidydd a alwai ym Mhen-y-banc i dderbyn cefnogaeth ei rieni, y Gwynfor y byddai mewn dau ddegawd yn brwydro yn ei erbyn, er mwyn cadw Caerfyrddin i Lafur mewn isetholiad. Mae'n cynnig ei wasanaeth i'r Blaid yn 1945, mor wahanol i Meredydd Evans a D. Tecwyn Lloyd a weithiai'n galed dros Huw Morris-Jones a'r Blaid Lafur yn Sir Feirionnydd. Yr oedd Tecwyn Lloyd wedi cael ei siomi ym Mhlaid Cymru ond nid oedd hynny'n wir am Gwilym Prys-Davies. Awgrymodd i'r Trefnydd ei fod ef yn rhydd ar y penwythnosau ond 'Ni allwn yn hawdd gynnal cyfarfod ar y Sul!?' Yn sicr, ni fyddai J. E. Jones, athro ysgol Sul yng Nghapel Heol y Crwys, Caerdydd, na Gwynfor Evans, Annibynnwr o hil gerdd, yn croesawu canfasio na chynnal cyfarfodydd ar y Sul chwaith. Ond gesyd ei gardiau ar y bwrdd gan awgrymu bod ganddo uchelgais i fynd ryw ddydd yn Aelod Seneddol i San Steffan.

Bu Gwilym ar ddau *escort carrier* yng Ngogledd Môr Iwerydd, sef HMS *Archer* ac HMS *Pretoria Castle*.[15] Yr oedd un ohonynt wedi ei haddasu o long fasnach ac nid oedd yn teimlo'n ddiogel o gwbl ar honno; nid oedd yn rhoddi hyder o gwbl iddo. Gwnâi hyn hi'n anodd i'r peilotiaid ifanc pan oeddynt yn ceisio glanio ar y llong. Nid oedd dim y medrai ei wneud ond gwylio'r peilotiaid yn hyrddio i'w marwolaeth yn nyfnderoedd y môr. Eglurodd Gwilym wrth ei anwyliaid fel yr oedd y confoi yn gadael porthladd Lerpwl am yr Alban ac yna i fyny i oerni'r dyfroedd o amgylch Ynys yr Iâ, ac oddi yno am Ogledd America, naill ai i'r

14 *Ibid.*
15 Gwybodaeth gan Mrs Catrin Waugh, Llundain. Gw. J. J. Colledge, *Ships of the Royal Navy* (London, 1987) 1–388 .

Unol Daleithiau neu i Ganada. Ond ni chafodd Gwilym gyfle i fynd ymhellach nag Ynys yr Iâ, a chan fod y wlad honno yn wlad niwtral, dywedid bod y brifddinas Reykjavik yn llawn o sbïwyr Almaenig oedd yn ceisio darganfod ymhle y lleolid y confois o Lerpwl, ac felly ni chaniateid i aelodau ifanc fynd allan o'r *naval base* a berthynai i'r Americanwyr. Yr oedd y lle hwnnw yn meddu ar fwyd gwell nag a geid ar y llong danfor ond dyna'r cwbl a welodd o Ynys yr Iâ. Lleolid y gwersyll ar gyrion Reykjavik.[16]

Daeth Gwilym yn gyfeillgar â nifer o'i gyd-longwyr. Sonia am un yn arbennig a oedd yn fab i ddeliwr stociau a chyfranddaliadau ac yn byw mewn ardal foethus yn Swydd Surrey. Gwahoddwyd Gwilym i gartref ei ffrind a derbyniodd y cyfle; roedd ei gartref mor wahanol ym mhob dim i Ben-y-banc, Llanegryn. Gobeithiai ei ffrind caredig gysegru ei fywyd i fod yn offeiriad Anglicanaidd ar derfyn y rhyfel. Gwirfoddolodd i fod yn *submariner* – roedd y gwaith hwnnw mor beryglus fel ei bod yn ofynnol i bwy bynnag a ddymunai gyflawni'r dasg wirfoddoli ei hun. Felly diflannodd y cyfaill hoff o'i fyd, ac ar derfyn y gyflafan ceisiodd Gwilym ddod o hyd iddo ond yn aflwyddiannus. Gofidiai yn ddiweddarach nad oedd wedi ymdrechu'n fwy taer i ddod o hyd iddo, ond yn ddistaw bach ofnai ei fod wedi ei ladd gan un o longau'r Almaenwyr.

Glaslanc o alltud fu Gwilym am bedair blynedd y rhyfel, yn brwydro dros wareiddiad y Gorllewin, Cymru a gweddill y Deyrnas Unedig. Breuddwydiai am ddyddiau gwell i ddod. Yr oedd ganddo ddyhead i gerdded llwybr gwleidyddiaeth. Ond yr oedd ei safbwynt yn gwbl Gymreig ac o fewn gwersyll y cenedlaetholwyr, er iddo gael ei fagu yng nghanol sosialaeth teulu ei dad. Dywed heb flewyn ar ei dafod ei fod am roddi ei orau i'w genedl ac i'w dyfodol. Cofrestrodd ym Mhrifysgol Cymru yn Aberystwyth, fel rhan o'r system ar gyfer y rhai a fu yn y gyflafan, er nad oedd ganddo gymwysterau Lefel A. Nid oedd angen poeni amdano. Dywedodd un o'i gyd-fyfyrwyr,

---

16 *Ibid.*

Robyn Léwis, amdano: 'Roedd yn alluog, huawdl, cydwybodol, gweithiwr caled a manwl, dadansoddwr penigamp.'[17] Dyna hefyd a welodd yr Athro Llewelfryn Davies a'i gyd-ddarlithwyr yn Adran y Gyfraith yn y bachgen swil o Lanegryn.

---

17   Adolygiad Dr Robyn Léwis ar *Cynhaeaf Hanner Canrif Gwilym Prys-Davies,* *Y Goleuad,* 14 Tachwedd 2008, 12

PENNOD 3

Dyddiau'r Wawr *yng Ngholeg Prifysgol Cymru, Aberystwyth (1946–1952)*

ANTUR FAWR yn hanes Gwilym Prys-Davies oedd gadael y llynges a mentro i astudio'r Gyfraith yng Ngholeg Prifysgol Cymru, Aberystwyth. Nid oedd, fel y gwyddom, yn meddu ar gymwysterau Lefel A ond yr oedd bechgyn fel ef a fu ynghanol y drin yn cael eu derbyn heb y cymhwyster hwnnw. Yr oedd Adran y Gyfraith yn Aberystwyth yn meddu ar enw da ymysg pobl y gyfraith. Onid oedd yr Adran yn nyddiau yr Athro Thomas Levi wedi addysgu bechgyn a wnaeth farc ym mywyd cymdeithas fel Eric Carson, Gwynfor Evans, Cledwyn Hughes a David Hughes Parry, a fu'n ddarlithydd yno ac wedyn yn Athro'r Gyfraith ym Mhrifysgol Llundain?[1]

Ymddeolodd yr Athro Thomas Levi yn 1940 ac fe'i dilynwyd fel Pennaeth yr Adran gan D. J. Llewelfryn Davies.[2] Yn academaidd yr oedd ef yn y rheng flaenaf o athrawon a'i wreiddiau yn ddwfn yn naear Sir Gaerfyrddin, fel ei briod hawddgar. Fe lwyddodd i ddenu nifer o academyddion nodedig i'w gynorthwyo a byddai'n ofalus iawn o'i fyfyrwyr. Bu'n hynod

---

1 Am Eric Carson, gweler hunangofiant John Phillips, *Agor Cloriau – Atgofion Addysgwr* (Talybont, 2018), 144. Ceir hanes Gwynfor Evans yng nghofiant Rhys Evans iddo, *Gwynfor: Rhag Pob Brad* (2005); Cledwyn Hughes yng nghofiant D. Ben Rees: *Cofiant Cledwyn Hughes* (2017); am Syr David Hughes Parry, gw. *Atgofion Syr David Hughes Parry: O Bentref Llanhaelhaearn i Ddinas Llundain*, Cyfrol 1 (Caernarfon, 1972), 58–62.

2 Nid yw Gwilym yn ei hunangofiant yn enwi yr Athro, y cofir amdano am ei ysbryd haelionus, gofalus, a chefnogol i'w fyfyrwyr yn yr Adran. Gw., Richard W. Ireland, Yr Athro David James Llywelfryn Davies (1903–1981) (yn) *Y Bywgraffiadur Cymreig ar Lein*.

o garedig tuag at y gŵr ifanc a welodd enbydrwydd y rhyfel, gan ei fugeilio a'i gefnogi hyd yr eithaf. Gŵr llariaidd, caredig oedd yr Athro D. J. Llewelfryn Davies, ac roedd ei briod Mary, chwaer Amy Parry-Williams, yr un mor ofalus o'r myfyrwyr ag yr oedd ef. Yn wir, priododd y ddau yn ystod cyfnod cynnar Gwilym yn y Coleg.

Daeth Gwilym Prys-Davies i'r Adran a'r Coleg yn nechrau Medi 1946 yn llawn gobaith am wawr newydd yn ei hanes ef a'i genhedlaeth, yn wir yn hanes ei genedl, gan ei fod yn Gymro brwdfrydig. Yn ystod ei dymor cyntaf fel myfyriwr mynegodd ei farn yn y cylchgrawn *Y Ddraig* am Brifysgol Cymru, y brifysgol y bu ef yn fawr ei gyfraniad iddi ar wahanol adegau yn ei fywyd. Iddo ef, fel i O. M. Edwards a W. J. Gruffydd, y werin bobl oedd yn gyfrifol am fodolaeth y sefydliad addysgol hwn. Hebddynt hwy, ni fyddai Prifysgol Cymru a'i cholegau yn bod, a theimlai ei fod ef yn un o'r dosbarth hwnnw pan gafodd ei hun yn yr Adran yn Marine Terrace yn edrych allan ar y môr mawr y bu yn ei ganol dros gyfnod helaeth o'r rhyfel. Dotiai yn arbennig o gael bod mor agos i Fae Ceredigion. Adran fechan oedd hi, rhyw wyth deg o fyfyrwyr yn y tair blynedd gyda'i gilydd. Yr oedd Adran y Gyfraith yn Gyfadran ar ei phen ei hun. Ar y pryd hwnnw ar derfyn yr Ail Ryfel Byd, un Ysgol y Gyfraith a fodolai ym Mhrifysgol Cymru a lleolid honno ar lan y môr yn Aberystwyth.

Yn ei ysgrif gyntaf fel myfyriwr, mynega Gwilym y cefndir aberthol y perthynai Coleg Prifysgol Cymru, Aberystwyth, y cyntaf o'r colegau, iddo:

Mawr fu hiraeth Cymru am gael Prifysgol inni fel cenedl. Ymdrechwyd ac aberthwyd gan werin ein gwlad er mwyn coroni ein cyfundrefn addysg â phrifysgol.[3]

---

3   Gwilym Prys Davies, 'Prifysgol Cymru', *Y Ddraig / The Dragon*, Cyfrol LXIX, Rhif I, 1946, 4.

Ni chafodd ei dad na'i frodyr a'i chwiorydd y cyfle i ddod i Aberystwyth, ond daliai i bwysleisio mai pobl fel hwy oedd yn gyfrifol am y cyfleusterau y byddai ef yn manteisio arnynt. Gofynna'r cwestiwn:

A yw'r addysg a'r diwylliant a gyfrennir gan ein prifysgol yn unol ag amcan ac ysbryd y cymeriad Cymreig?[4]

Y mae'r geiriau 'cymeriad Cymreig' yn amwys iawn yng nghyddestun ei ddadl, ac ychwanega mai 'datblygu'r meddwl a'r cymeriad Cymreig yw lle'r Brifysgol'. Fel eraill o'i flaen yn neffroad Cymru Fydd y mae'n edrych ar y Brifysgol fel 'cartref ac aelwyd i bob Cymro a gafodd ei freintio â'r gallu i resymu, athronyddu a mynegi'n raenus ei syniadau'.[5] Ond y mae'n mynd ymhellach na hynny gan gredu fod y Brifysgol yng Nghymru i fod yn feithrinfa i Gymry ac yn fodd i Gymreigrwydd gael ei le dyladwy ym mywyd Cymru. Rhydd rybudd amserol: 'Os pall y Brifysgol mewn Cymreigrwydd y mae ei neges yng Nghymru ar ben.'[6]

Hoffai weld Cymreigrwydd yn 'gwefreiddio'r awyrgylch'. Dylai pob Cymro Cymraeg deimlo ar ben y byd o fewn colegau'r Brifysgol. Priod waith y Coleg a'r adrannau yw 'dysgu' ac, ychwanega, 'disgyblu ein ffordd ni o fyw'. Hyn, yn ei eiriau ef, yw 'hawlfraint prifysgol gwerth yr enw yng Nghymru. Dylai Prifysgol Cymru gofio mai gwasanaethu Cymru a'i gwerin yw ei braint, a dylai'r ymchwil a wneir atgyfnerthu y bywyd Cymreig yn ei holl agweddau.'[7]

Yr oedd eraill o'r myfyrwyr a fu yn yr Ail Ryfel Byd yn teimlo yr un fath ag ef. Dyna oedd safbwynt T. Elwyn Griffiths, gŵr o Landybïe a, maes o law, un o sylfaenwyr y mudiad 'Cymru a'r Byd'. Yr oedd ef mor daer dros ei gyd-Gymry yn yr Aifft; yn

4   *Ibid.*
5   *Ibid.*
6   *Ibid.*
7   *Ibid.*

wir, yr oedd yn un o'r rhai a gychwynnodd bapur Cymraeg o'r enw *Seren y Dwyrain* ac eisteddfod i'r milwyr o Gymry oedd yn y Dwyrain Canol, a hynny yn ninas brysur Cairo. Clywyd gan rai eraill o'i gyfoedion feirniadaeth ar yr agwedd ddigon difater tuag at yr etifeddiaeth yn y Coleg ger y Lli.

Credai Gwilym Prys-Davies mai ei ddyletswydd ef oedd sefydlu cangen o'r Blaid Genedlaethol ymysg y myfyrwyr, ac aeth ati i ymgomio a chynllunio a sefydlu cangen weithgar. Daeth i gysylltiad ag Is-lywydd Undeb y Myfyrwyr Jennie Howells o Lanpumsaint, a chariad James Eirian Davies o Nantgaredig, un â'i wyneb ar y weinidogaeth.[8] Gwelwn yn glir fod y gangen wedi ei sefydlu yn fuan yn y tymor cyntaf. Derbyniodd Eirian Davies swydd Llywydd y gangen, Meinir Griffiths yn Drysorydd a Gwilym Prys-Davies yn Ysgrifennydd.[9] Y mae llwyddiant pob cymdeithas a mudiad yn dibynnu ar effeithiolrwydd y swyddogion, ac yn arbennig yr ysgrifennydd.

Gwahoddwyd Llywydd y Blaid, Gwynfor Evans, i annerch y cyfarfod cyntaf yn ystafell Caffi Owens. Llanwyd yr ystafell â myfyrwyr eiddgar a phwysleisiodd Gwynfor Evans mai angen pennaf Plaid Cymru yn yr etholaethau, fel yn y colegau, oedd 'digon o arweinwyr.'[10] Trefnodd Gwilym fod D. J. Williams, Abergwaun, un o arwyr Penyberth, i deithio gyda bws ar gyfer y cyfarfod ar 21 Tachwedd yn yr un lleoliad, i annerch ar destun yr oedd ef wedi ymgodymu ag ef eisoes, sef 'Prifysgol i Beth?' Athro ysgol oedd y llenor dawnus D. J. Williams a bu ymateb da i'w ymweliad ef. Trefnodd gyda D. J. Rees, Ysgrifennydd Cangen y Blaid Lafur yn y Coleg, eu bod yn cynnal dadl, y sosialwyr ar un llaw a'r cenedlaetholwyr ar y llall. Gallai ddweud ar ôl y trydydd cyfarfod:

---

8   Mynegodd ei werthfawrogiad o gyfeillgarwch, bywyd a chyfraniad Jennie Eirian Davies yn y gyfrol deyrnged *Jennie Eirian*, gol. Gwyn Erfyl (Caernarfon, 1985), 86–90.

9   'Y Blaid Genedlaethol', *Y Ddraig / The Dragon*, Cyfrol LXIX, Rhif 2, 21.

10   Adroddiad Gwilym Prys-Davies, *ibid*., 22.

Yn nhymor y Grawys newidiwyd y swyddogion a daeth myfyriwr tanbaid arall yn Llywydd, Stanley Lewis o bentref Blaenplwyf yn Sir Aberteifi a Pat Wainwright yn Ysgrifennydd. Cafodd y gangen glywed gan fawrion y Blaid Genedlaethol, gyda darlithiau cofiadwy gan Wynne Samuel, y Parchedig Fred Jones, Talybont, y cyn-Lywydd Saunders Lewis a Gwynfor Evans am yr eildro.[11]

Yr oedd Gwilym erbyn hyn wedi ehangu ei gylch ac yn treulio nosweithiau ei hun yn efengylu dros Blaid Cymru yn y pentrefi Cymraeg yng ngogledd y sir. Daeth i adnabod gŵr deallus ond ecsentrig a'i galwai ei hun yn John Legonna. Gŵr o Gernyw oedd John Legonna a oedd wedi meistroli'r Gymraeg a bu'n ffermio yn y sir, yn Llanrhystud a hefyd yn Llannarth.[12] Ond yr oedd ganddo argyhoeddiad cryf o blaid cenedlaetholdeb a Chymreictod ac adnabyddiaeth amlwg o gapeli y Methodistiaid Calfinaidd yn Henaduriaeth Gogledd Aberteifi. Un arall y daeth Gwilym i gysylltiad ag ef oedd Huw Davies, mab y cerddor Hubert Davies. Gwelodd Huw Davies Gymru a'i diwylliant yn gynnar trwy lygaid Ysgol Fonedd y Moelfryn (Malvern) a Choleg Brenhinol y Llynges yn Dartmouth. Maes o law Huw Davies oedd ei was priodas.[13]

John Legonna a aeth ati i ohebu â'r capeli er mwyn llogi ystafell neu festri ar gyfer y cyfarfodydd cyhoeddus yn enw Plaid Cymru, gydag un neu ddau siaradwr ar y mwyaf. Gwilym Prys-Davies oedd y prif siaradwr yn y cyfarfodydd hyn yng nghefn gwlad Ceredigion. Llwyddodd Legonna i ddod yn asiant answyddogol i Gwilym a threfnu cyfarfodydd di-ri yn enw Plaid Cymru. Byddai Legonna yn trefnu cyfarfodydd yn festrïoedd

---

11 'Y Blaid Genedlaethol', *Y Ddraig / The Dragon*, Cyfrol LXVIII, Rhif 2, Grawys 1946, 21. Deuai'r bardd D. Gwenallt Jones yno fel Llywydd o blith staff y Coleg.

12 Hanes John Legonna yn Gwilym Prys-Davies, *Llafur y Blynyddoedd*, 37, 42–44.

13 Hanes Huw Davies yn *Llafur y Blynyddoedd*, 36–7, 44–46, 48–49, 57–58, 102.

oer y capeli a berthynai i Eglwys Bresbyteraidd Cymru, fel Tabor, Llangwyryfon, Bronnant, Berth, Tregaron, Pontrhydfendigaid, a Chapel yr Eglwys Fethodistaidd, Pont-rhyd-y-groes. Byddai Gwilym a Huw ac un arall, lleygwr o'r enw W. T. Morgan o Aberystwyth, yn annerch yn aml ar nosweithiau stormus a gaeafol, yn arbennig adeg yr eira mawr a gafwyd yn Chwefror a Mawrth 1947. Yr oedd Gwilym heb unrhyw amheuaeth yn peryglu ei iechyd yn ei awydd angerddol i ennill aelodau newydd i Blaid Cymru. Ar Mawrth 18, 1947 bu ef gyda'i rieni yn dathlu priodas ei chwaer Mairwen a hynny yn Aberystwyth i ŵr busnes o'r enw John Timothy Murray a symudodd y pâr ifanc i fyw i Bennal, ger Machynlleth cyn symud i Eglwysbach tan 1950. Yr oedd ef a'i chwaer yn llythrennol o fewn ychydig filltiroedd i'w gilydd yn y cyfnod hwnnw. Symudodd Mairwen a John M.Murray i Daliesin, lle bu Mairwen yn bost feistres am flynyddoedd ac yn uchel iawn ei pharch gan drigolion Gogledd Sir Aberteifi.[14]

Erbyn 1947 yr oedd Gwilym Prys-Davies yn adnabyddus iawn o fewn y Coleg, y dref a'r wlad o amgylch Aberystwyth. Byddai plant chweched dosbarth Ysgol Ramadeg Tregaron yn sôn wrth ei gilydd eu bod wedi gweld Gwilym ar un o strydoedd Aberystwyth ar un o'r Sadyrnau hyn. Yn wir, aeth Gwilym mor hyf â cheisio perswadio rhai o'r disgyblion hyn i gychwyn cangen o'r Blaid Genedlaethol yn Ysgol Ramadeg Tregaron. Gwrthodwyd y gwahoddiad gan eu bod yn sylweddoli bod prifathro'r ysgol, D. Lloyd Jenkins, yn Rhyddfrydwr i'r carn. Go brin y byddai ef yn caniatáu i blaid wleidyddol gael derbyniad yn ei ysgol.

Yr oedd yr ymgyrchwr yn awyddus iawn yn y dyddiau hynny i gael cylchgrawn fel arf i genhadu yn wleidyddol; ac yr oedd eraill o'r un farn ag ef, yn eu plith Dafydd J. Bowen a ddaeth yn ddarlithydd yn Adran Gymraeg y Coleg, Gerallt Harries a

---

14 Gwybodaeth o deulu Mrs Mairwen Murray, trwy law Catrin Waugh, dyddiedig 27 Rhagfyr 2020.

fu'n ddarlithydd yn Adran Gymraeg Coleg Prifysgol Cymru, Abertawe, a Mari Evans, merch y prifathro J. J. Evans, Tyddewi.[15] Ar gyfer 1947 dewiswyd Gwilym yn Llywydd y gangen, Dafydd Bowen yn Drysorydd, Mari Evans a Gwyn Huws yn Ysgrifenyddion Llenyddiaeth a Huw Davies yn Ysgrifennydd. Yr oedd Gwilym uwchben ei ddigon o gael Dafydd Bowen ac yn arbennig Huw Davies yn gyd-swyddogion ag ef.

Daeth gwron Penyberth, D. J. Williams, Abergwaun, yn ôl am yr eildro a chafodd y Llywydd hyfrydwch yng nghwmni Trefor Morgan, Caerdydd, wrth drafod rhaglen fwy chwyldroadol ar gyfer y cenedlaetholwyr. Dyma ddechrau cyfeillgarwch a barhaodd weddill dyddiau Trefor Morgan. Yr oedd lledaenu cylchgrawn *Y Wawr* yn allweddol i'w gynllun o ennill tir mewn sir a oedd yn gadarnle'r Blaid Ryddfrydol. Yr oedd penaethiaid Adran y Gyfraith yn gefnogol dros ben i'r blaid honno ac yn nhymor y Grawys 1947 ymddangosodd cylchgrawn newydd sbon yn enw'r Rhyddfrydwyr, sef *The New Radical* o stabl Cymdeithas Ryddfrydol Coleg y Brifysgol, Aberystwyth. Taflodd Gwilym ei linyn mesur ar y cylchgrawn gan roddi ergyd go egr i'w gyd-fyfyriwr yn yr Adran a Llywydd Undeb Dadlau'r Coleg, Emlyn Hooson. Dywed amdano yr hyn yr oedd llenorion Plaid Cymru yn arfer ei ddweud ar hyd y cenedlaethau:

> Tebyg yw y cynrychiola ef yr ysbryd Prydeinig sy'n nodweddiadol o rai Cymry gweiniaid sydd yng Nghymru heddiw. Ni all feddwl ond yn nhermau Prydeinig ac nid oes na neges nac ysbrydoliaeth i'r Gymdeithas Gymreig yn ei ysgrif.[16]

---

15 *Y Wawr*, Cylchgrawn Cangen Prifysgol Cymru, Aberystwyth, Cyfrol 3, Rhif 11. Golygydd y rhifyn cyntaf oedd Gerallt Harries, a ddaeth yn ddarlithydd yn y Gymraeg yng Ngholeg Prifysgol Cymru, Abertawe. Mae ganddo ysgrif ardderchog, 'Plaid yr Intelligentsia'.

16 *The New Radical / Y Rhyddfrydwr Newydd*, Cylchgrawn Cymdeithas Ryddfrydol Coleg y Brifysgol, Aberystwyth a oedd yn nwylo Emlyn Hooson. Gw. adolygiad Gwilym Prys-Davies ar ymddangosiad a chynnwys y cylchgrawn yn *Y Wawr*, Cyfrol 3, Rhif 11, 24–5.

Adeg y Nadolig 1946 ymddangosodd cylchgrawn Cymraeg o'r enw *Y Fflam* dan olygyddiaeth y Parchedigion Euros Bowen a Pennar Davies (neu fel y'i galwai ei hun yn y cyfnod hwnnw, Davies Aberpennar) a Dr Gwyn Griffiths, tri chenedlaetholwr a oedd yn perthyn i'r byd deallusol Cymreig.[17] Casglodd y golygyddion ysgrifau gan genedlaetholwyr llengar fel D. J. Williams, barddoniaeth, ac adolygiadau ar bymtheg o lyfrau Cymraeg. Diddorol yw sylwi iddynt ofyn i Gwilym Prys-Davies adolygu, yn ei dymor cyntaf yn y Coleg, gyfrol o farddoniaeth Kate Davies, gwraig lengar o odre Sir Aberteifi. Cyhoeddodd Gwasg Gomer *Cerddi* Kate Davies a chroesawyd y gyfrol gan Gwilym am ei bod at 'wasanaeth gwerin cefn gwlad Cymru'. Gwelir dylanwad Saunders Lewis yn gryf arno, yn arbennig pan ddywed:

> Credwn fod angen barddoniaeth o'r math yma, barddoniaeth y gall ein bechgyn a'n merched ei chanu a'i hadrodd gyda bywiogrwydd sionc. Sonia ein hen dadau lawer am gyfran diddan y cerddi yng Nghymru, pryd y byddai ein bechgyn yn eu canu wrth yrru'r wedd a'r merched yn eu mwmian wrth odro yn y buarthau. Wedi hynny bu ymadawiad mawr. Cefnwyd ar y cerddi Cymreig a daeth caneuon arwynebol y tai sinema i ysbeilio eu lle, hyd yn oed i'r Cymoedd mwyaf anghysbell. Hyderwn fod gwawr gobaith newydd ar dorri yng Nghymru.[18]

Dyna ei thema fawr. Gwelai yn ei ddelfrydiaeth wawr newydd yn torri ar Gymru ym mhob cylch o fywyd. Ymunai Kate Davies â beirdd fel Idwal Jones a W. D. Williams fel cynheiliaid y canu gwerinol a hoffai ef yn fawr iawn pan oedd yn llanc yn Llanegryn.

Yn y rhifyn nesaf o gylchgrawn *Y Fflam*, Calan Mai 1947, yr

---

17 *Y Fflam*, Cylchgrawn Cymraeg, gol. Euros Bowen, Davies Aberpennar a J. Gwyn Griffiths, Cyfrol 1, Rhif 1, Nadolig 1946.
18 Adolygiad Gwilym Prys-Davies, Llanegryn ar y gyfrol *Cerddi* gan Kate Davies (Llandysul, 1946), 58.

oedd Gwilym ymhlith ei gyfoeswyr o'r Coleg fel John Roderick Rees yn cyfrannu erthygl ar 'Y Llenor a Gwleidyddiaeth' – tair tudalen o ysgrif dreiddgar sydd yn dadlau'n ofalus fod Siôn Cent yn llygad ei le wrth lunio'r llinell gynganeddol adnabyddus: 'Ystad bardd, astudio byd'.[19] Gwelwn wybodaeth yr awdur am feirdd clasurol ond cyfyng eu hapêl fel Wiliam Cynwal ac Edmwnd Prys, wrth iddo ddadlau bod gwleidyddiaeth wedi mynd yn angof fel testun cymwys i feirdd a llenorion draethu arno. Ysgrif arloesol ydyw gan fod ei rhychwant yn eang, yn cwmpasu'r canrifoedd, ac yn gofidio bod llenyddiaeth Gymraeg yn cael ei chlymu yn '[r]hy dynn wrth hen syniadau' a dreiglodd i lawr dros y canrifoedd.[20] Ni ellir anghytuno pan ddywed: 'Trychineb cenedl i'r bardd a'r llenor ochelyd rhag mynegi'n artistig, y wleidyddiaeth a gynhyrchodd ddagrau, chwys a gwaed y werin'.[21] Ond yr oedd Gwilym wedi anghofio bod yna nifer fechan o feirdd wedi gwneud yr hyn y teimlai ef ei fod yn ddiffygiol yn llên y genedl. Onid oedd R. J. Derfel, T. E. Nicholas, R. Williams Parry a D. Gwenallt Jones wedi mynegi yn artistig wewyr a dagrau a dioddefaint y werin bobl? Yn ei ysgrif 'Er Cof am Benyberth' yn *Y Wawr* sonia Gwilym mai 'Gweithwyr a'u teuluoedd yw gobaith cenedlaetholdeb Cymru'.[22] Cyfeiriodd hefyd at bwnc llosg, pan ddywedodd y dylid dileu'r 'syniad fod cenedlaetholdeb a phasiffistiaeth ynghlwm â'i gilydd'.[23] I Gwynfor Evans yr oedd brawddeg o'r fath yn gwbl gyfeiliornus, ond nid i ŵr a fu ynghanol drycin yr Ail Ryfel Byd.

Yr hyn a boenai Gwilym yn y Coleg oedd 'y seisnigrwydd' a nodweddai gymaint o'i fywyd, a deliodd â hyn yng nghylch-

19 'Y Llenor a Gwleidyddiaeth: Gwilym Prys-Davies', *Y Fflam*, Cyfrol 1, Rhif 2, Calan Mai 1947, 22–4.
20 *Ibid.*, 58
21 *Ibid.*
22 Gwilym Prys-Davies, 'Er Cof am Benyberth 1936', *Y Wawr*, Cyfrol 3, Rhif 11, 23–4.
23 Gwilym Prys-Davies, 'Y Gymraeg a'r Coleg', *Y Ddraig / The Dragon*, Cyfrol LXIX, Rhif 3, Grawys 1947, 11.

grawn *Y Ddraig.* Anwybyddid y Gymraeg yn barhaus; yn wir, ceid ysbryd o haerllugrwydd a sarhad tuag at yr iaith gynhenid. Cofiai eiriau'r nofelwraig Kate Roberts, 'fod môr o seisnigrwydd yng Ngholeg Aberystwyth'. Yr oedd ef a'i gymrodyr yn dioddef yr ysbryd ffiaidd yn dawel, dawel, ac yn daeogaidd o dawel ar brydiau, yn ei dyb ef. Dywed ef yn gwbl filwriaethus:

Y mae meddwl babwnaidd o'r fath yn wenwynllyd a ffiaidd. Mae'n hen bryd rhoddi pen a'r uchel-snobyddiaeth y llifeiriant Seisnig ffroen-uchel. Ni allwn fynd gyda'r llif.[24]

Sylweddolai fod llawer yn pwyso ar ei ysgwyddau ef a'i genhedlaeth, ac erbyn tymor y Grawys 1947 gallai ymffrostio mai Cangen Plaid Cymru oedd y 'gymdeithas wleidyddol gryfaf yn y Coleg', yn gryfach hyd yn oed na Changen y Blaid Lafur a fu dros y blynyddoedd yn rymus dros ben.[25] Roedd yn fodlon ar yr ymdrech a wnaed i werthu *Y Wawr.* Sonnir amdano yn yr adroddiad am yr Eisteddfod Ryng-golegol yn Abertawe pan aeth ef a channoedd eraill mewn bysiau i Barc Singleton. Dywed Stanley Lewis yn ei adroddiad: 'Bu dyblu a threblu ar ganeuon y coleg ar y daith a chlybûm fod Gwilym Prys wedi bod yn pyncio fel llinos.'[26]

Dyna un ddawn nad oedd ganddo – canu fel llinos! I ddeall ergyd yr adroddiad, fodd bynnag, mae'n amlwg fod y pennaf o'r cenedlatholwyr wedi cyfarfod ag un a ddaeth yn bartner oes iddo, y fyfyrwraig o Abercynon, Llinos Evans. Ond bu ef ynghyd â Llinos a'i gyd-fyfyrwyr mewn enbydrwydd gan i eira mawr ddisgyn ar ddinas Abertawe. Yr oedd hi'n amhosibl i'r bysiau ddychwelyd i Aberystwyth ar ôl hwyl yr eisteddfod, a bu'n rhaid i'r myfyrwyr, un ac oll, ddychwelyd gyda'r trên. Nid oedd y digwyddiad hwnnw mor argyfyngus ag yr oedd sefyllfa'r etifeddiaeth. Dyma ei eiriau:

24 *Ibid.*
25 *Ibid.*
26 Stanley Lewis, 'Yr Eisteddfod', *ibid.*, 13.

Heddiw y mae hi'n ddu, yn ddu iawn ar Gymru. O'n holl draddodiadau cenedlaethol yr iaith Gymraeg yn unig a erys.[27]

Rhoi statws i'r iaith yng Ngholeg Aberystwyth oedd ei ymgyrch ond ni fyddai hynny'n digwydd ar chwarae bach; bu'n frwydr i gael *Y Cymro* a oedd dan olygyddiaeth John Roberts Williams i blith papurau'r Undeb. Gwireddwyd hynny ar ôl hir ddadlau.

Yr oedd yr efrydiau yn cymryd amser ac yr oedd bechgyn hynod o alluog yn yr Adran. Yn 1948 cafodd Hugh Eifion Pritchard Roberts o Fôn radd anrhydedd Dosbarth Cyntaf.[28] Un o Ryddfrydwyr y Coleg ydoedd. Safodd yn 1951 fel ymgeisydd Rhyddfrydol yn Ninbych ond daeth yn amlwg fel bargyfreithiwr ac yn ddiweddarach fel barnwr. Ni fyddai ef yn dilyn yn llwyddiannus lwybr y gwleidydd fel ei frawd Wyn Roberts. Astudiai Gwilym bedwar pwnc – Cyfraith y Cyfansoddiad, Cyfraith y Tir, Cyfraith Rufain a Chyfraith Ryngwladol. Dysgid hefyd Gyfraith Troseddau, Camweddau, Hanes y Gyfraith, Trawsgludo ac ati. Gwelir ei enw yng Nghalendr Prifysgol Cymru am 1948 ond yn anffodus, trwy flerwch, gadawyd ef allan fel un o'r graddedigion. Ond mewn ymateb i'm cais cadarnhaodd Cofrestrfa Prifysgol Cymru iddo gwblhau ei gwrs Ll.B. yn llwyddiannus a chan iddo wneud yn dda, cafodd gyfle i ddilyn cwrs ymchwil ar Gyfraith Hywel Dda dan arolygiaeth yr Athro T. Jones Pierce o Adran Hanes Cymru a oedd yn arbenigwr ar yr Oesoedd Canol.[29] Dim ond un pwnc a ddysgid y tu allan i'r Gyfadran, sef Cyfraith Hywel Dda a hynny yn Saesneg gan un o hil Cymry Lerpwl. Medrai'r mwyafrif ymroddedig baratoi i ennill dwy o'r tair gradd oedd ar gael, sef Ll.B., Ll.M. ac Ll.D.

27 Gwilym Prys-Davies, 'Y Gymraeg a'r Coleg', *ibid*.

28 Gw. Hywel Eifion Prichard Roberts QC, yn *Welsh Hustings 1885–2004* gan Ivor Thomas Rees (Llandybïe, 2005), 257.

29 Mynychodd T. J. Pierce a Gwilym gyfarfodydd Cymdeithas y Gyfraith a bu'r ddau yn y Cinio Blynyddol yng Ngwesty'r Queen yn 1947. Y gŵr gwadd oedd Major Elwyn Jones AS, a fu'n amlwg pan osodwyd y Natsïaid o flaen eu gwell yn Nuremberg. Gw. 'Law Society', *Y Ddraig*, Cyfrol LXIX, Rhif 2, 27.

Llwyddodd Gwilym i gael y ddwy gyntaf. Yr oedd yn derbyn cyfarwyddyd yn ei radd gyntaf gan yr Athro D. J. Llewelfryn Davies, J. Unger a J. D. Hangman, a bu T. Jones Pierce yn arolygu ei radd uwch.

Yr oedd Gwilym wrthi'n ddyfal yn y cyfnod hwn yn magu barn ymhlith ei gyd-fyfyrwyr, a hynny ar yr un llinellau â Saunders Lewis yn ei ddarlith enwog *Tynged yr Iaith* a draddododd ar Radio Cymru yn 1962. Bymtheng mlynedd ynghynt yr oedd un o'i ddisgyblion ar yr un donfedd â'r deallusyn a fu mor ddylanwadol yng Nghymru'r ugeinfed ganrif. I Gwilym yr oedd Plaid Cymru yn fwy na phlaid wleidyddol; teulu ydoedd a chymdeithas gyfriniol, ysbrydol oedd yn annog y Cymro i adeiladu gwareiddiad Cymreig a dileu Seisnigrwydd o'r tir. Teimlai fod yna angen dybryd i greu patrwm gofalus, cariadus o fywyd Cymreig. 'Golyga hynny ddinistrio,' meddai, 'yn ulw mân deml gogoniant y gwareiddiad Seisnig yng Nghymru a dileu ei dylanwad yn llwyr o'r tir.'[30]

Roedd hon yn freuddwyd amhosibl yng ngolwg y mwyafrif o'i gyd-fyfyrwyr ac yn arbennig i drwch poblogaeth Cymru, ond i'r cenedlaetholwr ifanc yr oedd cymdeithas y Blaid Genedlaethol yn ehangach na'r gymdeithas wleidyddol a welid yn y pleidiau eraill. Dyma'i safbwynt, safbwynt a fu'n rhan o'i gredo weddill ei oes:

> Y mae yn gymdeithas ysbrydol: y mae yn gymdeithas sydd wedi ei sylfaenu ar ffydd yn Nuw ac yn ei Ragluniaeth ef. Credwn fel Emrys ap Iwan, fod ein cenedl wedi ei hordeinio i bwrpas dwyfol gan Dduw ei hun. Nid oes i ni fel cenedl fodolaeth ar wahân i'r gwerthoedd ysbrydol.[31]

Gwyddai fod yna ddewis yn wynebu ei gyd-ieuenctid. Iddo ef, y gobaith mawr oedd gweld yr ifanc yng Nghymru yn sylweddoli bod llwyddiant Plaid Cymru yn cael ei adlewyrchu yn fyd-eang.

---

30 Gwilym Prys-Davies, 'Cymru Deilwng', *Y Wawr*, Cyfrol III, Rhif 1, 6.
31 *Ibid.*

Clywai sôn am ddeffroad ledled y ddaear, 'a'm dyhead yn bersonol yw cael fy nghyd ieuenctid yng Nghymru i ymuno â'r deffroad, a dyrchafu ein cenedl ni ein hunain i blith cenhedloedd byd'.[32]

Gwyddai fod llywodraeth Attlee yn barod i roddi rhyddid i wledydd a arferai berthyn i'r Ymerodraeth Brydeinig. Cafodd India a Phacistan eu rhyddid yn 1947. Teimlai Dafydd M. Jones yr un fath â'i gyfaill Gwilym Prys-Davies ac ygrifennodd erthygl i gefnogi arweiniad Gwilym dan y teitl 'Deffro, Mae'n Ddydd'.[33] Gallai'r ifanc wneud y dewis yn hawdd, oherwydd i'r cenedlaetholwr o Lanegryn dim ond dwy blaid oedd ar gael ar eu cyfer, sef Plaid Cymru a'r Blaid Lafur. Yr oedd un blaid yn caru Cymru, yn gweithio drosti fel y gwnâi ef yn y Coleg ac yn y wlad, gan aberthu ei amser er mwyn argyhoeddi pobl i ymrwymo er mwyn eu rhyddid a'u llewyrch. Y llall nas enwir ganddo, mae'n sicr, yw'r blaid a ddaeth yn gartref iddo yn nyddiau ei aeddfedrwydd, a dywed ei bod hithau yn caru Cymru ond yn amharod i 'roddi'r egwyddor mewn gweithrediad'.[34] Llwyddiant bydol oedd pennaf nod y Llafurwyr, a gwelid hwy yn cerdded yn ffroenuchel yn y colegau ar ôl eu buddugoliaeth ysgubol yn Etholiad Cyffredinol 1945. Rhybuddia'r ifanc i ddewis y tair ffordd sy'n arwain at ryddid, sef caru Cymru, magu ffydd ym mhotensial Cymru ac aberthu yn bersonol dros Gymru'n gwlad. Cawn glywed yr utgorn yn galw Cymry ifanc yn ôl i ffordd cariad: 'Mae'n bryd i ieuenctid Cymru sylweddoli mai Cymry ydynt ac nid Saeson.'[35] Nid rhyfedd mai Huw Davies oedd ei ffrind pennaf oherwydd ceir ganddo yntau ysgrif ddigymrodedd yn *Y Wawr*, ar 'Yr English-Cymry a Llenyddiaeth Cymru'. Gesyd ei fys ar y dolur a fu yn ein plith ar hyd y cenedlaethau:

32 *Ibid.*
33 *Ibid.* Ysgrifennodd Dafydd M. Jones erthygl i gefnogi'r arweiniad dan y teitl 'Deffro, Mae'n Ddydd', 1, 6–7.
34 Gwilym Prys-Davies, 'Y Dewis i'r Ifanc', *Y Wawr*, Cyfrol III, Rhif 1, 7–8. 8.
35 *Ibid.*

Y gwir cyfoglyd yw fod y rhan fwyaf o'r Cymry Cymraeg sy wedi cael addysg yn Ysgolion Cymru, ac yng Ngholegau'r Brifysgol, yn gwybod eu Saesneg yn well na'u Cymraeg.[36]

Anghytuna ag R. S. Thomas a'i safbwynt fod mantell T. Gwynn Jones a W. J. Gruffydd yn disgyn ar yr Eingl-Gymry. Camgymeriad dybryd oedd hynny, meddai Huw Davies, a byddai Gwilym yn ei eilio.[37] Rhydd Huw Davies y ddadl yn eglur yn ei ddiweddglo grymus:

Sgrifennant yn Saesneg gan gredu mai hwy piau'r dyfodol ac y bydd llenyddiaeth Gymraeg y dyfodol yn llenyddiaeth gyplysnod Saesneg. Pa bryd y sylweddolant y byddai'r llenyddiaeth fastardaidd y dymunent ei datblygu farw gyda marwolaeth swyddogol y genedl Gymraeg?[38]

Dyna safbwynt ffrindiau Gwilym.

Arwr mawr i Gwilym Prys-Davies yn y Coleg oedd y Parchedig Robert Ambrose Jones (Emrys ap Iwan, 1851–1906), beirniad llenyddol ac ysgrifwr ar bynciau gwleidyddol, cenedlaethol, heb anghofio ei bregethau graenus. Ewropead ydoedd o ran cefndir a dawn.[39] Meistrolodd bedair iaith ond yr iaith bwysicaf ohonynt i gyd oedd y Gymraeg. Ceisiodd ennyn hunanhyder y Cymry Cymraeg fel y ceisiodd cylchgrawn *Y Wawr* ei gyflawni. Credai yn ddiysgog mewn hunanlywodraeth y tu mewn i gyfundrefn ffederal, fel y gwelodd yn y Swistir pan aeth yno i ddysgu Saesneg yn ymyl tref hardd Lausanne. I Gwilym Prys-Davies, pwysigrwydd Emrys ap Iwan oedd mai ef oedd y cyntaf o'r deallusion Cymraeg i greu athrawiaeth genedlaethol Gymreig. Bu'n hynod o amhoblogaidd fel y bu Plaid Cymru ymysg y

---

36 Huw Davies, 'Yr *English*-Cymry a Llenyddiaeth Cymru', *ibid.*, 20–3.
37 *Ibid.*
38 *Ibid.*
39 Am R. Ambrose Jones (Emrys ap Iwan), gw. Bobi Jones, *Emrys ap Iwan a'r Iaith Gymraeg* (Yr Wyddgrug, 1984), 21 tt.; astudiaeth Saesneg D. Myrddin Lloyd, *Emrys ap Iwan* (Caerdydd, 1979), 61 tt.; Enid Morgan, 'Rhai Agweddau ar Waith Emrys ap Iwan', Traethawd MA, Coleg Prifysgol Cymru, Bangor, 1973.

dosbarth gweithiol yng Nghymru. Fel y dywed Gwilym Prys-Davies:

> Nid yw gwlad yn hoffi meistr onest. Derbyniodd y driniaeth
> a gaiff pob proffwyd yn ei wlad ei hun.[40]

Methodd y gweinidog Presbyteraidd o Ddyffryn Clwyd, meddai, â sylweddoli grym y syniadau sosialaidd a gymerodd afael ar chwarelwyr Arfon a Meirionnydd a glowyr maes glo'r de a'r gogledd-ddwyrain.[41] Ni ragwelai ddylanwad Marx na Keir Hardie ar gwrs gwleidyddiaeth, a rhydd Gwilym ddyfyniad o eiddo Gwenallt, un arall y daeth yn gyfarwydd ag ef o fewn y gangen yn y Coleg. 'Cymru Rydd, Cymru Gyfan, a Chymru Gymreig' oedd arwyddair y bugail o bregethwr o'r Rhewl yn Nyffryn Clwyd.[42] Dywed Gwilym:

> Deil ei weithiau llenyddol yn ysbrydoliaeth i'n cenedl tra
> pery'r Gymraeg yn iaith y Cymry.[43]

Derbyniodd y cenedlaetholwyr ysbrydoliaeth gan y bardd Gwenallt.[44] Ond er gwaethaf agwedd gadarn Gwilym gwelir yn neunydd y cylchgrawn pa mor amhosibl yw hi mewn cymdeithas ddwyieithog.[45] Gwelir yn *Y Wawr* ysgrifau yn Saesneg gan

---

40 Gwilym Prys-Davies, 'Emrys ap Iwan', *Y Wawr*, Cyfrol III, Rhif 4, 79–82.

41 *Ibid.*, 79. Ni wyddai Emrys ap Iwan ryw lawer am y proletariat.

42 Dyma'r dyfyniad o eiddo Gwenallt oedd yn taro cloch i G. P. Davies: 'Yr oedd Tolstoi yn f'isymwybod, Dostoievsky, Marx a Lenin: cyni, tlodi, streiciau a gwrthryfel Deheudir Cymru, ac yn fy ffroenau atgof am aroglau'r eirch annaturiol ym mharlyrau'r gweithwyr.' *Ibid.*, 80.

43 Gwilym Prys-Davies, 'Emrys ap Iwan', *Y Wawr*, Cyfrol III, Rhif 4, 80.

44 Lluniodd Gwenallt ysgrif dreiddgar i'r *Wawr*, Cyfrol III, Rhif 3, pan oedd Eirian Davies yn olygydd, dan y teitl 'Yr Hen Sosialaeth a'r Newydd', 51–3. Dyma erthygl bwysig a dywed lawer o wirionedd yn ei ymresymiad. Er enghraifft, ar dudalen 52: 'Ond pan ymunodd y Blaid Sosialaidd yn ystod y rhyfel diwethaf â llywodraeth Mr Churchill fe droes hithau yn Blaid gwbl genedlaethol Seisnig a chwbl imperialaidd.' Dau sosialydd o'r iawn ryw oedd ar ôl i Gwenallt yn 1948–49: y ddau Gymro a safai yn rhengoedd y chwith, Rhys J. Davies ac Aneurin Bevan. Hwy oedd yn canu 'caneuon olaf yr hen alarch Sosialaidd'.

45 Gwilym Prys-Davies, 'Emrys ap Iwan', *Y Wawr*, Cyfrol III, Rhif 4, 80.

D. J. Davies, Gilwern, Victor Jones a hyd yn oed y myfyriwr am y weinidogaeth, Islwyn Ffowc Elis, sydd yn ysgrifennu'n afaelgar yn Saesneg ar y testun 'World Unity through Nationalism'. Erthygl ardderchog ydyw ond sylweddolwn, er hynny, fod myfyrwyr fel Gwilym Prys-Davies ac Islwyn Ffowc Elis yn gorfod cymrodeddu er mwyn ennill rhagor o aelodau i'r cylchgrawn.

Bu Gwilym Prys-Davies ar ddechrau gyrfa'r *Wawr* yn olygydd, ef a J. Eirian Davies a Dewi Eirug Davies.[46] Erbyn y trydydd rhifyn, ef oedd y golygydd unwaith eto, y tro hwn gyda Gwyn Erfyl, un arall a aeth i'r weinidogaeth gyda'r Annibynwyr ac a ddaeth yn wyneb cyfarwydd ar y teledu.[47] Daeth Cliff Bere i'r Coleg yn gynnar yn 1948 i werthu ei bamffledyn, *The Welsh Republican*. Gŵr a anwyd yn Burnley i rieni Cymraeg ydoedd, a bu'n filwr, fel y gwelwyd eisoes, yn yr Aifft adeg yr Ail Ryfel Byd. Roedd yn ŵr llednais a weithiodd hefyd fel glöwr ac a syrthiodd mewn cariad â chymoedd de Cymru fel y gwnaeth Gwilym ei hun. Gwnaeth Cliff Bere argraff arno, ynghyd â'i bamffled. Dywed amdano:

> Edmygwn ei waith yn crwydro ar hyd heolydd Ton-y-Pandy a Merthyr i werthu ei bamffled.[48]

Ychwanegodd yn ei nodyn golygyddol:

> Efallai y dywed y dyfodol mai cyhoeddi'r pamffledyn yw'r weithred wleidyddol bwysicaf yn hanes Cymru er gweithred Pen-y-Berth.[49]

Mewn erthygl dan y teitl 'Arwyddocâd', mae Gwilym yn cyflwyno i ddarllenwyr *Y Wawr* fywyd y Ffrancwr, y Tad Raymond

---

46 Am J Eirian Davies, gweler D. Ben Rees, 'James Eirian Davies 1918–1998', yn *Y Bywgraffiadur Cymreig ar lein*, Llyfrgell Genedlaethol Cymru. Am D Eirug Davies, Gw. Huw Ethall, *Cofio Dewi Eirug Davies* (Abertawe, 2000).

47 Am Gwyn Erfyl, gweler 'Gwyn Erfyl (1924–2007)' yn *Wicipedia y Gwyddoniadur Rhydd*

48 Gwilym Prys-Davies, 'Nodiadau Golygyddol', *Y Wawr*, Cyfrol III, Rhif 5, 86.

49 *Ibid.*

Bruchberger, enw cwbl newydd i ddarllenwyr Cymraeg y cyfnod ac enw arwrol.[50] Yn ystod yr Ail Ryfel Byd daeth yn garcharor i'r Almaenwyr. Llwyddodd yn wyrthiol i ddianc, a daeth yn ôl i Ffrainc a gweld ei bobl yn byw mewn ysbryd o ddiymadferthedd. Ymdaflodd i fywyd crefyddol ei wlad a'i bobl gan weinyddu'r Cymun olaf i feibion dewr ei gyfnod. Sefydlodd gylchgrawn Catholig: *Le Cheval de Troie*. Anfonodd lythyr yn 1948 yn gofidio am weithred Pétain yn 1940 yn treisio Ffrainc ar ei daear ei hun ac yn cyfreithloni ei weithred ddifeddwl o ysgwyd dwylo â'r bobl ddieflig a ddinistriodd gymaint o drysorau pensaernïol Ewrop – Hitler a Mussolini. Dywedodd y Mynach Du y gwir plaen:

> Treisiwyd ein cenedl. Ac wele heddiw ein cenhedlaeth gyfoes yn codi ei dillad ac yn brolio yn ei threisiad. Gweithred pobl niwrotig.[51]

Mae Gwilym yn cloi ei erthygl â'r brawddegau deifiol hyn:

> A fedrwn ni feddwl am arweinwyr crefyddol Cymru yn fflangellu eu cydwladwyr mor ddiarbed o finiog am ei gwarth cenedlaethol, fel yr anfoner hwy gan ei Sasiwn i ddiffeithwch Affrica?

A'i frawddegau olaf: 'Mae'n anodd gennym gydnabod hynny heddiw. Hyderwn y gallwn yfory.'[52]

Cynhaliodd Gwilym brotestiadau ac arwain gorymdeithiau trwy strydoedd Aberystwyth, ar sgwâr Dolgellau ac yn ymyl cofgolofn Henry Richard yn Nhregaron i wrthwynebu cynlluniau'r Swyddfa Ryfel a oedd am herwgipio tiroedd y fro Gymraeg. Cyfeiriodd yn ei ysgrif olygyddol at yr hyn a eilw yn 'Fuddugoliaeth Tregaron'. Trefnodd fws i gludo protestwyr o'r Coleg i Amwythig yn 1948 i brotestio yn erbyn bwriad

50 Gwilym Prys-Davies, 'Arwyddocâd', *ibid*., 100.
51 *Ibid*., 106–7.
52 *Ibid*., 100.

llechwraidd y Llywodraeth Lafur i gipio 27,000 erw o dir ar gyfer meysydd ymarfer milwrol. Ymysg y protestwyr a deithiodd i Amwythig roedd Huw Jones, gweinidog gyda'r Presbyteriaid yn y Bala am flynyddoedd, y diweddar Robyn Léwis, Nefyn, cyfreithiwr ac Archdderwydd yn ddiweddarach, Dan Thomas, Porthmadog a Lerpwl gynt (tad yng nghyfraith Gwynfor Evans), ac Islwyn Lake, un o gynheiliaid Cymdeithas y Cymod a gweinidog ymroddedig gyda'r Annibynwyr Cymraeg a fu farw yn 2018. Arweiniodd Gwilym brotest arall gan fyfyrwyr y Coleg, a bortreadwyd yn fanwl gan y wasg leol, i fychanu Emanuel Shinwell, Gweinidog y Fyddin, ar ei ymweliad ag Aberystwyth at bwrpas recriwtio.[53] Yr oedd hyn yn codi cyfog arno ef ac ar eraill fel yntau a fu trwy heldrin y rhyfel, ac ni chafodd Shinwell o bell y croeso a ddisgwyliai.[54]

Yr oedd 1948–9 yn flwyddyn lwyddiannus i Gangen y Coleg. Daeth Wynne Samuel i lefaru yng nghyfarfod cyntaf y tymor,

---

53   Ceir manylion am Emanuel (Manny) Shinwell yn D. Ben Rees, *Jim: The life and work of the Rt. Hon. James Griffiths: A hero of the Welsh nation and architect of the welfare state* (Liverpool, 2020), 139, 144, 151, 159, 163, 184, 197–8, 308.

54   Tyfodd y brotest hon yn un o chwedlau'r Coleg ger y Lli. Lluniodd Gwyn Erfyl gerdd awgrymog a welir yn *Y Wawr*, Cyfrol LXXI, Rhif 2, Haf 1949, 25. Dyma'r hanes cythryblus yn ôl y bardd, gyda Gwilym yn arwain y brotest:

YMWELIAD SHINWELL

Dieithryn ddaeth ar sgowt ar draws y ffin
I chwyddo rhengoedd llwm ei fyddin grin –
Aeth saith cant eiddgar gyda'u lleisiau cras
I wawdio gwisg y brenin ac i wfftio'r gwas.
Aeth y dieithryn yn sŵn sloganau'n llu,
Gwelodd y syrffed a'r gwenwyn a chraith yr oferedd a fu,
Clywodd leisiau yn erfyn am lonydd, am fywyd, am hedd –
Yn gweiddi oherwydd mudandod eu ffrindiau,
Mudandod y sbarion cnawd yn eu cynnar fedd.
Daeth saith cant anesmwyth, syn, at ei gilydd yn glau,
Ffieiddient y nwydau annedwydd – ofnent dafodau y bau,
Yn unol â'r ffasiwn condemniwyd eithafwyr sur –
A'r gweddill fel Pilat a'u dwylo bach gwynion yn bur.
Fe gofiwn am rybudd y crancod pan ddaw'r gwarth a'r gwae,
A smaldod cyfaddawdlyd y gweddillion brau.

CYMRO I'R CARN: COFIANT GWILYM PRYS-DAVIES

ac yn yr ail gyfarfod darlithiodd Gwilym Prys- Davies neu fel
y gelwid ef bellach yn y cyfnod hwn Gwilym Prys-Dafis, ar y
testun 'Self Determination'. Yn yr adroddiad am ei ddarlith fe
ddywedir hyn:

> Triniodd y siaradwr wahanol gyfryngau i ennill hunan
> lywodraeth yn feistrolgar. Cafwyd beirniadaeth fanwl ar
> ddulliau'r Blaid o weithredu. Dadleuai Gwilym Prys-Dafis
> y gallasai'r Blaid ddefnyddio cyfryngau economaidd ac
> effeithiolach yn ei brwydr â Lloegr.[55]

Yr oedd Gwilym wedi llwyddo, fel y soniwyd eisoes, i wneud
cysylltiad agos ag un o ferched Cwm Cynon yn Aberystwyth,
Llinos Evans. Blodeuodd y berthynas a bu Llinos yn bwysig
iawn yn ei hanes, pan oedd yn arweinydd y myfyrwyr ac ar ôl
hynny, gan sefydlu eu cartref cyntaf yn Aberystwyth. Yr oedd
hi wrth law i'w gysuro pan fu farw ei dad William Davies yn
1949, a hynny ar ôl iddo weld cyhoeddi ei gyfrol bwysig *Hanes
Llanegryn*, cyfrol a gafodd groeso brwd gan yr haneswyr.[56]

Bu 1949 yn flwyddyn fawr iddo, blwyddyn derbyn swydd
Llywydd yr Undeb, ac fel y soniwyd yn *Y Ddraig*, nid oedd hi'n
swydd hawdd o gwbl. Dywed Tom Ellis Jones, Ysgrifennydd yr
Undeb, 'the union was neither hale nor hearty.'[57] Ond o fewn

---

55   Adroddiad Cangen Aberystwyth o'r Blaid Genedlaethol, *Y Wawr*, Cyfrol III,
Rhif 5, 108.

56   Bu farw William Davies, Pen-y-banc, Llanegryn ar 19 Mehefin 1949. Ganwyd
ef ym Mhlas Corniog, Llanegryn ar 6 Mehefin 1874, a bu'n gorwedd yn ei wely
am ddeng mlynedd o 1887 i 1897. Prentisiwyd ef yn deiliwr a bu am gyfnod yn
nhref Bermo cyn dychwelyd i Lanegryn. Penodwyd ef yn 1907 yn glerc i Gyngor
Plwyf Llanegryn, ac yn gasglwr trethi. Ymfudodd ef a'i briod i Groesoswallt yn
1921 i gadw gwesty gwely a brecwast, ac yno y ganwyd Mairwen a Gwilym yn 1923.
Dychwelodd y teulu bach o bedwar i Lanegryn yn 1928. Bu'n ddiwyd yn llenydda
ac yn cyfrannu'n gyson, i ddechrau i gylchgrawn Syr O. M. Edwards, *Cymru*, yna
Yr Haul, Y Ford Gron, Y Dysgedydd, Heddiw, Lleufer a *Bathafarn*. Cynorthwyodd
Walter Spurrell (1858–1934) â 'Geiriadur Bodfan', sef y geiriadur a gyhoeddodd
Spurrell wedi ei ddiwygio gan John Bodfan Anwyl, sef y pumed argraffiad. Ond ei
orchestwaith oedd *Hanes Plwyf Llanegryn* a gyhoeddwyd yn 1949.

57   Tom Ellis Jones, 'Debates Union', *Y Ddraig*, Cyfrol LXXII, Rhif 1, 1949, 18.

deuddeg mis yr oedd y Llywydd newydd wedi trawsnewid y sefyllfa yn llwyr. Yr oedd Gwilym Prys fel colosws yng ngolwg ei gydfyfyrwyr, a mynnodd ef mai un o wleidyddion Iwerddon fyddai'n cael ei wahodd i gyflwyno anerchiad y Llywydd Anrhydeddus. Ceid Llywydd Anrhydeddus gwahanol bob blwyddyn ac yn ystod blwyddyn Gwilym gofalodd ef drefnu i Seán MacBride, sylfaenydd Clann na Poblachta (Plaid y Weriniaeth) yn Iwerddon, ddod i Neuadd y Dadleuon.[58] Yr oedd awdurdodau'r Coleg yn flin iawn â Gwilym am ei wahodd ac yn gwbl amharod i'w groesawu na rhoddi llety iddo. Daeth sylfaenydd Urdd Gobaith Cymru, Syr Ifan ab Owen Edwards, i'r adwy gan roddi croeso twymgalon iddo yn ei gartref. Gofalodd y Fonesig Eirys Edwards yn garedig am un o bobl bwysig Gweriniaeth Iwerddon. Cafodd MacBride ei blesio yn fawr yn Llywydd y Gymdeithas Ddadlau a phenderfynodd gyflwyno Medal am Areithyddiaeth yn rhodd i'r Gymdeithas.[59] Y myfyriwr cyntaf i'w hennill oedd un o edmygwyr pennaf Gwilym y dyddiau hynny, Elystan Morgan. Siaradodd MacBride ar y testun 'European Economic Co-operation'. Croesawyd Peter Shore, un o fechgyn Allerton, Lerpwl, a chynrychiolydd Cymdeithas y Cenhedloedd Unedig, ar achlysur arall. Rhybuddiodd Shore y myfyrwyr fod perygl i'r

---

58 Gw. ei nodyn: 'Cefais gryn foddhad pan dderbyniodd Seán MacBride fy ngwahoddiad i fod yn Llywydd Anrhydeddus yr Undeb Dadlau', *Llafur y Blynyddoedd*, 45. Gweriniaethwr oedd MacBride a anwyd yn 1904, ac ymladdodd yn y Rhyfel Cartref a chael ei garcharu yn 1923 ac 1924. Daeth yn bennaeth yr IRA o 1936 hyd 1938, ond torrodd ei gysylltiad â'r mudiad yn 1939 gan na chredai fod angen y fyddin bellach. Galwyd ef i fod yn fargyfreithiwr a bu'n amddiffynnydd llwyddiannus i'r Gweriniaethwyr. Sefydlodd blaid Clann na Poblachta gan ddenu llawer o Weriniaethwyr i'w rhengoedd, ac erbyn iddo dderbyn gwahoddiad Gwilym yr oedd yn Weinidog Materion Allanol (Minister for External Affairs: 1948–51). Bu'n ymgyrchydd amlwg dros hawliau dynol ac yn un o sylfaenwyr Amnest Rhyngwladol. Cyflwynwyd iddo, yn 1976, Wobr Heddwch Nobel, a blwyddyn yn ddiweddarach, Wobr Heddwch Lenin. Gw. D. J. Hickey a J. E. Doherty, *A Dictionary of Irish History 1800–1980* (Dulyn,1987; argraffiad cyntaf, 1980), 324–5.

59 Tom Ellis Jones, 'Debates Union', *Y Ddraig*, Cyfrol LXXII, Rhif 1,1949, 18.

Cenhedloedd Unedig fynd o dan bawen pwerau'r Gorllewin.[60] Trefnwyd etholiad ffug a chafodd y Blaid Lafur yr oruchafiaeth. Bu ymweliadau cyson â'r dadleuon rhwng y prifysgolion a chroesawodd y Llywydd siaradwyr o brifysgolion Rhydychen, Caergrawnt, Llundain, Caerwysg, Sheffield, St Andrews yn yr Alban, a Dulyn. Teithiodd yntau gyda'i gynorthwywyr i bob un o'r prifysgolion hyn. Dihunodd y Coleg a'r myfyrwyr o'u difaterwch. Cofier iddynt drefnu pymtheg o ddadleuon ar raddfa fawr ar nosweithiau Gwener yn yr hen neuadd arholiadau – ystafell eang a honno'n gyson dan ei sang. Ceid cyfartaledd o dri chant o fyfyrwyr yn bresennol a Gwilym Prys Dafis fel pe bai'n Lloyd George yn disgleirio yn eu plith. Deuai rhai o fechgyn peniog y dref a'r cylch i'r Gymdeithas Ddadlau flwyddyn neu ddwy cyn iddynt ddod yn fyfyrwyr swyddogol. Un o'r rhain oedd Elystan Morgan o Bow Street, a wisgai hen sgarff coleg ei frawd er mwyn llithro i mewn i'r neuadd. Cofiai yn dda am berfformiadau godidog y Llywydd. Dyma'r atgof:

> Mae gen i un atgof llachar o ddadl lle roedd Gwilym Prys Dafis – yr Arglwydd Prys Dafis erbyn hyn – yn un o'r dadleuwyr. Plediai yn huawdl ac yn eofn dros hawliau Cymru ac yn erbyn imperialaeth Prydain. Cofiaf am ei gorff tenau, ei wyneb llwyd a'i wallt pygddu'n disgyn dros ei arlais yn gudyn Hitleraidd yr olwg, bron. Llwyddodd i greu rhyw dawelwch dwys ac fe orffennodd ei araith â'r geiriau yma: 'If you pass this motion tonight, I and my party will regard you as the drainpipes that pour this imperialist filth into Wales.'[61]

Aeth y neuadd fawr yn fanllefau o gymeradwyaeth. A dedfryd y cyw-gyfreithiwr, Elystan, maes o law, oedd:

60 *Ibid.*
61 Huw L. Williams (gol.), *Atgofion Oes Elystan* (Talybont, 2012), 92.

Meddyliais i mi fy hun, y rhoeswn bob dim i fod â'r huodledd a'r gwroldeb i annerch cynulleidfa yn y fath fodd. Meddai ar bersonoliaeth aruthrol, ac yn ei ddyddiau ifanc roedd yn fwy herfeiddiol nag y bu wedyn. Yn ddiamau, mae'n un o'r dynion galluocaf a welodd Cymru yn ystod yr hanner canrif diwethaf.[62]

Dyna asesiad cywir ohono, a chlywais eraill o'i gyfoedion, fel Stanley Lewis, Harri Webb, Eirian Davies, Muriel Bowen Evans, James Cyril Hughes a Huw Lloyd Williams yn mynegi sylwadau tebyg. Geiriau Elystan amdano yw 'meddai ar bersonoliaeth aruthrol' a bu dyddiau coleg yn ddyddiau nodedig iddo.[63] Yr oedd ynghanol gwleidyddiaeth cenedlaetholdeb ac eto, ym mis Awst 1949 bu'n rhaid iddo ef ac eraill ymadael â'r Blaid Genedlaethol y rhoddodd gymaint o'i egni i'w hyrwyddo. Bydd pennod yn y gyfrol hon ar yr argyfwng a ddigwyddodd yn Nyffryn Ardudwy yn hanes Plaid Cymru a hefyd fraslun o hanes y Mudiad Gweriniaethol a darddodd o'r gwrthdaro.

Erbyn 1949 ac 1950 yr oedd Gwilym yn herfeiddiol ac yn ei amlygu ei hun nid yn unig i'w gyd-Gymry Cymraeg ond i'r di-Gymraeg a'r Saeson. Diddorol yw nodi pwy oedd yn gyd-arweinwyr ag ef ar Bwyllgor Cynrychiolaeth y Myfyrwyr (yr SRC fel y'i gelwid). Yr oedd chwech heblaw Prys Dafis yn rhedeg bywyd y myfyrwyr.[64] Ceidwadwr oedd Dyfrig Evans ac un a fu am chwe blynedd yn y llynges adeg yr Ail Ryfel Byd. Deuai John Eirug Davies o Lanbedr Pont Steffan, un o bedwar brawd, meibion y mans, a fu yn y Coleg yn y cyfnod ar ôl yr Ail Ryfel Byd. Bu'n Llywydd y Gymdeithas Geltaidd, fel y bu ei frawd Dewi Eirug Davies, yn 1945–6. Un o Gwm Rhondda oedd Cyril 'Chic' Harris a gofiaf ar staff Prifysgol Lerpwl. Daeth Lewis Carter Jones i Aberystwyth o Ysgol Uwchradd Pen-y-bont ar Ogwr a bu'n Aelod Seneddol Llafur dros etholaeth Eccles.

---

62 *Ibid.*, 92–3.
63 *Ibid.*
64 *Ibid.* 'Who's Who on SRC', *Llais y Lli* / *The Courier*, 22 Hydref 1949, 4–5.

O Swydd Derby y deuai Malcolm Round ac adnabyddid ef fel chwaraewr pêl-droed medrus. Ysgrifennydd yr SRC oedd Dan Elliott, genedigol o Abertyleri, ac un a fu yn y Llynges Fasnachol adeg yr Ail Ryfel Byd. Ond y mae'r hyn a ddywedir am Gwilym, arweinydd y myfyrwyr, yn dra dadlennol. Cydnabyddir ei fod yn hynod o adnabyddus, er nad yw'n chwarae hoci fel Lewis Carter Jones, na phêl-droed fel Malcolm Round. Daeth i amlygrwydd am ei areithiau diflewyn-ar-dafod yn y Gymdeithas Geltaidd, y Gymdeithas Ddadlau, Cangen Plaid Cymru, ac ar lwyfannau gwleidyddol ar hyd a lled Cymru. Gwnaeth ei farc fel myfyriwr galluog, golygydd, propagandydd a phrotestiwr nad oedd neb i gystadlu ag ef. Dyrchafwyd ef yn Llywydd yr Undeb Dadlau ac ef oedd seren y nosweithiau hynny. Y mae asesiad *Llais y Lli / The Courier* yn fwy cignoeth nag eiddo Elystan Morgan:

> Although his speeches are proclaimed with vehemence and Welsh fervour (and we do not doubt his sincerity) yet he tends to lose, rather than gain, the support of his hearers when he hits, he hits hard – too hard.[65]

Bellach yr oedd y myfyrwyr di-Gymraeg wedi clywed am ei ddiddordeb yn y Mudiad Gweriniaethol:

> And we shall see once more the penetrating dark eyes, the long black hair and the incriminating forefinger, proclaim his plan for Welsh Independence.[66]

Ni chlywais Gwilym Prys Dafis fel areithiwr yn y Coleg, ac yn sicr nid oes tystiolaeth yn ei gynnyrch llenyddol ei fod ef yn llawdrwm ar lywodraeth Clement Attlee. Nid oes amheuaeth fod Saunders Lewis yn bwysig iddo, er ei holl fethiant fel gwleidydd ar dir Cymru hyd 1939. Yr oedd Saunders Lewis yn peri gofid iddo ef a'i gylch. Yng ngwanwyn 1947 aeth Prys Dafis i Lygad-y-glyn, cartref Saunders Lewis ar gyrion Aberystwyth,

---

65 *Ibid.*
66 *Ibid.*

ym mhentref Llanfarian.[67] Teithiodd yno ar fws am nad oedd ei arwr yn ateb ei lythyron na llythyron aelodau eraill o'r Sanhedrin fel John Legonna, Huw Davies ac ati. Ni chafodd Prys groeso o gwbl. Ffieiddiai Saunders Lewis bobl yn galw yn ddirybudd a heb wahoddiad. Safonau dosbarth canol blaenoriaid Princes Road, Lerpwl oedd ei safonau ef. Dychwelodd Prys yn ôl at ei ffrindiau agos yn hynod o siomedig. Yr oedd Aberystwyth a gogledd Sir Aberteifi yn dalcen caled i'w wleidyddiaeth a'i ymgysegriad llwyr i Gymru. Gwelodd Gwilym fod Saunders am ei gadw ef a'i gyd-weithwyr hyd braich.

Ond yn rhyfeddol iawn yr oedd ganddo gefnogwyr na fyddai rhywun yn meddwl amdanynt felly. Daeth yn ffrindiau da gyda'r Prifathro Ifor L. Evans.[68] Pam hynny? Mae presenoldeb

---

67 Gwilym Prys-Davies, *Llafur y Blynyddoedd*, 40. 'Roeddwn ymhell o fod yn hapus y noson honno wrth ymadael â Llygad-y-glyn a throi'n ôl am Aberystwyth.' Cystwyodd T. Robin Chapman, cofiannydd Saunders Lewis, Gwilym am fod yn 'naïf' yn galw arno gan obeithio fod yr athrylith wedi cefnu ar ei egwyddorion. Gw. T. Robin Chapman, *Un Bywyd o Blith Nifer: Cofiant Saunders Lewis* (Llandysul, 2006), 296. Ni ellir dweud bod ymweliad Gwilym wedi bod yn gwbl ofer gan i Saunders Lewis dair blynedd yn ddiweddarach ganmol a chefnogi chwech o Weriniaethwyr ifainc, sef Harri Webb, Cliff Bere, Tom a Joyce Williams, Ifor Wilks a Haydn Jones (a ddaeth yn fab yng nghyfraith iddo), ond ni chyfeiriodd at Gwilym Prys-Davies yn ei restr yn 'Cwrs y Byd', *Baner ac Amserau Cymru*, 11 Ionawr 1950.

68 Dywed Gwilym Prys-Davies am Ifor L. Evans: 'Droeon cefais y fraint o aros dros nos ym Mhlas Penglais. Yno y clywais ganddo am gyfraniad Llew Heycock i fyd addysg ac ystyriai fod Heycock, hyd yn oed y pryd hynny, "ymhlith yr hanner dwsin o Gymry mwyaf dylanwadol y dydd".' Gw. *Llafur y Blynyddoedd*, 45. Mae'r ffaith i'r Prifathro, Ifor Leslie Evans, gymryd cymaint o ddiddordeb yn y myfyriwr, Gwilym Prys-Davies, yn dweud cyfrolau. Yn ôl pob tystiolaeth nid oedd y Prifathro yn cymdeithasu ryw lawer gyda'r myfyrwyr. Dyma a ddywed E. Lewis Ellis, hanesydd y Coleg:

> He spent little time in social contact with students, but strongly supported schemes to promote their welfare and instituted an advanced system of joint consultation between the authorities and the student body.

Ceir ysgrif werthfawr arno gan E. L. Ellis, 'Ifor (Ivor) Leslie Evans (1897–1952)', yn *The Dictionary of Welsh Biography 1941–1970* (Llundain, 2001), 66; gw. hefyd Alwyn D. Rees, 'Ifor Leslie Evans (1897–1952)', *Welsh Anvil*, 4, 9–12; ac am ei dad, y cerddor o Aberdâr, gw. 'W. J. Evans, 1866–1947', yn Delyth G. Morgans,

Llinos Evans yn rhan o'r ateb, gan fod Ifor L. Evans yn gynnyrch bywyd Cymraeg Aberdâr a Llinos yn gynnyrch bywyd Cymraeg Abercynon. Dyn na chafodd y sylw a haeddai yw Ifor L. Evans, ac yr oedd huodledd ac ymroddiad Gwilym wedi ei lwyr ennill drosodd. Byddai Gwilym yn cael ei wahodd i aros ar ei aelwyd ef a'i briod ym Mhenglais, ac roedd ei farw ar 31 Mai 1952 yn gynamserol ac yn ergyd drom iddo

Un arall y daeth Prys Dafis yn dra hoff ohono oedd Dr Thomas Jones a fu'n Ysgrifennydd i bedwar Prif Weinidog, ac yn un o ffigurau pwysicaf bywyd cyhoeddus Cymru.[69] Ef oedd sylfaenydd Coleg Harlech yn 1927, sefydliad a fu o fudd mawr i lowyr o dde Cymru drwy eu galluogi i dderbyn addysg ac i fynychu prifysgolion. Ond o 1944 hyd 1954 yr oedd yn Llywydd Coleg Prifysgol Cymru, Aberystwyth, a phan ddirywiodd iechyd Gwilym Prys Dafis, dyma Dr Thomas Jones yn gweithredu yn ymarferol. Anfonodd ef am gwrs dwys dros gyfnod hir i Ysbyty Castell Rhuthun.[70] Talwyd am yr holl driniaeth gan elusen yr oedd ei gefnogydd haelionus yn gydnabyddus â hi.[71] Ar ôl dychwelyd i'r Coleg wedi cryfhau, ac yntau'n raddedig, derbyniodd trwy gysylltiadau Llywydd y Coleg gymhorthdal digonol i ymchwilio i agwedd ar Gyfraith Hywel Dda (Hywel ap Cadell, bu farw 949/950), y brenin a roddodd drefn ar gyfreithiau pwysig yn hanes cynnar y genedl.[72] Yr oedd hwn yn faes a oedd wrth fodd calon Gwilym gan fod cyfreithiau Hywel Dda yn un o'r prif elfennau yn ymwybyddiaeth genedlaethol Cymru'r Oesoedd Canol.[73] Croesawodd y cyfle i ymgeisio am radd Meistr yn y Gyfraith (LL.M.) o dan yr hanesydd T. Jones Pierce yn Adran Hanes Cymru.[74]

Cydymaith Caneuon Ffydd (Aberystwyth, 2008), 516–17.

69 Gwilym Prys-Davies, *Llafur y Blynyddoedd*, 45.

70 *Ibid.*

71 *Ibid.*

72 *Ibid.*

73 *Gwyddoniadur Cymru yr Academi Gymreig*, 493–4.

74 Am Thomas Jones Pierce (1905–64), gw. J. Gwynn Williams, *Welsh History*

PENNOD 4

Mudiad Gweriniaethol Cymru

YN HANES GWLEIDYDDIAETH CYMRU y mae'r Mudiad
Gweriniaethol yn haeddu cofnod a phennod iddo'i hun,
gan fod Gwilym Prys-Davies yn y blynyddoedd cynnar yn
arweinydd y grŵp a ddaeth maes o law yn fudiad a chreu rhwyg
ym Mhlaid Cymru. Dyrnaid o wladgarwyr oeddynt a bron pob
un wedi gwasanaethu yn yr Ail Ryfel Byd.[1] Coleg y Brifysgol,
Aberystwyth oedd y man cyfarfod ac yn fuan ar ôl i Prys-Davies
ymaelodi yn Adran y Gyfraith, cyfarfu ym mis Hydref y flwyddyn
1946 â myfyriwr hynod o ddiddorol, sef Huw Davies. Dysgodd
ef Gymraeg yn Ysgol Fonedd y Moelfryn (Malvern). Un arall a
ddaeth i'r cwmni dethol oedd John Legonna, cymeriad gwahanol
iawn i Huw ac i Gwilym. Ond daeth Gwilym i'w edmygu yntau
a'i barchu a threulio dyddiau lawer ar ei fferm yn Llannarth.Trwy
Legonna daeth Gwilym i gysylltiad â Trefor Morgan. Bu'r ddau
yn y carchar am eu hegwyddorion cenedlatholgar ymosodol. Yr
oedd y ddau fel ei gilydd wedi drachtio'n helaeth o wleidyddiaeth
y genedl Wyddelig.

Review, 1965, 271–3; J. Beverley Smith (gol.), *Medieval Welsh Society: Selected
Essays by T. Jones Pierce* (Caerdydd, 1974); Brynley F. Roberts yn *The Dictionary of
Welsh Biography*, 210. Dyma'r adeg y daeth i'w gydnabod yn Gwilym Prys-Davies
yn lle y Gwilym Prys-Dafis a fu yn boblogaidd am y blynyddoedd cynnar yn y
Coleg ger y Lli .

1   Ceir adroddiad hynod o ddiddorol ar hanes sefydlu'r Gweriniaethwyr
Cymreig yn Harri Webb, *No Half-Way House*, gol. Meic Stephens (Talybont,
1997), 25–48. Ysgrifennodd Gwilym Prys-Davies bennod gyfan ar y mudiad
a gwneuthum ddefnydd o'r hanes sydd ganddo yn y bennod hon. Gw. 'Mudiad
Gweriniaethol Cymru' yn *Llafur y Blynyddoedd*, 35–51. Dyma bennod yr un mor
bwysig â'r hyn a luniodd Harri Webb.

Yna, yng ngaeaf 1947 gwahoddwyd Ithel Davies i annerch cyfarfod cyhoeddus yng Ngheredigion. Yr oedd ef yn ŵr a oedd yn meddu ar argyhoeddiadau cryf; bu yn y carchar adeg y Rhyfel Byd Cyntaf am fod yn wrthwynebydd cydwybodol, a safodd dros y Blaid Lafur am sedd Prifysgol Cymru yn 1933. Bargyfreithiwr ydoedd o ran galwedigaeth. Ni lwyddodd Harri Webb i'w ddadansoddi, ond fe'i disgrifiodd i'r dim fel dyn:

Ithel is short, broad, deep-eyed, square-jawed square-framed, with iron-grey hair; obviously a public man, a barrister; an incisive speaker but not very convincing, and monotonously loud; his voice occasionally squeaks on the top notes.[2]

Mawredd Ithel i lawer o Gymry oedd ei fod wedi dioddef dros ei ddaliadau heddychol, sosialaidd a chenedlaetholgar.[3] Newidiodd Gwilym ei farn amdano yn ei flynyddoedd olaf, ond yn 1947 llyncodd Huw Davies ac yntau bropaganda Ithel yn gyfan gwbl. Pwysleisiodd Ithel Davies hawliau gwerin Cymru i gyfiawnder, i freintiau cyfartal a 'hawl y byd i fyw mewn heddwch'. Dywedodd Gwilym wrthyf fod Huw ac yntau wedi 'derbyn yn llawer rhy anfeirniadol rethreg Ithel' – rhywbeth a wneir yn barhaus gan fyfyrwyr ail flwyddyn![4] Fel y soniwyd eisoes, yn gynnar yn 1948 daeth Cliff Bere i'r Coleg ar ei daith unswydd i werthu'r llyfryn a gosod seiliau'r Gweriniaethwyr. Yr oedd y Blaid Lafur Annibynnol yn nyddiau Keir Hardie wedi dweud y drefn am y Goron ar dir gweriniaethol a'r gwastraff

---

2   Harri Webb, *No Half-Way House*, 32.

3   Lluniodd Ithel Davies hunangofiant hynod o ddifyr dan y teitl *Bwrlwm Byw* (Llandysul, 1984). Gw. ei ysgrifau fel gwrthwynebydd cydwybodol adeg y Rhyfel Byd Cyntaf, 'Buddugoliaeth Cydwybod', *Y Deyrnas*, Cyfrol III, Rhif 8, Mai 1919, 60–1; Mehefin 1919, 69–70; Gorffennaf 1919, 78–9; a *Rhyfel a'r Werin*, Pamffled Cymdeithas Heddychwyr Cymru (Dinbych, 1941).

4   Felly y mynegodd Gwilym ei hunan wrthyf ar ôl imi lunio ysgrif werthfawrogol ar fywyd hynod o ddiddorol Ithel Davies. Rhoddais gryn sylw iddo yn *Dilyn Ffordd Tangnefedd: Canmlwyddiant Cymdeithas y Cymod 1914–2014*, gol. D. Ben Rees (Lerpwl, 2015), 53, 66, 180, 185, 263.

arian ar sbloet arwisgo Tywysog Cymru yng Nghaernarfon yn
1911. Rhwng y ddau Ryfel Byd bu T. E. Nicholas ('Niclas y Glais')
ac Ithel Davies a meddylwyr eraill o'r pleidiau yn gwrthwynebu'r
Frenhiniaeth yn gyson, fel y gwnâi y Llafurwyr Willie Ross ac
Emrys Hughes yn yr Alban.

Yr un flwyddyn daeth Tom Williams a Joyce Williams
o Abertawe i blith y cylch yr oedd Gwilym yn rhan ohono.
Carcharwyd Tom Williams am wrthod cofrestru fel milwr ar
dir cenedlaetholdeb. Priododd Tom â Joyce Herbert a ddaeth i'r
amlwg fel un a gynhyrchai farddoniaeth Eingl-Gymreig. Dyma
ddisgrifiad barddonllyd cofiadwy Harri Webb ohoni:

> She has been described as a blaggard, a fishwife, and a
> disgrace, in her public appearances at least. She writes
> she talks and has no finesse; neither of her feet is on the
> ground, which is part of her impact, I suppose, or if you
> like, her charm.[5]

Un arall a ddaeth i blith cylch Aberystwyth oedd Haydn Jones,
gŵr o Bontardawe, trafaeliwr dros gwmni oedd yn gwerthu
paent, Bristow Wadley. Priododd â merch y *guru* Cymraeg,
Saunders Lewis, sef Mair Saunders. Nid oedd Harri Webb yn rhy
hoff ohono ef chwaith; darluniodd ef fel gŵr a oedd yn heclian
ond yn barod iawn i weithredu:

> He doesn't seem to have much capacity for original thought:
> action is his line, selling, heckling, driving, shouting
> through the loudspeaker; I have many mental pictures of
> him from that time.[6]

Gweriniaethwr arall a ddaeth i gwmnïaeth Gwilym oedd Ifor
Huws Wilks, myfyriwr yn Adran Athroniaeth Coleg Prifysgol
Cymru, Bangor. Cyfarchai Gwilym ef bob amser nid fel Ivor ond
gyda'r gair Cymraeg Ifor. Sosialydd o argyhoeddiad ydoedd yn

---

5 Harri Webb, *No Half-Way House*, 35.
6 *Ibid.*, 37.

fwy na chenedlaetholwr, a bu'n golled fawr i'r mudiad pan aeth Wilks yn ddarlithydd i Brifysgol Ghana.

Ond Gwilym Prys-Davies oedd y dylanwad mawr, yn ôl Harri Webb yn ei ysgrif ar y mudiad. Synnai at y parch oedd iddo ymysg y myfyrwyr. Fe'i hetholwyd yn Llywydd yr Undeb gyda mwyafrif aruthrol. Felly fe'i hedmygid nid gan y Cymry Cymraeg yn unig, ond gan y Cymry di-Gymraeg yn ogystal. Hoffai'r cynulleidfaoedd ei ffordd o areithio yn llawn huodledd, argyhoeddiad a thân. Ceid yr hwyl Gymreig yn ei areithiau. Mynnai rhai ei fod ef yn well areithydd na Gwynfor Evans. Yr ofn mawr oedd gan Harri Webb oedd cyflwr ei iechyd. Nid oedd yn gryf ac roedd yn defnyddio gormod o egni wrth annerch. Dyma a ddywed Harri Webb yn 1949:

> Gwilym is in very delicate health and seems doomed to a Thomas Davies-like fate, to die young in the cause of Wales . . . He has sufficiently impressed Seán MacBride to be given an invitation to recuperate at his expense in the Irish sanatoria. He came down to the Election at Bridgend in a very bad state indeed, and to subsequent Council meetings at obvious risk. He is perhaps the most fierce Republican of us all.[7]

Llwyddodd Gwilym i berswadio ffrind bore oes, yr amaethwr Rhydwyn Lloyd Pughe o Lanegryn, i fod yn un o'r Gweriniaethwyr. Roedd ganddo yntau, fel myfyrwyr Aberystwyth, feddwl mawr ohono ac roedd yn barod i'w gefnogi 'ym mhob dull a modd oedd yn agored iddo', meddai yn ei hunangofiant *Llafur y Blynyddoedd*.[8]

Y mae'n amlwg mai Gwilym Prys oedd yn gyfrifol am gyfansoddiad y mudiad. Dyna un o'i ragoriaethau mawr fel y cawn weld. Credai aelodau grŵp Aberystwyth fod yna bedair adran i'w gwaith fel mudiad gweriniaethol. Yn gyntaf, hwyluso a

---

7   *Ibid.*, 39.
8   Gwilym Prys-Davies, *Llafur y Blynyddoedd*, 39.

hyrwyddo'r syniad o werinlywodraeth, ac yn ail, amcanu at annibyniaeth i Gymru. Credent hefyd fod y cenedlaetholwyr yn esgeuluso Cymry di-Gymraeg y cymoedd; yr oedd y cymoedd yn bwysig yn eu hideoleg. Ac yn olaf, credent y dylid pregethu sosialaeth. Dyna yn fyr oedd y maniffesto. Gwelsom raglen y gweithgarwch, y gorymdeithio, a'r protestio yn erbyn Shinwell. Aethpwyd ati i baentio waliau tref hynafol Caerfyrddin cyn i'r Dywysoges Elizabeth o Windsor ymweld â'r Sioe Frenhinol Gymreig. Rhoddwyd y bai am hyn ar y bardd Eingl-Gymreig Keidrych Rhys a'i gynorthwyydd, bardd arall, Harri Webb, a ymunodd â'r mudiad ar 16 Ionawr 1950 ar ôl y cyffro mawr yn Ysgol Haf Ardudwy yn 1949.[9]

Erbyn diwedd 1948 yr oedd Gwilym, a Huw o ran hynny, wedi hen flino ar ddiffyg anturiaeth y Drindod fel y gelwid hwy, y tri pherson pwysicaf o fewn Plaid Cymru, sef Gwynfor Evans, Wynne Samuel a'r Trefnydd, J. E. Jones. Teimlai'r ddau ffrind fod negyddiaeth yn perthyn i arweinyddiaeth y Blaid Genedlaethol. Llwyddodd Gwilym a Huw i deithio i weld rhai a enwyd eisoes i drafod y cynlluniau a'r gweithgarwch a oedd yn angenrheidiol. Pan ddaeth y gwleidydd pwysig Éamon de Valera i Gaerdydd ar 23 Hydref 1948, cynhaliwyd y noson honno gyfarfod i sefydlu Mudiad Gweriniaethol yn Neuadd Cory.[10] Gosodwyd y cyfrifoldeb ar Ithel Davies i lunio datganiad y gellid ei drafod ym Mwyty Dolwar yng Nghaerfyrddin ym mis Chwefror 1949. Bu trafod helaeth a gohebu, ond erbyn canol Mehefin yr oedd yr hanner dwsin pwysicaf ohonynt yn cytuno'n llwyr. Yn sgil hynny, gwahoddwyd un ar hugain o wladgarwyr Cymreig amlwg i'w arwyddo yn ogystal. Golygai hyn fod y cyfan yn barod i'w drosglwyddo i Ysgol Haf Plaid Cymru yn Llanbedr, Dyffryn Ardudwy yn niwedd Gorffennaf 1949. Cynhelid yr Eisteddfod Genedlaethol yr wythnos ddilynol yn Nolgellau. I'r Gweriniaethwyr, Ysgol Haf 1949 oedd y ffon fesur, a dibynnai eu

---

9 *Ibid.* 42
10 *Ibid.* 41

teyrngarwch i Blaid Cymru ar yr ymateb. Cytunodd Pwyllgor Gwaith y Blaid i gyhoeddi ei nod o safle Dominiwn o fewn y Gymanwlad. Yr oedd hyn yn heresi i Gwilym gan fod Gweriniaeth Iwerddon yn gwrthod perthyn i'r Gymanwlad y flwyddyn honno.[11] Cam gwag oedd safbwynt Plaid Cymru, ac yr oedd hi'n amlwg fod y Gweriniaethwyr amlycaf dan hud a lledrith Gwilym wedi cael syrffed ar yr hyn a alwent yn siarad gwag a rhethreg J. E. Jones a Gwynfor Evans. Ond yr oedd Gwynfor Evans wedi syrffedu ar Gwilym a'r Gweriniaethwyr. Penderfynodd ym mis Ebrill 1949, er mor weithgar oedd y rhai a goleddai'r ideoleg, na ellid caniatáu iddynt danseilio holl deithi meddwl Plaid Cymru. Yr oedd un o newyddiadurwyr y *Liverpool Daily Post* ar 2 Mai 1949 wedi disgrifio'r Gweriniaethwyr fel 'Cymric Bolsheviks with beards and bombs'.[12]

Amcan gwreiddiol Gwilym Prys, Huw Davies a Cliff Bere oedd parhau o fewn Plaid Cymru gan obeithio cadw y rhai mwyaf radicalaidd ohonynt rhag ymuno â'r Blaid Gomiwnyddol. Aeth Gwilym i gysylltiad â Gwynfor Evans ym mis Hydref 1948 i geisio ei ddarbwyllo i ystyried ffrynt poblogaidd rhwng y Comiwnyddion a Phlaid Cymru. Yr oedd Gwynfor Evans yn methu deall na chredu bod gŵr deallus yn awgrymu y fath lwybr gwallgof. Cafodd ei gythruddo fel gŵr oedd yn frwd dros ei gapel a'i Gristnogaeth. Mynegodd hynny wrth ŵr tebyg iddo, J. E. Jones, un o selogion Capel Heol y Crwys yng Nghaerdydd. Nid oedd y syniad yn haeddu ei drafod ym marn arweinydd Plaid Cymru, gan fod y Comiwnyddion anghristnogol yn gwadu'n gyhoeddus fod a wnelo moesoldeb â gwleidyddiaeth.[13] Yr oedd

---

11   *Ibid.* 42

12   *Liverpool Daily Post*, 2 Mai, 1949.

13   Nid oedd Gwynfor Evans yn gywir. Ceid Comiwnyddion amlwg o fewn yr Annibynwyr Cymraeg fel y Parchedig T. E. Nicholas, Aberystwyth a Dr J. Roose Williams a berthynai i gapel Salem, Bootle; gw. hefyd Llyfrgell Genedlaethol Cymru, Papurau John Legonna, Rhif 4 Llythyr Bere at John Legonna, dyddiedig 27 Chwefror 1948.

Trefor Morgan a John Legonna yr un mor anfodlon â Gwilym.[14] Daeth Gwynfor Evans i'r casgliad erbyn Pwyllgor Gwaith Plaid Cymru yn Ebrill 1949 fod yn rhaid iddo sefyll yn gadarn a gwrthwynebu'r Gweriniaethwyr hyd eithaf ei allu. Rhoddodd ger bron y Pwyllgor Gwaith gynnig yn galw ar y Gweriniaethwyr i ymddiswyddo os na cheid addewid o 'ffyddlondeb i'r Blaid'.[15] Yr oedd yn amlwg fod y Llywydd yn creu trafferth iddo'i hun ar fater y medrai ef yn hawdd gyda'i ddoethineb arferol ei oresgyn. Y gwir plaen yw fod Gwynfor Evans wedi hen flino ar y sôn byth a beunydd am sosialaeth filwriaethus, gwrth-heddychiaeth a'r syniadau afreal oedd yn perthyn i rai o gadfridogion Gwilym Prys.

Bu'r Pwyllgor Gwaith yn trafod y mater o bob ongl, ac yn ôl Dr J. Gwyn Griffiths, o Gylch Cadwgan yn y Rhondda, yr oedd aelodau amlycaf y Mudiad Gweriniaethol ymhlith gweithwyr mwyaf ymroddedig a dygn Plaid Cymru. Ond daeth hi'n amlwg nad oedd y Llywydd yn barod o gwbl i wrando ar lais yr academydd, a chafodd ei ffordd heb drafferth gyda deuddeg yn ei gefnogi a dim ond tri yn erbyn.[16]

Iddo ef yr oedd y mater wedi ei benderfynu.Teimlai yn falch iawn iddo gael ei ffordd ei hun ond clywodd yn fuan nad oedd y Gweriniaethwyr yn barod i ildio mor hawdd. Aethant ati i ymosod arno gan gyffwrdd â man gwan yr arweinwyr, eu hagwedd at y Frenhiniaeth. Bu Cymru a'i thrigolion yr un mor gefnogol i'r Teulu Brenhinol ag yr oedd pobl lwm eu byd yn ninasoedd Lloegr. Chwaraeodd ymosodiadau'r Gweriniaethwyr ar ei nerfau ac aeth mor bell â bygwth ymddiswyddo. Bu'n rhaid i J. E. Jones a hefyd Saunders Lewis ddod i'r adwy a'i ddarbwyllo i beidio â meiddio cerdded y llwybr diffaith hwnnw.[17] Cydnabyddai

14 Llyfrgell Genedlaethol Cymru, Casgliad John Legonna, llythyr Trefor Morgan at John Legonna, dyddiedig 22 Chwefror 1949.
15 Rhys Evans, *Rhag Pob Brad; Cofiant Gwynfor Evans* (Talybont, 2005), 126.
16 *Ibid.*
17 Llyfrgell Genedlaethol Cymru, Casgliad Gwynfor Evans. Llythyr Gwynfor Evans at J. E. Jones, dyddiedig 18 Hydref 1948 (APC P567).

Gwynfor Evans ymroddiad Gwilym Prys a Huw Davies ac eraill gan ei fod ef wedi bod fwy nag unwaith yn annerch y gangen fywiog yn y Coleg ger y Lli. Ond nid oedd yn gweld bod angen iddo gymrodeddu ac erbyn hyn yr oedd D. J. Williams, Abergwaun wedi disgrifio ymddygiad y Gweriniaethwyr o fewn Plaid Cymru fel 'heroics plentynnaidd'.[18]

Derbyniodd Gwilym, ei chwaer Mairwen a'i fam brofedigaeth fawr ar 19 Mehefin, 1949 pan fu farw ei dad William Davies yn Llanegryn. Profedigaeth fawr, a hynny yng nghanol yr ymrafael blin.[19]

Credai'r Gweriniaethwyr fel Gwilym yn ddidwyll yn eu hachos a gwelent yr Ysgol Haf yn Nyffryn Ardudwy yn groesffordd yn hanes Plaid Cymru. Daethpwyd i adnabod yr Ysgol Haf honno fel un o'r cyfarfyddiadau mwyaf emosiynol yn holl hanes y blaid. Cafodd y Gweriniaethwyr weld Gwynfor yn gofyn i ddau o'i gadfridogion, J. E. Jones a'r bargyfreithiwr Dewi Watkin Powell, ddad-wneud areithiau grymus Ithel Davies a Cliff Bere.[20]

Yr oedd Gwilym Prys yn mawr obeithio cael aros o fewn Plaid Cymru gan iddo wneud cymaint o gyfeillion ac ennill cymaint o gefnogwyr yng nghyfnod Aber. Serch hynny, roedd safbwynt J. E. Jones mor eithafol nes ei orfodi i droi ei gefn ar Blaid Cymru am byth, er dirfawr siomedigaeth iddo. Ystyriai Blaid Cymru yn fudiad allweddol yn hanes gwleidyddiaeth Cymru. Yn ei gyfrol ddifyr *Cynhaeaf Hanner Canrif* (2008) y mae'n cychwyn ei stori yn 1925 gyda genedigaeth Plaid Cymru. Methai hyd yn oed yr

---

18 Llyfrgell Genedlaethol Cymru, Papurau D. J. Williams, llythyr D. J. Williams at Gwynfor Evans, dyddiedig 17 Gorffennaf 1949 (GE, 1983, W).

19 Ni sonia Gwilym am ei brofedigaeth fawr yn ei bennod ar y Mudiad Gweriniaethol, ond teimlai'r brofedigaeth i'r byw, a chan fod Gwynfor Evans yn ymwelydd â Phen-y-banc, cymhlethwyd yr amgylchiad yn fawr iawn gan ei fod yntau yn ymwybodol o'r golled i Blaid Cymru a bro Llanegryn.

20 Dyma ddadansoddiad Rhys Evans: 'O'r llwyfan, honnodd un o'r Gweriniaethwyr amlycaf, Ithel Davies, fod polisi'r blaid yn eu cymell i fod yn Brydeinwyr yn gyntaf ac yn Gymry yn ail.' Yr oedd Cliff Bere yn llawn mor ddeifiol, gw. *Rhag Pob Brad*, 128.

adeg honno ag anghofio plaid wleidyddol gyntaf ei serch a'i fywyd.

Gadawodd o leiaf hanner cant o'r Gweriniaethwyr wersyll Plaid Cymru gan addunedu ffurfio eu plaid eu hunain erbyn Nadolig 1949. Mynegodd y Llywydd wrth Dr D. J. Davies (un a ymunodd â Phlaid Cymru o'r Blaid Lafur) a'i briod Dr Noëlle Davies, Gilwern, nad oedd y 'dyn cyffredin yn mynd i heidio' at y blaid newydd yn y cymoedd glofaol. Yr oedd dadansoddiad Gwynfor Evans yn ddigon agos at y gwirionedd, ond fel y cydnabu ei gofiannydd, Rhys Evans: 'Ond buddugoliaeth bur wag a diangc oedd hon i Gwynfor a J. E. Jones.'[21] Ffurfiwyd Mudiad Gweriniaethol Cymru yn annibynnol ar bob plaid wleidyddol arall mewn cynhadledd yng Nghastell-nedd ar 24–25 Medi 1949, gyda Trefor Morgan, Caerdydd, yn cadeirio. Gan eu bod yn griw o ddeallusion, penderfynwyd peidio â phenodi arweinydd i'r mudiad fel y gwnâi y pleidiau eraill – gweithred anghyffredin ac unigryw yn hanes gwleidyddiaeth Cymru. Yr oedd yr awdurdod i weithredu i'w osod ar aelodau'r Cyngor a fyddai'n cael eu dewis trwy bleidlais gan aelodau'r mudiad. Pwysleisiodd ef nad oedd neb ohonynt i ddefnyddio'r gair 'plaid', ond y dylent yn hytrach ddefnyddio'r gair mwy cymwys 'mudiad'. Gwelwyd yn syth fod o leiaf pedair cangen yn gweithredu, sef Abertawe, Aberystwyth, Bangor a Chaerdydd. Yr oedd o leiaf un neu ddau yn sefyll allan o blith y celloedd hyn. Yr oedd dyfodiad Harri Webb wedi rhoddi hwb i gangen Abertawe. Gan ei fod ef yn feistr ar yr iaith Saesneg rhoddwyd rhyddid iddo ddefnyddio ei ddoniau llenyddol.[22] Yn Aberystwyth y ceid y

---

21 *Ibid.*

22 Llyfrgell Genedlaethol Cymru, Papurau yr Arglwydd Gwilym Prys-Davies, Bocs 1/4. Anfonodd Meic Stephens lythyr dyddiedig 23 Chwefror 1995 i ofyn i Gwilym pam y bu i Harri Webb adael y Blaid Lafur. Ymunodd â'r Blaid Lafur ar derfyn bodolaeth y Mudiad Gweriniaethol. Atebodd Gwilym ef ar 26 Chwefror gan ddweud: 'Bu gennyf – ac erys – barch dwfn i Harri yn wleidyddol, bu mesur helaeth o ddealltwriaeth rhyngom ar hyd y daith, ac rwy'n ddiolchgar am ei gefnogaeth.' Sonia wedyn am uchelgais Harri i fod yn Aelod Seneddol, ac fel y bu

grymusaf ohonynt i gyd ym mherson Gwilym Prys-Davies. Ym Mangor y gwelwyd y symudiad ymarferol cyntaf dan arweiniad Ifor Huws Wilks. Cyhoeddodd y gangen y rhifyn cyntaf o'r *Bwletin* yn Ionawr 1950. Aelodau cangen Saesneg Plaid Cymru Caerdydd oedd cnewyllyn y mudiad, lle ceid Cliff Bere a Trefor Morgan yn llafurio'n ddiwyd. Gwelodd Gwilym y newid oedd yn digwydd yn iaith y cyfathrebu. Tra mai Cymraeg oedd iaith cenedlaetholwyr cangen y Coleg ger y Lli, Saesneg oedd cyfrwng trafod y Mudiad Gweriniaethol.

Bwgan mawr y mudiad oedd James Griffiths – Jim Griffiths – Aelod Llafur Llanelli ac aelod amlwg o Lywodraeth Lafur 1945–1951. Amlygwyd atgasedd cyson tuag ato, er mawr siom i'w gefnogwyr. Gwnaed ef yn destun gwawd ar bob cyfle posibl. Ar 24 Tachwedd 1949 cafodd Joyce Williams a Haydn Jones o gangen Abertawe eu harwain allan o oriel ymwelwyr Tŷ'r Cyffredin am weiddi tra oedd Griffiths yn annerch ei gyd-Seneddwyr. Gwaeddai'r ddau y gair dirmygus *Quisling*.[23] Taflodd y ddau Weriniaethwr gopïau o faniffesto eu mudiad ar bennau'r Aelodau Seneddol islaw. Y bwriad oedd i'r taflenni ddisgyn ar bennau aelodau'r Blaid Lafur, plaid seddau'r cymoedd, ond yn lle hynny, disgynnodd y rhan fwyaf ar feinciau'r Toriaid.[24] Nid oedd Jim Griffiths yn barod i ddioddef yn ddistaw. Cyhuddodd

am gyfnod byr yn amlwg yn y Blaid Lafur ym Merthyr, ac wrth ei fodd yn cefnogi S. O. Davies. Gadawodd y Blaid Lafur yn 1958 am nifer o resymau – bychander deall a gorwelion rhai o'r cynghorwyr Llafur, diffyg amynedd ynghylch methiant y 'gynnau mawr' fel Goronwy Roberts, Megan Lloyd George a Cledwyn Hughes i lansio ymgyrch ddatganoli, ond yn bennaf doedd dim hunanddisgyblaeth ganddo i 'weithio'n amyneddgar fel morgrugyn, heb boeni'n ormodol am weld y ffrwyth y dydd hwn'.

23 D. Ben Rees, *Cofiant Jim Griffiths: Arwr Glew y Werin* (Talybont, 2015), 161.
24 Derbyniais nodyn ar 14 Chwefror 2013 gan Gwilym Prys-Davies ar ôl iddo ddarllen yr hyn a ysgrifennais am yr ymgais i fychanu y gwron Jim Griffiths:

Wrth edrych yn ôl, credai fy nghyfaill Huw Davies a minnau, ein bod wedi gwrando gormod ar y gwŷr da ac enwir gennych. Fe fu Huw yn olygydd y cylchgrawn am ddwy flynedd, ond ni fu gennyf i unrhyw swydd gyhoeddus gyda'r Mudiad, heblaw fy mod yn aelod o'i Gyngor. Y ddau ohonom, efallai yn fwy na neb arall weithiodd i ddod â'r Mudiad i ben.

hwy o fod yn Ffasgwyr. Y gwir oedd fod y cyhuddiadau o'r ddwy ochr yn gamarweiniol. Erbyn mis Rhagfyr lansiwyd ymgyrch arall i ennill yn ôl i Gymru'r tiroedd ar ochr Lloegr i Glawdd Offa a ddylai berthyn i Gymru, ac a oedd yn haeddu perthyn, yn ôl eu rhesymeg hwy, gan eu bod yn rhan o Gymru'r Oesoedd Canol.

Daeth cyfle godidog i'r mudiad yn nechrau 1950 gan i Clement Attlee benderfynu galw Etholiad Cyffredinol ar 23 Chwefror. Ni allai'r arweinwyr ddod i gasgliad hwylus a bu dadlau caled ynghylch pa sedd y dylid ei dewis i'w hymladd gyda'r bwriad o'i hennill. Penderfynwyd canolbwyntio ar un sedd yn unig sef Ogwr, gyda Maesteg yn un o'r prif drefi. Dadlennwyd bod yr ymgeisydd Llafur Walter Padley heb wreiddiau Cymreig a'r Blaid Lafur leol yn gorfodi yr Aelod Seneddol John Evans, Cymro Cymraeg, gwlatgarol i sefyll lawr er mwyn i ddieithryn gael ei sedd. Nid oedd gan Padley unrhyw gysylltiad uniongyrchol gyda'r etholaeth na'r cymoedd; Undebwr Llafur uchelgeisiol o Lundain ydoedd. Rhoddwyd iddo sedd ddiogel a dadleuai Gwilym Prys-Davies y dylai Trefor Morgan sefyll yn lliwiau'r mudiad. Wedi'r cyfan, nid dyn dieithr mohono i'r etholaeth. Safodd mewn isetholiad ar 4 Mehefin 1946 pan benodwyd E. J. Williams yn Uchel Gomisiynydd yn Awstralia. Rhoddod Trefor Morgan gyfrif da ohono'i hun yn yr isetholiad hwnnw fel y gwelir:[25]

John Evans	Llaf	13,632	70.6%
Trefor Morgan	PC	5,685	29.4%
Mwyafrif		7,947	41.2%

Ond er dirfawr siom i Trefor Morgan a'i gefnogydd Gwilym Prys-Davies ni chafodd yr enwebiad. Trodd Trefor Morgan ei gefn ar y mudiad Gweriniaethwyr gan roddi ei egni i'w gwmni insiwrans yn Aberpennar, i ddechrau, ac yna ar hyd y cymoedd fel

---

25 Beti Jones, *Etholiadau Seneddol yng Nghymru 1900–75* (Talybont, 1977), 110; Harri Webb, *No Half-Way House*, 41–6.

ymgeisydd Plaid Cymru. Yn 1963 sefydlodd ef a'i briod Gwyneth Morgan elusen addysgol bwysig, sef Cronfa Glyndŵr yr Ysgolion Cymraeg, er budd addysg Gymraeg. Bu Gwilym yn gefn mawr i'r ddau gan baratoi dogfen elusennol y gronfa a gwasanaethu'r gronfa yn gyson ar hyd y blynyddoedd.

Roedd hi'n dywydd oer ar gyfer canfasio yn Chwefror 1950 a sylweddolwyd yn syth nad oedd gan y Gweriniaethwyr lawer o glem am sut i ymladd etholiad. Gosodwyd Cliff Bere yn asiant i'r ymgeisydd, Ithel Davies, a rhoddodd ef ei holl egni i'r ymgyrch. Er gwaethaf y tywydd, ynghyd â diffyg peirianwaith a chefnogaeth, yr oedd Ithel Davies a'i gefnogydd Harri Webb yn hynod o optimistaidd. Ond pan ddaeth y canlyniadau gydag 85.2% o'r etholwyr wedi bwrw pleidlais, gwelwyd nad oedd y bargyfreithiwr ond wedi cael pedair pleidlais yn fwy nag a gafodd Lewis Valentine pan safodd dros Blaid Cymru am y tro cyntaf yn etholaeth Caernarfon yn 1929.[26]

Canlyniadau Ogwr yn 1950 oedd:

Walter Padley	Llaf	35,836	74.8%
Raymond Gower	C	9,791	20.5%
Miss M Llewellyn	Com	1,619	3.4%
Ithel Davies	MG	613	1.3%
Mwyafrif		26,045	54.3%

Nid oedd y Gweriniaethwyr wedi gwneud argraff o gwbl. Ceid mwy o gefnogaeth i'r Blaid Gomiwnyddol nag i'r Mudiad Gweriniaethol. Yr oedd yr ysgrifen ar y mur, ond ni chydnabuwyd hynny gan fod ambell berson adnabyddus yn y cylchoedd academaidd wedi ymuno â'r mudiad. Un o'r rhain oedd Ceinwen Thomas, a oedd yr adeg honno yn byw yng nghartref Dr D. J. Davies a Dr Noëlle Davies yng Ngilwern. Ni allai Harri Webb ei dioddef:

---

26 Gwilym Prys-Davies, *Cynhaeaf Hanner Canrif: Gwleidyddiaeth Gymreig 1945–2005* (Llandysul, 2008), 19.

I feel that her conduct has been so uniformly unsatisfactory as to outweigh any prestige that accrues to us through her defection from the Blaid, of which she was such a model, and in some ways such a typical member, or the advantage we get from her contact with Dr D. J. Davies. In this respect she is more a source of leakage than of information.[27]

Serch hynny, yr oedd cael yr ysgolhaig Dr Ceinwen Thomas o Goleg Prifysgol Cymru Caerdydd i'r rhengoedd yn bwysig i'r deallusion, er na fu hi'n amlwg o gwbl.[28]

Ond erbyn dyfodiad yr Eisteddfod Genedlaethol i Gaerffili yn Awst 1950 gwelid y Gweriniaethwyr yn weithgar. Gwelir hynny mewn tri pheth. Yn gyntaf, y cyffro a grëwyd pan ddringodd Cliff Bere a Gwyndaf Evans un o dyrau Castell Caerffili tra oedd yr Eisteddfod yn y dref gan roddi'r faner Brydeinig, Jac yr Undeb, ar dân wrth ei pholyn. Yr ail weithred oedd ymosodiad Aelod Seneddol Llafur Caerffili, Ness Edwards, ar y Rheol Gymraeg a gafodd ei gweithredu am y tro cyntaf erioed yn Eisteddfod Genedlaethol y dref. Condemniodd Gwilym Prys-Davies ei weithred yn ei gyfrol bwysig ar wleidyddiaeth Cymru rhwng 1945 a 2005. Dyma'r paragraff sy'n crynhoi ei safbwynt a'i gondemniad ar araith Ness Edwards, gelyn tanllyd i Blaid Cymru, a dorrodd y Rheol Gymraeg ar lwyfan Eisteddfod Genedlaethol Caerffili yn 1950:

Er i Ness Edwards fynegi'r dymuniad i gerdded y llwybr heddychol, ni fu ei araith yn Eisteddfod Caerffili yn gyfraniad i heddwch a chymodi. Yn hytrach, yn y weithred honno gwelai eisteddfodwyr, caredigion y Gymraeg, ac eraill brawf o wrth-Gymreigrwydd ar ei ran ef ac ar ran y

---

27 Harri Webb, *No Half-Way House*, 44.
28 *Ibid.* Ysgrifennodd Dr Ceinwen Thomas aml i ysgrif wenwynig ar y Blaid Lafur i'r *Ddraig Goch* a gellir deall agwedd sosialydd fel Harri Webb. Gw. Ceinwen Thomas, 'Brad y Sosialwyr', *Y Ddraig Goch*, Ionawr 1950, 4 a 6. Iddi hi y 'Blaid lafur yw un o'r melltithion gwaethaf a ddisgynnodd ar Gymru erioed'.

Mudiad Llafur. Yn wir, bu adwaith cryf yn ei erbyn drwy'r
Cymru Cymraeg a wnaeth ddirfawr ddrwg i Lafur.[29]

Y drydedd weithred oedd cyhoeddi am y tro cyntaf y cylchgrawn
The Welsh Republican, dan olygyddiaeth Huw Davies. Ymddang-
osodd 41 rhifyn ohono o 1950 hyd Ebrill 1957, gan werthu hyd
at ddwy fil o gopïau'r rhifyn yn ei dair blynedd gyntaf, er i'r
cylchrediad ddisgyn wedyn i ryw fil o gopïau, a llai fyth erbyn
1956 ac 1957. Yn y rhifyn cyntaf o'r cylchgrawn cafwyd erthygl
gan Dr Ceinwen Thomas a gondemniwyd gan Harri Webb am
iddi ailwampio ei ysgrif ar gyfer papur Saesneg y Blaid, *Welsh
Nation*, a ddeuai allan yr un pryd. Asgwrn y gynnen i'r bardd
oedd ei bod hi'n cefnogi'r mudiad yn y lle cyntaf:

> Her opposition to the Republican tricolour also seems to
> have been out of place in the context of early Republican-
> ism, and I for one was very surprised to hear that she was a
> Republican at all, after reading the typically schoolmarm-
> ish stuff she'd done for the Blaid papers.[30]

Ond cynnyrch mwyaf grymus y cylchgrawn oedd hwnnw
a luniwyd gan Harri Webb ei hun, fel ei lythyron at Mistar
Jones oddi wrth Caradog yn rhifynnau Awst 1950 i Ebrill–Mai
1952. Rhoddodd Harri Webb ei ateb i Ness Edwards yn rhifyn
Hydref–Tachwedd 1950. Dywed y gwir a'r gwir yn unig yn y
paragraff canlynol:

> And all this goes to show that the real Division in Wales
> today is not between Welsh-speaking and English-
> speaking, but between self-satisfied politicians who have
> attachment to English rule and the ordinary people whose
> hearts are with Wales.[31]

---

29 Gwilym Prys Davies, *Cynhaeaf Hanner Canrif*, 21; Yr Arglwydd Morris o
Aberafan (John Morris), 'Cofio'r Arglwydd Gwilym Prys-Davies (1923–2017)',
Barn, Rhif 652, Mai 2017, 17–18.

30 Harri Webb, *No Half Way House*, 45 .

31 Harri Webb, 'Ness Edwards', *Y Gweriniaethwr*, Hydref–Tachwedd 1950, 3.

Erbyn Chwefror–Mawrth 1951 yr oedd Harri Webb wrth y llyw, yn paratoi ysgrif olygyddol bob deufis a oedd yn werth ei darllen, yn llawn hyder am bobl Cymru, yn trafod llyfryn Huw T. Edwards ar y Frenhiniaeth a choroni Elizabeth o Windsor, *They Went to Llandrindod*, a nifer helaeth o ysgrifau golygyddol yn pledio achos datganoli ac yn canmol gweithredoedd anghonfensiynol ac anghyfreithlon. Paentiwyd graffiti yn ymwrthod â gwasanaeth cenedlaethol yn y lluoedd arfog. Ar 13 Mawrth 1953, yn llys barn Caerdydd, plediodd y Gweriniaethwr ymosodol Gwyndaf Evans yn euog i'r cyhuddiadau yn ei erbyn. Daliwyd ef a ffrwydron yn ei feddiant. Ei nod oedd ffrwydro pibellau oedd yn cludo dŵr o Raeadr Gwy i Birmingham. Nid oedd dim yn ei ddisgwyl ond tymor o garchar. Felly hefyd yn hanes Pedr Lewis o Fangor. Cafodd ef yn Llys y Goron Caernarfon ddeunaw mis o garchar ar gyhuddiadau tebyg i rai Gwyndaf Evans.

Yr oedd y mudiad yn meddu ar bobl a oedd yn barod i dalu'r pris am herio'r gyfraith. Prynwyd canolfan i fod yn gartref i arweinwyr y mudiad a hynny yn 104 Heol y Gilfach, Bargoed. Symudodd Huw Davies, Harri Webb a Cliff ac Eluned Bere i fyw yno. Agorwyd siop lyfrau a llyfrgelloedd yng ngofal Harri Webb. Estynnwyd y cysylltiadau a chroesawyd caredigion y mudiad i alw ac i aros dros nos ym Margoed. Cafwyd ymgyrch o 1951 i 1953 i ryddhau y cenedlatholwr Llydewig Andreo Geffroy, a oedd dan ddedfryd o farwolaeth yng ngharchar La Santé ac ar ôl hynny yng ngharchar Fresnes.

Yn Aberystwyth yr oedd Gwilym Prys-Davies yn dioddef o ran ei iechyd, ond yn derbyn caredigrwydd mawr, ac yn dilyn cwrs proffesiynol fel cyfreithiwr yn y dref. Er y pellter o Fargoed i Aberystwyth ni laciodd ei afael ar ei berthynas â'i gyfeillion radicalaidd. Gwelid ef yn ddieithriad yng Nghyngor y mudiad a lluniodd ambell ysgrif i'r *Gweriniaethwr*, ond ni ellir dweud ei fod ef ar flaen y gad oherwydd y galwadau arno, ac yn fwy na dim, oherwydd cyflwr gwanllyd ei iechyd. Gwelid ei gymrodyr bob penwythnos yn llefaru yn optimistaidd am ddyddiau gwell i'r cymoedd a hynny yn yr awyr agored ym mhentrefi glofaol Morgannwg a Mynwy. Cenhadu yw'r gair gorau am eu hymdrechion, ond nid oeddynt yn ennill y cannoedd i'w rhengoedd. Yr oedd hi'n anodd cadw'r criw yn ddiddig. Yn 1951 bu dadlau brwd rhwng Ithel Davies a Tom Williams am fod y bargyfreithiwr wedi rhoddi cefnogaeth arbennig i Gyngres Heddwch Cymru. Ni allai Ithel Davies ddygymod â hyn ac ymddiswyddodd o'r mudiad.

Daeth Gwilym i gysylltiad â nifer o Gymry brwd yn Aberystwyth rhwng 1950 ac 1953. Graddiodd James Cyril Hughes yn y Gyfraith yn 1951. Roedd ef yn un o blant Ysgol Sir Tregaron a bu'n gefnogydd ar hyd y blynyddoedd, fel y cawn weld yn y cofiant hwn. Graddiodd John Morris o Gapel Bangor yn y Gyfraith yn 1952, cyn mynd ymlaen i Goleg Gonville a Caius, Caergrawnt. Yr oedd ef yn gwybod ei feddwl ac wedi gweld y ffolineb o berthyn i blaid mor aneffeithiol â'r Blaid Ryddfrydol. Fel Cledwyn Hughes o'i flaen gadawodd y Rhyddfrydwyr am y Blaid Lafur. Gwyddai Gwilym Prys am uchelgais a gallu ei ffrind newydd, John Morris, a gwyddai y medrai fynd yn bell fel gwleidydd. Gwir y proffwydodd a bu John Morris yn fawr ei edmygedd ohono o 1952 hyd 2017. Dywedodd amdano yn ei ysgrif Goffa yn 2017 ei fod yn ddiolchgar iddo am ei 'gyngor ar hyd fy oes'. Ni fyddai byth yn cyflwyno araith heb gael cyfarwyddyd ganddo a daeth y ddau i ddeall ei gilydd 'hyd yn oed os nad oeddem yn cytuno'.[32]

Yr un flwyddyn graddiodd Gwilym Ednyfed Hudson Davies yn y Gymraeg, ond nid oedd ef yr adeg honno yn trafferthu gyda'r Blaid Lafur na gwleidyddiaeth. Ni ddaeth i gylch cyfrin Gwilym Prys fel y daeth Cyril Hughes a John Morris. Er bod gan Cyril Hughes gydymdeimlad â'r Mudiad Gweriniaethol, nid oedd gan John Morris owns o gydymdeimlad. Gwnaeth y cyfeillgarwch â

---

32   Yr Arglwydd Morris o Aberafan (John Morris) 'Cofio'r Arglwydd Gwilym Prys-Davies (1923–2017)', *Barn*, Rhif 652, Mai 2117. 17–18

John Morris i Gwilym ailystyried ei deyrngarwch i'r mudiad y bu ef yn ysgogydd iddo. Gwelir hynny yn yr ysgrif faith o'i eiddo a gyhoeddwyd yn *Y Faner* ar 2 Rhagfyr 1955.

Erbyn gwanwyn 1954 daethai'n glir iddo fod dyddiau'r mudiad wedi eu rhifo. Yr unig ran o'r mudiad oedd yn gweithredu oedd y Cyngor, a siop siarad oedd hwnnw mewn gwirionedd. Nid oedd neb ohonynt ag awydd i gyhoeddi pamffledyn newydd. Cyhoeddid *Y Gweriniaethwr* dan deyrnasiad Harri Webb ond yr oedd hi'n bryd dod i benderfyniad am y dyfodol.

Yr oedd Gwilym a Huw Davies yn gweld nad oedd y mudiad yn mynd i wneud unrhyw argraff ar y dosbarth gweithiol a oedd yn anwylo'r Frenhiniaeth ac yn fawr eu hedmygedd o gewri'r Blaid Lafur fel Aneurin Bevan, Jim Griffiths ac S. O. Davies. Yr oedd dwy blaid yn apelio at y rhai a oedd yn ysgwyddo'r cyfrifoldeb, sef Plaid Cymru a'r Blaid Lafur. Ar ôl llawer o siarad penderfynodd pump o aelodau'r Cyngor ymuno â'r Blaid Lafur yn 1953. Gwyddom pwy oedd tri o'r pump, sef Gwilym, Harri Webb a Haydn Jones. Er y cyfeillgarwch clòs, yr oedd yn well gan Huw Davies fynd at Blaid Cymru ond ni fu pall ar ei berthynas â'i ffrind coleg. Daeth Harri Webb dros nos yn fawr ei barch ymhlith gwir sosialwyr Merthyr. Daliai Harri Webb a Gwilym Prys yn llawn syniadau ac yn 1955 daeth Goronwy O. Roberts, Aelod Seneddol Arfon, fel y gwelwn yn y bennod nesaf, i'r darlun gan i John Morris anfon ato ddwy flynedd ynghynt o wersyll milwrol yn Sir Benfro syniadau am sut i gryfhau yr elfen Gymreig o fewn y Blaid Lafur.

PENNOD 5

Rhoddi clust i addewidion y gwleidydd Goronwy O. Roberts

WRTH YMADAEL ag Aberystwyth am gymoedd y de, gwyddai Gwilym fod angen iddo ddewis plaid wleidyddol y medrai ef gyfrannu iddi. O ddyddiau ei ieuenctid a thrwy'r Ail Ryfel Byd ac ar hyd y blynyddoedd y bu yn y Coleg ger y Lli, Plaid Cymru oedd ei flaenoriaeth, ac o 1949 hyd 1953 gweithredodd gyda'r Mudiad Gweriniaethol. Bellach trodd ei gefn ar y mudiad diddorol hwnnw. Dau ddewis oedd ganddo, sef y Blaid Ryddfrydol neu y Blaid Lafur. Gwyddai yn well na neb fod dyddiau'r Blaid Ryddfrydol wedi eu rhifo yng Nghymru. Collwyd yn 1951 seddau Meirionnydd ac Ynys Môn i'r Blaid Lafur. Yn wir, yn etholiadau 1950, 1951 ac 1955 arhosodd cyfartaledd y pleidleisiau a gefnogai'r Blaid Lafur yng Nghymru yn uchel, o gwmpas 56 i 57 y cant. Roedd Gwilym wedi derbyn swydd cyfreithiwr yng nghwmni enwog Morgan, Bruce a Nicholas, cwmni a wasanaethai drigolion Pontypridd a'r Rhondda. Ceid tair etholaeth gadarn o gefnogol i'r Blaid Lafur yn ei gylch newydd er bod carfan o'r arweinwyr, gan gynnwys rhai o'r Aelodau Seneddol, yn ddrwgdybus iawn o'i safbwynt ef fel cenedlaetholwr Llafurol. Cefnogai ef y pump Aelod Seneddol Llafur a fu'n llafurio dros Ymgyrch Senedd i Gymru. Yr amlycaf o'r pump oedd y rebel S. O. Davies, un o adar y ddrycin ac Aelod Seneddol Merthyr Tudful. Ond nid oedd Gwilym yn barod i goleddu athroniaeth Farcsaidd-Gristnogol S. O. Davies, er ei fod yn ei edmygu am iddo gyflwyno Mesur Ymreolaeth i'r Senedd yn 1955 a hynny yn wyneb ymateb digon difraw.[1]

---

1   D. Ben Rees, 'Stephen Owen Davies (1886–1972)', *Cymry Adnabyddus*

Ymserchodd Gwilym mewn un arall o'r rebeliaid a fu'n cefnogi'r ymgyrch, sef Goronwy Roberts, Aelod Seneddol Llafur Sir Gaernarfon. Ef yn 1956 a gyflwynodd ger bron y Senedd ddeiseb o blaid Senedd i Gymru ac arni 240,000 o lofnodion. Ystyriai Gwilym yn ei ddyddiau coleg gynnyrch ysgrifenedig Goronwy Roberts yn hynod o bwysig. Yr oedd yn ei ystyried yn un o'r Llafurwyr pwysicaf o fewn y wythïen Gymraeg yn y Blaid Lafur ac yn un a haeddai ei sylw arbennig ef. Credai fod ynddo holl 'elfennau gwir wleidydd'. Edmygai ei ddawn ysgolheigaidd – roedd yn un o'r Aelodau Seneddol mwyaf galluog o fewn y Blaid Lafur Gymreig – a hefyd ei ddawn fel newyddiadurwr godidog yn y ddwy iaith. Bu'n arwain y mudiad Gwerin yn ystod ei gyfnod fel myfyriwr yng Ngholeg Prifysgol Gogledd Cymru rhwng 1937 ac 1939.[2] Erbyn ei etholiad cyntaf dros y Blaid Lafur yn etholaeth Arfon yn 1945 paratôdd yr hyn a elwid yn *Llais Llafur*. Dyma'r daflen etholiadol uniaith Gymraeg a gyhoeddwyd ar ran Goronwy Owen Roberts ac a olygwyd gan John Roberts Williams, cyfaill iddo o ddyddiau Gwerin a chyfaill i Gwilym yn nes ymlaen hefyd.[3]

Ym mhennod gyntaf *Cynhaeaf Hanner Canrif* gwêl Gwilym y daflen fel maniffesto grŵp bychan o ymgeiswyr seneddol sosialaidd Cymraeg gwladgarol, 'mewn cynghrair ag arweinwyr lleol rhai o'r undebau llafur ar ddiwedd yr Ail Ryfel Byd, i ddylanwadu ar Lafur i fabwysiadu polisïau i sicrhau i Gymru ei hawliau fel cenedl'.[4] Gan mai Goronwy Roberts oedd y

1952–1970 (Lerpwl a Phontypridd, 1978) 39–40 a Llyfrgell Genedlaethol Cymru, Papurau yr Arglwydd Goronwy Roberts, Bocs 45, S 3/3.

2   Am Gwerin, gw. John Roberts Williams, *Yr Eiddoch yn Gywir* (Penygroes, 1990), 51–3.

3   Llyfrgell Genedlaethol Cymru, Papurau yr Arglwydd Goronwy Roberts. Llythyr John Morris, Castellmartin at Goronwy Roberts AS, dyddiedig 14 Gorffennaf 1953. Anfonodd gopi hefyd at Gwilym Prys-Davies.

4   Gwilym Prys-Davies, *Cynhaeaf Hanner Canrif*, 7–8 *Ibid*. Atebodd Goronwy Roberts lythyr John Morris ar 17 Awst gan ddweud y medrai fod yn ddigon bodlon gan fod 'yr awgrymiadau a wnaethoch yn cael dyfnder mewn llawer meddwl yn barod'.

lladmerydd amlycaf, yr oedd hi'n naturiol i Gwilym, wrth adael y Mudiad Gweriniaethol, ei gysylltu ei hun â gwleidydd a oedd newydd ennill ei sedd i'r Blaid Lafur am y pedwerydd tro. Y tro hwn bu'n fuddugoliaethus yn erbyn tri ymgeisydd arall, gyda mwyafrif o 9,221, a hynny ar 25 Mai 1955.[5] Erbyn haf 1955 yr oedd y mudiad y bu Gwilym ynghlwm ag ef yn droednodyn yn hanes Cymru – y Gweriniaethwr llawn syniadau a chyffro wedi methu ennill y miloedd yng nghymoedd glo de Cymru; yr hwch wedi dinistrio'r siop yn gyfan gwbl. Rhoddodd flynyddoedd lawer i'r syniad o werinlywodraeth, o leiaf o'i flwyddyn gyntaf fel myfyriwr y Gyfraith yn 1946 ac yn swyddogol o 1949. Dysgodd ei brentisiaeth weriniaethol aml i wers iddo o fewn byd gwleidyddiaeth. Ni chlywais ef yn dweud o gwbl mai ffolineb oedd ei ymroddiad i genedlaetholdeb Plaid Cymru a delfrydau'r Mudiad Gweriniaethol, ond clywais aml i Lafurwr Cymreig yn dweud y byddai'n well pe bai wedi ymaelodi â'r Blaid Lafur yn 1949 ac nid yn 1953.

Un o'r gwleidyddion ifanc a oedd yn llawenhau am ei benderfyniad i gefnogi'r Blaid Lafur oedd John Morris, a fagwyd yng Nogledd Sir Aberteifi fel Rhyddfrydwr, cyn troi ei olygon at y Blaid Lafur. Ysgrifennodd epistol pwysig yn ei ysgrifen ei hun yng ngwersyll Castellmartin lle yr oedd yn cwblhau ei wasanaeth milwrol cyn dilyn ei yrfa yn y gyfraith. Anfonodd y llythyr, a oedd yn fwy o ddogfen Llafurwr ifanc, at Goronwy Roberts ac at ei ffrind Gwilym ar 14 Gorffennaf 1953. Ni rydd Gwilym sylw dyladwy i'r ddogfen hon yn ei atgofion a groniclwyd yn *Llafur y Blynyddoedd*.

Credaf fod y ddogfen yn un bwysig yn hanes y ddau ohonynt, John Morris a Gwilym Prys-Davies. Teimlai John Morris fod angen paratoi ymgyrch a llenyddiaeth ar ddull adroddiad Cyngor

5   John Roberts Williams, *Yr Eiddoch yn Gywir*, 51–3. Dyma deyrnged John Roberts Williams i Goronwy Roberts yn *Llais Llafur*. 'Gwelir Lloyd George ifanc arall yn y bachgen hwn – ei huodledd yn y ddwy iaith, ei frawddegau cofiadwy a'i gasineb deifiol at bob rhaib a rhagrith a snobyddiaeth.'

Cymru ar Gymru Wledig a gyhoeddwyd yn 1953. Teimlai fod ganddynt faterion hynod o bwysig i ymgyrchu drostynt. Yn gyntaf, derbyn, ac ar yr un pryd daflu i'r cefndir dros dro yr alwad am 'Senedd yn ein hamser ni'. Sylweddolai fod elfen gref o geidwadaeth ym mhobl Cymru fel yr oedd pethau yng nghanol y pumdegau ac ymhlith arweinwyr y Blaid Lafur, heblaw pobl y chwith o faintioli Aneurin Bevan, Richard Crossman a Harold Wilson. Dyfynnodd y ddihareb 'Os na fydd gryf, bydd gyfrwys', gan bwysleisio fod yn rhaid ennill yr etholiadau. Dyhead arall o'i eiddo oedd peidio â pharatoi cynnig am ymreolaeth ger bron Pwyllgor Rhanbarth Llafur am bum neu ddeng mlynedd o leiaf, fel y cawn weld. Dylid yn ddiymdroi ymgyrchu am Ysgrifennydd Gwladol i Gymru. Dywed y milwr o'r gwersyll:

> Efallai mai cam gwag o agwedd gweinyddiaeth ydyw hwn, ond rhaid ei gynnwys gan na allwn fel plaid fforddio ysgaru ein hunain oddi wrth farn y cyhoedd, ac mi fydd hyn yn bluen i ni, ac yn rhywbeth y gallem amcanu ato.[6]

Dadleuai fod angen adroddiad ar Gymru gyfan ar linellau'r hyn a ddaeth allan o ddwylo Cyngor Cymru a Mynwy. Oni ellid rhoddi hyn yn dasg i'r ifanc yn rhengoedd Llafur? Ofnai John Morris fod y mwyafrif o Aelodau Seneddol Llafur Cymru am gadw y sefyllfa fel yr oedd hi. Ceidwadol oedd safbwynt cyfran uchel o wleidyddion y pleidiau. Senedd i Gymru oedd y nod ond 'cymerwn gamau ymarferol i achub Cymru' yn gyntaf oedd cri John Morris. Llythyr gŵr ifanc penderfynol a fyddai'n ffrind da i Gwilym Prys-Davies oedd epistol y milwr a lwyddodd i sgriblan yn ddeallus chwe thudalen o faterion a oedd yn haeddu trafodaeth.

Ymatebodd Goronwy Roberts ar 17 Awst 1953.[7] Anfonodd

---

6 Gwilym Prys-Davies, *Llafur y Blynyddoedd*, 48. Llyfrgell Genedlaethol Cymru, Papurau yr Arglwydd Goronwy Roberts. Llythyr Goronwy Roberts at Gwilym Prys-Davies, dyddiedig 14 Medi 1955. Papurau yr Arglwydd Prys-Davies, Bocs 1/1.

7 Llyfrgell Genedlaethol Cymru, Papurau yr Arglwydd Gwilym Prys-Davies.

Gwilym lythyr ato a chafodd ateb dyddiedig 14 Medi 1953. Ateb Goronwy Roberts oedd awgrymu y dylid trefnu cynhadledd arbennig i wyntyllu yn drwyadl y syniadau hynny.[8] Ymffrostiai fod pum Aelod Seneddol Llafur yng Nghymru yn ymreolwyr. Ond yr oedd angen trwy Gymru gyfan weld ymreolwyr yn gadeiryddion y rhanbarthau, yn gynghorwyr, yn ymgeiswyr seneddol ac yn Aelodau Seneddol. Rhaid oedd gafael o ddifri yng ngweithgareddau Llafur Cymru. Cynhesai calon Gwilym Prys-Davies tuag ato yn y brawddegau hyn:

> Llafurwyr tros Gymru yw mwyafrif llethol o aelodau Plaid Lafur Ynys Môn, Arfon, Conwy, Meirionnydd, Brycheiniog a Maesyfed, a Dinbych. Rhaid perthyn i Blaid y mwyafrif, plaid y werin.[9]

Ond ni wnaent ddim ohoni pe byddent y tu allan i'r blaid wleidyddol. Effaith hynny fyddai gadael y maes i Lafurwyr adweithiol fel Iori Thomas, Aelod Seneddol Gorllewin y Rhondda. Felly rhaid oedd iddynt ddal eu gafael.[10] Ymffrost Aelod Seneddol Caernarfon i John Morris a Gwilym Prys-Davies oedd:

> Gyda mi yr oedd cenedlaetholwyr y Chwith yn Arfon yn yr etholiad [1955]. Felly ym Môn a Meirion.[11]

Ac yna ceir datganiad nodweddiadol o Goronwy Roberts:

> Pe bai gennyf hanner cant o ddynion o'ch stamp chwi a John Morris yn sefyll yn gyfysgwydd â mi ym mhwyllgorau a chynadleddau Llafur Cymru, buasem yn gweddnewid meddwl Cymru.[12]

Atebodd Goronwy Roberts lythyr John Morris ar 17 Awst 1953.

8   *Ibid.*

9   *Ibid.*

10 *Ibid.* Gwilym Prys-Davies, *Llafur y Blynyddoedd*, 49.

11 *Ibid.* Gw. *Y Cymro*, 27 Hydref 1955.

12 *Ibid.* Llyfrgell Genedlaethol Cymru, Papurau yr Arglwydd Gwilym Prys-

Ni allai'r ddau anghytuno ag ef, na chwaith â'i gyngor, 'daliwch eich gafael yn dynn ar eich gweledigaeth'.

Yr oedd y gynhadledd i'w chynnal ym Mangor, fel petai i wyntyllu'r cyfan a oedd ym meddwl y tri Chymro brwdfrydig a oedd bellach yn gweld potensial y Blaid Lafur yn y Gymru gyfoes. Yr oedd yn amlwg fod yr Aelod Seneddol o ddifri calon yn ei lythyron. Ymateb felly oedd ym meddwl Gwilym fel y nododd flynyddoedd yn ddiweddarach yn ei hunangofiant *Llafur y Blynyddoedd*:

> Credais fod y gwir ganddo, a rhoes i mi yr argraff ei fod o ddifrif. Felly boed i ni gael ein cyfrif ymhlith y Goronwyiaid.[13]

Bu disgwyl mawr am y gynhadledd. Sioc oedd darllen yn *Y Faner* (26 Hydref), ac yn *Y Cymro* (27 Hydref), fod y gynhadledd wedi ei chynnal ym Mhorthaethwy ar y Sadwrn blaenorol. Ni chafodd John Morris, Gwilym Prys-Davies na Harri Webb wahoddiad nac ymddiheuriad am anghofio eu gwahodd. Datganodd Cledwyn Hughes, Aelod Seneddol Môn, wrth y wasg ar ôl y gynhadledd:

> Buwyd yn trafod yn agored a bywiog amryw o gwestiynau megis gweinyddiad yng Nghymru, datganoliad dedd-fwriaeth, Ysgrifennydd i Gymru a datganoliad drwy Lywodraeth leol.[14]

Cafodd Gwilym siom aruthrol yn Goronwy Roberts am iddo ei anwybyddu ef a John Morris, a Harri Webb. Fe'i gwelai am gyfnod fel brawd yn y ffydd yn y frwydr dros ddatganoli a Senedd i Gymru. Yr oedd hi'n amlwg ei fod yn gweld Goronwy Roberts fel un a fedrai roddi'r arweiniad angenrheidiol. Methaf

---

Davies. Llythyr Goronwy Roberts AS at Gwilym Prys-Davies, dyddiedig 9 Gorffennaf 1956.
13   *Llafur y Blynyddoedd*.
14   *Ibid*. Gw. *Y Cymro*, 27 Hydref 1955.

yn bersonol â deall pam na ofynnodd Gwilym am well esboniad nag a gafodd. Ond mae'n amlwg na fedrai ei anwybyddu, er gwaethaf y cam gwag a ddigwyddodd ynghylch y gynhadledd. Nid oedd hynny'n rheswm digonol yng ngolwg y cyfreithiwr iddynt ymddieithrio; edrychai ymlaen bob wythnos at ddarllen ei erthyglau nodedig a'i bortreadau yn *Y Cymro*, yn oes aur yr wythnosolyn hwnnw. Mewn gohebiaeth ar 9 Gorffennaf 1956 cynghorodd Goronwy Roberts ef i ymroi'n llwyr i sosialaeth y Blaid Lafur:

> Golyga hyn eich bod yn aelod aflonydd ond cyson ohoni, gan afael ymhob cyfle i arwain.[15]

Nid oedd hynny'n hawdd er bod Gwilym bellach yn byw yng nghadarnle'r Blaid Lafur ym Mhen-y-graig, y Rhondda, gyda'i briod, ac wedi derbyn swydd gyda chwmni adnabyddus o gyfreithwyr.

Soniai'r llythyr am Lafurwr a wnaeth farc yn etholiad 1955 yn Sir Aberteifi, sef David Jones Davies.[16] Fel Goronwy Roberts a Gwilym Prys-Davies, yr oedd Jones Davies yn un o'r deallusion. Ef oddi ar 1954 oedd Dirprwy Swyddog Addysg Bwrdeistref y Rhondda, a gwelwn pam y mae'n sôn amdano wrth un arall a weithiai yn y Rhondda; yn Hannah Street, y Porth, y lleolid swyddfa Gwilym. Dywed amdano:

> Credaf ei fod yn sosialydd cryno, a'i fod yn ymreolwr hefyd. Y mae'n ŵr o allu mawr, fel y gwyddoch, a charwn ei weld ef yn sythu am sedd yn y Rhondda.[17]

Sylwodd Goronwy ei hun ar y gwahaniaeth rhwng y dosbarth canol a'r werin bobl, ac ar ddiffyg cydnabyddiaeth y 'Cenedlaetholwyr neis neis', fel y'u geilw, o arloeswyr y dystiolaeth werinol:

---

15 Llyfrgell Genedlaethol Cymru, Papurau Gwilym Prys-Davies. Llythyr Goronwy Roberts, dyddiedig 9 Gorffennaf 1956.
16 *Ibid.* Am y Parchedig D. Jones Davies (1921–1959) gw. D. Ben Rees, *Cymru Adnabyddus 1951–1972* (Lerpwl a Phontypridd, 1978), 33.
17 Gweler rhif 15.

Y mae'n od ac awgrymog iawn nad yw'r un o'n Cened-
laetholwyr neis neis yn sôn o gwbl am Ernest Jones, Dic
Penderyn, Lewsyn yr Heliwr, Streicwyr Bethesda, na R.
J. Derfel. Ond yno y mae traddodiad popeth bywiol yng
Nghymru.[18]

Edrychai Goronwy Roberts ymlaen at fynychu Eisteddfod
Genedlaethol Aberdâr yn Awst 1956 gan ei fod yn feirniad ar
draethawd a deilyngai Wobr Beatrice Grenfell. Meddai wrth
Gwilym Prys: 'Beth am Seiat?'[19] Ni wn a gafwyd un ond nid oes
tystiolaeth ym mhapurau'r ddau iddynt ddod at ei gilydd. Mae'n
amlwg fod Gwilym wedi sylweddoli bod Goronwy yn medru bod
yn anwadal a gwyddai fod Aberdâr yn gartref bore oes i'w briod
Marian Goronwy Roberts. Roedd hi yn un o ferched cymuned
Trecynon, ac yn ferch i David Evans, awdur y dôn 'Tresalem'.[20]
Gwelodd Goronwy yr wythnos cynt John Morris ar gyfer y
ddadl ar ddiboblogi cefn gwlad canolbarth Cymru.

Daliodd y ddau genedlaetholwr sosialaidd i ohebu a chadw
cysylltiad â'i gilydd. Ysgrifennodd Goronwy Roberts lythyr
sy'n taflu goleuni ar wleidyddiaeth Cymru yng nghanol y
pumdegau. Rhyfedd sylwi nad oedd Tryweryn yn ymddangos
yn yr epistolau hyn, gan fod Goronwy Roberts yn llefarydd ar y
mater ar ran y Blaid Lafur.[21] Y mae'n amlwg fod Gwilym wedi
cael triniaeth yn yr ysbyty ar yr apendics. Gobeithiai'r llythyrwr
ei fod wedi 'llwyr wella'.[22] Un peth yr oedd wedi sylwi arno oedd

18 Ibid.
19 Ibid.
20 Delyth G. Morgans, Cydymaith Caneuon Ffydd, 511.
21 Llyfrgell Genedlaethol Cymru, Papurau yr Arglwydd Goronwy Roberts,
Bocs 48. Chwaraeodd Goronwy Roberts ran bwysig dros ben yn Achos Tryweryn
ac roedd gan Ysgrifennydd Pwyllgor Amddiffyn Capel Celyn feddwl mawr
ohono. Gw. llythyr Elizabeth Watkin-Jones at Goronwy Roberts, dyddiedig 12
Gorffennaf 1957, lle y dywed: 'Diolch yn fawr iawn i chwi am bopeth – yn arbennig
yr erthyglau yn Y Cymro.' Yr oedd hi wedi anfon llythyron at Aelodau Seneddol
Lloegr, yr Alban a Gogledd Iwerddon. Dywed: 'Nid oedd angen danfon i'r Cymro
– diolch i chwi ac eraill.'
22 Llyfrgell Genedlaethol Cymru, Papurau yr Arglwydd Prys-Davies, Bocs 1/1.

hiraeth dirdynnol Gwilym am Feirionnydd lle yr oedd y Cymry
Cymraeg yn fwyafrif y boblogaeth, sefyllfa mor wahanol i Gwm
Rhondda. Alltud ydoedd yn y Rhondda a Phontypridd, fel y
mynegodd W. J. Gruffydd yntau pan oedd yn byw yn y tridegau
yng Nghaerdydd. Ym Methel a Llanddeiniolen ger Caernarfon
yr oedd ei galon a'i atgofion godidocaf yntau, ac nid ym maestref
Rhiwbeina. Safai Pen-y-graig yng nghornel dde-orllewinol y
Rhondda ac yno y sefydlwyd glofa'r Naval gan deulu o Gymry, y
Rowlandiaid. Gweithiai Gwilym yn y Porth, ar lannau afonydd
Rhondda Fawr a Rhondda Fach. Cyfrifid hi yn 1955 yn brif dref
y Rhondda pan gafodd y dosbarth trefol statws bwrdeistref.
O ran poblogaeth, nid oedd lawer mwy na Phen-y-graig. Dywed
y gwleidydd diwylliedig, Goronwy Roberts:

> Sylwaf ar eich hiraeth am y Gymru Gymraeg. Y mae'n
> ddealladwy, ac eto, oni bai fod Cymru fel achos yn ymegnio
> mewn lleoedd fel Pontypridd ni bydd Cymru ohoni. Y mae
> pob munud a dreuliwch yn y fath le yn hwb i'r achos, yn
> enwedig os ydych yn ddyfal yn eich gwaith gyda'r Mudiad
> Llafur.[23]

I Goronwy Roberts yr oedd y dyfodol yn dibynnu yn gyfan gwbl
ar bobl o argyhoeddiadau Gwilym Prys a'i gyfoeswyr. Soniodd
fel y bu John Morris bron ag ennill enwebiad sedd Caerfyrddin
yn erbyn Megan Lloyd George o bawb. Collodd o drwch
blewyn, un bleidlais yn unig.[24] Credai mai Dewi Lloyd oedd
ffefryn y Blaid Lafur am sedd Conwy, ond y darlithydd Silvan
Jones o Landudno a safodd yn y diwedd yn etholiad 1959. Nid
oedd Goronwy yn proffwydo'n gywir bob amser. Ailenwebwyd
Robyn Léwis, meddai, am sedd Dinbych, ond ni safodd. Stanley
Williams, y cyfreithiwr caredig o Wrecsam a fyddai'n cynrychioli
Llafur yn 1959. Safodd Robyn Léwis yn lliwiau'r Blaid Lafur yn

---

Llythyr Goronwy Roberts at Gwilym Prys-Davies, dyddiedig 10 Mehefin 1957.
23 *Ibid.*
24 *Ibid.*

sedd Dinbych yn etholiad 1955, a rhoddodd gyfrif da ohono'i hun. Dywed Goronwy wrth ei gyd-Lafurwr:

Gyda'r rhai hyn, a gyda mi, y mae eich lle chwithau. Gallwch weddnewid rhagolygon Cymru trwy Lafur.[25]

Neges bwysig ond digon afreal oedd hon a daeth Gwilym Prys-Davies i weld trwy'r cyfan mewn byr amser. Diddorol ydyw darllen sylwadau Goronwy Roberts am isetholiad Caerfyrddin ar 28 Chwefror 1957, yn sgil marwolaeth Syr Rhys Hopkin Morris, y Rhyddfrydwr:[26]

Pregethodd Megan a minnau a'r bechgyn eraill ddidwyll iaith y grefydd Gymraeg-Sosialaidd, a gallwch weld barn yn gwyro tuag ati o ddydd i ddydd.

Nid oedd hynny yn wir o bell ffordd gan mai 'pregethwr' mwyaf tanbaid yr ymgyrch honno oedd Aneurin Bevan. Tyrrodd y miloedd i wrando arno ef gan dalu am docyn hefyd, cymaint oedd yr awydd i glywed neges sosialaidd rymus Aelod Seneddol Glynebwy. Cipiodd Megan y sedd gyda mwyafrif o 3,069 o bleidleisiau dros John Morgan Davies, y Rhyddfrydwr, a Jennie Eirian Davies o Blaid Cymru. Cyfoeswyr dyddiau'r coleg oedd Jennie Eirian a Gwilym Prys-Davies, a threuliodd ef a'i briod aml i seiat yn ei chwmni hi a'i phriod Eirian y bardd.

Yr oedd Gwilym Prys yn gredwr mawr mewn cylchgrawn i hybu tystiolaeth 'y grefydd Gymraeg-Sosialaidd'. Soniodd am yr angen i sefydlu chwarterolyn, a derbyniodd ymateb Goronwy Roberts yn y llythyr a ddadansoddwyd uchod:

Nid af i fanylion yn awr, ond yr wyf am awgrymu bod y Gwerin-Sosialwyr yn dod at ei gilydd yn Eisteddfod Llangefni i drafod hyn a phethau eraill. Gallwch chwi, J. Morris, Dewi Lloyd, David Williams, Robyn Lewis,

---

25 *Ibid.*
26 Am Rhys Hopkin Morris (1887–1956), gw. D. Ben Rees, *Cymry Adnabyddus, 1952–1972*, 150–1; *Who's Who 1951–1960* (Llundain, 1961), 791.

Cledwyn Hughes, C. O. R. a nifer eraill wneud job dda o'r cyfnodolyn hwn.[27]

Methodd gyflawni ei addewid y trydydd tro, a chwithdod ychwanegol i Gwilym Prys-Davies oedd gweld rhifyn olaf *Y Gweriniaethwr* (Ebrill–Mai 1957) yn dod o'r wasg, ond nid oedd Goronwy Roberts am golli awr o gwsg nac arian dros gylchgrawn na fyddai'n plesio biwrocratiaid y Blaid Lafur. Gwyddai Goronwy Roberts yn dda am hyn, ac am fethiant etholaethau'r Blaid Lafur yng Nghymru i werthu'r cylchgrawn *Y Democrat*.[28] Cylchrediad o 2,800 oedd i'r *Democrat* a dim ond 112 o werthwyr ar hyd a lled Cymru. Ni fu un Aelod Seneddol Llafur Cymreig yn cymryd mwy o ddiddordeb ym mhwyllgorau Cyngor Rhanbarthol Llafur Cymru na Goronwy Roberts, ac eto ni fu ei ddylanwad mor bellgyrhaeddol ag eiddo Jim Griffiths. Talcen caled oedd talcen y Cyngor hwnnw, fel y byddai Gwilym ei hun yn sylweddoli o brofiad erbyn y chwedegau a'r saithdegau. Seren wib oedd Goronwy Roberts yn ffurfafen Gwilym Prys-Davies. Ni lwyddodd o gwbl i fod yn fentor iddo. Bu'n rhaid iddo droi ei olygon at etholaeth Llanelli ac un o gewri'r Blaid Lafur i fodloni ei weledigaeth am Gymru a'i fywyd gwleidyddol ei hun.

27 Llyfrgell Genedlaethol Cymru, Bocs 1/1 o bapurau G. P. Davies. Llythyr Goronwy Roberts at Gwilym Prys-Davies, dyddiedig 10 Mehefin 1957.
28 Llyfrgell Genedlaethol Cymru, Papurau yr Arglwydd Gwilym Prys-Davies. Llythyr Goronwy Roberts AS at Gwilym Prys-Davies, dyddiedig 9 Gorffennaf 1956. Goronwy Roberts oedd yn meddu ar y wybodaeth am y *Y Democrat* a'i gylchrediad.

PENNOD 6

Bwrw ei brentisiaeth fel datganolwr, cefnogi gwasg newydd a chael siom ym Meirionnydd

ERBYN HAF 1957 gwyddai Gwilym Prys-Davies yn bendant a chyda chryn siom nad Goronwy Roberts oedd ei fentor wedi'r cwbl o fewn y Blaid Lafur. Trwy drugaredd roedd digon o wleidyddion eraill wrth law. Gohebai yn gyson â'r Undebwr Llafur o Lannau Dyfrdwy Dr Huw T. Edwards. Un o ragorolion y ddaear oedd ef ac un parod iawn ei gymwynas. Trwy Dr Huw T. Edwards ac Undeb y Glowyr daeth i gysylltiad ag Undebwyr amlwg o fewn tiriogaeth maes glo de Cymru. Roedd dau wleidydd yn sefyll allan hefyd o ran yr hyn a gyflawnwyd ganddynt fel penseiri'r Wladwriaeth Les o fewn llywodraethau Llafur 1945 i 1951, yr hoffai ddod i gysylltiad â hwy. Teimlai Gwilym y dylai gysylltu ag Aneurin Bevan a Jim Griffiths, a gwnaeth hynny ym Medi a Hydref 1959. Cysylltodd â Ron Evans, asiant Aneurin Bevan, i gynnig ei amser a'i gefnogaeth i'r areithydd a'r deallusyn pennaf yn y Mudiad Llafur adeg Etholiad Cyffredinol 1959.[1] Disgrifiodd Aneurin Bevan fel gŵr y 'dychymyg creadigol' a chafodd y cyfle i rannu llwyfan â'r cawr yn yr etholiad olaf y bu'n ei ymladd. Tyrrai'r tyrfaoedd i wrando ar Aneurin ym mhob cyfarfod o'i eiddo, ac yr oedd hynny yn wir yn etholaeth Glynebwy ymhob ymgyrch etholiadol. Trefnwyd yr ymgyrch etholiadol ar gyfer Etholiad Cyffredinol 1959 o 16 Medi i 10 Hydref. Anfonodd Ron Evans, asiant Bevan, neges

---

1   Llyfrgell Genedlaethol Cymru, Papurau Ron Evans, asiant etholaeth Glynebwy. Llythyr at Gwilym Prys Jones [*sic*], y Porth, oddi wrth Ron Evans, dyddiedig 28 Medi 1959.

at Gwilym Pryce Jones (fel y'i galwodd) ar 28 Medi 1959 i'w wahodd i siarad yn Nhredegar am 8 o'r gloch. Ef oedd y siaradwr cyntaf ac yna fe ddeuai Aneurin Bevan o Rymni mor fuan ag yr oedd modd.[2] Teimlai Ron Evans, fel Gwilym, fod un siaradwr yn ddigon ar gyfer y cyfarfod, a byddai hynny yn rhoddi rhyddid iddo ef gael cyfle i wrando ar wleidydd mwyaf huawdl y Deyrnas Unedig. Derbyniodd Ron Evans lythyr ar 30 Medi o 79 Hannah Street, y Porth, yn diolch am y fraint fawr a gafodd y sosialydd cenedlaetholgar. Sonia'n ddidwyll am ei fraint o gael paratoi'r ffordd i bensaer y Gwasanaeth Iechyd Cenedlaethol:

> I shall also like to take this opportunity of thanking you for giving me the opportunity to speak at one of Mr Bevan's meetings. I can assure you that I appreciate it very much.
>
> P.S. I am a member of the Davies clan, not Jones![3]

Cafodd Gwilym wahoddiad i rannu llwyfan â'r gwron eto nos Fercher, 7 Hydref, yn Neuadd y Gweithwyr, Glynebwy. Tasg y cyfreithiwr o Fryn Awel, Vicarage Road, Pen-y-graig, oedd cadw'r gynulleidfa'n ddiddig erbyn i Aneurin Bevan gyrraedd y neuadd i'w gyfarfod olaf cyn y pleidleisio drannoeth.[4] Fe wnaeth Gwilym blesio'r dyrfa, yr asiant, a gwerin yr etholaeth. Anfonodd lythyr diolchgar at Ron Evans ar 14 Tachwedd 1959 i ddweud iddo gael budd mawr o wrando ar Aneurin. Gofidiai fod canlyniadau'r etholiadau yn peri gofid a chreu diflastod. Credai fod angen i'r Blaid Lafur ddefnyddio pob ffordd bosibl i argyhoeddi'r ifanc o werth sosialaeth. Byddai ef ei hun yn barod i ddod i annerch ysgol undydd yn yr etholaeth yn y dyfodol, ar unrhyw adeg.[5] Mewn llai na blwyddyn, ar 6 Gorffennaf 1960, bu

---

2   *Ibid.*

3   *Ibid.* Llythyr Gwilym Prys-Davies, 79 Hannah Street, y Porth, at Ron Evans, dyddiedig 30 Medi 1959.

4   *Ibid.* Llythyr Ron Evans at Gwilym Prys-Davies, dyddiedig 4 Hydref 1959.

5   *Ibid.* Ffeil 6, 1959–70. Llythyr Gwilym Prys-Davies at Ron Evans, 14 Tachwedd 1959.

farw Aneurin Bevan, gwleidydd y cafodd Gwilym Prys-Davies y fraint o rannu llwyfan ag ef ar ddau achlysur ar ddiwedd ei yrfa liwgar a bythgofiadwy.[6] Profiadau prin, gwerthfawr, i'w trysori. Ond yr un adeg daeth i gysylltiad â Jim Griffiths, yr Undebwr a'r Aelod Seneddol dylanwadol; yn wir, fel y dywed, 'yr Aelod Seneddol Cymraeg mwyaf effeithiol yn rhengoedd Llafur.' Dyma'r atgof o'r cyfarfyddiad hwnnw:

> Y tro cyntaf y cefais y fraint o'i gyfarfod oedd tua Medi 1959. Yr argraff a gefais oedd cymaint oedd ei falchder ym mro'i febyd, y Betws, yn ymyl Rhydaman, a'i falchder yn ei Gymreictod a ddaeth iddo fel rhan o etifeddiaeth ei gynefin. Dyna'r atgof clir sydd gen i am y cyfarfod hwnnw o hyd.[7]

Ysgrifennodd Gwilym bennod oludog amdano yn *Cynhaeaf Hanner Canrif: Gwleidyddiaeth Gymreig 1945–2005*. Dyna'r cofnod mwyaf cryno o gyfraniad a chefndir Jim Griffiths – ei stiwardiaeth fel Gweinidog Yswiriant Gwladol ac Ysgrifennydd y Trefedigaethau a'i wrthwynebiad i Ddeiseb Senedd i Gymru, ei sêl dros greu Ysgrifennydd Gwladol i Gymru, trasiedi Tryweryn, ac fel y newidiodd y gwleidydd ei safbwynt, ond nid yw'n ceisio esbonio beth oedd yn gyfrifol am hyn. Tua diwedd 1961 cafodd Gwilym a Jim Griffiths sgwrs 'ar y syniad o greu Ysgrifenyddiaeth Gymreig â Chyngor i Gymru i ffurfio sail ar gyfer polisi Cymreig cynhwysfawr'.[8] Yr oedd hon yn sgwrs bwysig dros ben a'r amser yn aeddfed i ystyried ad-drefnu llywodraeth leol. Roedd patrwm llywodraeth leol wedi parhau bron yr un fath am dri chwarter canrif, oddi ar Ddeddf Llywodraeth Leol 1888. Roedd Cymru wedi newid yn chwyldroadol, yn wleidyddol a chymdeithasol, oddi ar 1888. Nododd Comisiwn Llywodraeth Leol Cymru

---

6   Nicklaus Thomas-Symonds, *Nye: The Political Life of Aneurin Bevan* (Llundain, 2014), 246–7; D Ben Rees, *Cofiant Aneurin Bevan: Cawr o Gymro a Thad y Gwasanaeth Iechyd* (Lerpwl, 2022), 252–256.

7   Gwilym Prys-Davies, *Cynhaeaf Hanner Canrif*, 32–3.

8   *Ibid.*, 46.

yng Nghynigion Drafft 1961 fod y dydd o brysur bwyso gerllaw. Awgrymodd y Comisiwn y dylid dileu'r tri awdurdod ar ddeg a chreu saith awdurdod sirol a thair bwrdeistref sirol. Gwelai'r ddau ohonynt obaith am sefydlu Cyngor Etholedig yn un uned weinyddol effeithiol ar gyfer gwasanaethau cyllidol, ond gan ddal i gadw'r siroedd traddodiadol i ofalu am yr hyn a fyddai'n weddill.

Trwy Jim Griffiths daeth Gwilym Prys-Davies i berthynas â datganolwr brwd arall, Cledwyn Hughes, Aelod Seneddol Llafur yn etholaeth Môn. Eisteddai Jim Griffiths a Cledwyn Hughes ar banel Pwyllgor Gwaith y Blaid Lafur yng Nghymru a oedd yn trafod sut y gellid diwygio llywodraeth leol. Sylweddolai'r ddau fod yna gyfreithiwr o ran ei alwedigaeth a fedrai baratoi memorandwm a fyddai o fudd i'r panel ac iddynt hwythau. Nid oedd neb ar dir Cymru yn ablach na'r brawd a weithiai i gwmni Morgan, Bruce a Nicholas. Ysgrifennodd Cledwyn Hughes ato ar y trywydd hwnnw. Gwahoddwyd ef i lunio'r memorandwm mor fuan ag y bo modd ar bwnc diwygio llywodraeth leol, ond gan ystyried hefyd roddi lle i Gyngor Etholedig yn y cynllun diwygiedig.[9] Bodlonodd yntau. Paratôdd yn drwyadl, gan roddi lle pwysig i'r syniad o Gyngor Etholedig i Gymru ar hyd llinellau'r sgwrs wreiddiol â Jim Griffiths. Credai Gwilym y byddai sefydlu Cyngor Cymreig newydd yn tanio dychymyg yr ifanc ac yn plesio cefnogwyr sosialaeth a chenedlaetholdeb. Dyma ffordd o gyrraedd y nod o sicrhau datganoli i Gymru. Cafodd dipyn o sioc ar ôl cyflwyno'r memorandwm i'w ddau ffrind ac yn arbennig yn ymateb Cliff Prothero, ysgrifennydd Cyngor y Blaid Lafur yng Nghymru. Perthynai Prothero i genhedlaeth Ness Edwards a D. J. Williams, y glowyr a fu yng Ngholeg Llafur yn Llundain cyn eu hethol yn Aelodau Seneddol. Hwy bellach yn San Steffan

---

9   *Ibid.*, 48. 'Ymhen ychydig fisoedd daeth llythyr dyddiedig 30 Gorffennaf [1962] oddi wrth Cledwyn Hughes yn fy ngwahodd i gyfansoddi papur ar ei gyfer ef a Griffiths ar ad-drefnu llywodraeth leol, ac awgrymodd y gallwn ddatblygu ynddo'r ddadl dros gyngor etholedig i Gymru.'

oedd yn ffieiddio'r gair cenedlaetholdeb. Nid oeddynt wedi dadansoddi cenedlaetholdeb wareiddiedig Plaid Cymru. Yr oedd cenedlaetholdeb Saunders Lewis yn y tridegau i'r rhain fel cenedlaetholdeb Ffasgaidd y Cyfandir. Ymateb cyntaf Cliff Prothero i'r syniad o Gyngor Etholedig i Gymru oedd: 'Y mae hwn yn rhy genedlaetholgar, Gwilym'. Er hynny, aeth y gwaith ymlaen, yn arbennig pan ddilynwyd Cliff Prothero gan drefnydd newydd i Gyngor y Blaid Lafur sef J. Emrys Jones, Cymro di-Gymraeg a anwyd ym Mhenrhiw-ceibr. Llwyddodd Gwilym i werthu'r syniad o Gyngor Etholedig i Gymru i J. Emrys Jones.

Daeth cryn lawenydd i galon awdur y memorandwm pan dderbyniodd lythyr ar 29 Tachwedd 1963 oddi wrth James Callaghan, Aelod Seneddol De-ddwyrain Caerdydd oddi ar 1945, er y bu hi'n galed arno i gadw'r sedd yn etholiad 1959. Diolchodd Callaghan iddo am wynebu'r broblem astrus a phwysig. Ofnai y Cyngor Etholedig fel y dywed yn onest wrth yr awdur:

> The Secretary of State would become an arbiter of the many conflicting claims that would be put forward because I doubt whether the Welsh Council you propose would be able to iron them out. These would lead to a diminuation in the authority of Members of Parliament at Westminster and, as such, would not only meet with resistance but would, in my view, in the long term, weaken the genuine claims of Wales on the central government being met.[10]

Gwelodd Gwilym y llythyr fel ymgais i ddeall ac i fynegi diddordeb. Mae'n amheus ai felly y gwelai James Callaghan y ddogfen. Ofnai ef y Cyngor Etholedig am ddau reswm. Byddai'n dwyn llawer o gyfrifoldebau Aelodau Seneddol Cymru oddi arnynt. Yn ail, dylid gofalu bod cynrychiolaeth gref o dde Cymru er mwyn arbed y teimlad fod y Cymry Cymraeg o'r gorllewin

---

10 Llyfrgell Genedlaethol Cymru, Papurau yr Arglwydd Gwilym Prys-Davies, Bocs 1/1. Llythyr James Callaghan at Gwilym Prys-Davies, dyddiedig 20 Tachwedd 1963.

a'r gogledd yn meddiannu'r Cyngor arfaethedig. Ond cytunai ag awgrymiadau Gwilym am yr heddlu, addysg, a'r nifer o siroedd a bwrdeistrefi. Nid ceisio lladd y weledigaeth oedd ei amcan, ond rhoi cymorth iddo:

> Given a Secretary of State, I am not of the opinion that it would be advantageous to Wales to try to slice off from the central government at Westminster any particular functions that are at present exercised there in order to give them to the Central Council you propose.[11]

Ond yr oedd y llythyr yn profi bod Gwilym Prys-Davies yn llwyddo i gyfleu ei neges i arweinyddion amlwg. Bu Gwilym yn ystod ei gyfnod yn Aberystwyth ar delerau da â Thomas Iorwerth Ellis (1899–1970), mab y gwleidydd Thomas Edward Ellis (1859–99).[12] Ganed T. I. Ellis ar ôl marwolaeth ei dad, ond lluniodd gofiant iddo, a bu'n ysgrifennydd delfrydol i Undeb Cymru Fydd a ddaeth i fodolaeth yn 1941 pan unwyd Undeb Cenedlaethol y Cymdeithasau Cymreig a Phwyllgor Amddiffyn Diwylliant Cymru. Bu'r Undeb yn weithgar yn ceisio amddiffyn tir Cymru rhag trachwant y Weinyddiaeth Amddiffyn, a bu'r weithred yn 1940 o droi allan 200 o Gymry gwerinol o'u cartrefi diwylliedig ar Fynydd Epynt er mwyn sefydlu maes tanio Pontsenni yn dristwch o'r mwyaf i Gwilym ac eraill o'i gyd-genedlaetholwyr. Perswadiodd T. I. Ellis ei ffrind, Gwilym Prys-Davies, i olygu'r memorandwm a'i droi yn bamffled Cymraeg a Saesneg dan y teitl *Cyngor Canol i Gymru: A Central Welsh Council.* Cyhoeddodd Undeb Cymru Fydd y cyfan yn 1963 mewn llyfryn atyniadol. Cafwyd rhagair gan Jim Griffiths a roddai ei stamp safonol ef ei hun arno. Trefnodd yr Undeb gyfarfod cyhoeddus ar faes yr Eisteddfod Genedlaethol yn Llandudno. Gwahoddwyd Cledwyn Hughes ac Emlyn Hooson, Aelod Seneddol y Rhyddfrydwyr

11   *Ibid.*
12   Mary C. Ellis, 'Thomas Iorwerth Ellis (1899–1970)', *The Dictionary of Welsh Biography* 1941–1970, 58–9.

ym Maldwyn, i annerch. Bu'n gyfarfod a ganmolwyd yn y wasg Gymreig.

Blaenoriaeth arall Gwilym Prys-Davies oedd yr iaith Gymraeg. Cafodd ei ysigo i'r byw wrth wrando ar ddarlith enwog Saunders Lewis, *Tynged yr Iaith*, a ddarlledwyd ar Radio Cymru ar 13 Chwefror 1962.[13] Bu sgwrs rhwng Jim Griffiths ac Aneirin Talfan Davies yn y gyfres *Dylanwadau* a ddarlledwyd ar 15 Mawrth 1962 yn ysgogiad iddo hefyd.[14] Yr oedd Gwilym Prys-Davies, fel y cofiwn, wedi cyfarfod â Saunders Lewis yn Llanfarian, ond heb gael ymateb cynnes ganddo, ond, ddeng mlynedd yn ddiweddarach, gofynnodd Jim Griffiths iddo ei helpu gyda'r ymchwil ar gyfer ei hunangofiant *Pages from Memory*. Yr oedd newydd gychwyn ar y dasg unig o baratoi hunangofiant. Nid oedd Saunders Lewis wedi gwahodd Gwilym i gadw mewn cysylltiad o gwbl, ond roedd Dirprwy Arweinydd y Blaid Lafur yn ei wahodd i fod yn ffrind agos iddo – un a fyddai yn *confidant* gonest. Tyfodd y cyfeillgarwch a pharhau ar delerau da hyd ddiwedd oes y gwleidydd craff. Er mor ysgytiol oedd Saunders Lewis, nid oedd Jim Griffiths yn llai ysgytiol o gwbl ar 15 Mawrth 1962. Dyma eiriau *confidant* Jim am y ddau:

> Cyffelyb oedd dadansoddiad Jim Griffiths a Saunders Lewis o'r argyfwng oedd yn llygad rythu ar y Gymraeg,

---

13   Gwilym Prys-Davies, *Llafur y Blynyddoedd*, 131. 'Cofiaf wrando arni [*Tynged yr Iaith*] ym Mhen-y-graig, yn y Rhondda. Rhoes ysgytwad i'w wrandawyr.'

14   Ni chyhoeddwyd y sgwrs bwysig hon mewn cyfrol na chylchgrawn, ond mae ar ffilm yn Archifau BBC Cymru yng Nghaerdydd. Nid oes sôn gan neb amdani ar wahân i Gwilym Prys-Davies ac yn *Cofiant Jim Griffiths* (2014). Anfonodd Geraint Talfan Davies, Caerdydd, lythyr dyddiedig 18 Awst 2008 at yr Arglwydd Prys-Davies, i ddiolch am *Cynhaeaf Hanner Canrif* gan ddweud:

> Mwynheais yn arbennig eich portread o Jim Griffiths. Dim ond unwaith – yn fy arddegau – cefais y fraint o'i gwrdd, pan ddaeth i'r tŷ i gael cinio cyn recordio rhaglen 'Dylanwadau' gyda fy nhad. Roedd ei gymeriad cynnes yn amlwg yng nghynesrwydd ei lais dwfn.

Rwy'n ddiolchgar i Catrin Waugh am gael gweld y llythyr hwn, 26 Gorffennaf 2018, gan nad ydyw yn yr Archif yn y Llyfrgell Genedlaethol.

ond o raid yr oedd eu meddyginiaethau yn dra gwahanol: y
naill yn galw am ddulliau chwyldro i roi statws swyddogol
i'r Gymraeg yn yr ardaloedd Cymraeg a'r llall yn galw am
gryfhau'r iaith 'ar yr aelwyd, yn yr ysgol, yn y gwaith, yn y
ffatri – yr iaith ym mywyd bob dydd.'[15]

Mae darlith Saunders Lewis wedi ei chyhoeddi o leiaf bum gwaith
rhwng 1962 a 2012, ond ni chyhoeddwyd sgwrs Jim Griffiths ac
aeth yn angof cyn i Gwilym ailbwysleisio ei phwysigrwydd. Y
mae hithau yn bwysig, fel y mae ef yn ein hatgoffa, fel amlygiad
o agwedd gynnes at yr iaith gan un o brif arweinwyr Llafur.
Bu safbwynt Jim Griffiths yn gymorth sylweddol i garedigion
y Gymraeg o fewn y Blaid Lafur, yn arbennig ym Morgannwg.
Enwa Gwilym y rhain: Llewellyn Heycock, Cadeirydd Pwyllgor
Addysg Morgannwg (a benodwyd yn aelod o Dŷ'r Arglwyddi
yn 1966) pan oedd angen sefydlu ysgolion Cymraeg dwyieithog;
y Cynghorydd Haydn Thomas, Gilfach-goch (Cadeirydd
Cymdeithas Rieni Ysgol Uwchradd Gymraeg Rhydfelen); y
Cynghorydd William Llewelyn, Blaenrhondda a fu yn fawr ei
gefnogaeth i Gymdeithas Dydd yr Arglwydd yng Nghymru,
Bedyddiwr o argyhoeddiad; a Thomas Jones, Coryton, un a'i
wreiddiau ym Mhontyberem. Cymro cadarn a fynychai Gapel
Cymraeg Minny Street oedd y Cynghorydd Emyr Currie Jones
(gŵr o Gaernarfon), ac un oedd yn allweddol fel Llafurwr
ar Gyngor Dinas Caerdydd. Yn Aberdâr ceid tystiolaeth am
flynyddoedd o weithgarwch y Cynghorydd Rose Davies ac
yng Ngilfach-goch y Prifathro a'r Cynghorydd D. J. Bonner,
blaenor a'i wreiddiau yng ngogledd Ceredigion. Canmolid ef
o fewn Undeb yr Athrawon (NUT) ac ef a ofalai dros gynnal
gwasanaeth Cymraeg adeg y Gynhadledd Flynyddol. Un arall
iach yn y ffydd oedd y Cynghorydd Ioan Williams, Ynys-hir, y

---

15   Llyfrgell Genedlaethol Cymru, Papurau yr Arglwydd Gwilym Prys-Davies.
Llythyr Gwilym Prys-Davies at Huw Thomas, Rhiwbeina, Caerdydd ym mis Mai
2006.

Rhondda, un a'i wreiddiau ym Mlaenau Ffestiniog.[16]

Cyflwynodd Ymneilltuaeth Gymraeg, yn arbennig yn etholaeth Llanelli, gnewyllyn da o weinidogion Ymneilltuol a oedd yn edmygwyr o'u harwr, Jim Griffiths, a hefyd o Gwilym Prys-Davies. Rhoddai'r Parchedigion J. S. Williams, y Tymbl, Oswald R. Davies, Garnant, ac Esger James a fu'n weinidog Capel Lloyd Street, Llanelli o 1949 i 1981, eu gorau i gefnogi'r ddau ohonynt o ran datganoli a phwyslais cynyddol ar yr Iaith Gymraeg. Bu'r Parchedig Esger James yn athro yn ysgolion Llanelli am gyfnod da yn ogystal â gofalu ar ôl Capel Lloyd Street; un o fechgyn y Rhondda ydoedd, a fu'n gweithio yn y lofa yn ei ieuenctid. Dywedodd un o'i edmygwyr, Dr Huw Edwards, Llundain, amdano yn wefreiddiol yn annerch oedfa foreol Ysgol Ramadeg y Bechgyn, Llanelli:

> Cofiaf nifer o fechgyn ac aelodau o'r staff yn dweud nad oeddent yn gyfarwydd â chael neges gyhyrog, ddi-flewyn ar dafod fel hyn yn y cyfarfod boreol.[17]

Hawdd anghofio'r rhain gan haneswyr Cymru, cefnogwyr cadarn i Jim Griffiths a'r iaith Gymraeg o fewn y Blaid Lafur ac etholaeth Llanelli. Cydnabu Jim Griffiths a Gwilym Prys-Davies y cyfraniad. Bu agwedd Jim Griffiths ar y teledu yn gysur mawr iddo fel y cydnabu: 'Ond medraf dystio i'r cyfweliad teledu hwn fod yn gefn i mi.'[18] Cytunaf ag ef.

Wedi darlith Saunders Lewis a chyfweliad Jim Griffiths, croesawodd Gwilym Prys-Davies gais Trefor a Gwyneth Morgan i baratoi drafft o weithred Ymddiriedolaeth Cronfa Glyndŵr yr Ysgolion Cymraeg. Paratôdd y cyfan yn fanwl a'i chofrestru yn elusen a derbyn y swydd ddi-dâl o fod yn gyfreithiwr mygedol i'r Gronfa hyd 1990. Pobl ardderchog oedd Trefor a Gwyneth

---

16 *Ibid.*

17 Huw Edwards, *Capeli Llanelli* (Cyngor Sir Gaerfyrddin, Is-adran Llyfrgelloedd a Threftadaeth, 2009), 229. Ceir darlun byw o W. Esger James ac ugeiniau o arweinwyr eraill byd a betws yn y gyfrol oludog hon.

18 O archif yr awdur.

Morgan (rhieni yr Athro Branwen Jarvis, Bangor). Gofalodd y ddau roddi siec o fil o bunnoedd y flwyddyn yn gymorth sylweddol i achos ysgolion meithrin Cymru.[19] Erbyn hyn yr oeddwn i wedi dod i berthynas â Gwilym, gan fod ei dad a'i fam yng nghyfraith, Abram ac Olwen Evans, yn aelodau cefnogol yng Nghapel y Tabernacl, Abercynon, lle y cychwynnais yn weinidog Presbyteraidd yn Hydref 1962. Cofiaf Olwen yn dweud wrthyf ar ôl i mi gyrraedd y dref lofaol ar waelod Cwm Cynon: 'Mae'n rhaid i chi gyfarfod â'm mab yng nghyfraith.'

Yr oedd ei enw yn golygu llawer i mi a threfnais gyfarfod ag ef yng Nglancynon gan fy mod, o ganlyniad i'm profiad fel golygydd y cylchgrawn *Aneurin*, yn awyddus i sefydlu gwasg a fyddai'n arloesol. Cefais sgwrs hir â Gwilym Prys-Davies a derbyn ei gyfarwyddyd ar y weledigaeth. Pwysleisiodd ef wrthyf fod angen i mi fod yn arloeswr, gan ganolbwyntio ar fyd y plant a dderbyniai wersi yn yr iaith a hefyd cynhyrchu cyfrolau nad oedd y gweisg eraill yn bwriadu eu cyhoeddi. Cynghorodd fi i ymweld â'r bargyfreithiwr Dafydd Jenkins, Aberystwyth, er mwyn ffurfio cymdeithas elusennol gyda chyfranddalwyr a fyddai'n cytuno â'n bwriadau. Euthum ati i lythyru â phobl o fewn y bywyd Cymraeg, crefyddol a gwleidyddol, a fyddai'n anfon cyfraniad bychan. Yr oedd gennyf bedwar grŵp mewn golwg: yn gyntaf, pobl weithgar o fewn y Mudiad Llafur; yn ail, pobl cymoedd y de oedd yn cefnogi'r iaith a'r diwylliant Cymraeg; yn drydydd, fy ffrindiau; ac yn bedwerydd, cefnogwyr arferol y wasg Gymraeg. Derbyniwyd cyfraniadau oddi wrth bob un o'r dosbarthiadau hyn, ac yr wyf eisoes wedi sôn amdanynt yn y gyfrol *Dyddiau o Lawen Chwedl* a olygwyd gan yr Athro John Gwynfor Jones.[20]

Penderfynodd Gwilym a minnau ddewis swyddogion i'r

---

19 Ymateb yn greadigol i ddarlith radio ar gyflwr a thynged yr iaith Gymraeg, sef *Tynged yr Iaith* (Llundain, 1962) a draddodwyd gan Saunders Lewis a wnaeth Gwyneth a Trefor Morgan. Gw. Gwilym-Prys Davies, Darlith Goffa Gwyneth Morgan (Caerdydd, 2001), 6–7

20 John Gwynfor Jones (gol.), *Dyddiau o Lawen Chwedl* (Lerpwl, 2014), 56–71.

gymdeithas a sefydlu Pwyllgor Gwaith i drin a thrafod rhaglen gyhoeddi. Etholwyd Gwilym yn Gadeirydd, Trefor Evans i ddechrau ac yna Mervyn Griffiths yn Drysorydd Mygedol, J. Cyril Hughes yn Swyddog Cyhoeddusrwydd a minnau yn Ysgrifennydd. Daeth Dr Aled Rhys Wiliam, R. Elwyn Hughes, Hafina Clwyd, William Morgan Rogers a Harri Webb ar y Pwyllgor Golygyddol yn y cyfnod o 1963 i 1968. Cyfarfu'r Pwyllgor Gwaith yn gyson ar fore Sadwrn yn Lluest, Ton-teg (cartref y Cadeirydd), a chynhelid y cyfarfodydd hanner blynyddol yng Nghaerdydd a'r rhai blynyddol naill ai yn y brifddinas neu yn Abertawe.

Yr oedd Gwilym yn hynod o awyddus i gyhoeddi cyfrolau yn ymwneud â bywyd cyfoes y genedl Gymreig. A dyna sut y daeth y gyfres 'Arolwg' i fodolaeth, sef arolwg ac adolygiad ar wahanol agweddau ar fywyd Cymru gan Gymry blaenllaw dan olygyddiaeth un o'r pwyllgor neu rywun a fodlonai ar y dasg anodd. Ymddangosodd *Arolwg* 1965 dan fy ngolygyddiaeth i, ac eraill dan ofal Dr Aled Rhys Wiliam, R. Gerallt Jones ac Ednyfed Hudson Davies.

Pwyswyd ar ein Cadeirydd i gynhyrchu cyfrol a fyddai'n cyfarwyddo'r amaethwr ynglŷn â'r gyfraith, a derbyniodd y sialens. Paratôdd glamp o gyfrol dan y teitl *Y Ffermwr a'r Gyfraith*. Yr oedd yn gyfrol afaelgar a bu gwerthu da arni. Yn wir, gwerthwyd pob copi a phleser oedd cyhoeddi yn Gymraeg gyfrol swmpus, clawr caled ar bwnc cyfreithiol, digwyddiad unigryw yn y chwedegau. Lluniwyd hefyd lawlyfr bychan i bwyllgorwyr gan dri a oedd yn hynod o gyfarwydd â'r gamp, sef Gwilym Prys-Davies, Alwyn Hughes Jones, Caernarfon a Syr Ben Bowen Thomas. Gwerthwyd pob copi o'r llawlyfr gan i nifer dda o gymdeithasau archebu stoc ar gyfer eu swyddogion. Pan symudais i Lerpwl yn 1968 daeth y pwyllgorau i ben, ond deil y wasg yn weithgar hyd y dydd heddiw.

Yr oedd Gwilym erbyn hyn yn ennill enw da iddo'i hun fel cyfreithiwr. Byddwn yn cynghori aelodau o'm praidd oedd yn ymorol am arweiniad cyfreithiol i ystyried ei arweiniad a'i gwmni. Bellach yr oedd Gwilym wedi symud o'r Porth i swyddfa fwy Morgan, Bruce a Nicholas ym Mhontypridd. Yr oedd bellach yn un o'r partneriaid yn y ffyrm. Cyfrifid Morgan, Bruce a Nicholas yn un o dair ffyrm gyfreithiol enwocaf Cymru.[21] Daeth i enwogrwydd haeddiannol ar sail yr holl waith a wnaed gan y cwmni dros Ffederasiwn Glowyr De Cymru a hynny er dyddiau'r Cymro o Fethodist, William Abraham, a adnabyddid wrth ei enw barddol Mabon. Deuai balchder i'w galon wrth drefnu ewyllysiau a chofiaf ef yn sôn wrthyf am hen lanc o Ben-y-graig a addolai yng nghapel mawr enwad y Bedyddwyr Cymraeg yn y dreflan, a ddaeth ato gyda'r bwriad o adael rhan dda o'i ystad i elusen addysgol Cymraeg, a swm sylweddol arall i Urdd Gobaith Cymru. Yn ystod y chwedegau gwnaeth bedair ewyllys gyffelyb i Gymry di-blant ac anwleidyddol, hen ŷd y wlad, a oedd wedi treulio'r rhan fwyaf o'u bywydau yn y cymoedd lle yr oedd y Gymraeg yn ymladd am ei heinioes. O leiaf yr oedd y Cymry swil a garai'r encilion yn gofyn i'r Cymro cadarn o gyfreithiwr ddefnyddio'r cyfalaf y byddent yn ei adael yn hwb i'r iaith a olygai gymaint iddynt.

Edmygai Gwilym ac eraill ohonom a oedd yn byw yn y cym-oedd y Cymry a oedd yn gweithio'n ddygn i sefydlu dosbarth-iadau ac ysgolion. Yr oedd awydd gan Gwilym a Llinos i weld yr ysgolion Cymraeg yn llwyddo a blodeuo. Gwerthfawrogwn gyfraniad y ddau fel ei gilydd, a phan anwyd merched iddynt, Catrin, Ann ac Elin, nid oedd dim yn sicrach nag y byddent yn derbyn addysg yn iaith yr aelwyd. Yn rhinwedd ei waith fel cyfreithiwr i Gronfa Glyndŵr byddai ef yn clywed yn gyson am drafferthion y rhiant unigol – neu grwpiau o rieni – wrth iddynt anfon eu plant i gael addysg Gymraeg dan Ddeddf Addysg 1944, a hynny mewn sawl achos ar hyd a lled Cymru. Rhoddodd ei wasanaeth proffesiynol i'r teuluoedd hyn yn ddi-

---

21   Y mae ganddo gryn lawer o wybodaeth am ffyrm Morgan, Bruce a Nicholas yn y bennod, 'Rhwng Dau Fyd' yn *Llafur y Blynyddoedd*, 23–31.

dâl. Pan ofynnwyd iddo pam yr oedd yn gwneud hynny, ac yntau â gofynion teulu a chartref arno, atebodd fel hyn:

Mae'n debyg oherwydd fy mod yn ystyried mai dyma ran o'm cyfrifoldeb personol i ddiogelu hunaniaeth.[22]

Daeth Etholiad Cyffredinol 1964 â chryn fodlonrwydd iddo, yn arbennig pan benodwyd Jim Griffiths gan Harold Wilson ym mis Hydref yn Ysgrifennydd Gwladol Cymru gyda sedd yn y Cabinet. Yr oedd Jim Griffiths yn dra awyddus i weld ei ffrind yn cael sedd dda, sedd lle y gallai ei Gymreictod gael cyfle euraid. Dyna oedd swm a sylwedd ei lythyron dyddiedig 9 Awst a 22 Medi 1964.[23] Gobeithiai fod Gwilym ac eraill 'yn cael cyfle i ddod i gysylltiad â'r rhai fyddai â dylanwad yn newisiad yr ymgeiswyr yn 1968 – neu cyn hynny', ac 'yn enwedig felly yn y rhanbarthau Cymraeg'. Yr oedd wedi rhoi yr un siars i Cliff Prothero a theimlai ef y dylai Gwilym gadw ei lygad ar etholaethau Caerfyrddin a Meirionnydd. Ac ar gais Prothero yr aeth Gwilym yn ddirprwy i Megan Lloyd George yn ystod ymgyrch 1964 yn etholaeth Caerfyrddin. Dyna'r adeg y sylweddolodd gymaint o gamp a gyflawnodd Cledwyn Hughes wrth ennill yn erbyn y dywysoges yn 1951 ym Môn. Dywed amdani yn 1964:

Dyna pryd y llawn sylweddolais mor hudol o hyd oedd enw Lloyd George i laweroedd o bobl dros eu hanner cant oed mewn etholaeth wledig yng Nghymru. Ar strydoedd tref Caerfyrddin rhodiai Megan Lloyd George fel brenhines, gan gyfarch pawb. Roedd yn ferch i'w thad.[24]

Gwelodd ei dawn yn y cyfarfodydd cyhoeddus. Hyfforddiant gwych iddo oedd rhannu llwyfan ag un o'r merched mwyaf huawdl a welodd Senedd San Steffan. Ac ar 15 Hydref 1964 yr

---

22 *Ibid*. Ei eiriau ef wrth drafod y wasg gyhoeddi yn Abercynon.
23 Llyfrgell Genedlaethol Cymru, Papurau yr Arglwydd Jim Griffiths. Llythyrau Jim Griffiths at Gwilym Prys-Davies, 9 Awst 1964 a 22 Medi 1964.
24 Gwilym Prys-Davies, *Llafur y Blynyddoedd*, 52.

oedd Caerfyrddin yn ddiogel i'r Fonesig.[25] Dyma'r canlyniadau:

Y Fonesig Megan Lloyd George	Llaf	21,424	45.4%
Alun Talfan Davies	Rh	15,210	32.3%
Gwynfor Evans	PC	5,495	11.7%
Mrs H. Protheroe-Beynon	C	4,996	10.6%
Mwyafrif		6,214	13.1%

Fe wnaeth 84.5% o'r etholwyr fwrw'u pleidlais a bu llawenydd mawr ymhlith gweithwyr y swyddfa. Anfonodd y Fonesig Megan lythyr canmoliaethus ato fel ei dirprwy yn yr ymgyrch.

Erbyn hyn yr oedd Jim Griffiths, John Morris a Harri Webb yn atgoffa Gwilym y dylai yntau ymgeisio am sedd debyg i Gaerfyrddin lle y gwerthfawrogid ei allu a'i athroniaeth. Croesawodd Gwilym ei gyfaill Elystan Morgan i rengoedd y Blaid Lafur yn 1965 a chafodd ateb gan yr un a drodd ei got. Dywed:

Bu'n benderfyniad anodd iawn – nid oherwydd unrhyw amheuaeth a fu i mi erioed ynglŷn â hanfodion delfrydau Sosialaidd, ond gan mor anodd ydyw gadael Plaid Cymru yn ei gwendid a chan wybod fy mod yn siomi cymaint o bobl ddewr a nobl na allai fyth ddeall paham y gwnaf hyn.[26]

I John Morris yr oedd sedd Llanelli yn un y dylai Gwilym ei hystyried fel olynydd ei gyfaill Jim Griffiths. Ffitiai Gwilym y ffrâm:

Teimlaf yn gryf y byddai rhywbeth o'i le pe na'i dilynid gan Gymro Cymraeg.[27]

Cynghorodd Gwilym i siarad yn unionsyth â Ron Mathias, arweinydd yr Undeb Trafnidiaeth a Gweithwyr Cyffredinol

25 'Isetholiadau 1955–1959' yn Beti Jones, *Etholiadau Seneddol yng Nghymru 1900–75*, 125.
26 Llyfrgell Genedlaethol Cymru, Papurau yr Arglwydd Gwilym Prys-Davies. Llythyr Elystan Morgan at Gwilym Prys-Davies, 1965.
27 *Ibid*. Llythyr John Morris at Gwilym Prys-Davies (dim dyddiad).

yn ne Cymru, yn ei swyddfa yng Nghaerdydd.[28] Cynghorai ef hefyd i ymuno yn ddiymdroi â'r Undeb gan mai dyna a wnaeth Leo Abse, y cyfreithiwr o Gaerdydd, cyn ennill enwebiad Pont-y-pŵl. Ond tybiaf iddo anwybyddu cynghorion ei ffrindiau. Erbyn hyn yr oedd enwebiad etholaeth Llanelli yn nwylo'r Undeb Trafnidiaeth a Gweithwyr Cyffredinol, a dywed John Morris ymhellach wrtho fod dyddiau Undeb y Glowyr yn prysur ddarfod: 'D'oes fawr, a bydd llai, o lowyr ar ôl. Mae'r peiriant yn barod yn nwylo T a G'.[29] Mae John Morris yn berffaith fodlon dod i gysylltiad ag unrhyw un yn etholaeth Llanelli ar ran ymgeisyddiaeth ei ffrind. Nid yw'n gyfarwydd iawn ag arweinyddion lleol yr Undeb Trafnidiaeth a Gweithwyr Cyffredinol gan eu bod yn Babyddion ac yntau yn aelod o Eglwys Bresbyteraidd Cymru!

Ond yn y cyfamser daeth sedd Meirionnydd yn wag, pan benderfynodd T. W. Jones roi'r gorau iddi fel Aelod Seneddol ar ôl ennill gyda mwyafrif o 1,249 yn 1964. Yr oedd gan Gwilym ddiddordeb mawr mewn cael yr enwebiad gan ei fod yn un o blant y sir, a'i fam yn dal i fyw yn Llanegryn a'i chwaer Mairwen Murray yn Nhaliesin. Anfonodd Loti Rees Hughes, Llanelli, lythyr ato ar ddiwrnod olaf Awst 1965 i ddymuno'n dda iddo.[30] Yr oedd ei phriod Douglas Hughes a hithau am wneud eu gorau drosto. Byddai Douglas yn cyfarfod ymhen deuddydd â'r Parchedig E. Cadfan Jones o Flaenau Ffestiniog. Yr oedd hi'n amlwg fod gan Gwilym ei gefnogwyr, ond gwelwyd yn fuan fod William Edwards, gŵr o Amlwch a chyfreithiwr yn Wrecsam, yn meddu ar bobl a oedd yn barod i grwydro'r sir a'i gyflwyno i aelodau gwasgaredig y blaid.[31] Un o'r rhain oedd Owen

---

28 *Ibid.*

29 *Ibid.*

30 *Ibid.* Llythyr Loti Rees Hughes at Gwilym Prys-Davies, dyddiedig 31 Awst 1965. Roedd gan Douglas Hughes, asiant Jim Griffiths, gryn ddylanwad ym mywyd cyhoeddus Cymru. Sonnir amdano yn D. Ben Rees, *Cofiant Jim Griffiths*, 112–13, 155–6, 160, 165, 173–4, 206–9, 268, 298–9, 311–12.

31 Llyfrgell Genedlaethol Cymru, Papurau yr Arglwydd Gwilym Prys-Davies,

Edwards, ysgrifennydd yr etholaeth a fu'n brifathro ym Metws Gwerfyl Goch ac ar ôl hynny ym Mlaenau Ffestiniog, ac ni allai oddef cefnogi'r sosialydd o Gymro brwdfrydig. Fe wnaeth Aneurin Owen, yr Undebwr o Flaenau Ffestiniog, rybuddio Gwilym i beidio â chael siom, gan fod canghennau'r Blaid Lafur ym Mlaenau Ffestiniog a'r cyffiniau eisoes ym mynegi mwy o lawer o gefnogaeth i William Edwards nag iddo yntau. [32]

Anfonodd Walter Williams, Dinas Mawddwy, ar 25 Hydref 1965, lythyr llawn cydymdeimlad at Gwilym am iddo fethu ennill yr enwebiad. Iddo ef yr oedd Plaid Lafur Meirionnydd 'wedi colli cyfle anghyffredin' i anfon Aelod Seneddol i San Steffan a fyddai wedi gwneud marc ac wedi bod yn gaffaeliad mawr i'r trigolion oherwydd ei ymroddiad a'i ddeallusrwydd. Daeth 138 i bleidleisio, ac yn ôl Walter Williams, 'buasai 12 wedi troi'r fantol'. Yr oedd hi'n agos iawn rhwng y ddau. Ond daliai'r siom yng nghalonnau cymaint o bobl y sir:

Mae'r teimlad o siom yn dal mewn rhannau helaeth o'r Sir a llawer iawn o'r tu allan i'r blaid wedi penderfynu i roddi cefnogaeth i un o feibion Meirion. [33]

Talodd deyrnged ddiffuant iddo: 'Diolch i chwi Gwilym am ymladd mor ddewr i'r diwedd a rhoi i ni araith mor ysgubol a'r clo mor onest a diffuant.' [34]

Bocs 1/1. Anfonodd Llafurwr o Rydwen, Llanuwchllyn lythyr ato (heb ddyddiad) yn dweud nad oedd cangen o'r Blaid Lafur yn Llanuwchllyn, dim ond 'dau neu dri' yn cadw'r fflam ynghyn. Yna dywed y newydd: 'Bu Owen Edwards yma wythnos diwethaf gyda Wil Edwards.' Ond credai'r Llafurwr, er hynny, fod cefnogaeth i Gwilym Prys-Davies yn Llanuwchllyn.

32 *Ibid*. Ysgrifennodd sosialydd o Bennant, Dolgellau, ar 2 Mai 1965 am yr ofn oedd ymhlith rhai o Lafurwyr amlycaf yr etholaeth. Dywed wrth Gwilym Prys-Davies: 'Mae yma rhyw gyfreithiwr [Edwards?] mab fferm o Sir Fôn yn edrych fel petai'n bugeilio'r Sir a dyna'r unig beth sydd yn anesmwytho Mr [Aneurin] Owen – ond eto i gyd y fo yw'r Cadeirydd'.

33 *Ibid*. Llythyr Walter Williams, Dinas Mawddwy at Gwilym Prys-Davies, dyddiedig 25 Hydref 1965.

34 *Ibid*.

Ymhlith y rhai a oedd yn teimlo'r un fath ag ef yr oedd Aneurin Owen, I. D. Harry, Warden Coleg Harlech, ac aelodau o gangen Dolgellau. Daliai Walter Williams i gofio geiriau Llinos, annwyl briod yr un a gollodd yr enwebiad: 'Nid yw diwedd y byd wedi dod!'[35] – geiriau nodweddiadol ohoni. Ni chredai hi mewn eistedd yn wylofus mewn sachliain a lludw.

Anfonodd Elystan lythyr ato gan fynegi ei siom yntau fod Meirionnydd wedi ei hamddifadu ei hun o gael gŵr grymusaf ei genhedlaeth i'w chynrychioli yn Nhŷ'r Cyffredin.[36] Adwaenai Elystan yr etholaeth fel cefn ei law. Ymladdodd ef etholaeth Meirionnydd yn enw Plaid Cymru yn Etholiad Cyffredinol 1964. Ond yn ei siom dangosodd Gwilym Prys-Davies ei fawredd wrth anfon llythyr yn llongyfarch William H. Edwards ar gael ei ddewis yn ddarpar ymgeisydd. Atebodd yntau o swyddfa J. Hopley Pierce and Bird, cyfreithwyr yn Wrecsam: 'Gwerthfawrogaf yn arw eich cefnogaeth a'ch dymuniad da.'[37]

Ar 20 Hydref gofynnodd J. Emrys Jones a oedd ganddo ddiddordeb yn sedd Trefynwy gan fod dyddiad cau yr enwebiadau ar 30 Tachwedd. Donald Anderson a safodd yno yn y diwedd dros Lafur yn etholiad 1966 a chyflawni'r gamp o ennill y sedd gyda mwyafrif o 2,965 oddi wrth Peter Thorneycroft.[38] Yr oedd hi'n amlwg fod Gwilym yn ei gweld hi'n anodd mynd am wahanol seddau. Gobeithiai weld y dydd yn dod ac eto, yr oedd yn ansicr pa etholaeth y byddai'n dymuno sefyll ynddi. Llithrodd ei hoff Feirionnydd o'i afael yn 1965, ac enillodd William Edwards y sedd i Lafur yn 1966 gyda mwyafrif o 1,895 o bleidleisiau.[39]

---

35   *Ibid.*

36   *Ibid.* Llythyr Elystan Morgan (dim dyddiad) at Gwilym Prys-Davies. 'Teimlwn yn ofnadwy o drist pan aeth y ddedfryd ym Meirionnydd yn eich erbyn.'

37   *Ibid.* Llythyr William H. Edwards, Wrecsam at Gwilym Prys-Davies (dim dyddiad ond ym mis Hydref 1965). Dywedodd W. H. Edwards: 'Gwerthfawrogaf yn arw eich cefnogaeth a'ch dymuniad da'.

38   Beti Jones, *Etholiadau Seneddol yng Nghymru 1900–75*, 146.

39   *Ibid.*, 145.

Isetholiad pwysicaf yr ugeinfed ganrif: Etholiad Caerfyrddin 1966

PAN BENDERFYNODD Harold Wilson alw Etholiad Cyffredinol ym mis Mawrth 1966, yr oedd gan ganolfan weinyddol y Blaid Lafur yng Nghaerdydd broblem fawr yn Sir Gaerfyrddin. Gofynnodd Cliff Prothero yn ddiymdroi i Gwilym Prys-Davies, y cyfreithiwr prysur, gyda galw beunyddiol cyson amdano, aberthu ei amser a'i enillion er mwyn cuddio'r gwirionedd rhag y cyhoedd ac ymladd yn ddygn yn enw'r ymgeisydd, y Fonesig Megan Lloyd George, er mwyn iddi gadw'r sedd i'r Blaid Lafur. Yn ôl Emyr Price:

> Erbyn Etholiad 1966 roedd Megan yn ddifrifol wael gyda'r cancr, y salwch a barodd iddi dderbyn llawdriniaeth ym 1962. Oherwydd ei hafiechyd ni fedrai gymryd rhan yn yr ymgyrch.[1]

Ond yn ôl adroddiad Gwilym Prys-Davies ar isetholiad Caerfyrddin, ni wyddai ef ddim byd am hynny. Ni chlywodd y geiriau 'difrifol wael'; yn wir, y geiriau a ddefnyddiodd Cliff Prothero wrtho oedd 'heb wella'n llwyr o'r saldra fu'n ei meddiant ar hyd y gaeaf'. Yn sicr, ni wyddai Gwilym Prys-Davies na neb o'i dîm na swyddogion y Blaid Lafur yn lleol '[na] fedrai gymryd rhan yn yr ymgyrch'. Ar ôl symud i Gaerfyrddin i'w chynrychioli byddai Gwilym yn cysylltu â hi dros y ffôn ym Mryn Awelon, Cricieth. Dyma a ddywed am hynny:

---

1   Emyr Price, *Megan Lloyd George* (Caernarfon, 1981), 42.

ISETHOLIAD PWYSICAF YR UGEINFED GANRIF

Mewn sgwrs fer ar y ffôn doedd hi ddim yn amlwg i mi bod ei nerth yn pallu. Clywn ei llais yn sionc a chryf. Dyma fyddai rhediad y sgwrs, Be oedd y cwestiyna gesoch chi neithiwr? Ble'r ydach chi'n siarad heno? Rydach chi gyd yn cael hwyl anfarwol. Bydda'i lawr acw mewn diwrnod neu ddau.[2]

Yr oedd hi'n medru taflu llwch i lygaid y cyfreithiwr craff. Ni welwyd hi mewn diwrnod neu ddau, ac yn wir, ni lwyddodd i ddod i'r etholaeth ar ddydd y pleidleisio ar 31 Mawrth. Y noson cynt y clywodd Gwilym y gwir oddi wrth aelod o'i theulu. Dyma fel y mae'n gosod y peth:

Erbyn diwedd yr ymgyrch dywedai fy ngreddf fod salwch sinister arni, ond ni wyddwn ei bod hi'n marw o'r canser nes imi ddychwelyd i'm llety ar ôl cynnal cyfarfod ola'r etholiad, pryd y datgelwyd y gyfrinach i mi gan ei nai, Benjie Carey-Evans, a oedd wedi dod lawr o Gricieth i helpu yn yr ymgyrch.[3]

Gan fod Llafur yn fuddugoliaethus ar hyd a lled y wlad, cafwyd llawenydd mawr yng Nghaerfyrddin am iddi sicrhau (yn ei habsenoldeb) fwyafrif mwy nag a gafodd yn 1964.[4] Y tro hwn cafodd fwyafrif o 21%. Cafodd Gwynfor Evans gysur o weld ei bleidlais yntau yn enw Plaid Cymru yn cynyddu i 16.1%.

Beth oedd ym meddwl Gwilym Prys-Davies tybed ar 14 Mai, 43 diwrnod ar ôl y canlyniad etholiadol yng Nghaerfyrddin, pan glywodd fod Megan Arvon Lloyd George wedi marw, ac

2   Gwilym Prys-Davies, *Llafur y Blynyddoedd*, 53.
3   *Ibid.*
4   Llyfrgell Genedlaethol Cymru, Papurau yr Arglwydd Gwilym Prys-Davies, Bocs 1/1. Llythyr Megan Lloyd George at Gwilym Prys-Davies ym mis Tachwedd 1964. Llythyr o ddiolch am ei gymorth yn yr etholiad a gynhaliwyd ar 15 Hydref 1964 pan enillodd Megan gyda mwyafrif o 6,214 o bleidleisiau. Dyma'i geiriau wrth Gwilym Prys-Davies: 'I am fully aware that without your help, such a victory as we had, would not have been possible, and I am more than grateful. Diolch o galon am y cefnogaeth a'r hwyl anfarwol.'

y byddai Caerfyrddin o fewn amser byr yn wynebu etholiad arall? Ond cyn hynny byddai angen enwebu ymgeisydd yn ei lle. Nid oes tystiolaeth fod Gwilym Prys-Davies wedi bod yn arwyl Megan Lloyd George, ond pwysodd Jim Griffiths arno i fynychu'r cyfarfod coffa yng nghapel y Bedyddwyr Cymraeg, y Tabernacl, Caerfyrddin.[5] Bu Megan a'i mam yn aelodau o gapel y Methodistiaid Calfinaidd yng Nghricieth ar hyd eu hoes. Ei thad oedd y Bedyddiwr selog, er mai aelod o sect o'r enw y Bedyddwyr Campbelaidd neu Ddisgyblion Crist ydoedd ar y cychwyn, a hynny ym Merea, Cricieth, lle y codwyd ef a'i fedyddio gan ei ewythr, David Lloyd. Enillodd Gwilym yr enwebiad yn erbyn ymgeisydd cryf a bachgen o'r sir, Denzil Davies, Cynwyl Elfed.[6] Ni fu colli'r enwebiad yn ddiwedd y byd i Denzil Davies gan iddo gael y cyfle i ddilyn Jim Griffiths yn Aelod Seneddol Llanelli yn 1970, lle y bu hyd iddo ymddeol. Yr oedd llu o Gymry gwlatgar yn falch fod Gwilym Prys-Davies wedi derbyn yr enwebiad, ond yr oedd T. I. Ellis mor gynnar â chanol Chwefror wedi anfon ato gan ddweud:

> Gobeithio bod sail i'r hyn a glywais fod Lady Megan yn ymddeol a bod gennych gyfle da yn Sir Gaerfyrddin.[7]

Dyna a ddylai fod wedi digwydd, a phe bai hynny wedi digwydd ym mis Chwefror 1966 byddai Gwilym Prys-Davies wedi cadw'r sedd i Lafur fel y gwnaeth heb bresenoldeb y Fonesig Megan, dim ond ei henw da. Yr oedd Gwilym yn barod iawn i weithio dros enwebiad pan ddeuai, a gwyddai'r Fonesig Megan hynny. Ond ni ildiodd, er y dylasai wneud gan ei bod yn gwybod am gyflwr ei hiechyd. Anfonodd Jack Evans, Ysgrifennydd Plaid Lafur Caerfyrddin, at Gwilym ar 24 Ionawr 1966 i'w wahodd i

---

5   *Ibid.* Llythyr Jim Griffiths at Gwilym Prys-Davies, dyddiedig 12 Mehefin 1966. 'It would be desirable for you to attend.'
6   *Ibid.* Soniodd Jim Griffiths am Denzil Davies o Gynwyl Elfed ac am ei gamp yn ennill gradd Dosbarth Cyntaf yn y Gyfraith ym Mhrifysgol Rhydychen.
7   *Ibid.* Llythyr T. I. Ellis, Aberystwyth at Gwilym Prys-Davies, dyddiedig 20 Chwefror 1966.

annerch cyfarfod o Lafurwyr tref Llandeilo a derbyn lletygarwch y Cynghorydd Elfryn Thomas yn New Road. Yr oedd ef yn un o'i gefnogwyr. Fel ôl-nodiad dywed Jack Evans, un â hir brofiad o ymgyrchu, fod y Fonesig Megan yn falch ei fod ef yn barod i ddod i Landeilo. Ac ni ellir amau hynny,[8] Yr oedd Gwilym Prys-Davies a Megan Lloyd George yn ddigon tebyg i'w gilydd. Y Fonesig Megan oedd seren Ymgyrch Senedd i Gymru y pumdegau. Dyma ei chyfraniad pwysig i wleidyddiaeth Cymru. A chadwodd Gwilym y fflam ynghyn yn ei lyfryn i Undeb Cymru Fydd.

Galwodd penaethiaid y Blaid Lafur yn Llundain yr isetholiad ar 14 Gorffennaf a chredent yn ddiffuant fod y Blaid Lafur yn mynd i ennill gyda mwyafrif da. Ceir agwedd y Llywodraeth tuag at yr isetholiad yn llythyr tair tudalen y Prif Weinidog ar 5 Gorffennaf 1966, llythyr y mae'r ymgeisydd am ryw reswm yn ei anwybyddu yn ei hunangofiant. Ni ddylid, gan fod y llythyr yn un nodweddiadol o Wilson. Yr oedd ganddo ef fel eraill lawer o arweinwyr Llafur feddwl uchel o'r Fonesig Megan. Dywed:

> You have been chosen to succeed Lady Megan, and I can think of no man more fitted to carry on her great work of pressing the special claims of the Carmarthen Division in particular, and the Welsh nation in general, at Westminster. The people of Carmarthen know you well as a Standard-bearer of Labour's radical message, both in their own Society and throughout Wales.[9]

Mae'n deyrnged sydd yn meddu ar dipyn o sebon meddal, ond ar y llaw arall yn agos iawn ati. Yr oedd Gwilym Prys-Davies yn medru bod yn ysgubol fel areithydd, yn alluog, yn radical ac yn adnabyddus i bobl y sir. Wedi'r cyfan, yr oedd wedi bod ynghlwm

---

8 *Ibid.* Llythyr Jack Evans, Pen-y-groes. Ysgrifennydd Pwyllgor Gwaith y Blaid Lafur yn etholaeth Caerfyrddin, at Gwilym Prys-Davies, dyddiedig 24 Ionawr 1966.

9 Llythyr y Prif Weinidog Harold Wilson, 10 Downing Street, Whitehall, Llundain, dyddiedig 5 Gorffennaf 1966, at Gwilym Prys-Davies.

â'r etholaeth mewn dau etholiad, a chyfarfodydd eraill, ac roedd
yn barod ei gymwynasau.

Aiff Harold Wilson ymlaen i sôn am yr hyn a gyflawnodd
Llafur i'r genedl Gymreig. Sefydlwyd Swyddfa Gymreig, cafwyd
Ysgrifennydd Gwladol i Gymru, sefydlwyd Bwrdd Cynllunio
Cymreig a Chyngor Economaidd i Gymru. Gosodwyd y rhan
helaethaf o Gymru fel Ardal Ddatblygu, gan gynnwys etholaeth
Caerfyrddin. Bu'r ffermwyr ar eu hennill trwy gynllun y
ffermwyr bach (*small farmers scheme*). Cofiwyd am yr henoed
a'u pensiwn ar gost o 300 miliwn o bunnoedd y flwyddyn.
Gofalwyd am y weddw, a'r afiach, a'r di-waith. Gweithredodd
y Llywodraeth Lafur trwy osod o leiaf ddau ddwsin o fesurau
ger bron Tŷ'r Cyffredin, a golygodd hyn wella'r Wladwriaeth
Les, cadw trethi'r cynghorau heb ychwanegu atynt, a sefydlu
Gweinyddiaeth Nawdd Cymdeithasol (*Ministry of Social
Security*).[10] Roedd mwy i'w gyflawni. Bwriedid cryfhau'r
economi, aildrefnu'r diwydiant dur, a rhoddi grym i'r Cynllun
Cenedlaethol fel y cynhyrchid mwy i'w allforio. Ni chymerodd
yr ymgeisydd lawer o sylw o ddadl y Prif Weinidog, gan ei fod
ef yn sylweddoli yn well na'i arweinydd fod yr hinsawdd wedi
newid erbyn iddo gael y llythyr o Downing Street. Yr oedd y Blaid
Lafur mor rhanedig ag y bu yn y pumdegau, adeg y Befaniaid,
ar bolisi'r Llywodraeth ar ryfel America yn Fietnam, ac roedd
ei hagwedd anhyblyg at streic y morwyr yn achosi rhaniadau yn
ogystal. Dinoethodd Wilson gamweddau rhai o'r morwyr gan
eu henwi, ac un ohonynt oedd John Prescott. Ar 3 Gorffennaf,
ymddiswyddodd Frank Cousins, Undebwr poblogaidd ymhlith
pobl y chwith, fel Gweinidog Technoleg ar fater polisïau Uned
Polisïau ac Incwm y Llywodraeth. Cwympodd gwerth y bunt.
Bu'r wasg yn creu ofn ynghylch yr argyfwng ariannol, ac yn
lle bod yn fentrus, mabwysiadwyd polisïau cyllidol a oedd yn
perthyn i'r Toriaid ac nid i Lafur. Ac i gymhlethu'r darlun fwy
fyth, penderfynodd Pwyllgor Addysg Sir Gaerfyrddin, lle yr

---

10 *Ibid.*

oedd y Llafurwyr yn arwain, fygwth cau nifer o ysgolion cynradd yng nghefn gwlad. Soniodd Jim Griffiths am hyn yn ei lythyr ar 4 Gorffennaf.[11] Yr oedd Ysgol Gynradd Abergorlech ac Ysgol Gynradd Llanedi i gau dros yr wythnosau dilynol a nifer o rai eraill fel Llangyndeyrn ac Idole dan fygythiad y fwyell. Wedi'r cyfan lluniodd Cyfarwyddwr Addysg y Sir Iorwerth Howells ddogfen ar bwnc, Reorganisation of Primary Education in the Rural Areas. Gwir y dywedodd yr ymgeisydd Llafur:

> Yn wir, dyma beth oedd dynameit gwleidyddol. Does dim rhaid i mi gadarnhau bod y cynllun biwrocrataidd hwn wedi amharu ar ymgyrch Llafur yn y pentrefi gwledig a'u hysgolion dan gysgod condemniad. Sut y medrai'r ymgeisydd Llafur ddisgwyl am eu cefnogaeth?[12]

Ond y tristwch oedd fod y storm wleidyddol a gododd yn afreal, gan mai dim ond un o'r ysgolion dan fygythiad a gaewyd, sydd yn datgan bod rhywrai heblaw Plaid Cymru wedi ecsbloetio'r sefyllfa yn enbyd. Yr oedd rhywrai mae'n debyg o fewn caucus Llafur Cyngor Sir Gaerfyrddin wedi ei gwneud hi'n anodd i'r ymgeisydd Llafur.

Gweithiodd ef a'i briod Llinos mor ddygn ag y gellid disgwyl iddynt ei wneud. Ychydig oedd yn barod i ymgyrchu. Dywed:

> Yn unol â chyngor y patriarch o Lanelli aethom ein dau rownd pob ystâd tai cyngor o fewn yr etholaeth gan ganolbwyntio'n arbennig ar faterion lleol.[13]

Rhoddodd ei bartner o'r cwmni cyfreithiol, Brynmor John, amser i'r ymgyrchu fel y gwnaethwn innau. Canolbwyntiais ar ogledd

---

11 *Ibid.* Llythyr Jim Griffiths at Gwilym Prys-Davies, dyddiedig 4 Gorffennaf 1966. Mynegodd y gwleidydd profiadol ei bryder: 'I am sorry that your campaign has to bear the strain of the rifts and resignations. This is political life – one can never be sure what may happen any day. Do concentrate on the areas where our vote is.'

12 Gwilym Prys-Davies, *Llafur y Blynyddoedd*, 55.

13 *Ibid.*

y sir, o Lanymddyfri i Gwm-ann, ac i lawr am Landeilo a holl bentrefi bychain Dyffryn Tywi. Un o'r cyfarfodydd cyhoeddus gorau a gawsom oedd y cyfarfod yng Ngors-las pan ddaeth Jennie Lee, gweddw Aneurin Bevan, i annerch. Rhannais lwyfan hefyd â Gwilym a Richard Marsh ym mhentref Brynaman.

Yr hyn na sylweddolodd Gwilym na neb arall o'i gefnogwyr oedd fod Gwynfor Evans a'i dîm yn gweld yr isetholiad fel y cyfle gorau eto a ddaeth i'r cenedlaetholwyr ac i Blaid Cymru. Cydnabyddai Gwynfor Evans mewn llythyr at Dr Huw T. Edwards ar 7 Hydref 1962 fod y Blaid mewn dyfroedd dyfnion, gan ei bod yn methu cael ymgeiswyr i ymladd yn lleol, 'yn bennaf am mai plaid o bobl ifanc, neu gymharol ifanc ydynt'.[14] Isetholiad oedd hwn a oedd yn gofyn am egni ac am grwydro o bentref i bentref ac o stryd i stryd i gyfarch yr etholwyr a gadael taflenni yn eu dwylo. Maes pobl ifanc ar ei orau oedd hwn. Penodwyd gŵr cymharol ifanc, Dyfrig Thomas, yn drefnydd rhan-amser i Blaid Cymru yn ne-orllewin Cymru – dewis da gan fod gan Dyfrig Thomas ddigon o egni.[15] Bu yr etholaeth yn ffodus hefyd o gael y nofelydd Islwyn Ffowc Elis a'i sgiliau i weithio o'i gartref yng Nghaerfyrddin.[16] Yr oedd ef a Gwilym yn adnabod ei gilydd o ddyddiau Aberystwyth. Yn 1963 daeth yn ddarlithydd yn y Gymraeg i Goleg y Drindod, Caerfyrddin. Roedd yn llenor amryddawn, ac aeth ati i lunio taflenni a oedd yn taro deuddeg. Pensaer y cyfan oedd un o'r dynion 'tawelaf a mwyaf dirodres' a gerddodd y sir, sef Cyril Jones, Pumsaint, cynrychiolydd Gwynfor Evans yn y tri etholiad – etholiadau 1964 ac 1966 a'r isetholiad.[17] Rhoddodd Plaid Cymru bwyslais

14 Llyfrgell Genedlaethol Cymru, Casgliad Gwynfor Evans. Llythyr Gwynfor Evans at Huw T. Edwards, dyddiedig 7 Hydref 1962.

15 'Ein Cyfle Gorau Eto', *Y Ddraig Goch*, Cyfrol 36, Rhif 7, Gorffennaf 1966, t.1.

16 T. Robin Chapman, *Rhywfaint o Anfarwoldeb: Bywgraffiad Islwyn Ffowc Elis* (Llandysul, 2003), 245 tt.

17 Adnabyddiaeth bersonol o Cyril Jones a'i briod. Galwn yn achlysurol i'w gweld ym Mhumsaint. Gw, Islwyn Ffowc Elis, 'Cadwodd y bobl eu Gair', *Y Ddraig Goch*, Cyf. 38, Rhif 8, Awst 1966.

mawr ar fywyd a gwaith Gwynfor, ar ei ymroddiad ac ar y ffaith mai un o'r sir ydoedd, tra bo Gwilym yn ogleddwr. Bu Gwynfor yn byw cyhyd yn Llangadog fel y medrid edrych arno fel un o blant Sir Gaerfyrddin yn hytrach na brodor o'r Barri.

Un gwleidydd o'r cyfnod hwnnw sydd wedi gwneud môr a mynydd o'r busnes ieithyddol yw Gwynoro Jones, y sawl a enillodd Gaerfyrddin yn ôl i Lafur yn 1970 oddi wrth Gwynfor Evans. Yng ngolwg Gwynoro Jones, y gwahaniaeth ieithyddol oedd yn gyfrifol am y golled i Lafur yn yr isetholiad. Dyma ei eiriau ar wefan *Golwg 360* ar 12 Hydref 2018, dros hanner can mlynedd yn ddiweddarach, am Gwilym y Gogleddwr:

> Doedd pobol ddim yn ei ddeall e. Roedd e o'r gogledd, yn ogleddwr rhonc. Doedd pobol y cymoedd glo a Chwm Gwendraeth ddim yn deall ei iaith ef. Doedd dim llawer ar radio a theledu fel sydd heddiw. Doedd pobol Sir Gâr ddim yn cyfarfod â phobloedd gogledd Cymru mor aml â hynny, yn ôl yn y dyddiau hynny.[18]

Credaf mai nonsens llwyr oedd damcaniaeth Gwynoro Jones ac ymylol iawn fu ei gyfraniad ef yn yr isetholiad. Rhoddwyd cyfle, fodd bynnag, gan Blaid Cymru i'r to ifanc. Wedi'r cyfan, yr oedd gan Gangen Ieuenctid Plaid Cymru tref Caerfyrddin oddeutu 250 o aelodau ac roedd cangen ieuenctid debyg o ran rhif yn nhref Llandeilo. Canfasiodd Plaid Cymru y sir yn drwyadl ddwy waith, rhywbeth y dylai'r Blaid Lafur fod wedi ei gyflawni, ond nid oedd ganddynt y 'galon' i weithio mor galed â hynny. Ymwelwyd â phob tŷ a phob fferm gan Blaid Cymru am y tro cyntaf erioed. Argraffwyd ffurflenni canfasio y gellid nodi arnynt agwedd trigiannydd pob tŷ – ai ffafriol neu ansicr neu yn erbyn, a nodi hefyd a fyddai'r person arbennig hwnnw am gael

---

18 Erthygl Gwynoro Jones ar wefan Golwg 360 ar 12 Hydref 2018. 'Nid yn unig pobl Plaid Cymru oedd yn hyrwyddo'r ffaith fod Gwilym Prys-Davies yn Ogleddwr ond rhai Llafurwyr lleol. Fel y dywedir "roedd bod yn ogleddwr yn cyfri yn ei erbyn".' Gw. Rhys Evans, *Rhag Pob Brad*, 272.

car modur i'w gludo i'r bwth pleidleisio. Gofalodd Islwyn Ffowc Elis, fel swyddog cyhoeddiadau, fod amrywiaeth ymhlith y taflenni. Ceid taflen ar bolisi amaethyddol Plaid Cymru, un arall ar bolisi diwylliant a thrafnidiaeth, a hefyd addysg, pwnc llosg ar ôl i Gyfarwyddwyr y Sir gyhoeddi ar ddechrau Gorffennaf yr adroddiad a wnaeth niwed i Lafur.

Trefnodd Cyril Jones fod gweithwyr Plaid Cymru a drigai yng Ngheredigion yn canolbwyntio eu hymdrechion ar ogledd Sir Gaerfyrddin, y diriogaeth a oedd dan fy ngofal i yn enw'r Blaid Lafur. Deuai cenedlaetholwyr Plaid Cymru o Sir Benfro i ganfasio a gweithio yng ngorllewin y sir, ardaloedd Hendy-gwyn ar Daf a Sanclêr yn ôl am y ffin. Disgwylid i'r cefnogwyr o Sir Forgannwg ganolbwyntio ar y de-ddwyrain diwydiannol.

Yr oedd Gwynfor Evans ar ben ei ddigon yn croesawu'r holl gannoedd o weithwyr ychwanegol i'r nifer a oedd ganddo ym mis Mawrth. Cynhesodd ei galon o glywed bod ambell i bentref am roddi dros naw deg y cant o gefnogaeth iddo. Roedd dau o bob pum person am bleidleisio i Blaid Cymru yn Llansteffan a bron pawb o drigolion Bwlchnewydd. Soniwyd am esiampl D. J. Williams. Yr oedd ef yn 82 mlwydd oed. Cerddodd ardaloedd Hendy-gwyn ar Daf a Sanclêr, yna Llansawel a bro ei febyd, Rhydcymerau, a anfarwolir yn ei hunangofiant *Hen Dŷ Ffarm* (1953) ac *Yn Chwech ar Hugain Oed* (1959). Treuliodd ddyddiau lawer yn Llansawel a Rhydcymerau, o fore gwyn tan nos. Gwelais ef yno â'm llygaid fy hun. Drwy ei berswâd a'i lwyddiant ef, i Gwynfor Evans y rhoed pob pleidlais yn Rhydcymerau ac eithrio pedair.[19]

Nid oedd Plaid Cymru ar ei hôl hi mewn unrhyw ffordd. Llogwyd saith o hysbysiadau mawr, yn mesur deg troedfedd wrth chwech a hanner. Yr oeddwn i wedi dod i'r casgliad fod Gwynfor Evans a Phlaid Cymru yn mynd i ennill yr isetholiad.

---

19 Islwyn Ffowc Elis, 'Cadwodd y Bobl eu Gair', *Y Ddraig Goch*, Cyfrol 35, Rhif 8, Awst 1966, 1. I Islwyn Ffowc Elis, y gogleddwr, pobl y de oedd y gwroniaid: 'Nhw sgrifennodd y bennod loywaf yn hanes Cymru er dyddiau Glyndŵr.'

Synhwyrai Llinos a Gwilym Prys-Davies yn y dyddiau olaf ei fod yn mynd i golli ei gyfle i D Hywel Davies, y Rhyddfrydwr gynrychioli Caerfyrddin. Dyma a ddywed yn *Llafur y Blynyddoedd*: 'Teimlwn fod y llanw yn fy erbyn. Roedd yr arwyddion yno i'w gweld a'u teimlo: oerni a phellter pobl.'[20]

Gwir y dywedodd mai pynciau lleol oedd yn poeni'r bobl oedd yn gofyn cwestiynau. Mae'r Cymry yn medru bod yn enbyd o blwyfol, fel y ffarmwr hwnnw a ddywedodd wrtho am beidio â phoeni am bellafoedd y byd, 'Peidiwch â phoeni am Fietnam. Be ŷn ni mo'yn yw gwell hewl i'r mart.'[21] Dyna'i flaenoriaeth. Yr oedd miloedd yr un fath ag ef. Dywedodd Gwilym na fu neb yn ei holi o gwbl am gyngor etholedig i Gymru na chwaith am yr iaith Gymraeg. Pynciau oedd yn poeni Gwynfor Evans a Gwilym Prys-Davies oedd y rhain, ond nid trwch y werin datws.

Bu hi'n noson anodd ar Gwilym yn disgwyl am y cyfrif, a'r dorf enfawr yn bloeddio dros Lywydd Plaid Cymru, ac ar ôl oriau o ganu emynau a gweiddi'n groch mewn llysnafedd y gair – Gwilym ac mewn gorfoledd y gair Gwynfor – yna am un o'r gloch y bore cafwyd gwybod y canlyniadau a greodd danchwa wleidyddol:[22]

Gwynfor Evans	PC	16,179	39.0%
Gwilym Prys-Davies	Llaf	13,743	33.1%
D. Hywel Davies	Rh	8,650	20.8%
Simon Day	C	2,934	7.1%
Mwyafrif		2,436	5.9%

Yr oedd miloedd o bleidleiswyr y Blaid Ryddfrydol a'r Blaid Geidwadol ym Mawrth 1966 wedi pleidleisio i Blaid Cymru dri mis a mwy yn ddiweddarach, ac yr oedd cymaint o Lafurwyr wedi aros gartref yn hytrach na sicrhau Llafurwr i gynrychioli'r

---

20 Gwilym Prys-Davies, *Llafur y Blynyddoedd*, 56.
21 *Ibid.*
22 Beti Jones, *Etholiadau Seneddol yng Nghymru 1900–75*, 125.

etholaeth. Mae'n bosibl fod Gwilym Prys Davies yn agos ati wrth ddweud bod Llafur wedi mynd i ddyfroedd dyfnion o ran y driniaeth a roddwyd i'r morwyr. Yr oedd hyn wedi 'cythruddo tipyn ar weithwyr diwydiannol y sir', a'r sôn hefyd am gau'r pyllau yng Nghwm Gwendraeth.[23]

Yn ei adroddiad am yr isetholiad ysgrifennodd Gwilym Prys y geiriau hyn bron i chwarter canrif yn ddiweddarach: 'Beiwn fy hun am ran o'r cyfrifoldeb am y methiant i gadw'r sedd i Lafur'[24] Sonia Gwilym am ei brofiad unig ef a Llinos ger bron y camerâu a'r dorf enfawr yn dathlu. Serch hynny, roedd y ddedfryd pan ddaeth yn oriau mân y bore, er nad yn gwbl annisgwyl, yn ergyd a gofiodd am weddill ei fywyd. Dywed yn ei hunangofiant:

> Mae'n anodd heddiw ddisgrifio'r profiad i eraill, eto mae'n brofiad a erys. Trwy drugaredd deallwn yn iawn y gorfoledd ar sgwâr Caerfyrddin am fod Gwynfor i mewn. Ac er iddo ennill ar fy nhraul, gwyddwn na fedrwn fyth fod yn llai o Gymro.[25]

Ar unwaith newidiodd hinsawdd gwleidyddiaeth yng Nghymru i bob gwleidydd a phlaid. Yr oedd yr amhosibl wedi digwydd – y blaid a fu'n brwydro am dros ddeugain mlynedd i gael troedle yng Nghymru wedi cipio sedd o'r diwedd, a'r buddugwr oedd Gwynfor Evans a roddodd o'i orau fel ymgeisydd mewn un etholiad ar ôl y llall oddi ar 1945. Credai Gwynfor yn gam-arweiniol fod y Blaid Lafur ar fin colli ei goruchafiaeth fel plaid, ond ni fu'r fuddugoliaeth o fudd mawr i ymgyrch datganoli na'r ymgyrch barhaus dros ysgolion Cymraeg.

Brifwyd cymaint o garedigion y Gymraeg o fewn y Blaid Lafur gan y canlyniad annisgwyl. Mynegwyd hynny gan May

---

23 Gwilym Prys-Davies, *Llafur y Blynyddoedd*, 56–7, T. Robin Chapman, *Rhywfaint o Anfarwoldeb: Bywgraffiad Islwyn Ffowc Elis*, 168. 'Unwaith erioed y gwelais i'r wawr yn torri am un o'r gloch y bore: ar Sgwâr Caerfyrddin. Ac wedi bod yno mi fedra i ddweud, fel asyn Chesterton, "mi gefais innau f'awr!"'
24 Gwilym Prys-Davies, *Llafur y Blynyddoedd*, 56–7.
25 *Ibid.*

Harris, un o selogion Capel yr Annibynwyr, Gellimanwydd, Rhydaman, a nith i Jim Griffiths. Dywedodd wrth Gwilym:

> Hen siom! Anlwc i gymaint o elfennau dros-dro gyfuno yn eich erbyn yn union ar adeg yr isetholiad, ond daw gwell dyddiau.[26]

Llongyfarchodd ef ar safon ei anerchiadau, o ran eu sylwedd a'i ddull o gyflwyno'r ddadl. Gwyddai fod Llafurwyr ffyddlon yr etholaeth wrth eu bodd. Dyma ei safbwynt ar gwestiwn pleidlais bersonol:

> Ffolineb camarweiniol yw sôn am bleidlais bersonol Megan. Yr oedd y llanw'n ei hysgubo hi ymlaen ar adegau ei hymgyrchoedd, ac yr oedd hi fel pob ymgeisydd arall yn yr etholiad, yn gwybod bod miloedd gwasgaredig ansicr ein gwleidyddiaeth a chwyther gan unrhyw awel dro.[27]

Pwysodd May Harris arno i ymlacio ar ôl dwy ymgyrch galed o fewn hanner blwyddyn:

> Rhoesoch yn afradlon o'ch egni, ac mae'n sicr bod hynny wedi tolli eich nerth.[28]

Yn ôl Aelod Seneddol Penfro, Desmond Donnelly, a fu'n ymgyrchu yn yr etholaeth:

> You fought gallantly and indefatigably. Nobody could have done more.[29]

Iddo ef, pleidlais brotest Llywodraeth Lafur oedd ar goll, a Phrif Weinidog gwantan:

---

26 Llyfrgell Genedlaethol Cymru, Papurau yr Arglwydd Prys-Davies, Bocs 1/1. Llythyr May Harris, New Street, Rhydaman (nith i Jim Griffiths) at Gwilym Prys-Davies, dyddiedig 18 Gorffennaf 1966.

27 *Ibid.*

28 *Ibid.*

29 *Ibid.* Llythyr Desmond Donnelly, Aelod Seneddol Penfro, at Gwilym Prys-Davies, dyddiedig 18 Gorffennaf 1966.

The Labour Government has no coherent policy and grip.
The Tories are as bad or even worse. What's the use of
voting Labour. And Gwynfor is a nice chap. Give him a
vote.[30]

Ychwanegodd am Wilson:

Furthermore, we have a Prime Minister of monumental
incompetence as events are showing and the public are
beginning to realise.[31]

Cydymdeimlodd nifer o'r rhai a fu'n gohebu ag ef yn y gorffennol
fel Goronwy Roberts, a ddaliai swydd bellach yn y Llywodraeth,
gan ddweud wrtho iddo ymladd yn wych, yn wir gorffennodd ei
lythyr dyddiedig 15 Gorffennaf o Curzon Street, Llundain gyda'r
cyfarchiad 'Dy. Frawd!' Daeth llythyr gan un o bobl yr etholaeth
a fu'n gweithio drosto. Yng Ngharwe ger Cydweli mynegodd y
gŵr hwn a alwai ei hun yn Trevor fod y gymuned honno am ei
weld yn San Steffan. Talodd deyrnged i Llinos am ei chymorth
a'i mawredd ar noson y cyfrif yng Nghaerfyrddin:

She has undoubtedly made a large number of friends in Sir
Gâr and you can be proud of the way she faced up to the
situation in the count when it was obvious that we were
going to be beaten.[32]

Cenedlaetholwr pybyr oedd Gwilym R. Jones, Dinbych, bardd
a golygydd, ac fe anfonodd lythyr i godi calon Gwilym Prys-
Davies. Dywed y gwir wrtho:

Nid oes gennych le o gwbl i gywilyddio oherwydd can-
lyniad etholiad Sir Gâr. Does neb drwy Gymru'n deall y
peth! Na hidiwch, ond gwybyddwch fod llawer ohonom

30   *Ibid.*
31   *Ibid.*
32   *Ibid.* Llythyr Trevor, The Limes, Carwe ger Cydweli at Gwilym Prys-Davies,
dyddiedig 20 Gorffennaf 1966.

yn credu o ddifri y gwnaech chi well A.S. dros Gymru na llawer o'n haelodau presennol, ac nid am rai fel Iori ac Abse yr wyf yn meddwl.[33]

Gofynna iddo yn garedig anfon erthygl i'r *Faner*, a hynny am reswm digonol:

Credaf fod gennych neges i'r genedl a dawn i'w chyflwyno, a gweledigaeth ar rai o'n problemau dyrys.[34]

Anfonodd ei ffrind mawr, Jim Griffiths, eiriau pwrpasol ato:

Rwy'n deall fel y byddwch yn teimlo ar ôl ergyd mor annisgwyl ac annheilwng. Ond da chwi peidiwch â rhoi i fyny – daliwch ati.[35]

Hwn oedd yr ail lythyr iddo ei anfon; yn y cyntaf mae'r siom yn amlwg yng Nghymraeg Ysgrifennydd Gwladol cyntaf Cymru: 'Rwy'n teimlo i'r byw y siom o glywed am y newydd o Gaerfyrddin.'[36] Cyfeiriodd at nifer o ddigwyddiadau dylanwadol, gan ddweud bod y bygythiad i gau ysgolion bach y wlad wedi 'codi anawsterau go fawr'. Cytunai â Desmond Donnelly mai 'pleidlais o brotest ydoedd' ac ni ellid gwadu fod hynny yn un o'r ffactorau.[37]

Yr oeddwn i yn bersonol, fel yr oedd Elystan Morgan, yn hynod o siomedig a mynegais hynny yng nghylchgrawn *Barn* gan godi nyth cacwn yn rhifynnau Medi a Hydref, a mynegodd Elystan hynny mewn llythyr.[38] D. Tecwyn Lloyd oedd un o'r

---

33 Llythyr Gwilym R. Jones, Dinbych at Gwilym Prys-Davies, dyddiedig 24 Awst 1966.

34 *Ibid.*

35 *Ibid.* Llythyr Jim Griffiths at Gwilym Prys-Davies, dyddiedig 30 Gorffennaf 1966.

36 Llythyr Jim Griffiths at Gwilym Prys-Davies, dyddiedig 15 Gorffennaf 1966.

37 *Ibid.*

38 *Ibid.* Llythyr Elystan Morgan AS at Gwilym Prys-Davies, dyddiedig 28 Gorffennaf 1966. Ef yw'r unig un sydd yn rhoddi'r bai yn gyfan gwbl ar Megan Lloyd George. Roedd hi, meddai, yn barod i dwyllo'i hun ac yn anghofio ei bod

mawrion i'm cystwyo a dyma ddywedodd, 'O ganlyniad plaid y canol oed a'r hen yw Llafur heddiw yng Nghymru, beth bynnag am Loegr.' Dyma ei ergyd: "Biti na ddeuai Mr Rees am dro i Sir Gaerfyrddin am flwyddyn neu ddwy i wybod yn well". Yr oedd *Barn* yn gylchgrawn gwerthfawr dan olygyddiaeth Alwyn D. Rees a chydymdeimlodd yntau:

Fedra i ddim gwadu fy llawenydd am fod Gwynfor i mewn, ond fel y gwyddoch fy mhrif fwriad i yw cael Cymry ymwybodol i'r Tŷ beth bynnag fo'u Plaid![39]

Byddai Alwyn D. Rees wedi bod wrth ei fodd yn ei weld ef yn dilyn Megan. Cefnogodd Alun Talfan Davies yn 1964 am yr un rheswm, ac am nad oedd siawns gan Gwynfor Evans i ennill y sedd.

Mae'n debyg mai Alwyn D. Rees oedd yr academydd a wnaeth yr ymdrech fwyaf ysgolheigaidd i osod yr isetholiad yn ei gefndir a thanlinellu pwysigrwydd buddugoliaeth Plaid Cymru.[40] Yn gyntaf, pwysleisia arbenigrwydd y canlyniad o fewn gwleidyddiaeth Prydain. Neidiodd pleidlais Gwynfor Evans o 7,416 i 16,179 mewn tri mis. Ni welwyd dim tebyg i hyn oddi ar fuddugoliaeth y Rhyddfrydwyr mewn isetholiad yn Orpington yn 1962; yn wir, y gair gorau i ddisgrifio isetholiad Caerfyrddin oedd 'chwyldro'. Digwyddodd isetholiad Orpington dair blynedd ar ôl Etholiad Cyffredinol 1959, yn dilyn wyth mlynedd o lywodraeth Dorïaidd. Ond dim ond am ugain mis y bu'r Blaid Lafur yn llywodraethu cyn isetholiad Caerfyrddin, ac nid oedd fawr mwy na thri mis wedi mynd heibio cyn i Gwynfor Evans

---

hi'n darfod yn gorfforol, ac roedd trefnyddion y Blaid Lafur yn 'rhy fonheddig i ddweud wrthi fod yn rhaid iddi fynd'. Mynegodd hefyd ei edmygedd o Gwilym Prys-Davies: 'Edmygais chwi erioed o'm dyddiau ysgol. Cymerwch gysur o wybod fod llawer ohonom yn gwybod y dowch o'r anhapusrwydd yn fuddugoliaethus.'

39 *Ibid.* Llythyr Alwyn D. Rees, Aberystwyth at Gwilym Prys-Davies, dyddiedig 18 Gorffennaf 1966.

40 Alwyn D. Rees, Golygyddol *Barn*, Rhif 49, Tachwedd 1966, 1–2.

dderbyn cymaint o gymeradwyaeth ar sgwâr Caerfyrddin.[41] Felly yr oedd y canlyniad yn haeddu cofnod manwl mewn unrhyw lyfr ar hanes gwleidyddiaeth Prydain yn y chwedegau. Yn ail, pwysleisia'r cymdeithasegydd Alwyn D. Rees fod 'gorchest Caerfyrddin yn ddirgelwch i mi' safbwynt y dylid ei gydnabod gan bawb sydd yn ymdrin â'r digwyddiad.[42] Llwydda i'n darbwyllo nad yw'r rhesymau arferol yn argyhoeddi. Er enghraifft, fod Gwilym Prys-Davies yn ymgeisydd amhoblogaidd. Yn ôl yr arbenigwyr, nid yw'n esboniad digonol, gan mai i 'blaid y bydd mwyafrif y bobl yn pleidleisio ac nid i'r dyn'. Yna sonnir am gymeriad didwyll a chydwybodol Gwynfor Evans, ond yr oedd yr ymgeiswyr eraill, y tri ohonynt, yr un mor ddidwyll a chydwybodol. Yr oedd Gwynfor Evans yn ddidwyll a chydwybodol ym mis Mawrth 1966, ond ni chafodd y gefnogaeth. Soniodd rhai eisoes fod y Blaid Lafur a'r Prif Weinidog yn dechrau colli eu poblogrwydd mewn amser mor fyr, ond fel y dywed Alwyn D. Rees, 'ond yn ôl y *Public Opinion Polls*, ar i fyny yr oedd hi yn y Deyrnas yn gyffredinol ar y pryd'. Yna sonia am boblogrwydd Megan Lloyd George, a oedd,

> oherwydd ei henw a'i hanes, wedi tynnu llawer iawn o bleidleisiau Rhyddfrydol, ac na ellid disgwyl i'r rhain fynd i ymgeisydd Llafur fel y cyfryw. Os felly, y peth diddorol yw mai at y Blaid yr aethant, ac nid yn ôl at yr ymgeisydd Rhyddfrydol.[43]

Disgrifia Gwynfor Evans fel gwleidydd a ddaliodd ati o etholaeth Meirionnydd i etholaeth Caerfyrddin. Ni chollodd mo'i weledigaeth. Yn wir, mewn troednodyn dywedodd Gwilym Prys-Davies:

> Tyfodd teimlad ymhlith llawer o bobl Sir Gaerfyrddin fod Gwynfor wedi ei drin yn siabi gan fawrion y Cyngor

41 *Ibid.*
42 *Ibid.*
43 *Ibid.*

Sir a dyma gyfle i wneud iawn am hynny. Roedd Gwynfor wedi datblygu'n ffigwr cenedlaethol yng Nghymru a dylai'r etholwyr yn ei wlad ei hun ddangos eu gwerthfawrogiad o'i gyfraniad i fywyd Cymru.[44]

Dyma bwynt pwysig am Gwynfor Richard Evans, y gwladgarwr atyniadol, heddychwr mwyaf blaenllaw Cymru ar ôl marwolaeth George M. Ll. Davies yn 1949, Llywydd y Blaid oddi ar 1945, gorchfygwr y Gweriniaethwyr, a'r gwleidydd a drodd Blaid Cymru yn rym etholiadol – erbyn 1959 yr oedd gan Blaid Cymru ugain o ymgeiswyr seneddol ymhlith y tri deg chwech o etholaethau. Ac ef oedd y llais cryfaf yn erbyn boddi Cwm Tryweryn; a gwelodd cynghorwyr dinas Lerpwl ei ddycnwch pan safodd yn ddi-ofn yn eu plith i amddiffyn Capel Celyn. Os oedd rhywun yn haeddu ennill sedd gyntaf Plaid Cymru, Gwynfor Evans oedd y dyn hwnnw.

Da y dywedodd Alwyn D. Rees yn ei ddiweddglo i erthygl yn *Arolwg 1966*:

> Os rhoddodd y Blaid Lafur gydnabyddiaeth weinyddol i Gymru, gwnaeth Gwynfor beth mwy; fe'i gosododd ar y map politicaidd. Yr unig beth anffortunus ynglŷn â'r isetholiad hwn oedd fod rhaid i Mr Gwilym Prys-Davies golli er mwyn i Gwynfor ennill. Oherwydd, cyhyd ag y bo'r Blaid Lafur yn cynrychioli pobl Cymru yn y senedd, y mae gwir angen dynion o'i argyhoeddiad a'i allu ef ymhlith ei harweinwyr.[45]

Dyna grynhoi teimladau pobl amrywiol a garai Gymru ac a ddymunai weld newid er budd ei thrigolion.[46] Aeth Gwynfor Evans i'r Senedd a mynnodd gael ei gymydog Jim Griffiths i fod yn un o'i noddwyr. Cafodd Jim sgwrs gyda Cledwyn

---

44 Gwilym Prys-Davies, *Llafur y Blynyddoedd*, 57.
45 Aled Rhys Wiliam (gol.), Alwyn D Rees, 'Gwleidyddiaeth' (yn) *Arolwg 1966* (Abercynon, 1966), 15.
46 *Ibid.*

Hughes, George Thomas a Gwilym ar y pwnc a chefnogwyd ei benderfyniad i dderbyn y gwahoddiad gan un a edmygai yn fawr fel Annibynwr o hil cerdd. Siarsodd Gwilym i orffwys ac i ymladd eto am sedd. Aeth Gwilym yn ôl at ei waith cyfreithiol heb am unwaith wrando ar ei gefnogwr cadarn. Cyn diwedd y flwyddyn 1966 byddai ganddo dasg aruthrol i'w chyflawni, tasg yn Aber-fan a ddaeth â chysur i laweroedd, yn wir yn bluen yn ei het ac i'w gwmni o gyfreithwyr y glowyr.

PENNOD 8

Trychineb Aber-fan

YR OEDDEM FEL PWYLLGOR GWAITH Cyhoeddiadau
Modern Cymreig, fel gweddill y cymunedau ym Morg-
annwg Ganol, wedi ein parlysu mewn hiraeth a chydymdeimlad
ar ôl y digwyddiad trychinebus a welwyd ym mhentref glofaol
Aber-fan.[1] Gofalwyd bod cyfrol *Arolwg 1966*, a gyhoeddwyd
gan y wasg dan olygyddiaeth Dr Aled Rhys Wiliam, yn dangos
llun o'r tip yn Aber-fan ar y clawr fel yr oedd ar ddydd Llun,
24 Hydref 1966 ar ôl y drychineb fawr dri diwrnod ynghynt.
Mynegwyd gofid Gwilym a'r gweddill ohonom yn y paragraff
byr canlynol:

> Yn Aber-fan, ger Merthyr Tudful, ar fore Hydref 21, cafodd
> cant ac un ar bymtheg o blant eu claddu'n fyw pan syrthiodd
> darn o domen y lofa leol ar ysgol gynradd Pant-glas. Aeth
> eco'r ddamwain arswydus hon i bedwar ban y byd, a daeth
> ymateb o gydymdeimlad o bellafoedd y ddaear. Daeth
> awdurdodau gwlad ac eglwys i Aber-fan i roi ymgeledd – a
> llefarodd Esgob Llandaf dros bawb ohonom pan alwodd
> am symud yr holl domenni glo oddi ar wyneb y De, rhag i
> 'drychineb fel hyn ddigwydd byth eto'. Dymunwn ninnau
> fynegi hefyd ein cydymdeimlad â theuluoedd Aber-fan yn
> eu galar.[2]

Llwyddwyd i gael y Parchedig Eiflyn Peris Owen, gweinidog y
Capel Presbyteraidd Cymraeg yn Aber-fan, i anfon gair atom

---

1   Ysgrifennwyd yn helaeth yn Gymraeg a Saesneg am y drychineb. Ysgrifennais
fy atgofion innau yn *Di-Ben-Draw: Hunangofiant D. Ben Rees* (Talybont, 2015),
84–7.
2   Aled Rhys Wiliam (gol.) 'Aber-fan' (yn) *Arolwg 1966*, 6.

a gwnaeth hynny bnawn Sul, 23 Hydref, o'i gartref, Y Mans, Troed-y-rhiw. Egyr ei lythyr fel hyn:

Nid oes Ysgol Sul yn Aber-fan y pnawn yma, ac ni fu oedfaon ond mewn dau adeilad y bore 'ma. Trowyd y capeli yn farwdai. Er na cheir oedfaon, y mae yma wasanaeth, ond gorchwyl poenus o drist yw ceisio sôn amdano: mae'r gwasanaeth hwn yn cael ei roi gan lowyr, milwyr, gweinidogion, athrawon, Byddin yr Iachawdwriaeth, Amddiffyn Sifil, ac eraill sydd wedi bod yn gweithio'n ddi-baid, ddydd a nos, ynghanol y baw. Mae Aber-fan yn ferw gan weithwyr o bob man: Bryste, Llundain, Birmingham a phob rhan o'r De. Ni welodd yr un ohonom ddigwyddiad mor drist â hyn o'r blaen. Mae hen ac ifanc, dynion a gwragedd, yn rhoi o'u gallu a'u hadnoddau. Mae cydymdeimlad ymarferol yn llifo i mewn. Eisoes fe ddaeth y Prif Weinidog, Canghellor y Trysorlys, Ysgrifennydd Gwladol Cymru, Arglwydd Snowden a Dug Caeredin i Aber-fan, a deallir y bydd y Frenhines yn ymweld â'r ardal friwedig hon ymhen ychydig ddyddiau. Da yw deall i Harold Wilson ddewis y Barnwr Edmund Davies, sy'n adnabod yr ardal (gan iddo gael ei eni a'i fagu yn Aberpennar gerllaw), i arwain yr ymholiad i'r drasiedi fwyaf arswydus a welodd Cymru eirioed.[3]

Dyna'i lythyr. Yr oeddwn i yn un o weinidogion Aber-fan gan fy mod yn gofalu am Gapel Disgwylfa, Merthyr Vale. Yn weinidog ifanc, nid hawdd oedd gweinidogaethu mewn cymuned oedd wedi colli 144 o bobl, gan gynnwys 116 o blant, a pharatoi ar gyfer yr arwyl ar 27 Hydref. Dyna'r diwrnod y cynhaliwyd yr angladd na fu mo'i debyg yn ein hanes ni, Gymry'r cymoedd, pan osodwyd 82 o'r rhai a gollwyd ar ddechrau'r daith yn eu beddau. Darllenodd Ben Hamilton enwau pob un o'r plant a roddwyd i orffwys o flaen cynulleidfa o dair mil o alarwyr. Mynegwyd galar cyhoeddus.

---

3 Gair y Parchedig Eiflyn Peris Owen 'Aber-fan', (yn) *Arolwg* 1966, 6.

Yr oeddwn yn ymwybodol o dri pheth: caredigrwydd y werin Gymraeg a phobl dda led led y byd, yr effaith barhaol ar y galarus y gofalem amdanynt a hynny ar fywydau'r dosbarth gweithiol, a'r ymdrech a wnaed yn Aber-fan i wynebu'r gofid a cheisio ailosod seiliau'r gymdeithas leol. Clywais fel yr oedd gweithwyr Chwarel Llechwedd, Blaenau Ffestiniog wedi wylo pan glywsant y newydd gofidus. Nid oedd llygad sych yn eu plith. Anfonodd Clwb Darby a Joan,Corris eu cydymdeimlad i drigolion Aber-fan yn y geiriau: 'We feel that Corris is a part of Aber-fan as there are so many family connections here.' Gwir pob gair. Cofiodd yr Undebau Llafur amdanom. Cofiaf yn dda ddarllen llythyr o lofa Ryhope yn swydd Durham. Roedd Ryhope yn bentref glofaol fel Aber-fan, A dyma oedd y neges: 'On the day of your disaster we were told that our own pit of 850 men and boys was to be closed down in one month's time, this was a big blow to all of us but I am quite sure, nothing to compare with what's happened to our mining friends in Aber-fan.' Fel un sydd wedi caru Israel ar hyd y blynyddoedd llawenydd imi yn y galar oedd gweld blodau hardd yn cyrraedd y pentref o fudiad Llafur gwlad Israel, y Sosialwyr fel yr arferwn eu cyflwyno ym mhulpudau Aber-fan. Ffurfiwyd gyda'n cefnogaeth ni sef naw o weinidogion yr Efengyl, Gymdeithas Rhieni a Thrigolion Aber-fan a chefais gyfle i fod yn Aelod llafar a gweithgar.

Sylweddolais ar fy union nad oedd neb wedi meddwl cysylltu â chwmni o gyfreithwyr a fyddai ar gael i ymddangos ger bron y Tribiwnlys a sefydlwyd i ddeall y ddamwain arswydus yn well. Trefnwyd i'r Tribiwnlys ddechrau ar ei waith ym Merthyr Tudful ar 29 Tachwedd, dan arweiniad yr Arglwydd Ustus Edmund Davies. Nid oedd cymaint â hynny o amser i wahodd cwmni o gyfreithwyr a fyddai'n meddu ar y cydymdeimlad a'r arbenigedd angenrheidiol. Meddyliais yn syth am gwmni Morgan, Bruce a Nicholas a'm ffrind Gwilym Prys-Davies. Ffoniais ef y noson honno, a thrannoeth clywais y newydd da eu bod yn barod iawn i dderbyn y sialens o weithredu ar ran rhieni'r plant a gollwyd.[4] Roedd hi'n braf i nifer ohonom a oedd yn arwain yn Aber-fan weld y cwmni yn ymateb yn ddiymdroi. Treuliodd pedwar ohonynt wythnosau yn y pentref yn chwilota a chasglu tystiolaeth ddigonol ar gyfer y Tribiwnlys. Gwilym oedd yr un a welais yn gyson, ynghyd â Brynmor John (a ddeuai'n Aelod Seneddol Llafur Pontypridd yn 1970), Graham Jones (barnwr wedi hynny) a John Bowen. Yr oedd y tîm galluog hwn dan arweiniad Cyril Moseley yn ddiwyd ryfeddol, a neb yn fwy na Gwilym ei hun. Holai fi yn fanwl am y sefyllfa yn Aber-fan ddydd ar ôl dydd, ac adroddwn innau y cyfan wrtho. Gwelid daioni yn amlwg yn y cyfnod ar ôl y drasiedi, ond hefyd yn anffodus elfen sbeitlyd anghynnes. O ran daioni, cofiaf aml i hanesyn a adroddais wrth y cyfreithiwr craff. Yr oedd rhai o bobl Aber-fan i fod i gael tai cyngor pan ddigwyddodd y drychineb, ac wedi bod ar y rhestr am amser maith, ond fe ddychwelsant yr allweddi er mwyn i'r rhai a gollodd eu tai gael y cyfle yn eu lle. Agorodd llawer ddrysau eu cartrefi fel y gwyddai tîm Morgan, Bruce a Nicholas. Tystiodd rhai o'r dynion a weithiai ar y domen, fel Leslie Davies, am y modd y diarddelwyd hwy gan rai o'r gymdeithas, am eu bod yn adrodd sylwadau a arferai fod yn guddiedig. Ni allwn anghofio un diwrnod yn y fynwent weld bedd un o ferched ysgol Pantglas o'r enw Sharon Lewis, naw oed a'r nodyn wrth y dorch o flodau: 'Dear God, our Creator in Heaven above, look after our Sharon, and give her our love', Sheila Lewis, 1967. Dyna oedd yn ein cymell fel arweinwyr Aber-fan yng nghyfnod anodd yr hiraeth diddiwedd. Un o'r bobl y soniais wrth Gwilym amdani, a roddodd arweiniad arbennig yn y dasg o ailosod seiliau'r gymdeithas dorcalonnus, oedd Miss Audrey Davey, gweithiwr achos. Daeth Miss Davey i Aber-fan ddiwedd Tachwedd 1966, a hi a fu'n gyfrifol am gynllunio'r gweithgareddau cymdeithasol:

---

4 Sgwrs bersonol gyda Gwilym Prys-Davies ar 30 Hydref 1966.

a Grŵp Therapi y Mamau. Yr oedd tua chant o famau yn cyfarfod bob wythnos i sgwrsio â'i gilydd, am eu bod, yn ôl un ohonynt, yn 'gwybod profiad ein gilydd'. Dro arall ceid cyfarfod mwy ffurfiol, fel gwers goginio, ond yn fwy na heb, cyfle ydoedd i'r trallodus rai ymgynnull mewn grwpiau bychain i draethu eu gofidiau a'u gobeithion.

b Grwpiau Cydgysylltu. Deuai aelodau y grŵp hwn o'n plith ni weinidogion lleol. Yn 1966 yr oedd wyth ohonom â chyfrifoldebau yn Aber-fan. Ceid cynrychiolwyr o Gyngor Eglwysi Cymru, meddygon lleol (dim ond un oedd yn dal i fyw yn Aber-fan – roedd y lleill wedi symud), aelodau'r Tavistock Institute, a rhieni a gollodd blant ac a oedd hefyd ar bwyllgor Cronfa Trychineb Aber-fan.

c Grŵp Chwarae. Cynhelid y grŵp hwn ar foreau Mercher a Gwener, gyda chymorth rhai o'r rhieni a gollodd eu plant, a threulid yr amser yn chwarae, canu a gwrando ar storïau. Deuai tuag ugain o blant bach ynghyd, ac o fewn amser byr aeth pump ohonynt i'r ysgol gynradd gan setlo yno yn ddidrafferth.

Gweithred bwysig arall o eiddo Cymdeithas Rhieni a Thrigolion Aber-fan oedd cyhoeddi bob mis fwletin a oedd yn crynhoi'r gweithgareddau. Yr hyn yr oedd y gymuned yn erfyn amdano gan y byd mawr oedd cydymdeimlad. Teimlai Gwilym a minnau mai angen dyfnaf y pentref a'i bobl oedd cydymdeimlad dwys, ymarferol a thosturiol. Cafwyd y cydymdeimlad hwn yn yr arian mawr a lifodd i'r Gronfa, bron £1,150,000.

Teimlwn yn bersonol fy mod wedi gwneud cymwynas fawr â'r holl gymuned wrth gael partneriaid Morgan, Bruce a Nicholas i weithredu ar eu rhan. Syndod un noson oedd cael Gwilym ar y ffôn yn fy hysbysu ei fod wedi sicrhau Desmond Acker QC fel ein bargyfreithiwr yn y tribiwnlys. Yn bersonol yr oeddwn yn awyddus i gael un o fechgyn Llansannan ac un a ymladdodd yn enw'r Blaid Lafur yn etholaeth Dinbych yn etholiad cyffredinol

1945 i gynrychioli, sef W. L. Mars-Jones, Cwnsler y Frenhines. Ond cafodd ef fod yno ar ran Undeb yr Athrawon a'r oedolion a fu farw, a gwelwyd y gallu a'i gwnaeth yn farnwr hynod o dderbyniol. Yn naturiol, nid oeddwn wedi clywed am Desmond Ackner, a gwyddwn nad oedd yn Gymro; mynegais fy siom yn eglur ddigon, hyd nes i Gwilym ddweud: 'Ben, dyma un o fargyfreithwyr gorau ei genhedlaeth. Mae e'n mynd i fod yn Farnwr yr Uchel Lys un diwrnod!'[5]

Yr oedd awdurdod yn ei lais. Plygais i ddewis y cwmni, a hynny fel pawb arall ohonom yn lleol yn hynod o ddiolchgar. Buan y daeth y tribiwnlys i sylweddoli medr a gallu anhygoel Acker. Yr oedd y mwyafrif ohonom yn Aber-fan yn sylweddoli mai'r Bwrdd Glo oedd yn bennaf gyfrifol, ond yr oedd bai hefyd ar gymaint ohonom fel yr awdurdod lleol, Bwrdeisdref Merthyr a Glofa Merthyr Vale. Ni safodd Cyfrinfa Merthyr Vale na Chyngor Merthyr yn erbyn y lefiathan sef y Bwrdd Glo. Anwybyddwyd sefyllfa Aber-fan. Corff arall na chafodd ei osod yn y glorian oedd Arolygwyr ein Mawrhydi dros Lofeydd a Chwareli. Dihangodd y rhain. Roeddent yn euog. Ni wnaed adolygiad ar y tip ers hydoedd, yn wir bu yn beryglus ers flwyddyn 1944. Yr unig un oedd yn barod i fynegi ei feddwl oedd yr Aelod Seneddol hoffus, yr hynafgwr S. O. Davies. Aeth ef yn gandryll pan glywodd fod Cronfa Aber-fan i dalu y swm o 150,000 o bunnoedd i symud y tip oedd i'w weld fel craith ar ochr y mynydd uwchben y pentref. Bu'n rhaid aros hyd Awst 1997 pan dalodd Ron Davies, ar ran y Swyddfa Gymreig, y swm o 115,000 o bunnoedd a ddaeth yn y lle cyntaf o Gronfa'r Drychineb. Ond ofnem fynegi barn rhy gryf gan mai'r dosbarth gweithiol oeddem bron i gyd a ninnau yr arweinwyr o'r dosbarth canol. Dibynnai bywoliaeth y mwyafrif mawr ar ffyniant pwll glo Merthyr Vale. Cofiaf un o'r mamau yn dweud wrthyf: 'Without the Tip above Aber-fan, the Merthyr Vale Colliery could have closed down. Without the colliery the village would itself have died.' Dyna oedd y farn

---

5   *Ibid.*

gyffredin. Ac o ran gwleidyddiaeth, y Blaid Lafur a oedd mewn grym ar bob lefel, ymhlith y cynghorwyr a'r Cyngor lleol, a'r Aelod Seneddol oedd S. O. Davies. Mynegodd S. O. Davies ofn y pentrefwyr am weddill y tipiau yn y ddadl ar Aber-fan yn Nhŷ'r Cyffredin. Cytunem fod angen symud y tipiau oedd ar ôl er mwyn heddwch meddwl y trigolion. Yr oedd Gwilym yn cytuno â dyfarniad Adroddiad y Tribiwnlys yn Awst 1967, yn rhoddi'r bai am y drasiedi ar y Bwrdd Glo Cenedlaethol, a beiwyd naw o swyddogion y lefiathan. Pwysleisiodd y Tribiwnlys nad oedd gan beirianwyr mwyngloddiau'r Bwrdd Glo y medr i gadw'r tipiau oedd ar yr wyneb yn anharddu'r tirlun yn ddiogel. Gelwid y rhain yn byramidiau, a dyna oeddynt. Yr oedd y tomenni hyd at gant o droedfeddi o uchder a oedd wedi eu codi yn Aber-fan yn dangos diffyg synnwyr cyffredin sylfaenol. Polisi'r Bwrdd Glo oedd gwrthod gadael i'r tipiau dyfu yn fwy nag ugain troedfedd os oeddynt uwchlaw cartrefi. Gwelwyd diffyg mawr yn agwedd Cadeirydd y Bwrdd Glo, yr Arglwydd Robens, cyn-Aelod Seneddol Llafur, a ddangosodd ddiffyg sensitifrwydd. Gohiriodd ymweld ag Aber-fan ar y Sadwrn ar ôl y drychineb gan ei fod yn derbyn Doethuriaeth er Anrhydedd yn un o brifysgolion de Lloegr. Ni allem gredu'r peth; ei ddyletswydd ef yn ein tyb ni oedd dod ar ei union, fel y gwnaeth Cledwyn Hughes a Harold Wilson. Yn amlwg, ni wrandawodd ar ei gydwybod. Gohiriodd ei gydymdeimlad. Arweinydd ffaeledig iawn ydoedd, a gwelid eraill yr un mor galongaled yn strwythur y Bwrdd Glo Cenedlaethol, yn rhanbarthol a chenedlaethol.

Dangosodd y Bwrdd Glo ei ddirmyg trwy gynnig hanner cant o bunnoedd i bob teulu yn Aber-fan fel iawndal am golli anwyliaid ar eu tyfiant, a thalwyd y swm hwnnw, fel y cofiaf, ychydig ddyddiau cyn y Nadolig. Codwyd y swm i bum can punt, ond gwyddai Gwilym fel eraill nad oedd hynny yn deilwng. Roedd ymateb y Swyddfa Gymreig i'r drychineb yn ddigon diffygiol hefyd, yn arbennig dan arweiniad George Thomas, a byddai'r testun hwn yn codi ei ben yn gyson yn ein sgyrsiau.

Efallai mai'r eglwysi Cristnogol a ddaeth allan ohoni orau o bawb, ar ôl y rhai a fu'n amddiffyn y rhieni a thrigolion Aber-fan yn y tribiwnlys. Yn dilyn y drasiedi bu pob un o'r gweinidogion lleol mewn partneriaeth â mudiadau eraill. Penderfynodd Cyngor Eglwys Merthyr Tudful osod canolfan yno yn y garafán a elwid yn Tŷ Toronto fel cydnabyddiaeth o haelioni Cristnogion o Ganada. Penodwyd y Parchedig Erastus Jones, Blaendulais i weithio yno am ddwy flynedd fel gweithiwr cymdeithasol yn enw'r eglwys. Anfonodd yr enwad Eglwys Grist (Church of Christ) dri gweinidog yno am gyfnodau i wasanaethu Aber-fan a'i bobl. Yn ein plith yr oedd y Parchedig Ken Hayes a'I briod Mona, rhieni oedd wedi colli eu mab Dyfrig yn y damchwa, a bu ei bresenoldeb ef a'i benderfyniad i dreulio gweddill ei weinidogaeth yn Aber-fan yn bwysig. Cyflwynais ef i Gwilym fel un a fedrai agor drysau lawer i'r gwaith pwysig o ymholi a chasglu ffeithiau. Fel Annibynnwr o fagwraeth cododd Gwilym y cwestiwn tyngedfennol o sut y digwyddodd y fath drasiedi, a 'lle'r oedd yr Anfeidrol Dduw yn y digwyddiad? Roeddwn yn gwbl glir fy meddwl nad o law Duw yr oedd y drychineb ond o esgeulustod dynion cyfrifol dros y cenedlaethau. Hwy oedd yn gyfrifol am osod y tomenni gwastraff uwchben yr ysgol leol. O dan y domen a lithrodd fore Gwener 21 Hydref 1966 a chreu diflastod a galar, roedd ffynhonnau o ddyfroedd bywiol.[6]

Mynych y seiadau a gafodd Gwilym a minnau yng nghyfnod Aber-fan am y cwestiynau diwinyddol dwys ynghyd â chwestiynau am ei ddyfodol yntau yng Nghaerfyrddin. Pwysai ei gyd-Gymry sosialaidd, fel Jim Griffiths, Cledwyn Hughes, Goronwy Roberts, Elystan Morgan a minnau arno i ystyried sefyll eto mewn dyddiau mwy ffafriol na Gorffennaf 1966. Cafodd sgyrsiau ar yr un llinellau â dau o'i gyfeillion cywir, John Roberts Williams a Huw Davies.

Soniodd Gwilym ugeiniau lawer o weithiau am ei gyfeill-garwch â Huw Davies, ond gan na chwrddais i erioed ag ef ni allaf

---

6   D. Ben Rees, *Hunangofiant: Di-Ben-Draw*, 93.

fynegi barn, ar wahân i dynnu sylw at erthygl ddigon anffodus
o'i eiddo yn *Barn* (Hydref 1966) dan y teitl 'Wedi Caerfyrddin'.
Mae'n erthygl sydd yn gosod nid Gwilym, ond Harold Wilson,
ar bedestal! A hynny am nad oedd byth yn sôn am sosialaeth,
gan fod Huw Davies yn sylweddoli nad oedd ideoleg wleidyddol
wedi bod yn amlwg o gwbl yn yr isetholiad. Dyma'i folawd i
Wilson:

> Hwn yw'r gwleidydd a ystyrir hyd yn oed gan ei
> wrthwynebwyr yn bencampwr yr oes, a'i bwyslais ef wrth
> annerch cynulleidfa yw'r pethau ymarferol, anghenion
> gweladwy a chredadwy Prydain a'r byd.[7]

Ac yna cawn ei ddymuniad yn y maes gwleidyddol:

> Nid 'cenedlaetholdeb' na 'sosialaeth' o ran hynny, nac
> unrhyw 'deb' nac 'aeth' arall, sydd o bwys i ni heddiw,
> ond ffeithiau a chynlluniau, cynigion pendant a thrafod
> gwelliannau pwrpasol.[8]

Cafodd Huw Davies ei ddymuniad, er nad oes gennyf gof fod
Gwilym yn yr isetholiad wedi ymddwyn yn wahanol i'r hyn y
dymunai Huw Davies ei weld. Ond rhyfeddod mwyaf yr ysgrif
yw i Huw Davies adael cyfraniad Gwilym allan o'i ymdriniaeth.
Nid oes sôn o gwbl am ymgeisydd Llafur yr isetholiad.

Ond yr oedd hi'n gyfyng-gyngor arno, a gwn ei fod ef yn
sylweddoli bod yr uchelgais a fynegodd mor bell yn ôl ag 1945
mewn hostel yn Llundain wedi llithro o'i afael. Bu'n troi a throsi
ar y cwestiwn. Roedd Jim Griffiths yn ddiolchgar am iddo
weithio yn galed ar ei hunangofiant *Pages from Memory*. Yng
ngwanwyn 1967 ysgrifennodd Jim Griffiths at Graham Greene
o gwmni Jonathan Cape i dystio i'r holl lafur o eiddo Gwilym.
Dyma'i gyffes:

---

7   Huw Davies, 'Wedi Caerfyrddin', *Barn*, Hydref 1966, 30.
8   *Ibid.*

I have had the advantage in the preparation of my MSS of the collaboration of a compatriot Gwilym Prys Davies, who knows me well and my background, and who is a writer of distinction in the Welsh Language. He has kindly agreed to collaborate further in the work of editing and revising to complete a MSS of around a hundred thousand words.[9]

Derbyniai lythyron oddi wrth unigolion a weithiodd yn galed yng Nghaerfyrddin pan oedd ef yn arwain ar ran y Blaid Lafur. Ym mis Mai 1967 derbyniodd lythyr oddi wrth Trevor o bentref Carwe y cyfeiriwyd ato yn y bennod flaenorol, yn datgelu iddo fod y wasg leol yn awgrymu y dylai'r Blaid Lafur ddewis un o'r sir i ymladd y tro nesaf. Dadleuai Trevor nad ymgeiswyr o'r sir oedd y mwyafrif o ymgeiswyr Llafur y gorffennol. Dyma'i eiriau:

Every 'Carmarthen son' who has contested the seat has failed, Daniel Hopkin was no 'Carmarthenshire man' nor had he a Welsh background.

Mae'n rhaid bod fy enw i yn cael ei ddefnyddio, ac yr oedd Trevor yn sicrach yn ei ail osodiad na'r un cyntaf:

As for Ben Rees, we know from past experience that neither Nonconformist ministers nor Clerks in Holy Orders have been acceptable in the past.[10]

---

9 Llyfrgell Genedlaethol Cymru, Casgliad Gwilym Prys Davies 1/1. Llythyr Jim Griffiths at Graham Greene, Llundain dyddiedig 11 Ebrill 1967. Yr oedd Arwr y Werin Gymreig, Jim Griffiths, fel carfan o bobl Llafur yr etholaeth yn mwynhau yn fawr iawn gwmni Llinos a Gwilym. Yr oedd henaint yn llethu Jim Griffiths, yr henaint a ddaeth i lethu Gwilym Prys-Davies yn y cyfnod 2010 i 2017. Dywed Jim Griffiths wrtho unwaith eto am ei ymweliad â hwy: 'Nowadays we don't "go out" often and a weekend of talk was an oasis.' Soniodd am gynhadledd dewis olynydd iddo yn etholaeth Llanelli ar 6 Ebrill 1968. Cyfeiriodd at y bobl oedd â diddordeb yn y sedd i Lafur, sef Gwyn Morgan, pennaeth Adran Dramor y Blaid Lafur, John Clements o'r Swyddfa Gymreig, Alun Pugh, Denzil Davies a D. Hugh Thomas, eisteddfodwr a gweinyddwr, a brodor o'r etholaeth.

10 Llyfrgell Genedlaethol Cymru, Papurau Gwilym Prys-Davies, Bocs 1/1. Llythyr Trevor, The Limes, Carwe ger Cydweli at Gwilym Prys-Davies, dyddiedig 11 Mai 1967.

Y lleygwr ac nid y gweinidog oedd yr unig berson i adennill y sedd i Lafur, ac felly y bu hi yn Etholiad Cyffredinol 1970 pan enillodd Gwynoro Jones, un o blant y sir, gyda mwyafrif o 3,907 dros Gwynfor Evans. Mae'n amlwg pe bai Gwilym wedi sefyll y byddai yntau wedi llwyddo yn ei uchelgais. Ond ni fu isetholiad Gorllewin y Rhondda, a gynhaliwyd ar 9 Mawrth 1967 yn dilyn marwolaeth Iorwerth Thomas, yn hwb iddo ystyried sefyll unwaith yn rhagor yn etholaeth Caerfyrddin. Gwir oedd hynny hefyd ar 18 Gorffennaf 1968 yng Nghaerffili, pan ddaeth Plaid Cymru o fewn 1,874 i gipio sedd ddiogel Llafur. Yr oedd mwyafrif Gorllewin y Rhondda yn well, sef 2,306. Bu Llafur yn gall yn dewis ymgeiswyr lleol i amddiffyn y seddau hyn. Ni soniodd Gwilym iddo gymryd rhan yn isetholiad Caerffili, ond gwyddom iddo siarad yn yr etholaeth yn Ward y Gogledd, ar 5 Medi 1967, ar y testun 'Diwygio Llywodraeth Leol yng Nghymru'.

Ddechrau Ionawr 1967 gwahoddodd Neil Kinnock ef i annerch ysgol undydd, dan nawdd Cymdeithas y Gweithwyr (WEA), ar Ddiwygio Llywodraeth Leol ar gyfer selogion addysg oedolion Gwent a Dwyrain Morgannwg.[11] Ond erbyn isetholiad Caerffili, gwyddai Gwilym nad oedd am fynd trwy broses yr enwebu, y gynhadledd ddewis, a'r holl gyfrifoldeb a roddid yr adeg honno ar yr ymgeisydd. Disgwylid iddo fod yn egnïol, yn fwy egnïol na neb arall! Ac felly o fewn y flwyddyn hysbysodd Bwyllgor Gwaith y Blaid Lafur yn etholaeth Caerfyrddin nad oedd yn barod i barhau yn ymgeisydd seneddol. Gwyddai yn ei galon fod ganddo lawer iawn i'w gynnig, ond nid o fewn Senedd y Deyrnas Unedig, ond yn hytrach o fewn y Blaid Lafur yng Nghymru, yn arbennig ar fater datganoli, a hefyd fel meddyliwr treiddgar ynglŷn â'r gwasanaeth iechyd a'r cyfryngau torfol, fel lluniwr erthyglau safonol, gwerth eu darllen, ac ar gwestiynau yn ymwneud â chymunedau Cymraeg ac yn sicr ar barhad yr iaith

---

11   *Ibid.* Llythyr Neil Kinnock, 7 Brynbach Street, Tredegar at Gwilym Prys-Davies 27 Ionawr, 1967.

Gymraeg. Ei ddyhead mawr yn 1967 oedd gweld cyfrifoldeb gwleidyddol am ran helaeth o fywyd Cymru yn cael ei leoli maes o law, nid yn Llundain, ond yng Nghaerdydd, prifddinas Cymru. Cafodd ddigon o ras i adolygu isetholiadau Caerfyrddin, Gorllewin y Rhondda a Chaerffili. Golygai'r tair etholaeth lawer iddo gan y bu'n byw yng Ngorllewin y Rhondda, yn annerch o dro i dro yng Nghaerffili, ac roedd wedi bodloni i ymladd ei hun yng Nghaerfyrddin. Lluniodd erthyglau i *Barn* ac i'r wythnosolyn *Y Faner* ar y pwnc 'Wedi'r Is-etholiadau'[12] Teimlai aml un craff iddo ddangos ei wir gymeriad, y mawrfrydigrwydd oedd yn perthyn iddo, yn yr erthyglau hyn. Sylweddolodd Lyn Evans hynny – gŵr pwysig gyda'r Awdurdod Teledu Annibynnol yng Nghymru – ac anfonodd lythyr i gydnabod un o'i erthyglau. Iddo ef dangosai'r isetholiadau bedwar peth: yn gyntaf, anniddigrwydd tuag at y Llywodraeth ymhlith yr henoed; yn ail, protest yr ifanc a'r canol oed; yn drydydd, anfodlonrwydd y gweithwyr oedd yn asgwrn cefn yr Undebau Llafur; ac yn olaf, y deffroad amlwg ymhlith y genedl Gymreig.[13] Nid yw ei ddiagnosis yn bell ohoni yn y cyfnod cythryblus 1966–67, er ei bod hi bron yn amhosibl nodi pob rheswm am y colli tir a'r gwrthwynebu dygn yng nghymoedd y de.

Canlyniad arall isetholiad Caerfyrddin oedd syfrdanu arweinwyr y Mudiad Llafur yng Nghymru. Profodd Jim Griffiths hyn ei hun yn ei sedd ef yn Llanelli. Sylwodd fod ei ffrind galluog wedi ysgrifennu erthygl wych yn y cylchgrawn *Barn* a dderbyniai yn fisol. Byddai yn hynod o ddiolchgar pe

---

12 Gwilym Prys-Davies, 'Wedi'r Is-Etholiadau', *Barn*, Gorffennaf 1967 ac ysgrif arall ar yr un testun i'r *Faner*, 22 Gorffennaf 1967. Ysgrifennodd Gwilym Prys-Davies ar gais Jim Griffiths femorandwm ar y sefyllfa wleidyddol yng Nghymru yn dilyn isetholiadau Caerfyrddin a Gorllewin y Rhondda. Gw. *Llafur y Blynyddoedd*, 93 a 317, a Llyfrgell Genedlaethol Cymru, Papurau Jim Griffiths, C 9/4. Gwelai yr hyn a luniodd Gwilym Prys-Davies fel canllaw hwylus.

13 Llyfrgell Genedlaethol Cymru, Papurau Gwilym Prys-Davies, Bocs 1/1 Llythyr Lyn Evans o Gaerdydd at Gwilym Prys-Davies (dim dyddiad ond rhywdro yn y flwyddyn 1967).

bai modd iddo gyfieithu'r cyfan fel y medrai anfon copi i ddau o ddeallusion y Blaid Lafur, sef John Silkin a Richard Crossman. 'Your *Barn* article,' meddai mewn llythyr dyddiedig 8 Tachwedd 1967 'is the best analysis of the situation and I would suggest the whole of it should be published in English.' Byddai Gwilym yn sicr o fodloni ei arwr. Nid oedd dim byd yn ormod ganddo i'w gyflawni dros Jim Griffiths, fel y cydnabu Aelod Seneddol Llanelli mewn llythyr arall iddo, y tro hwn, dyddiedig 18 Medi 1967. 'It is very good of you to give so much time to helping me and I am deeply grateful.'[14] Yr oedd yn falch pan dderbyniodd y cyfieithad o erthygl *Barn* yn Saesneg. Bu gohebu mawr rhwng Jim Griffiths a Richard Crossman:

> I find this in my constituency as it proceeds to select a candidate to contest the seat, even though we had a 25,000 majority in 1966. I found it again when in company with the South Wales Labour MPs, I attended a meeting of the South Wales Miners Executive last week when one miners' officer said: You had better realise that all your seats are marginal now.[15]

14 Un o fawrion y Blaid Lafur Brydeinig oedd Richard Crossman. Ceir pennod ar Crossman fel diwygiwr seneddol, 'Crossman and the Constitution', yn Victoria Honeyman, *Richard Crossman: A Reforming Radical of the Labour Party* (Llundain, 2007), 95–132. Yr oedd Crossman wedi annerch cyfarfod yn Llanelli ddechrau Medi 1967 a diolchodd Jim Griffiths iddo am ei neges. Yn yr un llythyr anfonodd y memorandwm a baratowyd gan Gwilym Prys-Davies. Atebodd R. H. Crossman ar 28 Tachwedd 1967 gan ddweud iddo ddarllen y memorandwm yn ofalus. Credai y dylid cymryd Plaid Cymru o ddifrif, gan mai hwy oedd unig wrthwynebwyr Llafur yng Nghymru. Yr oedd rhai paragraffau yn y memorandwm lle yr anghytunai â Gwilym Prys-Davies, ond nid aeth i'w nodi. Gw. Llyfrgell Genedlaethol Cymru, Papurau Jim Griffiths, C 9/4. Anfonodd Jim Griffiths lythyr at Gwilym Prys-Davies ar 15 Tachwedd 1967 yn dweud fod angen i'r ddau drafod y memorandwm gan y byddai Richard Crossman am gael sesiwn gyda Gwilym Prys-Davies yn Llundain yn fuan. Gw. Llyfrgell Genedlaethol Cymru, Papurau yr Arglwydd Gwilym Prys-Davies, Bocs 1/1.

15 Llyfrgell Genedlaethol Cymru, Papurau Jim Griffiths, C 9/4. Llythyr Jim Griffiths at R. H. Crossman, dyddiedig 2 Rhagfyr 1967, gan nodi fod Llafur wedi ei siglo i'r sylfeini.

Gor-ddweud afradlon oedd hyn ar ran un o arweinwyr y glowyr, ond yr oedd isetholiad Caerfyrddin wedi ysgwyd y Mudiad Llafur i'w sylfaen. Teimlai Jim Griffiths ei bod hi'n bwysig fod y Blaid Lafur yn barod i baratoi deunydd i ateb propaganda Plaid Cymru, ac yn paratoi polisi Cymreig ar gyfer y Blaid Lafur yng Nghymru fel oedd yn digwydd eisoes ar Ddeddf Iaith 1967. Arweiniodd astudiaeth panel Cyngor Cymru ac adroddiad Pwyllgor David Hughes Parry at Fesur yr Iaith Gymraeg a gyflwynwyd i'r Senedd. Yr oedd Gwilym a Jim Griffiths fel y gwelwyd yn bennaf ffrindiau, a diddorol oedd yr ymweliad â Llundain i drafod ag R. H. Crossman ac eraill. Bu Richard Crossman yn garedig yn ei gyfarchiad a'i groeso iddo a chafwyd sgwrsio braf am awr o amser yn ei ystafell cyn mynd am ginio. Daeth tri arall i gadw cwmni iddynt, John Morris a dau o'r Alban, yr Athro John Mackintosh a Tam Dalyell, Ysgrifennydd Seneddol Preifat Richard Crossman. Roedd gan Gwilym feddwl uchel iawn o'r ysgolhaig a'r Aelod Seneddol John Mackintosh a chafodd fudd mawr o'i glasur *British Cabinet* pan ddarllenodd y gyfrol gyfan yn 1962. Mackintosh oedd cynghorydd ac athro Crossman yn y cwestiynau cyfansoddiadol. Teimlai Crossman fod y Cyngor Etholedig arfaethedig yn gwbl anheilwng o genedl ddiwylliedig fel y Cymry. Fore trannoeth yn Gwydryn House, Whitehall cyfarfu Gwilym gyda dau ffrind, Cledwyn Hughes a Goronwy Daniel i ddatgelu hanfod y sgwrs fuddiol y noson cynt. Anfonodd yn ôl ei arfer adroddiad llawn i Swyddfa'r Blaid Lafur yng Nghaerdydd ac yn benodol i'r Trefnydd. Yn y sgwrs a gafodd gyda J. Emrys Jones llwyddodd i agor ei lygaid i'r syniad pwysig o ddatganoli. Dyna'r adeg y daeth y Trefnydd i gredu yn y syniad o Senedd i Gymru a bu'n lladmerydd digon brwd. Apeliodd syniad Crossman o Senedd fach yn fawr at Gwilym ond gwyddai na fyddai'r Blaid Lafur yn Llundain nag yng Nghaerdydd yn llyncu'r syniad. Yn wir nid oedd Jim Griffiths ei hun yn cefnogi. Ei ymateb ef yn ei Saesneg gorau oedd: 'A mini Parliament on the Northern Ireland model is a mirage, and some day when

Ireland is united (perhaps within Europe) it will disappear.' Geiriau proffwydol yn arbennig pan welwn Boris Johnson sydd wrth y llyw fel Prif Weinidog Prydain.[16] Ysgrifennai Gwilym yn gyson at Jim Griffiths, gan fod Gwilym yn golygu atgofion ei gyfaill ar gyfer ei hunangofiant hirddisgwyliedig.[17] Ym mis Mawrth mwynhaodd Jim Griffiths ddiwrnod yn Lluest, Tonteg, cartref y teulu. Ysgrifennodd i ddiolch am 'eich croeso a'ch caredigrwydd. Pleser digymysg oedd cael mwynhau eich cwmni yn eich cartref prydferth'.[18] Yn ddiweddarach yn y flwyddyn 1968 treuliodd Gwilym benwythnos yng nghartref y gwleidydd adnabyddus yn Teddington ar gyrion Llundain. Rhoddodd Jim Griffiths gyfarwyddyd ar gyfer y daith a byddai'n cyfarfod ag ef ar ddydd Sadwrn yn niwedd Medi yng ngorsaf Paddington, cyn ei arwain i'r cartref i gyfarfod ei briod Winifred yn Teddington.[19]

Y mae'n amlwg na fyddai'r gyfrol *Pages from Memory* wedi ei chyhoeddi oni bai am y gwaith a gyflawnodd Gwilym Prys-Davies, er ei fod ef yn anfodlon fod Mrs Winifred Griffiths wedi gofalu na chafodd ei gyfraniad dros Gymru y sylw a ddylai. Cofiaf Gwilym yn dweud fod hynny hefyd yn bolisi gydag adran olygyddol y wasg a gyhoeddodd y gyfrol yn 1969. Cyfarfu'r ddau mewn cinio gyda'r Arglwydd Heycock yn niwedd mis Tachwedd 1968.

---

16 Teithiodd Gwilym Prys-Davies i Lundain ym mis Chwefror 1968 i seiadu gyda Richard Crossman yn ei ystafell yn Nhŷ'r Cyffredin ar sail y memorandwm. Llyfrgell Genedlaethol Cymru, Papurau Jim Griffiths, D 1/1–28. Llythyr Jim Griffiths at Gwilym Prys-Davies, 13 Chwefror 1968.

17 Llyfrgell Genedlaethol Cymru, Papurau yr Arglwydd Gwilym Prys-Davies, Bocs 1/1. Llythyr Jim Griffiths at Gwilym Prys-Davies, dyddiedig 14 Tachwedd 1968. Byddai Jim Griffiths, Gwilym Prys-Davies a'r Arglwydd Llewellyn Heycock yn medru cael sgwrs am y sefyllfa yng Ngholeg Harlech, coleg a oedd yn bwysig i'r tri fel coleg yr ail gyfle i'r gwerinwyr galluog uchelgeisiol.

18 *Ibid*. Llythyr Jim Griffiths at Gwilym Prys-Davies, dyddiedig 23 Mai 1970. Dywed wrtho: 'A chan ddiolch i chwi am eich caredigrwydd drwy'r blynyddoedd.' Hyfryd o deyrnged mewn un frawddeg.

19 *Ibid*.

Derbyniodd Gwilym lythyr didwyll oddi wrth Jim Griffiths ar drothwy Etholiad Cyffredinol 1970.[20] Hwn oedd yr etholiad cyntaf oddi ar Ragfyr 1910 iddo beidio â bod yng nghanol yr ymgyrch dros Lafur, y Blaid Lafur Annibynnol yr adeg honno, yn etholaeth Dwyrain Caerfyrddin. Bu'n weithgar yn Rhydaman, yn asiant yn etholaeth Llanelli, yn ymgeisydd ac yn Aelod Seneddol yn 1936 hyd etholiad 1970. Honno oedd y cyntaf iddo fethu ag ymgyrchu ynddi oddi ar 1910. Fel y dywed ef ei hun mewn Cymraeg rhywiog, bu 'yn analluog i gymryd rhan yn y frwydr'.[21] Câi foddhad mawr o wybod bod swyddogaeth y Comisiwn yn ddiogel. Derbyniodd wahoddiad i gyfarfod ag aelodau Comisiwn Crowther. Dyma'i brofiad:

> Daliais afael ar y cyfle i'w hannog i roi eu grym y tu cefn i'r
> Cyngor etholedig i Gymru. Rwy'n ffyddiog y cawn Gyngor
> o'r fath gan y Comisiwn.[22]

Yn ei waith fel cyfreithiwr edrychai Gwilym Prys-Davies ymlaen at gael defnyddio'r Gymraeg yn y llysoedd. Ar 8 Rhagfyr 1967 manteisiodd yn llawn ar ddeddf newydd, Deddf yr Iaith Gymraeg 1967, i amddiffyn Emyr Llywelyn a Manon Rhys Davies ac eraill yn Llys Ynadon Dinas Caerdydd. Gwnaed hanes y diwrnod hwnnw gan iddo ef a'r gweddill oedd o flaen yr Ynadon gytuno i gynnal yr holl achos yn y Gymraeg. Holodd yr holl dystion ac annerch y fainc hefyd, gan ddibynnu'n fawr ar y cyfieithydd, Illtud Lewis, i gyfryngu rhyngddo a phawb nad oedd yn deall y Gymraeg. Er bod tystion yr erlyniad yn ddi-Gymraeg, ni fu'n rhaid i'r cyfreithiwr o Gymro ddefnyddio Saesneg o gwbl. Yn ei asesiad o Ddeddf yr Iaith Gymraeg 1967 gwelodd yn glir mai cyfaddawd ydoedd, ac fel y dywedodd:

> Cyfaddawd yw Deddf 1967: cyfaddawd rhwng Cledwyn
> a George Thomas, er nad yn ffurfiol felly, a chyfaddawd

20 *Ibid.* Llythyr Jim Griffiths at Gwilym Prys-Davies, dyddiedig 20 Medi 1968.
21 *Ibid.*
22 *Ibid.*

hefyd rhwng y Swyddfa Gymreig ifanc ac Adran nerthol a hynafol yr Arglwydd Ganghellor. Cledwyn, gyda help Goronwy Daniel, oedd awdur y cyfaddawd.[23]

Diddorol yw ailddarllen y memorandwm a baratôdd Gwilym Prys-Davies ar gyfer Pwyllgor Syr David Hughes Parry ar ran Undeb Cymru Fydd. I'r Undeb yr oedd y ddarpariaeth yn gwbl annigonol ond croesawyd y Ddeddf fel cam ymlaen. Bu'r Undeb yn cymell Cymry Cymraeg i fanteisio ar y cymal a roddai hawl i bob tyst neu blaid arfer yr iaith Gymraeg mewn llys barn. Siomedig fu ymateb y Cymry cyn achos Emyr a Manon gyda Gwilym wrth y llyw. Dywed Gwilym Prys-Davies wrth y Pwyllgor:

> Y mae safle'r iaith Gymraeg ym mywyd cyhoeddus Cymru yn aml yn is-raddol. Y mae peth fel hyn yn elyniaethus i'w pharhad. Dal i edwino a wna'r Gymraeg oni chaiff barch i'r un graddau ag y perchir yr iaith Saesneg gan yr Awdurdodau Canol a Lleol, a'r cyrff cyhoeddus.[24]

Teimlai'n drist fod y Cymry Cymraeg oedd yn gwasanaethu'r awdurdodau lleol a gwladol yn hynod o amharod i ddefnyddio'r Gymraeg mewn gohebiaeth a thrafodaethau. Edrychai'r awdurdodau a swyddogion ar y sawl oedd yn dymuno defnyddio'r iaith fel person hanner llythrennog ac yn y llysoedd barn fel un oedd yn ceisio sylw, neu am gyfle i 'feddwl cyn ateb', neu fel cranc.[25] Ni châi ei dystiolaeth ei pharchu na'i derbyn yn aml. Golygai hyn i Gwilym Prys-Davies fod aml i Gymro yn gorfod defnyddio'r Saesneg er mai Cymraeg oedd ei iaith gyntaf a thrwy hynny'n niweidio ei achos, a dioddefai anghyfiawnder personol.

Fel Llafurwr croesawai Gwilym agwedd Cyngor Cymru

23 Llyfrgell Genedlaethol Cymru, Papurau yr Arglwydd Prys-Davies, 'Memorandwm i Bwyllgor Syr D. Hughes Parry ar ran Undeb Cymru Fydd'.
24 *Ibid.*
25 Llyfrgell Genedlaethol Cymru, Papurau yr Arglwydd Prys-Davies, Bocs 2/2. Llythyr Gwilym Prys-Davies at Jim Griffiths, dyddiedig 22 Tachwedd 1971.

a ddadleuai dros greu hinsawdd priodol ymhlith aelodau o'r genedl, y Cymry Cymraeg a'r di-Gymraeg, gan fod rheidrwydd arnom i fod yn ofalus rhag gwthio'r iaith yn 'ormesol' ar y wlad. Efallai y gellid dilyn llwybr y Gwyddel a chreu y Fro Gymraeg fel Afallon y Cymry, sef Môn, Caernarfon, Meirionnydd, Aberteifi a Chaerfyrddin, gyda gweddill Cymru yn cael ei thrin yn fwy goddefgar. Ei farn ef oedd y dylid hyrwyddo Deddf Seneddol a fyddai'n cydnabod bod y Deyrnas Gyfunol yng Nghymru yn wladwriaeth amlieithog a bod hawl gyfreithiol i'r wyth pwynt a nodwyd gan Gyngor Cymru ym mharagraff 357 o'r Adroddiad, sef:

1 Defnyddio'r iaith Gymraeg mewn llysoedd barn yng Nghymru.
2 Defnyddio'r iaith Gymraeg mewn ymchwiliadau cyhoeddus a thribiwnlysoedd yng Nghymru.
3 Cyhoeddi dogfennau swyddogol yn y ddwy iaith.
4 Defnyddio'r Gymraeg yng ngweithgarwch awdurdodau lleol.
5 Defnyddio'r Gymraeg mewn trafodaethau â swyddogion gweinyddol.
6 Defnyddio'r Gymraeg wrth enwebu ymgeisydd gwleidyddol mewn etholiadau cyhoeddus.
7 Defnyddio'r Gymraeg wrth ymohebu ag adran o'r Llywodraeth ac â'r awdurdodau lleol.
8 Cyhoeddi dogfennau'r awdurdodau lleol yn Gymraeg.

Iddo ef yr oedd y cyfan hyn yn gyfwerth â'i gilydd a'r effaith yr un fath yn union pe gwneid y pethau uchod yn y Gymraeg neu'r Saesneg. Dyna ei safbwynt a chredai fod y Swyddfa Gymreig dan arweiniad Jim Griffiths a Cledwyn Hughes yn meddu fel yntau ar argyhoeddiadau dwfn ynghylch y Gymraeg. Y gwir oedd fod y tri ohonynt yn meddu ar argyhoeddiadau a oedd yn llawer rhy Gymreig yng ngolwg nifer o feirniaid gwrth-Gymreig. Dywed yn hynod o ddadlennol:

Credaf fod y Gweinidogion o'r cychwyn cyntaf heb lwyr lwyddo i ddod dros ben yr anawsterau a setlo'r berthynas rhwng y Swyddfa Gymreig ac adrannau eraill o'r Llywodraeth a gofalu bod y gwaith yn mynd rhagddo yn gyflym.[26]

Mewn erthygl yn *Y Cymro* mynegodd Gwilym Prys-Davies ei gyngor i Ysgrifennydd Gwladol Cymru gan alw arno i beidio â gwrando yn ormodol ar y Llafurwyr di-Gymraeg, yng Ngwent yn bennaf. Dyma ei eiriau:

> Yn y cyfamser pe bawn yn esgidiau Mr Hughes ni fuaswn yn poeni am ragfarnau a beirniadaeth fy ngelynion. Yn wir gall moliant ac eilun addoliad di-ddiwedd lygru'r gwleidydd. Gan hynny dalied Cledwyn Hughes i gryfhau'r Weinyddiaeth a gyflwynwyd i'w ofal ac i frwydro'n feunyddiol i ledu ei thiriogaeth.[27]

Ond awr fawr Gwilym Prys-Davies oedd ei waith yn paratoi yn 1971 ar gyfer rhoddi urddas yn ôl i bentrefwyr gofidus a galarus Aber-fan, ef a'i dîm o Bontypridd. Cadwodd ei gysylltiad ag Aber-fan a phan ymddangosodd erthygl yn y *Times* ar 12 Hydref 1971, aeth Gwilym i gysylltiad â'r ddau seiciatrydd y soniwyd amdanynt yn yr erthygl. Dysgodd lawer ac anfonodd at ei ffrind Jim Griffiths ar 22 Tachwedd yn trafod y materion a oedd yn dal i'w flino ymhlith pobl Aber-fan.[28] Yr oedd hi'n amlwg fod Aber-fan wedi dioddef yn ddybryd dan law y brawd mawr, Cyngor Bwrdeistref Merthyr. Yr oedd hyn yn hen broblem ac y mae'n amlwg fod swyddogion y Cyngor yn ofni y byddent hwy yn cael eu hunain mewn trafferthion. Fel y dywed Gwilym:

---

26   *Ibid.*
27   Gwilym Prys-Davies, 'Cynnyrch y Swyddfa Gymreig', *Y Cymro*, 26 Hydref 1967, 1 a 14.
28   LlGC Papurau Gwilym Prys-Davies. Llythyr GPD at James Griffiths, dydd-iedig 22 Chwefror 1971.

There had been many instances of flooding in the area which had been ignored before the disaster and many of the bereaved in Aber-fan still consider some of the local authority officials to be personally responsible.[29]

Diffyg amlwg arall oedd methiant y Gwasanaeth Iechyd i roddi gofal teilwng i'r trigolion. Eglurodd Gwilym yn fanwl yr hyn a gynigiwyd, sef gwasanaeth seiciatryddol ar gyfer yr oedolion, ar gyfer y plant ac ar gyfer gwasanaeth cymdeithasol a ddeuai dan ofal yr ysbyty. Bu bwrdd yr ysbyty yn llusgo'u traed a daeth gwasanaeth seiciatryddol i'r plant i fodolaeth yn 1970. Ond lleolid y gwasanaeth hwn nid ym Merthyr, ond dros y mynydd yn Aberdâr. Bu'n drafferthus apwyntio gweithiwr cymdeithasol profiadol. Gofidiai'r seiciatryddion y bu Gwilym yn eu cyfweld am gyflwr y gwasanaeth, gan ofni y gwelid dirywiad pellach. Gofid arall oedd fod y Parchedig Erastus Jones yn gadael y pentref yn 1972, gan nad oedd modd dod o hyd i fil o bunnoedd i dalu ei gyflog – swm bychan i gadw gŵr mor brofiadol ac un a fu'n ddiwyd yn bugeilio'r eneidiau cystuddiol.

Sylweddolwyd hefyd nad oedd addysg plant y pentref yn ddigonol a bod nifer o'r rhain yn ei chael hi'n anodd dal i fyny â gofynion cyrsiau'r ysgol uwchradd. Yr oedd hi'n amlwg fod problemau aruthrol yn llechu o dan yr wyneb ac o fewn bywydau oedolion a phlant a drigai yn Aber-fan. Yn niweddglo ei lythyr at Jim Griffiths dywed Gwilym:

> To summarise, if at this relatively late stage, the healing forces at work in Aber-fan are to be strengthened and improved, I feel steps will need to be taken to encourage a more enlightened attitude by both the Merthyr Borough Council and the Fund, particularly in relationship to the provision of social work Services as well as the child psychiatric Service, and also to the general practitioner Service. This, in addition to the steps taken by the hospital

29 *Ibid.*

Service would go a long way towards alleviating a number of the shortcomings highlighted in the article.[30]

Yr oedd Aber-fan yn parhau yn rhan ohono yn 1971 a gofidiai o weld y diffyg gofal, y diffyg ysryriaeth a'r colli cyfleon a brofwyd. Yr oedd y diffyg arweinyddiaeth yn y pentref yn amlwg a phenderfynodd nifer ohonom adael yr ardal cyn diwedd y chwedegau. Dioddefodd un o'r meddygon teulu yn feddyliol, gyda'r canlyniad i'r ddau feddyg arall adael y cylch o fewn blwyddyn. Symudais innau i Lerpwl ym Mehefin 1968, a gofid oedd hyn, ond agorwyd pennod newydd. Cofiaf anfon llythyr at Gwilym ar 12 Gorffennaf gan ddweud:

Dylai'r cyfnod fod yn un diddorol – a golygaf fynd ati ar linellau'r sgwrs a gawsom dros y ffôn y nos o'r blaen.[31]

Teimlwn hiraeth ar ôl Aber-fan ac Abercynon a Phenrhiw-ceibr a Gwilym ac eraill lawer y soniais amdanynt.[32]

Awr fawr Gwilym yn 1968 oedd yr achos llys yng Nghaerdydd y cyfeiriwyd ato eisoes. Diolchodd Manon Rhys Davies, Ffos-y-ffin, Aberaeron, iddo yn gynnes iawn am ei amddiffyniad drosti, a'i bwyslais ar ddefnyddio'r Gymraeg.[33] Soniodd am ei haelioni yn gwrthod derbyn tâl am ei waith yn y llys, a byddai hithau yn falch o dalu ei rhan hi o'r ddyled. Derbyniodd Gwilym lythyr gwerthfawr oddi wrth yr ysgolhaig Dr Ceinwen Thomas, dyddiedig 9 Rhagfyr 1968. Llongyfarchodd ef am amddiffyn Emyr Llywelyn mor feistrolgar: 'Dyma dorri tir newydd a phwysig ym mrwydr yr iaith.'[34]

30 *Ibid.*
31 Llyfrgell Genedlaethol Cymru, Casgliad yr Arglwydd Prys-Davies 1/1. Llythyr D. Ben Rees, Lerpwl, at Gwilym Prys-Davies, dyddiedig 12 Gorffennaf 1968.
32 D. Ben Rees, *Di-Ben-Draw: Hunangofiant*, 93–4. 'Roedd hiraeth mawr iawn arnom ni fel teulu wrth adael, ond roedd byd newydd yn agor i ni.'
33 Llyfrgell Genedlaethol Cymru, Papurau yr Arglwydd Gwilym Prys-Davies, Llythyr Manon Rhys Davies, Ffos-y-ffin, Ceredigion at Gwilym Prys-Davies, dyddiedig 1968.
34 *Ibid.* Llythyr Dr Ceinwen Thomas at Gwilym Prys-Davies, dyddiedig 9

Yn ei llythyr ystyriol cawn olwg trwy lygaid un a oedd yno i gefnogi amddiffynwyr yr iaith. Dywed yr ysgolhaig y geiriau hyn:

> Yr oedd yn brofiad gwir wefreiddiol i ni'r gwrandawyr, ac ni allaf adael i'r achlysur pwysig hwn yn hanes yr iaith fynd heibio heb fynegi fy niolchgarwch a'm llawenydd personol. Haeddwch deyrnged bellach am wneud y gwaith mor orchestol ac i bob olwg, mor ddi-ymdrech, a'r iaith dan eich dwylo mor urddasol ac ystwyth a di-feth, heb arni unrhyw arwyddion iddi gael ei hesgeuluso cyhyd ym myd y gyfraith a'r llysoedd barn.[35]

Yr oedd ei hagwedd at bobl y fainc a'r heddlu yn ddamniol, fel y gwelir o'r geiriau hyn:

> Ar achlysur mor nodedig, trist oedd gweld y Cymry a oedd ar y fainc yn ymateb mor annheilwng.[36]

Gallai Gwilym a Llinos a'r plant ddathlu Nadolig llawn a llawen ar y 25ain o Ragfyr 1968.

Rhagfyr 1968.
35 *Ibid.*
36 *Ibid.*

Cadeirydd Bwrdd Ysbytai Cymru (1968–1974)

DAVID LLOYD GEORGE oedd yn bennaf gyfrifol am sefydlu Bwrdd Iechyd Cymru dan adain y ddeddf a sefydlodd y Weinyddiaeth Iechyd. Ond bu cynnydd a chwtogi ar ddyletswyddau'r Bwrdd Iechyd hyd sefydlu'r Gwasanaeth Iechyd Gwladol gan Aneurin Bevan yn 1948, ac fe ddaeth Cymru yn un o'r pedwar rhanbarth ar ddeg oedd yn gweinyddu'r ysbytai.[1] Ym mis Mai 1968 cafodd Gwilym Prys-Davies alwad o swyddfa Bwrdd Iechyd Cymru gan y Cadeirydd, Franklyn Williams, yn gofyn a fyddai mor garedig â galw i'w weld ym Mharc Cathays. Bodlonodd fynd y diwrnod hwnnw pryd y gofynnwyd iddo a fyddai ganddo ddiddordeb mewn dilyn Archie Lush, ffrind pennaf Aneurin Bevan, fel Cadeirydd y Bwrdd Ysbytai, pe bai'r Gweinidog Iechyd yn cynnig y cyfle iddo.[2]

Rhoddodd Franklyn Williams gymaint o'r cefndir ag y medrai. Lleolid dau gant o ysbytai yng Nghymru, a chyflogid deugain mil o bobl i gynnal y gwasanaeth o fewn yr ysbytai hynny. Disgwylid i'r Cadeirydd dreulio tri diwrnod yr wythnos yn cyflawni ei ddyletswyddau – un diwrnod ym mhrif swyddfa'r Bwrdd Iechyd yng Nghaerdydd, un diwrnod y mis yn Swyddfa'r Weinyddiaeth Iechyd yn Llundain, a'r gweddill o'r amser, gan gynnwys y trydydd diwrnod, yn ymweld ag ysbytai Cymru i

---

1 D. Ben Rees, 'Gwasanaeth Iechyd Aneurin Bevan yn 70', *Barn*, Rhif 666/667, Gorffennaf/Awst 2018, 24–5. Ni fyddai gennym Fwrdd Ysbytai i wasanaethu Cymru oni bai am ddylanwad Archie Lush a Huw T. Edwards ac, yn bennaf oll, Aneurin Bevan.

2 Mae gan Gwilym Prys-Davies bennod ar Fwrdd Ysbytai Cymru yn *Llafur y Blynyddoedd*, 59–73. Gwneuthum ddefnydd helaeth o'r bennod honno.

annerch, i bwyllgora, ac i fynychu cyfarfodydd amrywiol. Swydd ddi-dâl ydoedd – nid oedd cyflog o gwbl ar gyfer y Cadeirydd. Er bod cwmni Morgan, Bruce a Nicholas yn tyfu, credai y byddent yn fodlon iddo gymryd y cyfle, ac iddo ef yn bersonol yr oedd y swydd yn golygu cymaint, pan gofiai am waeledd ei dad am flynyddoedd a'i farwolaeth yn y cyfnod yr oedd ef yn fyfyriwr yn y Coleg ger y Lli. I Gwilym a'i rieni, yr oedd y Gwasanaeth Iechyd yn goron ar ddarpariaeth y Wladwriaeth Les. Cofiai yn glir am ddioddefaint ei dad, William Davies, oherwydd annigonolrwydd y llawfeddygaeth drom a gafodd yn laslanc ar fwrdd y gegin yn Llanegryn.[3]

O fewn pythefnos daeth y gwahoddiad oddi wrth y Gweinidog Iechyd, Kenneth Robinson, a chafodd gyfle i ohebu gyda Syr Ben Bowen Thomas.[4] Bu'n ofynnol iddo ymddiswyddo o'r cyrff y gwasanaethai arnynt, sef Cyngor Economaidd Cymru a Phwyllgor Cymreig yr Awdurdod Teledu Annibynnol, lle y bu yn brysur ac yn barod iawn i gyhuddo cwmni TWW o baratoi rhaglenni ysgafn yn hytrach na mynd ati i baratoi rhaglenni teledu a fyddai'n meddu ar safon uwch o lawer.[5] Bu am bum mlynedd yn boendod yn ôl rhai haneswyr teledu fel y Dr Jamie Medhurst o Brifysgol Aberystwyth ac awdur *A History of Independent Television in Wales* a gyhoeddwyd yn 2010 ac sydd yn cyfeirio at y memorandwm a baratowyd gan Gwilym Prys am sianel

---

3   Llyfrgell Genedlaethol Cymru, Papurau yr Arglwydd Gwilym Prys-Davies. Llythyr Jim Griffiths at Gwilym Prys-Davies, dyddiedig 19 Mai 1968, yn sôn ei fod wedi cael cyfarfod â'r Gweinidog Iechyd, Kenneth Robinson, ac yn 'falch ei fod ef wedi dweud Ie i'r gwahoddiad i fod yn Gadeirydd Bwrdd Ysbytai Cymru'.

4   *Ibid*. Llythyr Ben Bowen Thomas at Gwilym Prys-Davies (dim dyddiad). Ef a gynigiodd enw Gwilym Prys-Davies ar gyfer y swydd. Diolchodd iddo am ei gyfraniad ym myd teledu: 'Bu pawb ohonom dan ddyled i chwi am sbarduno yn awr ac eilwaith a chredaf fod y cwmni – Harlech – wedi elwa peth oddi ar hynny.'

5   *Ibid*. Llythyr Huw T. Edwards at Gwilym Prys-Davies, dyddiedig 23 Mai 1968. Anfonodd yr Undebwr diwylliedig delegram at Gwilym Prys-Davies ar drothwy isetholiad Caerfyrddin i ddymuno'n dda iddo. Roedd hynny'n nodweddiadol o Huw T. Edwards, gŵr hynod o garedig a sosialydd o Gymro.

TWW.[6] Un o'r rhai cyntaf a anfonodd i'w longyfarch oedd yr Unedebwr diwylliedig, y Dr Huw T. Edwards, yn llawenhau am iddo gael ei wahodd i fod yn Gadeirydd Bwrdd Ysbytai Cymru. Dywedodd wrtho:

> Roeddwn yn rhyw ddisgwyl y byddai Archie [Lush] yn dal ymlaen, ond os oedd i fynd, alla i ddim meddwl am neb gwell i'w ddilyn.[7]

Anfonodd Archie Lush ato o Gilwern gefn mis Gorffennaf, yn falch ei fod yn cymryd y gadeiryddiaeth ac yn dweud y byddai ef yn parhau fel aelod o'r Bwrdd. Yr oedd hi'n amlwg fod ei gymar Ade yn dioddef o ddementia a dyna oedd y rheswm iddo ymddiswyddo o'r gadair. Dywed yn ei ofal pryderus amdani:

> I was afraid I might die before her and that would have been catastrophical – indeed I had a vision of an overcrowded psycho-geriatric ward with Ade there and the moment when she realised her fate.[8]

Bu'r Cadeirydd newydd yn holi nifer o bobl amlwg y Bwrdd. Bu'n holi Ben Bowen Thomas, y gŵr a gynigiodd ei enw yn y lle cyntaf, ac a'i hadnabu ym Mhwyllgor Cymreig yr Awdurdod Teledu. Ef oedd Cadeirydd y pwyllgor hwnnw. Elwodd yn fawr o'r cyfarfyddiad â Ben Bowen Thomas. Rhoddodd ef gynghorion lu iddo wedi eu seilio ar ei holl brofiad fel un o wŷr amlwg bywyd cyhoeddus Cymru. Gwilym a awgrymodd i wasg Cyhoeddiadau Modern wahodd Syr Ben Bowen Thomas i olygu cyfrol deyrnged

---

6 Ysgrifennodd Dr Jamie Medhurst o Brifysgol Aberystwyth ar gyfraniad Gwilym Prys-Davies i deledu annibynnol.

7 Roedd gan Gwilym Prys-Davies feddwl mawr o Archie Lush a bu ar ei aelwyd yn derbyn cyfarwyddyd. Meddai yn *Llafur y Blynyddoedd*, 61: 'Gall cyn-gadeirydd bywiog fod yn beryglus ar y meinciau cefn, ond trwy gydol fy nghadeiryddiaeth, ni chefais fy siomi unwaith ganddo.' Am deyrnged Huw T. Edwards gw. Nodyn 7.

8 Gw. Llyfrgell Genedlaethol Cymru, Papurau yr Arglwydd Gwilym Prys-Davies, Bocs 1/1. Llythyr Archie Lush, Gilwern at Gwilym Prys-Davies, 12 Gorffennaf 1968.

i David Thomas, Bangor, golygydd *Lleufer*, ac arloesydd y Mudiad Llafur yng Ngwynedd. Bodlonodd a chasglwyd ynghyd gyfrol a werthodd heb drafferth.

Yng nghyfarfod cyhoeddus olaf Aneurin Bevan yn etholiad 1959 pan gafodd Gwilym yr anrhydedd o ragflaenu'r cawr gwleidyddol a thad y Gwasanaeth Iechyd Cenedlaethol yr oedd Gwilym wedi cyfarfod Archie Lush am y tro cyntaf. Daeth Gwilym ac Archie Lush i werthfawrogi cwmni ei gilydd a bu'r ddau yn ystod y chwedegau yn trafod â'i gilydd anghenion Cymru, cyfle'r Blaid Lafur, llenyddiaeth Gymraeg gyfoes ac yn arbennig y farddoniaeth, a thirlun y gogledd a'r de. Sylweddolodd fod dylanwad Archie Lush wedi bod yn un pwysig ar yrfa Aneurin Bevan, a dysgodd lawer yng nghwmni'r 'cawr o sosialydd a Chymro pybyr' – cryn ganmoliaeth i ŵr a fu'n gyfaill oes i Bevan.[9]

O fewn deufis i ddechrau ar ei waith cafodd Gwilym gryn syndod o dderbyn drafft o adroddiad pwyllgor yr ymholiad a baratowyd dan gadeiryddiaeth y bargyfreithiwr o Bort Talbot, Geoffrey Howe, am yr honiadau o gam-drin cleifion gan rai a weithiai yn Ysbyty Trelái, Caerdydd. Yn 1967–68 dim ond tri meddyg oedd at wasanaeth chwe chant o gleifion, gyda 162 o nyrsys i'w cynorthwyo. Yn 1967 gwnaeth cyn-aelod o'r staff nyrsio honiadau wrth newyddiadurwr o'r *News of the World* am gamdrin a fu yn yr ysbyty, a chyrhaeddodd y stori glust y Gweinidog Iechyd gyda'r canlyniad i Geoffrey Howe gael ei wahodd i baratoi dogfen ac adroddiad manwl.[10] Yr oedd Llinos a Gwilym wedi trefnu mordaith am bythefnos a darllenodd y ddogfen hanner dwsin o weithiau, gan fod y pwyllgor o'r farn fod sail i'r honiadau o gam-drin. Teimlodd Gwilym i'r byw gasgliadau pwysicaf yr adroddiad am y diffyg parch amlwg, a'r frawddeg na allai ei hanghofio, 'an unduly casual attitude towards sudden death'. Dywedodd yn ei hunangofiant:

9   Gwilym Prys-Davies, *Llafur y Blynyddoedd*, 62–4.
10 *Ibid.*, 63.

Nid oeddwn cyn hyn wedi dod ar draws y fath ymadrodd am agwedd meddwl mewn ysbyty. Boed y casgliad trawiadol hwn yn ffaith neu'n ddehongliad, cefais ias o'i ddarllen ac nid yw'r blynyddoedd wedi ei leddfu.[11]

Yr ail ofid oedd fod y person a wnaeth y cyhuddiad wedi cael rhybudd gan aelodau o'r staff y byddai'n peryglu ei yrfa a'i boblogrwydd. Yn drydydd, ni ddihangodd y Bwrdd Ysbytai ei hun. Er bod yr ysbyty o fewn ychydig filltiroedd i ganol dinas Caerdydd, nid oedd neb fel pe bai'n poeni, na neb o'r ddinas yn gwirfoddoli i helpu'r ysbyty yn ei wasanaeth i chwe chant o gleifion. Bu cryn drafod ar fater cyhoeddi'r adroddiad, gyda'r gweision sifil yn awgrymu y dylai'r Cadeirydd drafod tacteg cyhoeddi gyda Geoffrey Howe a'i bwyllgor. Nid oedd y Gweinidog Iechyd, Richard Crossman, y dyn rhwyddaf i ddelio ag ef, ond yn y pen draw cytunodd Gwilym a Geoffrey Howe mai'r unig ffordd ymlaen oedd cyhoeddi, heb ddatgelu enwau'r staff oedd dan lach yr adroddiad, a bu'r Bwrdd yn barod i dderbyn ei gyfrifoldeb am y diffyg gofal a'r sefyllfa ddigon anodd yn Ysbyty Trelái. Gofid i Gwilym fu gweld Arolygydd Meddygol yr ysbyty yn gorfod ymddeol cyn cyhoeddi'r adroddiad oherwydd y straen ar ei iechyd, a'i sensitifrwydd i anghenion cleifion.

Yr oedd Bwrdd Ysbytai Cymru wedi adeiladu ysbytai mawr newydd yn Llanfrechfa, Gwent, a Bryn-y-neuadd, Llanfair-fechan ar gyfer cleifion nam meddwl rhwng 1964 ac 1967 a chynlluniwyd i adeiladu rhan o Ysbyty Trelái ar seiliau'r hen wyrcws. Ar ôl cyhoeddi Adroddiad Howe ym Mawrth 1969, sefydlodd y Bwrdd dîm arolygu bychan i archwilio'r holl ysbytai cyfnod hir yng Nghymru. Bu gwelliannau eraill o ganlyniad i fodolaeth yr Uned Arbenigol a ddaeth yn wybyddus i weddill y Deyrnas Unedig trwy'r cynadleddau yn Llundain, Caerefrog a Nottingham. Canlyniad arall i hyn oedd gwahoddiad i'r Cadeirydd weld y darpariaethau a oedd ar gael mewn tair

---

11   *Ibid.*, 70.

gwlad, Denmarc, Sweden a'r Iseldiroedd. Teithiodd Gwilym Prys-Davies er mwyn rhoddi arweiniad pellach, gan fod ganddo ffydd yn y gwaith a wneid mewn unedau bychain, lleol, a hynny yn ei dyb ef oedd y ffordd ymlaen yng Nghymru. Trefnodd fod prif swyddogion Bwrdd Ysbytai Cymru yn teithio i Ddenmarc i ddysgu mwy am sut i berffeithio'r gofal. Cenhadaeth arall o'i eiddo oedd sefydlu cymdeithas o gyfeillion ar gyfer pob ysbyty cyfnod hir, cam hynod o bwysig, gan y medrai'r cyfeillion gynnig llawer o help i'r cleifion. Nid gwaith i bawb mo hwn, ond credai ar sail astudiaethau academaidd yn yr Amerig fod digon o bobl ar gael a fedrai gyflawni'r angen. Profwyd ei ddiagnosis yn gywir a phenodwyd Trevor Gray o Gasnewydd i lywio'r cynllun. Gwnaeth hynny yn broffesiynol a boddhaol, gan drefnu nifer helaeth o ysgolion undydd, fel y gellid egluro'n fanwl yr hyn a olygid. Erbyn 1974 sefydlwyd o leiaf drigain o gymdeithasau cyfeillion i hybu a chefnogi'r ysbytai. Daethpwyd â dimensiwn arbennig i'r gofal am yr anghenus rai.

Sylweddolodd y Cadeirydd fod yr ysbytai yn gorfod wynebu mwy o alwadau o du'r cyhoedd. Ceid ffigyrau a oedd yn cyfleu'r cynnydd. Yn 1963 yr oedd yr ysbytai yn paratoi ar gyfer 21,669 o gleifion yr oedd arnynt angen gwelyau, ond erbyn i'r Cadeirydd newydd gymryd yr awenau yr oedd y ffigwr wedi codi i 29,925. Gan ei fod ef ar delerau da â'r Prifathro Bill Bevan o Goleg Prifysgol Cymru, Caerdydd, llwyddwyd yn 1969 i benodi dau ymchwilydd o'r Adran Fathemateg i ddatblygu'r technegau diweddaraf i gasglu ystadegau, ac i roddi arweiniad llawer mwy cywir ar gyfer y rhai a weinyddai'r ysbytai.

Daeth yn ymwybodol o duedd y Weinyddiaeth Iechyd i grynhoi adnoddau i ganolfannau, gan fod hynny yn dderbyniol i'r llawfeddygon a'r meddygon fel ei gilydd. Ond sylweddolai fod cefn gwlad Cymru yn dibynnu gryn lawer ar ysbytai bach, cysurus, lle y ceid awyrgylch cartrefol. Trwy arweiniad call a gofalus bu'r Bwrdd yn bur lwyddiannus. Ni chaewyd mwy na phump o ysbytai bychain, ac ni ddigwyddodd hynny heb gryn brotestiadau. Gwelai fod gagendor mawr rhwng y Bwrdd a'r cyhoedd a phenderfynwyd penodi Swyddog Cysylltiadau Cyhoeddus. Y person a gafodd y swydd oedd Emrys Roberts, gŵr a fu'n amlwg ym mheirianwaith Plaid Cymru ac a oedd yn hyddysg yn y ddwy iaith. Dywed y Cadeirydd:

> Ni chawsom ein siomi ynddo. Trwy gyfrwng y penodiad hwn gwnaeth Emrys Roberts gyfraniad sylweddol iawn i'r gwasanaeth ysbytai yng Nghymru.[12]

Ym mis Ebrill 1969 cafwyd cyfle i ddod â gwaed newydd i'r Bwrdd a rhoddwyd cyfle i ddau berson ifanc oedd â'u llygaid ar yrfa yn San Steffan fel ymgeiswyr i'r Blaid Lafur, sef Ann Clwyd Roberts a Neil Kinnock Safodd Ann Clwyd Roberts fel ymgeisydd Llafur etholaeth Dinbych ar 18 Mehefin 1970 a dod yn ail i Geraint Morgan, a chafodd Neil Kinnock fuddugoliaeth ysgubol yn etholaeth Bedwellte â mwyafrif o 22,279, gyda 59.2% o'r etholwyr o'i blaid. Y ddau arall a wahoddwyd i'r Bwrdd oedd yr Athro Margaret Stacey o Goleg y Brifysgol, Abertawe a Bob Dumbleton o UWIST, Sefydliad Gwyddoniaeth a Thechnoleg Caerdydd. Fe'u disgrifia fel 'pobl nad oedd amheuaeth am eu radicaliaeth a'u penderfyniad a'u gallu.'[13] Ond a oedd hi'n deg dewis dau o'r Blaid Lafur? Oni ellid bod wedi dewis un aelod radical, galluog a berthynai i blaid arall? Ond y mis Ebrill hwnnw bu newid pellgyrhaeddol; trosglwyddwyd y cyfrifoldeb yng Nghymru dros y Weinyddiaeth Iechyd i'r Swyddfa Gymreig. Yn naturiol, yr oedd y Cadeirydd yn frwd dros y newid. Bu'n cwyno am flynyddoedd am y llusgo traed ar ran cynifer o adrannau'r Llywodraeth a oedd yn amharod i ddod o dan ofal y Swyddfa Gymreig. Ond o'r sefyllfa foddhaol hon cododd tyndra rhwng Ysgrifennydd Gwladol Cymru a Gwilym Prys-Davies. Nid oedd cymaint â hynny yn gyffredin rhwng George Thomas a Gwilym Prys-Davies. Anghytunent ar lu o faterion ac ar fater yr iaith yr

12 *Ibid.*, 72.
13 *Ibid.*

oedd y ddau mewn gwersylloedd gwahanol, un yn wrth-Gymreig a'r llall yn cofleidio Cymreictod a'r Gymraeg. Yn nhyb George Thomas, ni ddylai Gwilym Prys-Davies lefaru'n gyhoeddus am y gwasanaeth ysbytai gan mai ei gyfrifoldeb ef, y gwleidydd proffesiynol, oedd hynny. Yn wir, yr oedd llawer o weision sifil y Swyddfa Gymreig yn cytuno â'r Gweinidog Gwladol nad oedd gwir angen Bwrdd Ysbytai Cymru. Ond yr oedd y datganolwyr, o reidrwydd, yn anghytuno. Ym marn y Cadeirydd yr oedd angen y ddau gan fod y Bwrdd Ysbytai yn pontio'r gagendor a oedd yn bodoli. Y mae ganddo ddarn yn ei hunangofiant sydd yn dadlennu ei safbwynt ac yn ein gorfodi i dalu sylw i'w resymeg:

Credwn fod cael deg ar hugain o gyd-Gymry (ar yr amod eu bod, wrth gwrs, yn effro ac ymroddgar) yn cynrychioli gwahanol rannau o Gymru a gwahanol haenau o'r gymdeithas, a'u bryd ar wella'r gwasanaeth i bobl Cymru, yn cwrdd yn rheolaidd i drafod ac ateb prif gwestiynau polisi, yn gynhenid werthfawr. Annymunol iawn oedd gorfod dadlau â'r Swyddfa Gymreig am yr egwyddor hon, ond gwrthwynebais hyd y diwedd y cynllun i ddiddymu'r Bwrdd Ysbytai, cynllun a oedd o'm rhan i, yn gam sylweddol yn ôl, gan ei fod yn dileu'r elfen leyg ar lefel Cymru gyfan o'r gwasanaeth iechyd.[14]

Collodd George Thomas ei swydd yn 1970 pan ddaeth y Blaid Dorïaidd i rym a dewisodd Ted Heath Gymro Cymraeg, Peter Thomas, yn Ysgrifennydd Gwladol Cymru. Ni sonia Gwilym namyn ddim am Peter Thomas, ond yr argraff a gaf i o ddarllen unig lythyr y Gweinidog ato, dyddiedig 3 Medi 1971, yw ei fod ef â chryn gydymdeimlad â safbwynt Cadeirydd y Bwrdd. Mae'n diolch iddo am ei argymhellion ac yn ychwanegu y dylai 'Cyngor Iechyd Cymru', fel y'i geilw, fod yn annibynnol.[15]

---

14 *Ibid.*
15 Llyfrgell Genedlaethol Cymru, Papurau yr Arglwydd Gwilym Prys-Davies. Llythyr Peter Thomas AS, Ysgrifennydd Gwladol Cymru, at Gwilym Prys-Davies,

Daliodd Gwilym i amddiffyn y Bwrdd a hefyd i'w Gymreigio. Nid rhyfedd i Syr Goronwy Daniel anfon lythyr mor gynnar â haf 1970 i gydnabod ei arweiniad 'a'ch gwaith enfawr hunan-aberthol i'r gwasanaeth iechyd a'ch gwladgarwch bendigedig'.[16]

Mynnodd le dyladwy i'r Gymraeg o fewn y gwasanaeth a chyhoeddwyd adroddiad y gweithgor ar ddwyieithrwydd ym Mehefin 1972. Dr Emyr Wyn Jones (Is-gadeirydd y Bwrdd) oedd Cadeirydd y gweithgor. Yr oedd ef yn un o fawrion Cymry Lerpwl ac wedi rhoddi oes i drin dolur y galon yn ysbytai'r ddinas ac o'i swyddfa yn Rodney Street. Aelodau eraill y gweithgor oedd Syr Archibald Lush, J. O. Morris, C. M. George a T. E. Caple. O 1969 hyd 1973 cyhoeddodd y Bwrdd yr adroddiad blynyddol yn ddwyieithog, ac y mae'r dogfennau hyn yn gyfraniad i'r Gymraeg. Cyhoeddwyd pamffledi'r Bwrdd yn ddwyieithog yn ogystal. Gofalai hefyd, pan fyddai'n cynnal agoriadau swyddogol, y dylid cyflawni hynny yn y ddwy iaith, ond ni lwyddai bob tro gan nad oedd am bechu yn erbyn y bobl leol. Digwyddodd hynny yn ei anerchiad ar 9 Mehefin 1972 wrth ailagor Ysbyty Glynebwy. Gallai fod wedi rhoddi llawer mwy o sylw i fywyd a gwaith a chyfraniad pwysig Aneurin Bevan a dyma ychydig eiriau a lefarodd yn Saesneg:

> You in Ebbw Vale are rightly proud of the fact that it was Aneurin Bevan who established the NHS and that he drew a large part of his inspiration and indeed his concept of a comprehensive NHS from what he had seen and experienced in these valleys.[17]

A'r siom fwyaf oedd nad oedd dim Cymraeg i'w glywed o'i enau ar y diwrnod hwnnw er gwaethaf y cyfan a wnâi'r Bwrdd i hybu'r iaith. Gofelid bod pamffledi ysbytai unigol yn y ddwy

---

dyddiedig 3 Medi 1971.

16 *Ibid*. Llythyr Goronwy Daniel at Gwilym Prys-Davies, dyddiedig 27 Gorffennaf 1970.

17 *Ibid*. Anerchiad ar achlysur agor Ysbyty Glynebwy, 9 Mehefin 1972.

iaith a byddai'r pamffledi hyn yn cael eu hanfon ledled y byd. Rhoddwyd teitl Cymraeg i'r papur daufisol. Gofidiai fod llawer rhy ychydig o Gymraeg yn ei dudalennau, a'r rheswm pennaf am hynny oedd diogi Cymry Cymraeg o fewn cylchoedd yr ysbytai o ran anfon adroddiadau a llythyron i'w cyhoeddi. Sylwaf fod sieciau'r Bwrdd yn ddwyieithog, a gofalai ddwyn perswâd ar Gadeiryddion y Pwyllgorau Rheoli, deunaw ohonynt, yn y cyfarfodydd chwarterol a drefnai gyda hwy i roddi hynny ar waith.

Sylweddolai yn ddyddiol mai'r gwasanaeth ysbytai oedd y cyflogwr mwyaf yng Nghymru, ond sylweddolai hefyd fod carfan uchel o'r bobl a weithiai o fewn y gwasanaeth yn ddigon difater tuag at un o ieithoedd hynaf Ewrop a Chymru. Nid oedd brwdfrydedd i roddi urddas i'r iaith y canodd Ieuan Glan Geirionydd mor gelfydd iddi:

> Y Gymraeg, digymar yw, – iaith hydrefn
> A iaith ddidranc ydyw;
> Hon fu, sydd, ac a fydd byw
> Er estron a'i fawr ystryw.[18]

Geiriau Gwilym oedd: 'Mae'r hen ragfarnau ac agweddau meddwl yn dal yn fyw yn y tir. Ond eto i gyd yr ydym yn symud ymlaen.'[19]

Gwnâi ei orau pan ddeuai gwahoddiadau i siarad am ei gyfrifoldeb fel Cadeirydd i bwysleisio'r angen am wreiddio'r iaith 'ym mywyd y gymdeithas y mae'n rhan ohoni'.

Traddododd ddarlith ddwyieithog i Gymdeithas Rieni Ysgol Uwchradd Rhydfelen ar hyd y trywydd y soniai amdano. Ei ofid pennaf oedd fod yna elynion i'r Gymraeg o'i gylch yn y Bwrdd, yn y Swyddfa Gymreig, ac yn y Blaid Lafur yn etholaeth Pontypridd. Erbyn Mehefin 1972 gwyddai ef a holl aelodau'r

---

18   Cyril O. Jones, *Yr Iaith Gymraeg ym Mywyd Cyhoeddus Cymru* (Aberystwyth, 1947), 19.
19   Gwilym Prys-Davies, *Llafur y Blynyddoedd*, 71.

Bwrdd fod y cyfan i'w ddiddymu ar 1 Ebrill 1974. Trosglwyddid yr holl ddyletswyddau i'r Swyddfa Gymreig, a dadl fawr y swyddogion ym Mharc Cathays oedd hyn – 'nad oes unrhyw alw yng Nghymru am gorff Cymreig y tu fas i'r Swyddfa Gymreig'. Dengys hyn fympwy ffôl, a dweud y lleiaf. Nid rhyfedd i'r Cadeirydd ysgrifennu mewn llythyr at gyfaill iddo y geiriau hyn:

I'm barn i mae yna berygl enbyd fod y Swyddfa Gymreig yn mynd yn feistr arnom oll. Bid a fo am hynny rwy'n awyddus iawn i sicrhau lle swyddogol a naturiol i'r Gymraeg yn y gwasanaeth cyn yr aiff drosodd i ddau o'r swyddogion yn 1974.[20]

Dyna a fu ei waddol.

Oherwydd ei arweiniad a'i graffter fel Cadeirydd teimlai Syr Arcihbald Lush erbyn Hydref 1973 y dylai Gwilym fynd i Dŷ'r Arglwyddi i fod o wasanaeth i Gymru, gan fod Cymry Cymraeg yn brin yn Nhŷ'r Arglwyddi.[21] Trefnodd gyfarfod ag ef yn ei gartref yng Ngilwern, yng nghwmni Jennie Lee a Renee Short, yr Aelod Seneddol. Teimlai'r tri ohonynt fel ei gilydd mai'r uwch-siambr oedd lle Gwilym. Gofynnodd y tri am ganiatâd i anfon neges yn ddiymdroi at Harold Wilson, Arweinydd yr Wrthblaid. Gofynnodd Lush iddo ystyried y cam pwysig gan nad oedd yr Arglwydd Llewellyn Heycock, Tai-bach, yn ei farn ef yn cynrychioli Cymru gyfan; Morgannwg, ie, ond nid Cymry Meirionnydd a Cheredigion a'r fro Gymraeg. Gwilym Prys-Davies oedd yr union ddyn i gynrychioli cenedl y Cymry ymysg y Sefydliad yn Llundain. Byddai eraill lawer yn cytuno o blith y Blaid Lafur, y Blaid Ryddfrydol, a Phlaid Cymru yn arbennig. Ysgrifennodd Cassie Davies, Cwm Tudur, Tregaron ar 17 Tachwedd 1973 lythyr yn canmol Gwilym fel Cadeirydd y

---

20   Gwilym Prys-Davies at gyfaill sydd yn dymuno bod yn ddienw.
21   Llyfrgell Genedlaethol Cymru, Papurau yr Arglwydd Gwilym Prys-Davies, Bocs 1/1. Llythyr Archie Lush, Gilwern at Gwilym Prys-Davies (dim dyddiad, ond rywdro yn Hydref 1973); Gw.Gwilym Prys-Davies, *Llafur y Blynyddoedd*, 73.

Bwrdd a hynny ar ôl ei weld ar y teledu yn cael ei holi gan Ednyfed Hudson Davies. Dyma eiriau un o hoelion wyth Plaid Cymru ar hyd y cenedlaethau, menyw ddawnus ryfeddol a fu'n gwarchod y 'Pethe' ar hyd ei bywyd:

> Roedd eich holl agwedd tuag at eich gwaith, tuag at gleifion ac anffodusion, tuag at well darpariaeth a threfn mewn ysbytai a tuag at bobl a chymdeithas, yn rhyfeddol ac uwchlaw popeth, yr oedd eich ymrwymiad a'ch gwreiddiau fel Cymro yn ddwfn argyhoeddiadol. Diolch yn fawr am y profiad o ddidwylledd a gonestrwydd a mawredd personoliaeth a ddaeth drosodd yn eich rhaglen.[22]

Ychydig cyn hynny yr oedd y Gweinidog Gwasanaethau Cymdeithasol sef Syr Keith Joseph wedi diolch iddo am yr holl syniadau a anfonodd ato fel Cadeirydd y Bwrdd Ysbytai, ac am ei fedr a'i ymroddiad i'r Gwasanaeth Iechyd a nawdd cymdeithasol.[23] Ond methodd Syr Archibald Lush a Harold Wilson â'i argyhoeddi y dylai dderbyn y gwahoddiad i Dŷ'r Arglwyddi. Gwelir hynny yn llythyr R. E. Armstrong ato o 10 Downing Street, dyddiedig 11 Rhagfyr 1973:

> The Prime Minister is so sorry not to be able to include your name in the list of recommendations which he will be submitting to the Queen. He will of course respect your wishes.[24]

Go brin fod Syr Archie Lush na Harold Wilson yn gwybod bod Cadeirydd Mudiad Adfer, Emyr Llywelyn, Felin-fach, wedi cysylltu â Gwilym yn bersonol a hefyd ar ran y rheolwyr, a oedd

---

22 *Ibid.* Llythyr Cassie Davies, Cwm Tudur, Tregaron at Gwilym Prys-Davies, dyddiedig 17 Tachwedd 1973.

23 *Ibid.* Llythyr Syr Keith Joseph AS at Gwilym Prys-Davies, dyddiedig 10 Hydref 1973. Diolchodd y Gweinidog iddo am yr holl syniadau a gyflwynodd i'r Adran a oedd dan ei ofal fel Gweinidog Iechyd yn Llywodraeth Edward Heath.

24 *Ibid.* Llythyr R. E. Armstrong (ar ran Harold Wilson), 10 Downing Street, Llundain at Gwilym Prys-Davies, dyddiedig 11 Rhagfyr 1973.

yn cynnwys Ieuan Wyn, Bethesda, Ieuan Bryn, R. S. Thomas, Tecwyn Rhys Ifan, Cynog Dafis, Talgarreg a Rheinallt Llwyd, Aberystwyth ar drywydd swydd dra gwahanol.[25] Cynigiwyd iddo swydd Cadeirydd Cwmni Adfer, a dywed Emyr Llywelyn, un y bu ef yn brwydro drosto yn y llys yng Nghaerdydd:

> Rwy'n gofyn allan o barch, ac fel mynegiad o werthfawrogiad o'ch cyfeillgarwch, am eich dawn a'ch gallu aruthrol fel gweinyddwr – am eich meddwl clir, miniog ac am eich sosialaeth sylfaenol, ddi-syfl chi.[26]

Golygai Adfer lawer iawn i Gwilym, a chytunai â geiriau Emyr yn ei lythyr gwahoddiad, mai'r sialens iddo fyddai:

> helpu gwerinwyr di-gartref a di-waith, helpu i adfer y gymdeithas Gymraeg yn y gorllewin a'r fro Gymraeg, helpu i adeiladu y gymdeithas newydd ac adeiladu drwy Adfer un dydd.[27]

Braint fawr y cyhoeddwyr, Cyhoeddiadau Modern, Lerpwl a Phontypridd, oedd cael cyhoeddi cyfrol hardd o ysgrifau cofiadwy Emyr Llywelyn, *Adfer a'r Fro Gymraeg*, ond erbyn hynny nid oedd Gwilym yn ymwneud o gwbl â'r cwmni cyhoeddi. Yr oedd cadeirio'r Bwrdd Ysbytai yn mynd â'i holl amser y tu allan i'w alwedigaeth, ac felly bu'n rhaid iddo wrthod y gwahoddiad o du Adfer.

Gwyddai fod yna gymaint o dasgau ar gyfer y Bwrdd a dim

---

25 Pwrpas Mudiad Adfer oedd gwarchod y broydd Cymraeg lle ceid 60% a mwy yn siarad yr iaith Gymraeg.

26 Llyfrgell Genedlaethol Cymru, Papurau Gwilym Prys-Davies. Llythyr Emyr Llywelyn, Felin-fach, Ceredigion at Gwilym Prys-Davies, dyddiedig 28 Tachwedd 1973.

27 Roedd gan Gwilym Prys-Davies feddwl uchel iawn o Emyr Llywelyn. Dywedodd mewn cyfweliad teledu: 'Yn nhermau heddiw, yr unig lais tebyg i Aneurin Bevan yr ydw i yn ei glywed yn yr iaith Gymraeg ydyw rhywun fel Emyr Llywelyn'. Gw. Gwilym Prys-Davies, 'Newid Cyfeiriad Peiriant Anferth, Sgwrs Ednyfed Hudson Davies gyda Gwilym Prys-Davies', 'Y Gwrandäwr', *Barn*, Rhif 138, Ebrill 1974, I-IV.

1 Gwilym gyda'i fam ac aelodau eraill o'r teulu yn Llanegryn

2 Blynyddoedd cynnar y bartneriaeth

3 Priodas Huw ac Eirian Davies a Gwilym yn was priodas

4 Harri Webb a'r Gweriniaethwyr yng Nghilmeri yn galw am y Weriniaeth Gymreig

5 Gwilym a Llinos ar ddydd eu priodas yng nghapel y Presbyteriaid,

Hirwaun, dan ofal y Parchedig J. Eirian Davies, ffrind dyddiau coleg

6 Gwilym a Llinos ar fin dychwelyd i Dde Cymru o'r cartref fu ganddynt yn Aberystwyth

digon o ewyllys i'w cyflawni. Soniodd E. D. Jones, Aberystwyth, Llyfrgellydd y Llyfrgell Genedlaethol, am yr anghenion yn nhref Aberystwyth. Soniodd am goleg addysg bellach y dref a oedd heb ddefnyddio'r Gymraeg yn y cwrs i baratoi merched at alwedigaeth nyrsio. Gofynna E. D. Jones:

> Oni fedr y Bwrdd hybu sefydlu cyrsiau trwy gyfrwng y Gymraeg mewn cylch fel Aberystwyth lle mae nifer sylweddol o ferched a fyddai'n barotach i fynd i mewn i alwedigaeth nyrsio pe caent y paratoad yn yr iaith fwyaf naturiol iddynt?[28]

Dyma dasg arall na ellid mo'i chwblhau ac a ddangosai gymaint oedd yr angen mewn un maes yn unig. Yr oedd Gwilym Prys-Davies mor ymwybodol ag E. D. Jones a phob un arall o'r bylchau a'r cyfleon y dylid ymateb iddynt pe rhoddid mwy o gyfrifoldeb i'r Bwrdd ac arian i brynu'r adnoddau angenrheidiol. Bu'n gohebu â Hywel Evans, Ysgrifennydd Parhaol y Swyddfa Gymreig, yn 1972 am yr angen i gryfhau cynifer o wasanaethau y tu allan i faes iechyd.[29] Gwelai'r angen i wella'r ddarpariaeth radio a theledu mewn perthynas â'r iaith. Gofidiai fod Roderic Bowen a'i bwyllgor mor hir yn cyflwyno adroddiad ar arwyddion ffyrdd. Mater arall y cymerai ddiddordeb mawr ynddo oedd cyfieithu o'r Saesneg i'r Gymraeg, a chredai y dylid sefydlu cwrs diploma a fyddai'n fodd i hyfforddi a rhoddi cymwysterau i'r sawl a fyddai'n rhan o'r maes pwysig hwn.

Ac o fewn Bwrdd Ysbytai Cymru, er bod y dyfodol yn wybyddus iddo yn 1972, ni laeswyd dwylo hyd y funud olaf ar 31 Mawrth 1974. Cychwynnwyd ar frwydr i berswadio'r Swyddfa Gymreig ac Ysgol Feddygol Cymru i sefydlu Cadair ac Adran Geriatreg. Bu newid o fewn yr ysbytai gan ofalu bod o leiaf un

---

28 Llyfrgell Genedlaethol Cymru, Papurau Gwilym Prys-Davies. Llythyr E. D. Jones, Aberystwyth at Gwilym Prys-Davies, dyddiedig 16 Mawrth 1973.
29 *Ibid.* Llythyr Gwilym Prys-Davies at Hywel Evans, Y Swyddfa Gymreig, 1972.

aelod a fedrai'r Gymraeg ar staff pob adran mewn ysbyty, gan roi'r flaenoriaeth i wardiau plant, wardiau'r henoed, ac ysbytai'r meddwl a nam meddwl. Ar 29 Mawrth 1974 mynegodd John Leigh, Caerdydd, Prif Swyddog y Bwrdd Iechyd, ei ddiolchgarwch iddo am ei arweiniad ysbrydoledig fel Cadeirydd am chwe blynedd:

> Your interest, counsel and guidance too, have been greatly valued by individuals and groups.[30]

Teimlai fod colli ei gyfraniad fel Cadeirydd mor ddeheuig yn golled fawr. Ar yr un diwrnod ysgrifennodd John Morris ei ddiolch yntau am y cyfraniad cwbl arbennig. Dywedodd hyn fel canmoliaeth i'w ffrind:

> You were in many ways an innovator in your thinking, and challenging of the old assumptions about the Health Service. In so doing you helped to clarify the choices and the issues involved.[31]

Yn y blynyddoedd nesaf byddai ef a John Morris yn gweithredu yn agos iawn i'w gilydd, ac fe wyddai Gwilym, pan adawodd ei gyfrifoldebau gyda'r Bwrdd Iechyd, y byddai cyfleon eraill yn dod iddo i estyn einioes cenedl y Cymry.

---

30 *Ibid.* Llythyr John Leigh, Caerdydd at Gwilym Prys-Davies, dyddiedig 29 Mawrth 1974.
31 *Ibid.* Llythyr John Morris AS at Gwilym Prys-Davies, dyddiedig 29 Mawrth 1974.

PENNOD 10

Cynorthwyo John Morris yn y Swyddfa Gymreig a'r ymgyrch dros ddatganoli

YR OEDD DATGANOLI yn rhan o faniffesto'r Blaid Lafur yn Etholiad Cyffredinol 1970. Rhoddwyd addewid o 'gyngor etholedig i Gymru'. Ond erbyn Etholiad Cyffredinol Chwefror 1974 ni chafwyd cyfeiriad at ddatganoli yn addewidion y Blaid Lafur. Bu'r mwyafrif o'r ymgeiswyr Llafur yn dawedog yn ystod yr ymgyrchu ar wahân i ryw dri neu bedwar o ymgeiswyr yng ngogledd Cymru. Ond yn y maniffesto Cymreig, cafwyd addewid o gyngor etholedig a fyddai'n fuddiol i ddemocratiaeth yng Nghymru. Llwyddodd Llafur i ennill yr etholiad gyda mwyafrif bychan. Byddai'n rhaid cynnal etholiad arall o fewn ychydig fisoedd. Penderfynodd Harold Wilson wahodd John Morris i fod yn Ysgrifennydd Gwladol Cymru, gŵr a oedd yn yr un traddodiad â James Griffiths a Cledwyn Hughes.

Un o'r tasgau cyntaf a wnaeth John Morris oedd ffonio ei ffrind ym Mhontypridd. Yr oedd newydd gyrraedd yn ôl i'w gartref yn Llundain ar ôl bod yn 10 Downing Street. Torrodd y newydd:

> 'Beth ŷch chi'n feddwl?' meddai gyda brwdfrydedd gweddus i aelod ifanc o'r Cabinet newydd, 'Mae'r Prif Weinidog wedi fy mhenodi'n Ysgrifennydd i Gymru. Fedrwch chi ddod i fyny yma?'[1]

---

1   *Ibid.* Gwilym Prys-Davies, *Llafur y Blynyddoedd*, 77

Ni phetrusodd Gwilym. Y pnawn hwnnw daliodd y trên o Gaerdydd i Lundain a threuliodd yr amser, hyd oriau mân y bore, yn trafod beth y dylid amcanu ato dan arweiniad John Morris. Pan gwblhaodd ei dymor fel Cadeirydd y Bwrdd Ysbytai daeth gwahoddiad iddo i fod yn ymgynghorydd arbennig i'r Ysgrifennydd Gwladol yn y Swyddfa Gymreig. Swydd gwbl newydd ydoedd ond yr oedd Gwilym Prys-Davies uwchben ei ddigon. Rhoddwyd ystafell iddo ym Mharc Cathays a disgwylid iddo roddi dau ddiwrnod yr wythnos i'r dasg. Trefnwyd ysgrifenyddes ran-amser i helpu gyda'r teipio. Y brif dasg oedd darllen y papurau swyddogol y dymunai'r Gweinidog Gwladol a'r isweinidogion iddo eu tafoli a pharatoi memorandwm arnynt neu sylwadau cyffredinol, fel y medrent ateb cwestiynau ac ystyried gweithredu.

Un o'r llythyron cyntaf a dderbyniodd oedd un oddi wrth y gwleidydd a enillodd isetholiad 1966, Gwynfor Evans, Talar Wen, Llangadog. Yr oedd ef wedi methu ennill ei sedd yn ôl yng Nghaerfyrddin. Daliodd Gwynoro Jones y sedd i Lafur o dair pleidlais! Ni soniodd y gŵr bonheddig am y siom honno, gan mai ei ddymuniad ef oedd llongyfarch Gwilym ar ei benodiad yn ymgynghorydd i John Morris. Lluniodd lythyr hir o ddwy dudalen deipiedig. Dywed:

> Mae eich safle allweddol yn eich rhoi mewn man dylanwadol iawn, ac y mae Cymru'n ffodus mai chi a John sydd lle yr ydych yn awr. Siawns na chawn senedd ddigon grymus yn awr i adfer hyder a rhyddhau egnïon y genedl. Wedi'r holl drafod sydd, yn gwbl iawn, am alluoedd economaidd a gwleidyddol, nid eu heffeithiau economaidd a gwleidyddol sydd bwysicaf oll ond eu heffeithiau moesol a seicolegol. Rhaid inni gael corff sydd â galluoedd i benderfynu a gweithredu dros Gymru gyfan; bydd hynny'n gwella amodau bywyd y bobl rwy'n siŵr.[2]

---

2   Llyfrgell Genedlaethol Cymru, Papurau yr Arglwydd Gwilym Prys-Davies.

Dyma lythyr pwysig gan arweinydd Plaid Cymru, ac yr oedd ef a Gwilym yn meddu ar yr un argyhoeddiadau ar gymaint o gwestiynau Cymreig. Llythyr arall dadlennol a dderbyniodd oedd yr un oddi wrth Harri Webb, a oedd yn byw bellach yng Nghwmbach, Aberdâr, a ffrind cywir o ddyddiau'r Gweriniaethwyr. Gwelir yr un delfrydwr wrthi ym mis Ebrill 1974:

Rwy'n gwybod eich bod erioed wedi ystyried Mr Morris y Cymro gorau ymhlith seneddwyr ei blaid, felly hoffwn ddymuno'n dda i chwi eich dau, os gaf i, pob llwyddiant yn eich cyd-ymdrechion.[3]

Yr oedd Harri Webb wedi ymddeol. Ni allaf beidio â chynnwys darn blasus nodweddiadol o'r bardd dawnus:

'Llys Llangadog' wedi llwyr ddiflannu. Mae J. E. a Trefor Morgan, ill dau, yn eu beddau. Y mae Dafydd Elis, Dafydd Wigley a Phil Williams (Dafydd El yn arbennig) yn fechgyn ardderchog.[4]

Gŵr arall oedd yn manteisio ar ei gyfeillgarwch â Gwilym oedd llyfrgellydd arall, E. D. Jones, pennaeth y Llyfrgell Genedlaethol yn Aberystwyth. Gwnaeth yntau longyfarch y tîm newydd a fyddai'n rhoddi arweiniad i Gymru. Llythyr yn trin ymreolaeth sydd ganddo, yn ceryddu'r Rhyddfrydwyr am iddynt golli'r cyfle yn nyddiau Lloyd George:

Bu'r Rhyddfrydwyr mewn cyfle i'w ddwyn i fod, ond heb symud cam yn ymarferol, dim ond siarad.[5]

A dyna a wnâi un o'r Rhyddfrydwyr cyfoes, Roderic Bowen, gyda'i bwyllgor ar arwyddion ffyrdd. Yn ei ymdriniaeth â

Llythyr Gwynfor Evans at Gwilym Prys-Davies (dim dyddiad).

3 *Ibid.*, Bocs 2. Llythyr Harri Webb, Cwm-bach at Gwilym Prys-Davies, dyddiedig 16 Ebrill 1974.

4 *Ibid.*

5 *Ibid.* Llythyr E. D. Jones, Aberystwyth at Gwilym Prys-Davies, dyddiedig 4 Mai 1974.

Chomisiwn Kilbrandon y mae E. D. Jones yn rhoddi inni atgof hyfryd o frwydr fawr Tryweryn:

> Rwy'n cofio bod yn y Tŷ yn ystod dadl ar Dryweryn, a theimlo yr adeg honno y dylai fod yn rheol fod yn rhaid cael mwyafrif o'r Aelodau Cymreig cyn pasio unrhyw ddeddf yn ymwneud yn arbennig â Chymru.⁶

Teimlai E. D. Jones yn ffyddiog y byddai'r ddeuddyn blaengar yn y Swyddfa Gymreig yn cyflawni llawer:

> Mae tipyn o waith chwalu concrit Philistia, ond mae gan lawer ohonom yr hyder ynoch chwi a John Morris, cennad campus.⁷

Gwyddai Gwilym ei fod yn ymgymryd â chryn dasg, ac fe wyddom am ei ymroddiad a'r modd y byddai'n mynd ati i gynnig arweiniad i Ysgrifennydd Gwladol Cymru. Derbyniai bob bore Gwener fwndel o ffeiliau o'r Swyddfa Gymreig, a byddai'n mynd â hwy adref, ac yn defnyddio'r Sadwrn a'r Sul i'w meistroli a chyflwyno barn gytbwys. Dyma'r hyn a ddywed:

> Byddai'n rhaid meistroli eu cynnwys a galwai hynny weithiau am lawer o ddarllen. Gwelwn mai rhoi barn ar sail y ffeithiau, yn ôl fy adnabyddiaeth o bolisïau Llafur ac yng ngoleuni fy rhagdybiau am anghenion Cymru oedd fy nyletswydd.⁸

Byddai'n paratoi y cyfan mewn memorandwm, a'i anfon ymlaen at y Gweinidog gan anfon copïau at y gweision sifil a oedd yn gyfrifol am y maes arbennig hwnnw, er mwyn iddynt wybod lle y safai awdur y ddogfen. Yn naturiol, byddai casgliadau Gwilym yn llawer mwy radical na'r rheini a geid gan y gweision sifil. Gofalai, os oedd y mater yn un anodd, drefnu cyfarfod byr â llond dwrn

---

6   *Ibid.*
7   *Ibid.*
8   Gwilym Prys-Davies, *Llafur y Blynyddoedd*, 78.

o swyddogion, neu â'r Gweinidog a'r swyddogion, er mwyn dod i gytundeb a fyddai'n dderbyniol i bawb.[9] Er nad oedd angen iddo wneud hynny, byddai Gwilym Prys-Davies yn cadw cysylltiad agos â J. Emrys Jones, Trefnydd y Blaid Lafur yng Nghymru. Yr oedd ganddo feddwl uchel iawn ohono oherwydd ei fod mor gydwybodol. Nid oedd ei ragflaenydd, Cliff Prothero, yn yr un byd â J. Emrys Jones. Ac eto fe sylweddolai Gwilym fod Aelodau Seneddol y Blaid Lafur yng Nghymru yn amharod i gefnogi datganolwr fel Cledwyn Hughes. Dyma ei eiriau: 'Dyma efallai lle mae'r pictiwr dristaf. Wrth feirniadu cynnyrch y Swyddfa Gymreig ni ellir anwybyddu dylanwad, agwedd meddwl aelodau'r Blaid Lafur Seneddol Cymreig.' Dadleuodd Cledwyn Hughes yn y Cabinet dros Gyngor Etholedig i Gymru a chafodd gymeradwyaeth Richard Crossman. Roedd Jim Callaghan,Canghellor y Trysorlys, yn ei wrthwynebu. Aeth ef i gynllwynio gyda George Thomas, Ness Edwards, ac Alan Williams. Aeth Alan Williams, Abertawe i ganfasio aelodau Llafur Cymreig a chael mwyafrif ohonynt yn datgan eu bod yn erbyn y Cyngor. Pan glywodd Jim Griffiths am y cynllwyn cychwynnodd yntau ddeiseb i'r gwrthwyneb ond Alan Williams a'i gefnogwyr a orfu. Teimlai Cledwyn Hughes yn ofidus a dylai mewn gwirionedd fod wedi ymddiswyddo ond yr oedd yn awyddus i gael swydd arall ar ôl cyfnod fel Ysgrifennydd Gwladol i Gymru.

Felly ni fu arweinyddiaeth y Blaid Lafur yng Nghymru rhwng 1964 ac 1974 mor effro â hynny i hawliau Cymru, ac yn hyn o beth yr oedd Gwynfor Evans a oedd â'i lach ar y ddau Weinidog mwyaf Cymreig eu hanian a welwyd yn y chwedegau yn ei ddiflasu beunydd. Yn wir, credai ar waethaf y cyfan fod Llafurwyr Cymru ymhell ar y blaen i'r Alban ar gwestiwn Cynulliad Cenedlaethol. Jim Griffiths, Cledwyn Hughes ac, o 1965 ymlaen, y trefnydd newydd, J. Emrys Jones, oedd yr arweinwyr y datganolwyr. Yn 1974, ar gais yr NEC yn Llundain, aeth J. Emrys Jones i'r

---

9 *Ibid.*

Alban i geisio goleuo'r Blaid Lafur yn y wlad honno ynglŷn â sut i symud ymlaen. Llwyddodd yn ei genhadaeth ac erbyn 1976 yr oedd yr Albanwyr wedi eu hargyhoeddi o'r angen am gynulliad a fyddai'n gryfach na'r cynulliad a oedd gan Lafur mewn golwg ar gyfer Cymru. Yn hytrach na chadw at y model cyntaf ar gyfer Cynulliad Cymru, a oedd yn dderbyniol i ymreolwyr y Blaid Lafur yng Nghymru, dilynwyd yr 'alwad o'r Alban am gorff a fyddai lawer yn gryfach.'[10]

Barn Gwilym yn 1974 oedd fod Cynulliad i Gymru wedi dod ar agenda'r Blaid Lafur yn 1974 cyn bod y blaid yn y canghennau a'r wardiau yn gweld yr angen amdano. Yn wir, sylwodd Eric Heffer, Aelod Seneddol craff etholaeth Walton, Lerpwl, ar y gwahaniaeth yn y ddau faniffesto ar gyfer Etholiad Cyffredinol cyntaf 1974 – y Blaid Lafur Brydeinig yn sôn dim am y Cyngor Etholedig tra bo'r Blaid Lafur yng Nghymru trwy J.Emrys Jones a Gwilym Prys-Davies yn sôn cryn lawer amdano.[11]

Sylwai Gwilym ym Mhontypridd ac yn etholaethau eraill Llafur Morgannwg nad oedd y Cyngor Etholedig ar yr agenda o gwbl. Materion bara menyn ran amlaf oedd y materion a drafodid yn y canghennau a'r wardiau ac yn yr etholaethau. Diweithdra, y Gwasanaeth Iechyd a gynlluniwyd gan Aneurin Bevan, cyflwr a phrinder tai fforddiadwy, rhenti teg a nawdd cymdeithasol oedd y materion tyngedfennol i'r cynghorwyr a'r cefnogwyr. Ceid hefyd ymysg arweinwyr a oedd o gefndir glofaol (gan fod Undeb y Glowyr wedi rhoddi arweiniad clodwiw ar gwestiynau tramor) bwyslais ar faterion rhyngwladol, ac yn arbennig ar y frwydr yn erbyn anghyfiawnder, tlodi'r byd a militariaeth gibddall.

Cyfeiriwyd eisoes at y cenedlaetholwyr a oedd yn falch o apwyntiad Gwilym Prys-Davies, ond nid oes ar gof a chadw lythyron gan un Aelod Seneddol Llafur Cymreig a oedd yn falch o'r apwyntiad hwnnw. Byddai Jim Griffiths, fel Cledwyn Hughes

---

10 Paratôdd Gwilym Prys-Davies bapur i J. Emrys Jones ar y 'Cynulliad Cymraeg'. Manylion yn yr archif.
11 *Ibid.*

a Brynmor John, yn llawenhau, ond ni fynegodd chwaith unrhyw Aelod Seneddol Llafur ei anghymeradwyaeth o'r penodiad. Yr oedd aelodau o Bwyllgor Gwaith y Blaid Lafur yng Nghymru bob amser yn amheus o'i gysylltiadau fel myfyriwr â Phlaid Cymru a'i hymgyrch dros annibyniaeth. Dyna un o'r rhesymau iddo fethu ag ennill enwebiad Meirionnydd a'i chael hi'n anodd ysbrydoli aelodau'r Blaid Lafur yn Sir Gaerfyrddin i godi stêm yn yr isetholiad. Yr oedd hyn yn gwbl annheg. Yn fuan ar ôl ei apwyntiad, atebodd wyth Aelod Seneddol Llafur holiadur, gan ddadlau na ddylid trosglwyddo cyfrifoldebau yr Ysgrifennydd Gwladol i'r cyngor arfaethedig. Tystiai'r atebion fod yr Aelodau Seneddol yn meddwl yn nhermau cyngor etholedig oedd yn cyflawni gwaith y cyrff enwebedig. Yr oedd hi'n amlwg fod yr Aelodau Seneddol hyn yn anghytuno â John Morris, Gwilym Prys-Davies, J. Emrys Jones a'r Blaid Lafur yng Nghymru, fel y tystiodd y Trefnydd mewn llythyr i'r *Western Mail*.[12]

Yr oedd datganoli yn faes pwysig ar agenda John Morris ac felly hefyd yn hanes ei ymgynghorydd. Roedd yn faes a olygai lawer i'r ddau ynghyd ag iechyd (ac yr oedd Gwilym bellach yn awdurdod ar y pwnc), Cymru wledig (diddordeb mawr arall o'i eiddo) ac addysg, ond yn achlysurol byddai'n rhaid iddo ddelio â materion fel diwygio cyfraith prydlesi (pwnc sych ond nid i'r cyfreithiwr galluog), problemau'r digartref, diweithdra a thlodi – materion a oedd yn cyffwrdd â'i galon dyner a'i gred gadarn yn y ffydd Gristnogol. Lluniodd rai cannoedd o femoranda, a byddai hefyd yn barod iawn ei gymwynas i'r Gweinidogion a'r Aelodau Seneddol a fyddai'n gofyn iddo baratoi areithiau iddynt yn rhad ac am ddim. Nid oes cofnod o'r areithiau a baratôdd i Weinidogion y Goron a berthynai i'r Swyddfa Gymreig, ond yn ei archif ceir cyfeiriadau ato yn paratoi anerchiadau ar gyfer nifer o arweinwyr i'w cyflwyno yn y Senedd neu yng nghynadleddau blynyddol y Blaid Lafur yng Nghymru.[13] Gwnaeth y gymwynas

---

12 *Ibid.*
13 Diolchodd Ednyfed Hudson Davies, Aelod Seneddol Conwy, iddo am ei

honno fwy nag unwaith â'i gyfaill J. Emrys Jones. Lluniodd anerchiad cofiadwy i Ray Powell, Pen-y-bont ar Ogwr (a ddaeth yn ddiweddarach yn Aelod Seneddol Ogwr) ar gyfer Cynhadledd Flynyddol 1977. Paratôdd anerchiad hefyd i'r Cynghorydd John E. Brooks, *confidant* Jim Callaghan, yn etholaeth De-ddwyrain Caerdydd. Safodd ef yn aflwyddianus yn y ddau etholiad cyffredinol, Chwefror a Hydref 1974 yn lliwiau Llafur yn erbyn Raymond Gower yn etholaeth y Barri.[14]

Yr oedd yn well gan Gwilym weithio o'r golwg heb ddisgwyl canmoliaeth, gan gynghori yn fanwl, paratoi un memorandwm ar ôl y llall a llunio areithiau i Lafurwyr a oedd yn croesawu bod yn 'geffylau blaen' yn y mudiad. Ond cafodd ambell daith bleserus ar sail y gwaith caled a gyflawnai ar awgrym yr Ysgrifennydd Gwladol. Credai'r ddau y medrai Bwrdd Datblygu Ucheldiroedd ac Ynysoedd yr Alban fod yn fodel ar gyfer Cymru wledig. Ac ym mis Gorffennaf 1974 teithiodd yng nghwmni Owen Rees o Adran Economaidd y Swyddfa Gymreig i Inverness i weld sut yr oedd y Bwrdd yn gweithredu yng ngogledd yr Alban. Bu'n daith gofiadwy ac o fudd mawr. Nid oedd yna un pentref yn rhy fach ei boblogaeth i ystyried sylw a chymorth ymarferol. Bu grŵp o Gyngor Cymru yno ynghynt, ond ni chawsant hwy yr un argraffiadau ag a gafodd Owen Rees a Gwilym Prys-Davies. Daeth y ddau yn ôl yn frwd dros addasu yr hyn a welwyd ar gyfer canolbarth Cymru, darn o dir llawer llai nag oedd yn llwyddiannus yn yr Alban. Derbyniodd John Morris yr awgrym o greu corff 'statudol' ar gyfer maniffesto etholiad Hydref 1974. Cododd gwrthwynebiad ffyrnig ac annisgwyl I'r syniad, a bu'n rhaid cymrodeddu cyn iddo ymddangos ar ddu a gwyn fel addewid plaid a oedd mewn grym ac yn gobeithio ennill etholiad arall.[15]

---

gymorth wrth baratoi araith ar gyfer Uwch-bwyllgor Cymreig. Gw. Llyfrgell Genedlaethol Cymru, Papurau yr Arglwydd Gwilym Prys-Davies. Llythyr Ednyfed Hudson Davies at Gwilym Prys-Davies, dyddiedig 21 Mai 1969.

14 Gwilym Prys-Davies, *Llafur y Blynyddoedd*, 79–80.

15 *Ibid.*, 80.

Cafodd Gwilym gyfle i holi nifer o bobl mewn swyddi allweddol. Teithiodd i Wynedd i weld y Cynghorydd Ifor Bowen Griffith a feddai ar ddylanwad yn nhref Caernarfon ac a fu'n gefnogydd di-ail i Goronwy Roberts. Cafodd sgwrs hir ag Ardalyddes Môn, Cadeirydd Cyngor Celfyddydau Cymru, a gweld fel yr oedd y corff hwnnw yn barod i gefnogi diwylliant Cymreig, awduron a darpariaethau amrywiol. Pleser oedd cael treulio pnawn yng nghwmni cyd-gyfreithiwr, Ben George Jones, Llundain a Cheredigion, Cadeirydd Cyngor yr Iaith Gymraeg.[16] Ef oedd ymgeisydd y Blaid Ryddfrydol yn etholaeth Meirionnydd yn 1959, a daeth o fewn 976 o bleidleisiau i ddiorseddu'r Llafurwr T. W. Jones.

Cadwodd gysylltiad agos â'r uned arbenigol a sefydlwyd yn Ysbyty Trelái, gydag arweinwyr ym myd geriatreg, am ei fod am weld sefydlu'r Gadair yn y pwnc yn Ysgol Feddygol Cymru, syniad a gafodd ei wyntyllu'n drwyadl pan oedd ef yn Gadeirydd y Bwrdd, a hynny yn y flwyddyn 1972. Gwahoddwyd ef yn aelod o Weithgor Siberry yn 1975 gan y Swyddfa Gartref.[17] Bodlonodd y Swyddfa Gymreig iddo dderbyn y gwahoddiad. Maes llafur y Pwyllgor oedd ystyried sut y gellid sefydlu sianel deledu Gymraeg. Erbyn hyn yr oedd galw amdani a chryn ddadlau am y modd y gellid cael y dylanwad mwyaf. Pwyllgor bychan o bobl hynod o wybodus ydoedd, a theimlai Gwilym na fedrai ychwanegu dim byd newydd i'r materion astrus yn ymwneud â thechnoleg, ond o leiaf medrai gefnogi safbwynt y Gweinidog Gwladol dros Gymru a oedd bellach yn barod iawn i weld gwasanaeth teledu Cymraeg yn dod yn ffaith ar gyfer y Cymry Cymraeg. Sylweddolai fod y teledu wedi dod yn ganolbwynt bywydau pobl, a gresynai fod y ddarpariaeth yn yr iaith Gymraeg yn druenus o ran safon a chynnwys.

---

16   *Ibid.*, 81.
17   Adroddiad Gweithgor Siberry. Gw. Adroddiad y Gweithgor ar Bedwerydd Gwasanaeth Teledu yng Nghymru (Gorchymyn 6290), Tachwedd 1975.

Deuai gwahoddiadau iddo annerch ar ddatganoli yn gyson. Ysgrifennodd D. Aled Phillips, tiwtor-drefnydd y WEA ym Mhort Talbot, ato, yn ei wahodd i annerch Cangen y Creunant o'r Blaid Lafur yn etholaeth Castell-nedd ar ddatganoli yn nechrau 1976.[18] Talodd yr addysgwr glod iddo, gan ddweud mai Gwilym oedd y 'person a fu'n rhan o'r pwnc o'r cychwyn', ac yr oedd hynny yn gwbl wir.[19] Nid rhyfedd iddo gael ei ddewis yn Ionawr 1976 yn aelod o Bwyllgor Cymru dros y Cynulliad dan gadeiryddiaeth yr Athro Glyn Davies. Yr oedd wyth aelod arall, o leiaf hanner y Pwyllgor, yn cynrychioli'r Mudiad Llafur. Yr oedd hi'n adeg anodd gan ei bod hi'n amlwg fod yna garfan gref ymhlith Aelodau Seneddol y Blaid Lafur yng Nghymru yn gwrthwynebu. Yr Aelodau Seneddol cyntaf i wrthwynebu oedd Leo Abse a Donald Anderson. Beirniadodd J. Emrys Jones Anderson ar dudalennau'r *Western Mail* ar awgrym Gwilym Prys-Davies. Cododd y llythyr wrychyn Neil Kinnock, un arall a oedd yn edrych ar y mater trwy lygaid y Blaid Lafur yng nghymoedd Sir Fynwy. Teimlai olynydd Bevan, Michael Foot, yn bur gefnogol i'r Cyngor Etholedig, a bu dadl boeth rhyngddo ef a'i gymydog Kinnock. Credai Cledwyn Hughes fod Michael Foot wedi ennill lle pwysig yn hanes Cymru oherwydd ei arweiniad a'i gefnogaeth ddi-ildio ar fater datganoli.[20] Yr oedd y Prif Weinidog, James Callaghan, o blaid datganoli i'r Alban ond yn ddigon llugoer ei agwedd at ddatganoli yng Nghymru, ond gofalodd Cledwyn Hughes gadw'r pwnc o flaen ei lygaid.

Yr oedd John Morris a Gwilym Prys-Davies yn gwbl glir ar bwnc y Refferendwm. Sefydlwyd Undeb Datganoli o fewn y Swyddfa Gymreig a gwahoddwyd Gwilym yn aelod o'r pwyllgor llywio. Gwelai John Morris y Refferendwm fel ffordd gyfrwys o eiddo Harold Wilson o ohirio penderfyniad. Oherwydd

18 Llyfrgell Genedlaethol Cymru, Papurau yr Arglwydd Gwilym Prys-Davies, Bocs 2. Llythyr D. Aled Phillips, Port Talbot at Gwilym Prys-Davies, dyddiedig 22 Ionawr 1976.
19 *Ibid.*
20 D. Ben Rees, *Cofiant Cledwyn Hughes* (Talybont, 2017).

hyn y trefnwyd Refferendwm ar fater Ewrop; yr oedd yr alwad am Refferendwm ar Gynulliad i Gymru a'r Alban yn gwneud synnwyr iddo felly. Ac ar ben cael Refferendwm gosodwyd amod arall, ei bod yn rheidrwydd i'r buddugwyr ennill 40% o bleidlais holl etholwyr y ddwy wlad. Gwyddai'r doeth fod hynny'n amhosibl mewn bron unrhyw Refferendwm, ond ymlaen yr aed â'r cymal anffodus, dianghenraid.

O fewn y Blaid Lafur yng Nghymru ceid galw am Refferendwm o etholaethau Ceredigion, Caerffili a'r Rhondda. Cysylltai Gwilym â nifer dda ohonom o dro i dro a bu cryn ohebiaeth rhyngddo a'r Barnwr Dewi Watkin Powell, Caerdydd. Cyfarfu'r Barnwr â John Morris ar nos Wener, 14 Ionawr 1977 yn ei gartref yn Radur.²¹ Dymuniad John Morris oedd cael gwybod beth oedd agwedd Plaid Cymru tuag at y Cynulliad fel y darperid ef yn y mesur ger bron y Senedd. Hoffai hefyd weld yr arweinwyr a'r aelodau yn 'ymdaflu i'r ymgyrch dros y cynulliad'. Nid oedd Dewi Watkin Powell yn gallu siarad yn swyddogol dros Blaid Cymru gan nad oedd yn aelod ohoni, ond bu'n sgwrsio dros y Nadolig â Gwynfor Evans a Dafydd Wigley. Yr oedd y ddau, fel y gellid disgwyl, yn gadarn eu cefnogeth i'r ymgyrch dros y Cynulliad hyd yn oed pe na fyddai'r mesur, yn ei ffurf derfynol, yn rhoddi iddo hawliau deddfwriaethol.

Bu John Morris a'r Barnwr yn trafod ffurf y Refferendwm. Tueddai John i ffafrio un cwestiwn ac nid oedd yn ffafriol i'r awgrym a wnaed gan yr Athro Graham Rees y dylid cael tri dewis ar y papur pleidleisio, sef hunanlywodraeth lawn, sefydlu'r Cynulliad, a'r *status quo*. Gwelai fod hynny yn creu cymhlethdod. Pwysleisiodd y byddai'n ddiolchgar pe bai'r drafodaeth yn cael ei chyflwyno i Gwynfor Evans. Awgrymodd hefyd y dylai'r Barnwr ymgysylltu â Gwilym Prys-Davies i drafod ffurf y cwestiwn ar

21   Llyfrgell Genedlaethol Cymru, Papurau yr Arglwydd Gwilym Prys-Davies. Llythyr Dewi Watkin Powell, Caerdydd at Gwilym Prys-Davies, dyddiedig 18 Ionawr 1977, ar gefndir y berthynas rhwng Plaid Cymru a'r Blaid Lafur yn ymgyrch y Refferendwm.

gyfer y Refferendwm.[22] Daeth Gwynfor Evans ar ei union i weld y Barnwr a rhoi iddo'r sicrwydd y byddai Plaid Cymru yn 'cefnogi'r ymgyrch dros ateb cadarnhaol yn y Refferendwm hyd eithaf ei gallu'. Dywedodd y Barnwr galon y gwir wrth Gwilym yn y geiriau hyn:

> Hyd yma, teimlai gweithwyr Plaid Cymru yn siomedig am y diffyg cefnogaeth gan aelodau'r Blaid Lafur i'w mesur eu hunain; yn wir, ar un adeg, yr oedd y gwrthwynebwyr ym mhlith Llafur yn ymddangos fel pe baent yn cael y maes iddyn nhw eu hunain. Am hynny teimlai aelodau P.C. mai amhriodol ac annoeth oedd ymgyrchu dros bolisïau nad oedd yn eiddo iddyn nhw. Ond yr oedd y cefnogaeth eang i Ddatganiad y 700 gan aelodau'r Blaid Lafur ei hun wedi calonogi pobl y Blaid Genedlaethol a theimlent bellach yn rhydd i gydweithredu a chefnogi'n ymarferol.[23]

Newydd da dros ben, ond gellid dweud nad oedd Plaid Cymru yn frwdfrydig iawn o'i chymharu â, dyweder, y Blaid Gomiwnyddol. Plaid wan iawn oedd y Comiwnyddion, gyda thri chynghorydd sirol yn unig – un yng Nghwm Cynon, un yn y Rhondda a'r trydydd yn Nhorfaen. Mor gynnar ag 1966 yr oedd y Blaid Gomiwnyddol am gael Senedd i Gymru. Yr unig siaradwyr cyson dros y Blaid Lafur oedd John Morris, Michael Foot, Gwilym Prys-Davies, J. Emrys Jones, Tom Ellis ac Elystan Morgan.[24] Siaradodd Gwilym mewn dwsin o gyfarfodydd

---

22 *Ibid.*
23 *Ibid.*
24 Llyfrgell Genedlaethol Cymru, Papurau John Morris, Bocs 60 B2/15. Ysgrifennodd John Morris lythyr at y Prif Weinidog, James Callaghan, dyddiedig 15 Ionawr 1976, sydd yn hynod o ddadlennol. Gofynna'r Gweinidog Gwladol lle y saif Aelodau Seneddol Llafur. Nid oedd neb ond un yn barod i fynd ymhellach na'r hyn a gyflwynwyd gan y Blaid Lafur a hwnnw oedd Tom Ellis, Wrecsam. Roedd Cledwyn Hughes yn barod i gefnogi'r cynigion, ond gyda gwelliannau. Noda John Morris y gwrthwynebwyr, sef Leo Abse, Donald Anderson, ac ar ôl misoedd o eistedd ar y ffens, Neil Kinnock a Fred Evans, y ddau a blediodd am Refferendwm gan ofalu fod dau fesur ar wahân i Gymru a'r Alban. Don Coleman, Castell-

ym Morgannwg Ganol, ond oer oedd yr ymateb ymhob un o'r cyfarfodydd y bu ynddynt ar wahân i Drefforest a Rhymni. Ymgyrch o gyfarfodydd oedd hi, yn ôl yr hen drefn etholiadol ac Ymneilltuol. Cyfarfodydd digon digalon a llugoer oedd y mwyafrif ohonynt, a gynhaliwyd mewn festrïoedd capeli a neuaddau cyhoeddus. Yn ôl Elystan Morgan, a gafodd ei ddewis yn Llywydd y ffrynt amlbleidiol, yn Neuadd Fawr Coleg Prifysgol Cymru, Aberystwyth y cafwyd y cyfarfod mwyaf llewyrchus ar bwnc y Refferendwm. Siaradodd Gwynfor Evans ac Elystan Morgan dros y mudiad Ie, a Neil Kinnock a'r Ceidwadwr David Gibson-Watt dros y mudiad Na. Yr oedd y neuadd yn orlawn, a rhyw 1,200 o bobl wedi dod ynghyd. Enillodd yr ymgyrch Ie yn y ddadl yn Aberystwyth gyda 600 o bleidleisiau, ond twyllodrus oedd y bleidlais honno, fel y gwelwyd ar Ddydd Gŵyl Ddewi 1979.[25]

Cyfrannodd y Blaid Lafur £35,000 tuag at yr ymgyrch, ond briwsion oedd hynny, gan fod angen £100,000. Sonia Gwilym am gymorth rhai Undebwyr Llafur amlwg yng Nghymru i'r frwydr. Cafwyd cefnogaeth George Wright, Sais a gafodd ei addysg yng Ngholeg y Brifysgol, Aberystwyth, a oedd yn Ysgrifennydd yr Undebau Llafur.[26] Philip Rosser o Bont-rhyd-

---

nedd oedd chwip y Llafurwyr o Gymru, ac roedd ef yn erbyn. Roedd Ioan Evans, Aberdâr, Ysgrifennydd Seneddol Preifat i John Morris, yn anhapus â datganoli ac felly hefyd Jeffrey Thomas, Abertyleri. Roedd Alan Williams, Gorllewin Abertawe yn erbyn, ond yn cadw'n dawel. Y rhai a oedd dros ddatganoli yn ôl Ysgrifennydd Gwladol Cymru oedd Brynmor John, Ted Rowlands, Denzil Davies, Alec Jones, Barry Jones, Roy Hughes (Cadeirydd Grŵp Cymreig Llafur) a Carwyn Roderick. Yr oedd brwdfrydedd tri ohonynt i'w gymeradwyo, sef Brynmor John, Ted Rowlands a Denzil Davies.

25 Huw L. Williams (gol.), *Atgofion Oes Elystan*, 38.
26 Llyfrgell Genedlaethol Cymru, Papurau John Morris, Bocs 60, B 2/15. Anfonodd John Morris ddogfen bwysig at George Wright, ddyddiedig 5 Ionawr 1979, gan sôn am ei swydd bwerus fel Ysgrifennydd Gwladol Cymru. Ef oedd yn gyfrifol am yr holl feysydd hyn: Iechyd, Addysg, Trethi, Ffyrdd a Thai. Oni fyddai'n fwy democrataidd i gael corff etholiadol i benderfynu yn y meysydd hyn yn hytrach nag un person? Gofidiai fod gwrthwynebwyr datganoli mor unllygeidiog. Gwell ganddynt gael Ysgrifennydd Gwladol i Gymru, hyd yn oed pe

y-fen, llefarydd Undeb GMWU, Emlyn Williams a Dai Francis o Undeb y Glowyr, a Phleidiwr o Undebwr o Dredegar, Harold Jones, oedd gweddill y datganolwyr. Methodd Cyngres Undebau Llafur Cymru gyda'i haelodaeth o 576,800 ag ennill cefnogaeth yn y swyddfeydd, y ffatrïoedd na'r pyllau glo. Dysgodd Gwilym gryn lawer oddi wrth John Mackintosh, yr Aelod Seneddol dros Berwick ac East Lothian, a chanmolai ei gyfrol *Devolution of Power* yn gyson. Arbenigwr arall yr aeth Gwilym i'w weld oedd Vernon Bogdanor, cymrawd o Goleg Brasenose, Rhydychen. Gwelodd Bogdanor yn haf 1978 a mwynhau yn fawr ei sgwrs a'i wybodaeth. Dyma ddechrau gohebiaeth weddol gyson rhwng y ddau ysgolhaig, a mwynhaodd ei gyfrol yntau ar ddatganoli a ymddangosodd yn 2001.[27]

Cafodd sgwrs ddwy awr â Bogdanor. Gwelai ef yn ŵr eithriadol, 'un o'r Torïaid prin sydd o blaid datganoli.'[28] Datgelodd Bogdanor nifer o ffeithiau diddorol yn y gwmnïaeth, fel y ffaith fod Edward Heath wedi gwrthod rhoddi caniatâd i Gibson-Watt roddi tystiolaeth i Gomisiwn Crowther, a bod Margaret Thatcher, ar ôl ei hethol yn arweinydd y Blaid Geidwadol, wedi chwarae â'r syniad o sefydlu comisiwn

---

bai'n Sais ac yn cynrychioli etholaeth yn Lloegr, na chael Cymry yn y Cynulliad yng Nghymru i benderfynu ar faterion yn ymwneud â'u bywydau. I'r Torïaid yr oedd y cyrff enwebedig, fel y Bwrdd Dŵr a'r Awdurdod Iechyd, yn hynod o dderbyniol gan mai dyna'r unig ffordd iddynt gael eu dwylo ar rym. Dywedodd wrth George Wright: 'Having failed to be elected in Wales they retain their hold of the reins of power, through nominations by the Secretary of State.' Bellach yr oedd John Morris wedi treulio pum mlynedd yn Ysgrifennydd Gwladol Cymru. Credai yn ddidwyll y gallai cyngor etholedig wneud ei waith yn well: 'Fe ddaw'r dydd. Ni y datganolwyr sydd â'r ffordd orau oedd ei ymresymiad'. Gwelai John Morris nad oedd gan y gwrthwynebwyr i ddatganoli ddim i'w gynnig. Haedda John Morris lawer mwy o glod nag a gaiff gan yr haneswyr ar fater datganoli.

27   Llyfrgell Genedlaethol Cymru, Papurau yr Arglwydd Gwilym Prys-Davies, Bocs 2. Llythyr Vernon Bogdanor, Coleg Brasenose, Rhydychen at Gwilym Prys-Davies, dyddiedig 25 Awst 1978. Enw y gyfrol yw *Devolution in the United Kingdom* (Rhydychen, 2001).

28   *Ibid*. Ar 14 Gorffennaf 1978 y bu'r cyfarfod a lluniodd Gwilym Prys-Davies adroddiad arno.

newydd ar y cyfansoddiad. Er bod y Torïaid yng Nghymru yn sicr y byddai'r Refferendwm yn lladd y syniad o Gynulliad, nid dyna'r farn a fynegodd ef wrth Gwilym. Sylweddolai na ddeuai'r Cynulliad byth trwy'r Blaid Geidwadol, ond pan fyddai Llafur yn ffurfio llywodraeth byddai'r bleidlais yn sicr o fynd o blaid y Cynulliad, ac yn hyn o beth yr oedd ei ddehongliad yn gywir. Credai hefyd fod Llafur yng Nghymru (yn wahanol i'r Alban) yn symud at fesur o ddatganoli cyn isetholiadau'r chwedegau; ar ôl llwyddiant Plaid Cymru yng Nghaerfyrddin a'r ymgyrchoedd yn y Rhondda a Chaerffili aeth agwedd Llafur tuag at ddatganoli yn llawer oerach.

Mewn llythyr at Gwilym ym mis Medi pwysleisiodd Vernon Bogdanor y dylai fynd ati i baratoi llyfryn o blaid y syniad o ddatganoli i Gymru. Dywedodd wrtho:

> So far, the antis have made all the running, and the arguments for devolution have not been well put. Perhaps also, you might contemplate writing a longer account of Welsh politics and the forces speaking in Wales – something on the lines of your evidence to Kilbrandon.[29]

Pwysodd arno hefyd i ddod am dro arall i Rydychen er mwyn iddynt gael sgwrs a mwynhau cinio gyda'i gilydd. Yr oedd Gwilym Prys-Davies wedi cyflwyno rhai pwyntiau iddo ar Aneurin Bevan, ac yn arbennig y ffaith mai ef a sefydlodd Fwrdd Iechyd Cymru, gan wrthod cyngor y gweision sifil y dylai gwasanaeth ysbytai gogledd Cymru gael ei gysylltu â Lerpwl a bod ysbytai de Cymru i'w cysylltu â Bryste. Yr adeg hon sef 1978 y cafodd Gwilym ei apwyntio yn aelod o Bwyllgor Economaidd a Chymdeithasol y Gymuned Ewropeaidd.

Dechreuodd yr ymgyrch i sefydlu'r Cynulliad yn 1978 gyda'r ymgyrch 'Cymru dros Gynulliad', ymgyrch ar y cyd gan y Blaid Lafur a Chyngres Undebau Llafur Cymru, ar y naill ochr, a'r

---

29 *Ibid.* Llythyr Vernon Bogdanor at Gwilym Prys-Davies, 21 Medi 1978. Mae'n amlwg fod yr ysgolhaig yn dra hoff o'r Cymro deallus.

ddwy garfan 'Dwedwch Na' a 'Pleidleisiwch Na' ar y llall. Nid Gwilym Prys-Davies oedd wyneb yr ymgyrch dros y Cynulliad, ond Elystan Morgan, a oedd hefyd yn ymgeisydd Llafur ym Môn yn etholiad 1979. Daliai Gwynfor Evans yn y cysgodion, a'i ddyhead mawr ef erbyn mis Mai 1978 oedd cael cyfarfod â Gwilym Prys-Davies i seiadu a mwynhau sgwrs dros ginio gyda'i gilydd. Trefnwyd hynny. Dywed Gwynfor yn ei lythyr:

Credaf ein bod o'r un farn mai sefydlu Cynulliad etholedig yw'r peth mwyaf o lawer y gellir ei wneud dros Gymru. Yr ydym wedi ymatal rhag datgan dim ar y peth yn ddiweddar er lles yr achos, ond nid oes amheuaeth nad llesol fyddai cael y Refferendwm cyn yr etholiad.[30]

Ond yr oedd Gwynfor Evans wedi datgelu ffaith nodweddiadol o ymgyrch Plaid Cymru – 'yr ydym wedi ymatal rhag datgan dim' am y Cynulliad. I bobl ar lawr gwlad yr oedd hi'n od dros ben fod plaid a oedd yn sefyll dros hunanlywodraeth yn ddigon claear ei safiad. Yng ngogledd Cymru yr oedd y Blaid Lafur yr un mor ddifater. Dywedodd Meirion Hughes wrth J. Emrys Jones mai ef oedd yr unig sosialydd yn etholaeth Dwyrain Fflint a oedd yn barod i weithio dros yr ymgyrch.[31] Ac er bod croeso i'r cenedlaetholwyr a'r Llafurwyr gydweithio, nid oes gennym lawer o dystiolaeth fod hynny wedi digwydd. Gobeithiai un o gefnogwyr pennaf Gwynfor Evans, Peter Hughes Griffiths o Gaerfyrddin, gael cydweithio â selogion y Blaid Lafur yn etholaeth Caerfyrddin. Anfonodd at Victor Thomas i fynegi ei ddyhead i gydlafurio.[32] Cadwodd ef y llythyr am amser hir heb ei anfon ymlaen at J. Emrys Jones yng Nghaerdydd. Ond pan gafodd J. Emrys Jones y llythyr gwelir nad oedd y Trefnydd, a

---

30 *Ibid.* Llythyr Gwynfor Evans, Llangadog at Gwilym Prys-Davies, dyddiedig 11 Mai 1978.
31 Llyfrgell Genedlaethol Cymru, Archif Plaid Lafur Cymru, Bocs 2/6. Llythyr Meirion Hughes at J. Emrys Jones, dyddiedig 16 Ionawr 1979.
32 Llyfrgell Genedlaethol Cymru, Bocs 68. Llythyr Peter Hughes Griffiths at Victor Thomas. Dim dyddiad i'r llythyr.

gafodd glod gormodol efallai gan Gwilym, mor ddiduedd ag y dylai fod. Ei ateb i Victor Thomas oedd hyn:

I am glad that you have turned down the request. The Labour Party could not in any way co-operate with Plaid Cymru on any campaign of any sort.[33]

Ateb anhygoel, ac un sy'n dweud llawer iawn am y Trefnydd ei hun.[34] Nid yw'n anghywir maentumio mai Llafurwyr Gwent oedd yn penderfynu trywydd yr ymgyrch.[35] Hwy oedd yn arwain gyda Leo Abse yn dangos ei glyfrwch, a Neil Kinnock yr huotlaf o bawb o bob ochr. Disgynnodd mantell Aneurin Bevan arno. Deuai'r ddau o'r un dref, Tredegar, a dyfynnai Kinnock Aneurin o gyfarfod i gyfarfod. Fel Aneurin Bevan yr oedd Kinnock a'i griw (Abse, Ioan Evans, Fred Evans, Ifor Davies a Donald Anderson), 'y Giang o Chwech', yn erbyn symudiad costus, amherthnasol a fyddai'n bygwth undod dosbarth gweithiol Prydain. Nid oedd gobaith ennill y dydd gan fod y Blaid Lafur yng Nghymru mor rhanedig, a gwelid hynny yn y sir lle y bu Elystan Morgan yn Aelod Seneddol o 1966 i 1974. Yng nghangen y Blaid Lafur yn Aberystwyth gwelid yr anghytuno a'r diffyg undod ar y cwestiwn yn well nag yn unman arall.[36] Yr oedd darlithwyr y Brifysgol yn y gwersyll Na, yn arbennig T. Arwyn Watkins, yr ysgolhaig Cymraeg, Michael Hughes, yr hanesydd

33 *Ibid.* Llythyr J. Emrys Jones at Victor Thomas, dyddiedig 13 Mai 1977.
34 Rhaid cofio mai'r datganolwr Jim Griffiths a ddefnyddiodd ei ddylanwad i benodi J. Emrys Jones yn olynydd i Cliff Prothero yn hytrach na'r Cymro Cymraeg a'r eisteddfodwr pybyr Hubert Morgan. O'm hadnabyddiaeth i o J. Emrys Jones, ni fyddwn wedi rhoddi gymaint o ganmoliaeth iddo fel datganolwr. Dyn gofalus ydoedd, digon tebyg i James Callaghan.
35 Gwelir hynny ym Mhapurau Leo Abse yn y Llyfrgell Genedlaethol, D/9/38. Dyma ei glyfrwch: 'Four out of five Welshmen are monoglots, endowed with a fluency and concrete imagery denied to mere tongue-tied Anglo-Saxons.' Gw. hefyd Leo Abse, 'Exploiting the Natives', *The Spectator*, 24 Chwefror 1979.
36 Llyfrgell Genedlaethol Cymru, Archif Plaid Lafur Cymru, Bocs 53. Llythyr John Marek at J. Emrys Jones, dyddiedig 14 Gorffennaf 1977.

a John Marek, a ddaeth yn Aelod Seneddol Wrecsam. Yn y gwersyll Ie ceid Elystan Morgan, John L. Powell (ymgeisydd seneddol yr etholaeth) a Deian Hopkin. Yr oedd mwyafrif aelodau Cangen Plaid Lafur Aberystwyth yn erbyn datganoli er bod Elystan Morgan yn aelod o'r gangen.[37] Gwrthododd y gangen gydweithio â'r Trefnydd, J. Emrys Jones. Mynnodd yntau ddod i annerch ond ni lwyddodd i'w ddarbwyllo. Yr oedd Arwyn Watkins yn filain yn erbyn datganoli; yn wir, ysgrifennodd at bob Aelod Seneddol Llafur yn gofyn am gefnogaeth i'r syniad o Refferendwm.[38] Daeth llawenydd mawr iddo pan gafwyd un gan y gwyddai na allai'r ymgyrch Ie fyth ennill y dydd.

Cynhaliwyd y Refferendwm ar 1 Mawrth 1979 a chafodd Gwilym Prys-Davies ynghyd â'r holl genedlaetholwyr ym mhob plaid siom ddirfawr. Aeth 58.3% o etholwyr y wlad i bleidleisio, gan wrthwynebu'r Cynulliad arfaethedig o 956,330 o bleidleisiau i 243,048. O'r etholwyr a ymlwybrodd i fwrw'u pleidlais, yr oedd 11.8% o blaid y Cynulliad a 46.5% yn erbyn, tra arhosodd 42% gartref heb drafferthu o gwbl, gan fod y pwnc yn amherthnasol iddynt. Prydeinwyr oeddynt o ran gogwydd ac nid Cymry twymgalon. Yng Ngwynedd, cadarnle y fro Gymraeg, y gwelwyd y bleidlais gryfaf. Hyd yn oed yno, a chofio am y trefi Cymraeg hollol, fel Caernarfon, Pwllheli, y Bala a Blaenau Ffestiniog, dim ond 21.8% oedd am weld Senedd o ryw fath o fewn tir Cymru. Ym Morgannwg Lafurol cafwyd pleidlais dorcalonnus o 7.7%, a llai fyth yng Ngwent, dim ond 6.7%. Anfarwolodd John Morris ei hun wrth lefaru brawddeg gofiadwy ar ôl clywed y canlyniad: 'Pan welwch eliffant ar stepen eich drws, fe wyddoch ei fod e yna.'[39]

---

37 Herbert Gieschen, 'The Labour Party in Wales and the 1979 Referendum', Traethawd MA, Coleg Prifysgol Cymru, Aberystwyth, 1998, 80-90.

38 Cofier am ymgyrch T. Arwyn Watkins, Darlithydd yn y Gymraeg ym Mhrifysgol Cymru, Aberystwyth, a Chadeirydd y Blaid Lafur yng Ngheredigion. Gw. ei ysgrif 'Mesur Panic a Wthiwyd ar y Blaid Lafur Gymreig yn Erbyn ei Ewyllys', *Y Cymro*, 13 Chwefror 1979.

39 Andy Missell, 'Eliffant ar stepen y drws' yn *Llyfr y Ganrif* (golygyddion

Bu'r canlyniad yn siom iddo, ond yn fwy fyth o siom i Cledwyn Hughes, Gwilym Prys-Davies ac Elystan Morgan. Derbyniodd Gwilym gysur ar noson drist y gwrthodiad gan iddo ffonio ei ffrindiau yn yr Wyddgrug, y Parchedig Eirian Davies a'i briod garismatig Jennie Eirian. Hi a ddywedodd wrtho: 'Mae yna freichiau'n ymestyn dros Gymru heno i'n cydio wrth ein gilydd.[40]

Iddo ef, hi oedd yr un a ddeallodd orau y 'meddwl Anghyd-ffurfiol Cymreig' o bawb o'i chyfoeswyr, a gwelwyd y noson honno yn 1979 fod y traddodiad hwnnw yn bur lesg ac angen ei adnewyddu. Gofidiai Gwilym am y colli cyfle a bod y Swyddfa Gymreig, er ei gwerth, eto yn medru bod yn rhwystr a heb fod yn ddigon atebol i bobl Cymru. Lluniodd yn ei hunangofiant ddarn pwysig y dylid ei gynnwys yma:

> Fy ngobaith ar hyd y blynyddoedd oedd y medrem yn fy oes i sefydlu cynulliad etholedig i Gymru, dim ond i ni gynllunio'n ofalus a gweithio'n ddisgybledig i ennill y wobr honno. Dyna i mi oedd un o'r pethau pwysicaf y medrem ei gyflawni. Byddai'n fesur o hunangymorth sylweddol i Gymru a'i phobl.[41]

Yr oedd gweithio yn y Swyddfa Gymreig wedi atgyfnerthu ei gred fod angen Cynulliad etholedig i Gymru. Daeth i amgyffred rhychwant swydd Ysgrifennydd Gwladol Cymru a sylweddoli bod gan John Morris agwedd a oedd yn tynnu'r gorau allan o'r isweinidogion a'r holl staff a weithiai yn y Swyddfa Gymreig. Pwysleisiodd Gwilym wrthyf gyfraniad yr un a roddodd gyfle gwerthfawr iddo fel ymgynghorydd. Cefnogodd y gweithredu

---

Gwyn Jenkins a Tegwyn Jones), (Talybont, 1999), 357.

40 Daeth Jennie Eirian Davies yn gefnogydd diffuant i Gwilym Prys-Davies ar faterion gwleidyddol o ddyddiau Coleg, ac erbyn 1952 yr oedd hi'n coleddu yr un safbwynt â Mudiad y Gwerinaethwyr tuag at y Frenhiniaeth. Gwrthwynebodd yr hyn a alwodd yn 'ffwlbri brenhinol' yn 1953 gan greu anghydfod yng ngwersyll Plaid Cymru. Gw, Rhys Evans, *Rhag Pob Brad*, 150-1.

41 Gwilym Prys-Davies, *Llafur y Blynyddoedd*, 105.

dros y Gymraeg, a llwyddodd i argyhoeddi'r Cabinet y dylai ef gael y pŵer i ddosbarthu grant arbennig i gwrdd â chostau ychwanegol addysg ddwyieithog, a bod hyn yn cael ei gorffori yn adran 21, Deddf Addysg 1980. Pwysodd ar y Swyddfa Gartref i ystyried sefydlu sianel deledu Gymraeg, ac i godi grant i gyhoeddi llyfrau Cymraeg a chefnogi'r Cyngor Llyfrau Cymraeg yn ei bencadlys yn Aberystwyth. Mynnodd sefydlu Bwrdd Datblygu Cymru Wledig i gryfhau cefn gwlad y canolbarth. Dysgodd Gwilym lawer wrth gynorthwyo John Morris, ac atgyfnerthwyd yn drwyadl ei gred na fyddai Cymru yn gweithredu fel y dylai heb Gyngor Etholedig. Daeth ei gyfle i ben pan gollodd Llafur yr Etholiad Cyffredinol yn 1979. Am y tro cyntaf erioed dim ond 50% o'r dosbarth gweithiol a bleidleisiodd i Lafur; roedd 35% ohonynt wedi pleidleisio i Margaret Thatcher a'r Blaid Geidwadol. Yr oedd hyn yn dweud y stori bron i gyd, a byddai'n rhaid i Lafur ganolbwyntio fwy fyth ar y dosbarth canol yn y blynyddoedd oedd i ddod.

Rhaid cyfeirio at fuddugoliaeth o'i eiddo, a hynny y tu allan i Gymru, pan berswadiodd Bwyllgor Economaidd a Chymdeithasol y Gymuned Ewropeaidd i wella amodau'r artistiaid a oedd yn defnyddio ieithoedd lleiafrifol fel y Gymraeg.[42] Ar 20 Rhagfyr 1978 cyflwynodd ym Mrwsel gynnig a gariodd y dydd ac a arweiniodd maes o law at sefydlu Biwro Ieithoedd Lleiafrifol Ewrop, a fu o fudd mawr i'r Gymraeg, ac a ddaeth yn sefydliad pwysig.[43]

---

42   *Ibid.*, 139.
43   *Ibid.*, 140.

Hybu'r iaith Gymraeg hyd Ddeddf Iaith 1993

MYNEGODD Gwilym Prys-Davies ei safbwynt ar yr iaith Gymraeg yn y geiriau hyn: 'Mae'r Gymraeg yn drysor. Mae'n drysor oherwydd mai hi ydy campwaith arbennig ein cenedl ni. Ond gwyddom mai ofer fyddai ceisio ei diogelu fel crair o oes a fu a'i gwarchod rhag gwynt a glaw a heulwen. A 'does neb yn ceisio gwneud hynny.'[1]

Dyna ei gred o'i lencyndod a glynodd wrthi ar hyd ei oes. Ar ôl siom y Refferendwm a hefyd Etholiad Cyffredinol Mai 1979 yr oedd pobl y chwith yng Nghymru mewn gofid ac anobaith. Seiniodd Jennie Eirian Davies nodyn cadarnhaol yn ei hysgrif olygyddol yn *Y Faner*, 11 Mai, gan alw ar bobl y genedl i ddod at ei gilydd. Cyn diwedd y mis awgrymodd y darlledwr Emyr Daniel y gellid cael 'mudiad ambarél' i hyrwyddo'r alwad o eiddo Jennie Eirian.[2] Ar 15 Mehefin cafwyd llythyr gan swyddogion Cymdeithas y Cymmrodorion a oedd yn barod i gefnogi syniad Emyr Daniel ac am drefnu cyfarfod yn ystod y Brifwyl yng Nghaernarfon, yn Awst 1979. Gwahoddwyd Gwilym a Ben G. Jones i annerch y cyfarfod a Syr Thomas Parry i lywyddu. Cyfarfod oedd hwn i ddwysbigo'r Llywodraeth Dorïaidd i ddiffinio ei safbwynt ar y Gymraeg, i ymateb i argymhellion Cyngor yr Iaith, ac i ystyried sefydlu corff parhaol i ymgyrchu ar ran yr iaith a oedd yn colli siaradwyr o flwyddyn

---

1   Gwilym Prys-Davies, *Llafur y Blynyddoedd*, 183.
2   Emyr Daniel, *Y Faner*, 25 Mai 1979; Gwilym Prys-Davies, *Llafur y Blynyddoedd*, 140. Jennie Eirian Davies, Golygyddol, *Y Faner*, 11 Mai 1980.

i flwyddyn. Llanwyd Pabell y Cymdeithasau gan garedigion yr iaith a gwyddai Gwilym na fyddai Thomas Parry yn caniatáu cwestiynau ar yr anerchiadau. Felly y bu. Pasiwyd y cynigiad heb neb yn gwrthwynebu. Mynegwyd gobaith o weld y dyddiau da. Yr oedd *Y Faner* yn gorfoleddu, ond mewn llai na blwyddyn ceid beirniadaeth ddeifiol ar agwedd ddifater Cymdeithas y Cymmrodorion. Nid oedd gan y Cymmrodorion draddodiad o wneud dim byd y tu allan i ddarlithiau yn Llundain, cyhoeddi Trafodion a chyfrol *Y Bywgraffiadur Cymreig* yn Gymraeg yn 1953 ac yn Saesneg yn 1959. Trefnent Ddarlith bob blwyddyn ar faes y Brifwyl, ac yn nodweddiadol ohonynt ni threfnwyd y tro hwn chwaith ddirprwyaeth i'r Swyddfa Gymreig. Yr oedd Jennie Eirian Davies yn gandryll. Dywedodd yn ei golygyddol, 'Roedd yr hyn a wnaeth y Cymmrodorion â'u cyfle y pryd hwnnw yn anfaddeuol.'[3]

Mynegodd Thomas Parry hynny mewn llythyr at Gwilym, dyddiedig 25 Chwefror 1980. 'Cyfarfod hollol ofer' ydoedd yn ei farn ef. Aeth ymlaen i ddweud, 'Yn wir, fe wnaethpwyd i chwi a minnau (os caf ddweud hynny) edrych yn dipyn o ffyliaid yng ngolwg y wlad.[4]

I raddau yr oedd hynny'n wir, ond ar 15 Ebrill 1980 yn Llanrwst, ger bron cynrychiolwyr Cyngor Sir Gwynedd cafwyd datganiad gan Ysgrifennydd Gwladol Cymru, Nicholas Edwards, y gwleidydd pragmataidd ond penderfynol, ac weithiau ystyfnig o benderfynol.[5] Gwelwyd hyn yn y cyfarfod yng nghartref Syr Hywel Evans, Ysgrifennydd Parhaol y Swyddfa Gymreig, rhyngddo ef a Gwynfor Evans yng Ngorffennaf 1980 ar fater sianel Gymraeg. A phan aeth Cledwyn Hughes, Archesgob Cymru a Syr Goronwy Daniel i berswadio Willie Whitelaw i newid ei

3   *Y Faner*, 9 Mai 1980.
4   Llyfrgell Genedlaethol Cymru, Papurau yr Arglwydd Gwilym Prys-Davies, Bocs 1/1. Llythyr Thomas Parry at Gwilym Prys-Davies, dyddiedig 25 Chwefror 1980.
5   Nicholas Edwards, *Yr Iaith Gymraeg: Ymrwymiad a Her* (Caerdydd, Y Swyddfa Gymreig, 1980).

feddwl, cafwyd gwrthwynebiad cadarn gan Nicholas Edwards. Yr oedd fel 'dyn wedi colli'i bwyll', a defnyddiodd bob ystryw, gormodiaith, rhagfarn ac ofn y medrai feddwl amdanynt.[6] Bu'n rhaid iddo ildio yn y diwedd gan i Cledwyn Hughes ennill y dydd trwy ei ddadl gymedrol, ddoeth gyda'i gyfaill gwleidyddol Willie Whitelaw.[7]

Yn ei araith yn Llanrwst dywedodd Edwards mai trwy ewyllys da yr adfywid y Gymraeg ac nid trwy'r dulliau gorfodaeth yr oedd Cymdeithas yr Iaith yn galw amdanynt. Rhaid rhoddi iddo glod am ofalu am gymaint o fudiadau Cymraeg yn ariannol.[8] Cynorthwyodd yr Eisteddfod Genedlaethol (er iddo gael ei amharchu ar faes y Brifwyl gan Gymry cecrus, difeddwl), yr Urdd, y Cyngor Llyfrau Cymraeg a Mudiad Ysgolion Meithrin. Dywedodd yn Llanrwst na fyddai'n barod i sefydlu corff parhaol i warchod y Gymraeg gan y ffieiddiai 'Cwango' arall newydd a chostus. Bu'n rhaid i Gwilym ddygymod â theyrnasiad Nicholas Edwards fel Ysgrifennydd Gwladol Cymru am wyth mlynedd, o 1979 hyd 1987. Yn ôl Gwilym yr oedd yn fwli ac yn fygythiol. Y mae'n debyg na fyddai yn 'colli ei limpin yng nghyfarfodydd y Cabinet fel Jim Prior, a Francis Pym', ond byddai'n colli ei limpin ar faterion yn ymwneud a'r Gymraeg. Ni chafodd Wyn Roberts, gwleidydd Ceidwadol a feddai gydymdeimlad mawr â'r iaith, hi'n hawdd cydweithio gyda Nicholas Edwards. Gwyddai yn dda y byddai Edwards yn sicr o ddringo'r ysgol wleidyddol ymhellach lawer nag ef am ei fod yn 'fwy o Sais na fi'.[9] Sylweddolodd yntau fod ei feistres wleidyddol Margaret Thatcher yn Saesnes

---

6   D. Ben Rees, *Cofiant Cledwyn Hughes*, (Talybont, 2017), 214.

7   *Ibid.*, Dyma eiriau Willie Whitelaw: 'A Welsh television channel of its own was therefore established offering twenty two hours of Welsh language programmes each week. This channel has been a great success, and for once I have reason to be glad that I bowed to pressure, not an usual experience.'

8   Cafwyd erthyglau yn clodfori Nicholas Edwards ar ôl ei farwolaeth. Gweler, Andrew Misell, 'Cofio Nicholas Edwards (1934–2018)', *Barn*, rhif 664, Mai 2018, 20-1; a Geraint Lewis, 'Cofio Nicholas Edwards: Eiriolwr dros y celfyddydau', *Barn*, Rhif 664, Mai 2018, 22.

9   *Ibid.*

o'i chorun i'w sawdl, a phobl debyg iddi a gafodd swyddi Ysgrifennydd Gwladol Cymru yn yr wythdegau a'r nawdegau.

Sylweddolai Gwilym y byddai hi'n frwydr barhaus tra daliai'r Ceidwadwyr mewn grym, er ei fod yn cydnabod bod Nicholas Edwards wedi llwyddo yn rhyfeddol yn ei hen faes ef gyda strategaeth anabledd dysgu, a arweiniodd at wagio ysbytai arhosiad hir Hensol, yna Llanfairfechan, Llanfrechfa a Threlái. Yn wahanol i Nicholas Edwards yr oedd gan Gwilym barch aruthrol i Gymdeithas yr Iaith Gymraeg a chroesawodd yr alwad a wnaed ganddynt am Ddeddf Iaith Newydd yn lle Deddf Iaith 1967, nad oedd yn dderbyniol iddo o'r cychwyn cyntaf. Trefnodd y Gymdeithas gynhadledd arbennig yn Aberystwyth ar 26 Chwefror 1983.[10] Canlyniad hynny oedd gwahodd 26 o gyrff cyhoeddus, gwirfoddol ac enwadol i anfon cynrychiolwyr i'r Drenewydd ar 16 Gorffennaf 1983.[11] Penderfynwyd gwahodd pymtheg o unigolion eraill a oedd yn meddu ar wybodaeth fanwl am Ddeddf Iaith 1967 i ystyried a oedd angen ei ddiwygio.

Sylweddolodd Gwilym yn ystod ei ymweliadau â Llanegryn yn y saithdegau fel yr oedd bro ei febyd yn newid. Pan aeth i'r llynges yn 1942 dim ond dau y cant oedd yn siarad Saesneg; erbyn canol yr wythdegau, yn 1986, yr oedd y nifer yn bump ar hugain y cant. Erbyn dechrau'r wythdegau teimlai y dylai Llafurwyr fel ef roddi sylw mawr i'r trysor oedd yn eu meddiant. Cytunai Cledwyn Hughes ag ef, fel y cytunai Barry Jones a'r Arglwydd Llewellyn Heycock, y ddau olaf yn rhy swil i siarad Cymraeg. Cofiai o hyd eiriau ei hen ffrind Jim Griffiths, 'amddiffynnwch eich etifeddiaeth'. Dyna a wnaeth ef yn ystod chwarter canrif olaf ei oes, a dyna fwriad Gwilym ei hun. Llawenydd iddo oedd y gefnogaeth a roddodd Brynmor John, partner iddo yng nghwmni Morgan, Bruce a Nicholas, i'r ysgolion Cymraeg yn etholaeth Pontypridd pan oedd yn Aelod Seneddol Llafur. Gallai ddibynnu ar Brynmor John am gefnogaeth bob amser.

10   Gwilym Prys-Davies, *Llafur y Blynyddoedd*, 142.
11   Andy Missell, 'Cofio Nicholas Edwards', 21

Teithiodd Gwilym o Don-teg i'r Drenewydd a chael siom fawr – dim ond deg o bobl a ddaeth i'r cyfarfod i drafod cwestiwn mor bwysig. Gwrandawodd y naw etholedig megis ar ymateb Dr Meredydd (Merêd) Evans i'r siom, ac eto fel y gellid disgwyl, cytunwyd yn unfrydol i sefydlu gweithgor bychan i drafod Deddf Newydd yr Iaith Gymraeg. Roedd angen gwneud y gwaith deallusol, a llunio argymhellion i ddiogelu a hyrwyddo'r iaith ac i ddangos pa mor annigonol oedd y ddeddf a ddaeth i fodolaeth yn 1967. Penodwyd y llenor a'r ysgolhaig ar y gyfraith, Dafydd Jenkins, yn Gadeirydd a'r amryddawn Meredydd Evans i brocio'r dyfroedd fel Ysgrifennydd.

Gwahoddwyd Gwilym i ysgrifennu pamffled, *Deddf Newydd i'r Iaith – Argymhellion*. Lansiwyd y pamffled mewn cynhadledd dan nawdd Urdd Gobaith Cymru yn Neuadd y Ddinas, Caerdydd a hynny ar 3 Tachwedd 1984.[12] Daeth 88 o bobl ynghyd a siaradodd Keith Best, Aelod Seneddol y Torïaid ym Môn (un a ddysgodd yr iaith, gan mai Sais o Brighton ydoedd), y bardd Eingl-Gymreig Gillian Clarke, y bargyfreithiwr Winston Roddick a gynrychiolai y Blaid Ryddfrydol, a'r Aelodau Seneddol John Morris a Dafydd Elis-Thomas. Golygai hyn fod y pleidiau yn cael eu cynrychioli ynghyd â'r byd artistig, llenyddol. Yr oedd absenoldeb Gwilym o'r llwyfan yn adlewyrchu ei swildod a'i ostyngeiddrwydd ond gwendid oedd colli ei ymresymiad clir. Gofalodd ef a'i ffrind Dr Meredydd Evans am y gronfa ariannol a chafwyd cyfanswm o £1,800 i dalu'r costau. Diddorol oedd ymateb y gwleidyddion o'r pedair plaid. I Gwilym Prys-Davies, y siaradwr a wnaeth yr argraff fwyaf oedd Winston Roddick, un o hoelion wyth y Rhyddfrydwyr yng Nghymru. Ef oedd yr un mwyaf effeithiol. Y mae Cymraeg Winston Roddick yn

---

12 Llyfrgell Genedlaethol Cymru, Papurau yr Arglwydd Gwilym Prys-Davies, Ffeil 2/7. Llythyr Gwilym Prys-Davies at Dafydd Jenkins, Cyril Hughes a Meredydd Evans, dyddiedig 2 Mai 1985. Yn y llythyr ceir sylwadau Gwilym Prys-Davies am y ddadl dros y cyfansoddiad gyda Nicholas Edwards. Dywed yn gall, "ond 'doeddwn i ddim yn gweld bod dim i'w ennill trwy gweryla efo'r dyn. Gwell oedd trio cadw'r drws ar agor."

ddi-fefl ac yn batrwm i wleidyddion o bob plaid. Dadleuodd fel bargyfreithiwr hynod o lwyddiannus dros Ddeddf Iaith Newydd.

Bodlonwyd Gwilym gan y gynhadledd a phasiwyd i benodi dirprwyaeth i ymweld â'r Ysgrifennydd Gwladol ar 23 Ebrill yn y Swyddfa Gymreig yn Llundain. Pobl y gyfraith oedd y pedwar a gafodd eu dewis – Dafydd Jenkins, D. H. Davies (a fagwyd yn Llanddewibrefi), Cyril Hughes (oedd wedi olynu Meredydd Evans fel Ysgrifennydd) a Gwilym ei hun. Nid oedd Nicholas Edwards i'w weld yn gysurus yn y sefyllfa; yn ôl Gwilym, roedd yn 'ŵr oer amhersonol ac yn hunansicr hyd at haerllugrwydd'. Nid oedd modd gwneud unrhyw argraff arno.[13] Yr oedd fel mul na welai angen deddf iaith newydd, na chwaith awdurdod iaith parhaol. Dywedodd Gwilym fod Wyn Roberts yn bresennol ond nid oedd ef yn barod i anghytuno, ond yn hytrach 'gwelai ef fynyddoedd o broblemau a oedd yn eu rhwystro rhag symud i ddeddfwrio'.[14] Siom oedd gweld Wyn Roberts yn amharod i ddangos ei wir deimladau. Yr oedd yn fwy o Gymro nag a welwyd y diwrnod hwnnw. Geiriau'r Ysgrifennydd Gwladol wrth y pedwar oedd 'dewch yn ôl pan fydd gyda chwi argymhellion manylach'. Ni chaeodd y drws ond awgrymodd yn gynnil y dylent wneud mwy o waith cartref. Dyna a wnaed yn ddiymdroi: sefydlu gweithgor bychan gyda phwyslais ar wŷr y gyfraith, gan anghofio bod yna ferched yn meddu ar yr

---

13 *Ibid.* Dywed Gwilym Prys-Davies fod y ddau, Nicholas Edwards a Wyn Roberts, yn gwrthwynebu sefydlu comisiwn iaith am o leiaf ddau reswm. Yn gyntaf, byddai'n gorff annemocrataidd, ac 'yn bwysicach na hynny byddai'n sefyll rhwng yr Ysgrifennydd Gwladol a'r cyrff gwirfoddol'. Pobl y *status quo*, mae'n amlwg, oedd y ddau weinidog o'r Blaid Doriaidd. Yn ail, pe gellid dangos bod Deddf 1967 yn wallus ac angen ei diwygio, byddai'r drws ar agor. Teimlai Gwilym Prys-Davies mai'r cyfrifoldeb bellach oedd cadw'r syniad o Ddeddf Newydd ger bron y cyhoedd yn barhaol, a'u bod yn gwrando ar lais arweinwyr dau Gyngor Sir a oedd yn flaenllaw yn y maes hwn, sef Cynghorau Sir Gwynedd a Phowys. Gallai hefyd sôn am Gyngor Dosbarth Dwyfor a anfonodd siec o £200 tuag at y gwaith (gw. llythyr Cyril Hughes, Aberystwyth at Gwilym Prys-Davies, 21 Ionawr 1985).

14 Sgwrs â Gwilym Prys-Davies ar 25 Ebrill 1985.

un argyhoeddiadau a phobl o'r tu allan i fyd y gyfraith.[15] John
Elfed Jones oedd yr eithriad,[16] ac yn ei swyddfa ef y cyfarfu'r
swyddogion – D.Hughes Davies, Prif Weithredwr Cyngor Sir
Dyfed; y Rhyddfrydwr a chyfreithiwr yn Llundain Ben George
Jones o Lundain; Michael Jones, y cyfreithiwr o Gaerdydd; a'r
Ceidwadwr a drodd yn genedlaetholwr Geraint Morgan, QC o
Prescot, ger Lerpwl. Y tro hwn cafodd dau o'r Cymry alltud gyfle
i gyfrannu.[17]

Erbyn mis Gorffennaf paratowyd y gwaith caled ar gyfer y
Swyddfa Gymreig o lunio dau fesur iaith. Yn gyntaf, mesur y
gweithgor a gyflwynwyd i Nicholas Edwards a Wyn Roberts;
yna mesur a gyflwynwyd yn Nhŷ'r Cyffredin ar 1 Gorffennaf
1986 gan Dafydd Wigley ac un ar ddeg o Aelodau Seneddol. Yr
oedd yr un ar ddeg hyn yn cynnwys Dafydd Elis Thomas o Blaid
Cymru, Donald Stewart a Gordon Wilson o Blaid Genedlaethol
yr Alban (SNP), Geraint Howells a Richard Livsey o'r Blaid
Ryddfrydol, Keith Best o blith y Torïaid, Ann Clwyd, Lewis
Carter-Jones, Gareth Wardell a Dr Roger Thomas o'r Blaid
Lafur, a John Hume o Ogledd Iwerddon.[18]

---

15 Rhyfedd gweld na cheisiodd Gwilym le i Eleri Carrog nac Ann Clwyd fod yn
aelodau o'r Pwyllgor, dwy yr oedd ganddo feddwl uchel ohonynt.
16 Roedd gan Wyn Roberts, y gwleidydd, feddwl uchel iawn o John Elfed Jones.
Dywed, 'John was a trusted confidant familiar with the workings of the Welsh
Office.' Gw. Lord Roberts of Conwy, *Right from the Start: The Memoirs of Sir Wyn
Roberts* (Caerdydd, 2006), 235.
17 Llyfrgell Genedlaethol Cymru, Papurau yr Arglwydd Gwilym Prys-Davies.
Ceir rhestr o aelodau'r gweithgor, sef Dafydd Jenkins, Toni Gruffydd Schiavone,
Angharad Tomos, Menna Elfyn, Gwilym Prys-Davies, Dr Carl Clowes, Dr Derec
Llwyd Morgan, Howard Mitchell, Cedric Maby, y Parchedig Stanley C. Lewis,
yr Esgob Daniel Mullins, Ann Clwyd AS, Harri Pritchard Jones, Dafydd Wigley
AS a'r Esgob Cledan Mears. Cafodd y ferch ei hanwybyddu i raddau helaeth wrth
ystyried aelodaeth o bwyllgorau a chynadleddau yn ymwneud â'r iaith hyd yr
unfed ganrif ar hugain.
18 Dafydd Wigley, *Dal Ati*, Cyfrol 2 (Cyfres y Cewri) (Caernarfon,1993), 370.
Aeth Dafydd Wigley ati gyda help Karl Davies i lunio mesur ar sail polisïau Plaid
Cymru. Llwyddodd Dafydd Wigley i gael pobl o bob plaid i'w gefnogi pan oedd yn
cyflwyno Mesur Iaith dan y 'Rheol Deg Munud' yn Nhŷ'r Cyffredin. Keith Best
oedd yr un a hyrwyddodd y mesur. Nid oedd neb yn gwrthwynebu. Onid oedd yr

Er nad oedd Gwilym Prys-Davies yn poeni fod yna ddau fesur wedi eu paratoi, i eraill, yr oedd y sefyllfa yn adlewyrchu diffyg amlwg y Cymry ar hyd eu hanes – methiant i gydweithio. Dyna realiti'r sefyllfa yn anffodus, a rhaid cofio hefyd fod yna wahaniaeth rhwng y ddau fesur; ceid dau ar bymtheg o brif gymalau ym mesur Wigley, ond pymtheg yn y mesur arall. Seiliwyd mesur y gweithgor yr oedd Gwilym yn perthyn iddo ar gefnogi egwyddor dilysrwydd cyfartal, hynny yw, egwyddor lywodraethol Deddf 1967, ond i Dafydd Wigley, dylai gweinyddiaeth gyhoeddus yng Nghymru fod yn y ddwy iaith, a hynny ochr yn ochr â'i gilydd. Yn ail, dadleuai Gwilym fod mesur y gweithgor yn rhoddi pwysigrwydd i 'ganllawiau neu reolau statudol'. Golygai hyn fod rheidrwydd ar yr awdurdodau lleol a chyhoeddus i drefnu cyfundrefn i gwrdd â gofynion 'canllawiau statudol a luniwyd gan yr Ysgrifennydd Gwladol dan awdurdod y ddeddf newydd'. Yn drydydd, gosodwyd cyfrifoldeb am yr iaith yn uniongyrchol ar y Swyddfa Gymreig, ond gosodai mesur Dafydd Wigley 'y ddyletswydd honno ar y Comisiynydd Iaith'.[19] Yn bedwerydd, rhydd mesur y gweithgor 'hawl seneddol i gyflogwr recriwtio staff Cymraeg' ac i 'ddarparu gwasanaeth trwy gyfrwng y Gymraeg'. Gwyddai Gwilym o brofiad pa mor sensitif oedd hyn oherwydd cymhlethdod Deddf Cysylltiadau Hiliol 1976. Pan fu Ioan Bowen Rees, Prif Weithredwr Cyngor Sir Gwynedd, yn gofyn amdano yn Nhŷ'r Arglwyddi ym mis Awst 1985, dywedodd yr Arglwydd Cledwyn wrtho 'eich bod yn gweithio ar ganlyniadau i achos cydraddoldeb hiliol a aeth o chwith.' Ac yn olaf, yn wahanol i fesur Dafydd Wigley, 'ni rydd mesur y gweithgor hawl i staff a'i mynno gael cyfleusterau gan gyflogwr i ddysgu'r Gymraeg'.[20] Rhoes y gweithgor gyfrifoldeb stadudol ar yr Ysgrifennydd Gwladol ei hun i hyrwyddo'r iaith

---

iaith Gymraeg yn iaith swyddogol gydnabyddedig? Ond ni chafwyd amser digonol i'r mesur.

19   Gwilym Prys-Davies, *Llafur y Blynyddoedd*, 147–8.
20   *Ibid.*

ac i'r amcan hwnnw rhydd iddo hawl a dyletswydd i lunio rheolau neu ganllawiau stadudol i'w harddel gan yr awdurdodau cyhoeddus; hawl i wylio ac adolygu ein polisïau iaith, hawl i ofyn i'r Uchel Lys am Orchymyn yn galw ar gyrff cyhoeddus a fo yn erbyn defnyddio'r Gymraeg i gydymffurfio ag amodau'r gorchymyn, a dyletswydd i ddwyn adroddiad am safle'r Gymraeg ym mywyd cyhoeddus Cymru ger bron y Senedd yn rheolaidd.

Yr haf hwnnw bu Gwilym Prys-Davies mewn cysylltiad â nifer fawr o bobl ddylanwadol yn y byd gwleidyddol. Lluniodd lythyr i Ben G. Jones gan sôn am y pwyllgor y perthynai iddo i ystyried hybu defnydd yr iaith.[21] Sefydlwyd hwn yn 1984 a chynhwysai chwech o Arglwyddi yn perthyn i'r Blaid Lafur ac un o'r Blaid Ryddfrydol, ac un Barnwr heb gysylltiad â phlaid benodol.[22] Ysgrifennodd at ddau ohonynt.[23] Cafodd ateb gan yr Arglwydd Elwyn Jones.[24] Mynegodd ef gydymdeimlad â'r hyn a gynigid yn y mesur ond gan nodi y dylid cysylltu'n ddiymdroi â'r llefarwyr o fewn y Blaid Lafur, yn benodol Barry Jones a John Morris. Beirniadodd Ithel Davies ef gan ei gyfarch yn ei lythyr, 'Annwyl Hen Weriniaethwr'. Dywed Ithel Davies:

> Trueni, yn fy marn i, na fuasech chwi a'r gweithgor wedi gweithio ar fesur Dafydd gan fod hwnnw wedi ei gyflwyno eisoes i'r senedd i gyhoeddi trwy orchymyn y senedd.[25]

21 Llyfrgell Genedlaethol Cymru, Papurau yr Arglwydd Gwilym Prys-Davies. Llythyr Gwilym Prys-Davies at Ben Jones, dyddiedig 8 Awst 1986.

22 Dyma enwau'r Arglwyddi Cymreig: Edmund Davies, Elwyn Jones, Eirene White, Gordon Parry, Jack Brooks, Llewellyn Heycock, Gwilym Prys-Davies a Rhys Lloyd, Cilgerran. Roedd yr Arglwydd Gordon Parry ar ei wyliau ym Mhortiwgal.

23 Llyfrgell Genedlaethol Cymru, Papurau yr Arglwydd Gwilym Prys-Davies. Llythyr Ben Jones at Gwilym Prys-Davies yn diolch am ei lythyr dyddiedig 8 Awst 1986.

24 Llythyr dwyieithog yr Arglwydd Elwyn Jones at Gwilym Prys-Davies, dyddiedig 28 Awst 1986. Diolchodd am lythyr Gwilym Prys-Davies ato, dyddiedig 8 Awst. *Ibid*. Anfonodd Gwilym Prys-Davies lythyr at Barry Jones AS, dyddiedig 8 Awst, a chafodd ateb ar 12 Awst 1986. Llythyr Gwilym Prys-Davies at John Morris, dyddiedig 3 Medi 1986.

25 Llythyr Ithel Davies, 33 Erw Goch, Waunfawr, Aberystwyth at Gwilym

Nid oedd yn fodlon o gwbl â llythyr beirniadol iawn Ithel Davies, llythyr y cawn edrych arno eto pan drafodir cyfnod Gwilym yn Nhŷ'r Arglwyddi, gan iddo ar berswâd Cledwyn Hughes dderbyn y cyfle yn 1982 i fod yn rhan o'r siambr honno. Roedd dyddiau gwrthod mynd i Dŷ'r Arglwyddi wedi dod i ben. Ond derbyniodd lythyr llawer mwy cefnogol nag un Ithel Davies gan Barry Jones, y gwleidydd o Lannau Dyfrdwy, yr haf hwnnw.[26] Soniodd Barry Jones fod Pwyllgor Gwaith y Blaid Lafur yng Nghymru ar fin ffurfio grŵp i hybu defnydd yr iaith Gymraeg. Credai y dylai Gwilym fod yn aelod o'r grŵp. Soniodd am hyn wrth y swyddfa yng Nghaerdydd yn 1983, ond yn 1986 y daeth y gwahoddiad. Canmolodd ei gyfraniad ef ynghyd â'r Arglwydd Cledwyn. Gwyddai Gwilym fod John Morris yn credu y dylai'r Ysgrifennydd Gwladol sefydlu comisiwn ar fodel Pwyllgor Dafydd Hughes Parry I argymell y cyfnewidiadau yr oedd eu hangen. Bu mewn cysylltiad gyda John Morris cyn mynd ar ei wyliau i ddinasoedd y Dadeni yng ngogledd yr Eidal. Soniodd ei fod ef a Dafydd Wigley yn mynd i drafod y ddau fesur a'r angen amlwg am ddeddfwriaeth newydd.[27] Trefnwyd bod y ddau yn mynd i weld yr Ysgrifennydd Gwladol ar 15 Medi 1986 yn Llundain. Yr oedd yr Arglwydd Gwilym yn barod i

---

Prys-Davies. Yr oedd hi'n wybyddus nad oedd Gwilym Prys-Davies yn hapus gyda phwyslais Dafydd Wigley ar ddwyieithrwydd. Teimlai fod dadl Syr David Hughes Parry yn gwrthod dwyieithrwydd yn dal yn berthnasol. Credai y dylid pwysleisio safbwynt 1967. Gw. hefyd Dafydd Wigley, *Dal Ati*, Cyfrol 2, 373. Daeth Dafydd Wigley, Gwilym Prys-Davies, Nicholas Edwards a Wyn Roberts ynghyd ac yr oedd hi'n amlwg nad oedd yr Ysgrifennydd Gwladol am gael cytundeb. Gohirio oedd ganddo mewn golwg gan ei fod ef yn gwybod bod Etholiad Cyffredinol ar y gorwel. Teimlai Dafydd Wigley yn fwy na Gwilym Prys-Davies fod agwedd Wyn Roberts yn llawer mwy gelyniaethus nag agwedd Nicholas Edwards. Ond bu newid yn yr agwedd honno. Derbyniodd y Swyddfa Gymreig o leiaf ddwy fil o lythyrau a dogfennau gan gefnogwyr yr iaith fel ymateb i'r ymgynghori a drefnwyd erbyn 31 Mawrth 1987.

26 Gwilym Prys-Davies, *Llafur y Blynyddoedd*, 148.

27 *Ibid.* 149.

7 Gwilym, y ci, Llinos ac
Olwen Evans Abercynon,
mam Llinos

8 Gwilym a Llinos yn ymlacio
yn Lluest, Ton-teg

9 Merched Gwilym a Llinos:
Ann, Catrin ac Elin

10 Gwilym a'r teulu estynedig. Gwelir John Morris, cyfaill Gwilym, ar y dde iddo

11 Ar ddiwedd dydd rhagorol o lafur dros ei wlad a'i iaith

12 Gwilym Prys-Davies yn ôl yn ei gynefin ym Meirionnydd

gyflwyno mesur preifat yn Nhŷ'r Arglwyddi, wedi ei seilio ar fesur y gweithgor, a Nicholas Edwards yntau yn 'gwbl niwtral'.[28]

Siomedig fu'r cyfarfod. Ni welwyd llygedyn o oleuni; daliai y Gweinidog Gwladol yn styfnig a niwtral, yn amlwg yn llusgo'i draed ac yn amharod i roddi arweiniad. Yr oedd yn barod i ymgynghori ond yn methu rhoddi addewid o ddim byd mwy na hynny. Dyma ymateb Gwilym:

> Fe'm siomwyd am nad oedd yr Ysgrifennydd Gwladol yn barod i gynnig unrhyw arweiniad i'r awdurdodau cyhoeddus ynglŷn â'r cynigion naill ai yn eu crynswth neu yn rhannol. Er i ni ofyn am hynny ni chafwyd unrhyw ymrwymiad y byddai ef ei hun yn barod i argymell deddf iaith newydd hyd yn oed pe bai ymateb y cyrff cyhoeddus yn un ffafriol; yn y sefyllfa honno byddai'n ymgynghori ag adrannau eraill y llywodraeth cyn dod i benderfyniad, ond nid oedd am ymgynghori â nhw ymlaen-llaw.[29]

Gwelodd fod tri pheth yn poeni Nicholas Edwards. Yn gyntaf, mater y gost a'r gorwario, ond dadleuai Gwilym y dylai'r Trysorlys gwrdd â'r gost. Yn ail, annhegwch â'r di-Gymraeg, ffordd hawdd o ddangos gwrthwynebiad i'r ymdrechion i gael Deddf Iaith. Un o'r rhai a leisiai'r farn honno oedd Dr John Marek, Aelod Seneddol Llafur Wrecsam. Anfonodd lythyr at Gwilym ar 27 Hydref 1986.[30] Cafodd ateb manwl ar 3 Tachwedd yn ei oleuo ar y materion a oedd yn ei boeni. Dyma Gwilym ar ei orau yn delio â gwrthwynebiad amlwg gwleidydd gwrth-Gymreig fel Marek:

> There is nothing in the draft Bill which should make any of your constituents feel like second class citizens within their own country. On the contrary, the Bill should go a long way to ensure that people in Wales who wish to speak

---

28 *Ibid.* 148.
29 *Ibid.* 148-9.
30 Llyfrgell Genedlaethol Cymru, Casgliad Gwilym Prys-Davies. Llythyr John Marek at Gwilym Prys-Davies, dyddiedig 27 Hydref 1986.

the Welsh language and to conduct their affairs in Welsh
are able to do so and to ensure also that Welsh speakers
should enjoy equality of status with those who have no
wish to speak the language. It should also help to preserve
the Welsh language.[31]

Atebodd ei ofnau, gan bwysleisio i Marek y dylid cael patrwm
yr un fath trwy Gymru gyfan a chyfleon i ddysgu'r iaith, a
hynny trwy gryn dipyn o gymrodeddu. Cyfeiriodd at yr hyn
a ddigwyddai yn ei gylch ef ym Mhontypridd, lle yr oedd
rhieni di-Gymraeg yn hynod o awyddus i'w plant gael y fraint
o fwynhau'r etifeddiaeth a ddiogelwyd iddynt hwy. Cyfeiriodd
at frwdfrydedd y dysgwyr Cymraeg a oedd yn mwynhau cael
ffurflenni yn yr iaith yr oeddynt yn ei meistroli. Y trydydd peth
a boenai Nicholas Edwards oedd safon y cyfieithu, pwnc arall y
rhoddwyd sylw dyladwy iddo gan Gwilym.

Yn nechrau 1987 lluniodd lythyr pwysig dros ben i'w
gyfaill yr Arglwydd Cledwyn sydd yn crynhoi ei deimladau, ei
weithgareddau a'i ddelfrydiaeth, a'i ymroddiad llwyr i gadw'r
iaith yn iaith fyw i'r genedl.[32] Yr oedd y gweithgarwch anhygoel
y bu ef yn rhan ohono ers 1983 yn cyfleu iddo fod angen Deddf
Iaith yn seiliedig ar egwyddor dilysrwydd cyfartal. Iddo ef byddai
Deddf Newydd yn corffori darpariaethau anhepgorol, ac yn
gosod cyfrifoldeb uniongyrchol ar Ysgrifennydd Gwladol Cymru
am ffyniant a thwf y Gymraeg. Y trueni oedd fod yr iaith mor
amddifad o amddiffynwyr ac ni fu cyfrifoldeb gwleidyddol gan
neb am ei lles a'i pharhad. Bu'n gocyn hitio, yn cael ei phardduo,
a'i bychanu'n barhaus gan y rhai a anwyd i'w llefaru. Teimlai fod
cwestiwn Saunders Lewis yn ei ddarlith yn berthnasol o hyd:
'Oes yna draddodiad o amddiffyniad gwleidyddol i'r Gymraeg?'
A'r ateb yn syml iddo ef ac eraill a frwydrai gydag ef yng

31 Llyfrgell Genedlaethol Cymru, Llythyr Gwilym Prys-Davies at John Marek,
dyddiedig 3 Tachwedd 1986.
32 Llyfrgell Genedlaethol Cymru, Llythyr Gwilym Prys-Davies at Cledwyn
Hughes, dyddiedig 10 Ionawr 1987.

ngwleidyddiaeth Cymru oedd na chafwyd amddiffyniad. Bu'r
Swyddfa Gymreig, corff pwysicaf y byd gwleidyddol Cymreig,
yn gwbl feius. Anfonwyd allan ganddynt un cylchlythyr i'r
awdurdodau lleol yn 1969, ac un arall i'r awdurdodau iechyd yn
1967. Ni cheisiodd y Swyddfa Gymreig roddi 'unrhyw arweiniad
i'r awdurdodau cyhoeddus ar swyddogaeth yr iaith', er bod Jim
Griffiths a Cledwyn Hughes wrth y llyw.

Dyma frad y Swyddfa Gymreig i genedl y Cymry, a hynny pan
oedd Cymry twymgalon yn Ysgrifenyddion Gwladol, pobl lawer
mwy brwdfrydig dros yr iaith na Nicholas Edwards a George
Thomas. Dywed Gwilym wrth Cledwyn:

> Credaf mai ar yr Ysgrifennydd Gwladol y dylid rhoi'r
> cyfrifoldeb gan fod statws yr iaith yn bwnc gwleidyddol yn
> y gwraidd ac y dylid ateb amdano i'r Cabinet ac i'r senedd
> gan wleidydd etholedig.[33]

Dadleuai hefyd fod gan y dinesydd Cymraeg hawl i gyfathrebu
yn Gymraeg â'r cyrff cyhoeddus yng Nghymru. Gofidiai yn fawr
fod cymaint yn amharod i ateb llythyron a anfonwyd atynt yn yr
iaith Gymraeg, fel cais am ostyngiad yn y dreth ar dŷ. Atebodd
Gwilym y cwestiynau yn Gymraeg, ond i wleidyddion fel George
Thomas a Nicholas Edwards yr oedd cymaint o'r atebion yn
'annealladwy' a bod yn rhaid iddynt roi atebion Saesneg i'r
cwestiynau. Er bod Gwilym yn barod i gymrodeddu wrth
dderbyn y ffaith na ellid gosod patrwm unffurf o gyfathrebu
trwy Gymru gyfan, gan fod y patrwm ieithyddol yn amrywio
gymaint, credai y dylai'r Swyddfa Gymreig osod allan ryw fath
ar finimwm o hawliau yn cyfateb i'r defnydd a wneir o'r iaith gan
drigolion yr ardal.[34]

Gwelodd hefyd broblem recriwtio staff sy'n rhugl yn y
Gymraeg. Nid oedd hyn yn poeni'r ymgyrchwyr yn 1967, ond
ugain mlynedd yn ddiweddarach yr oedd yn ymylu ar greu nyth

---

33 *Ibid.*
34 Datgelwyd hyn mewn sgwrs gyda'r awdur.

cacwn. Daeth Deddf Cysylltiadau Hiliol 1976 â dimensiwn gwahanol a chynhaliwyd Tribiwnlys Apêl ym Mae Colwyn, pan gwynodd Cymraes ddi-Gymraeg fod y Cyngor Sir wedi ffafrio Cymraes Gymraeg. Ond daethpwyd i'r penderfyniad fod y ddwy yn perthyn i'r un hil. Serch hynny, yr oedd hi'n amlwg fod angen diwygio Deddf Iaith 1967 er mwyn sicrhau na fyddai ymarfer yr hawl i lefaru yn yr iaith yn drosedd yn erbyn y gyfraith.

Dadleuai hefyd fod angen rhoi hawl i awdurdod cynllunio ystyried effaith y datblygiad ar ffyniant y Gymraeg yn y cylch fel ffactor cynllunio. Dyma fater na chafodd unrhyw ystyriaeth gan Bwyllgor Hughes Parry. Credai fod angen rhoddi hawl i 50 o rieni mewn ardal fynnu bod yr awdurdod addysg lleol yn darparu addysg gynradd ddwyieithog i'w plant. Mater a ddeuai yn gyson i'w sylw oedd amharodrwydd siopau mawr a bach i dderbyn sieciau dwyieithog yng Nghymru ac, yn wir, yn Lloegr. Bûm yn brwydro'n galed yn Allerton, Lerpwl, yn enw Cyhoeddiadau Modern Cymreig, â Banc y Midland (HSBC yn ddiweddarach) ar y mater, gan ennill y dydd yn y diwedd. Symbol o statws israddol y Gymraeg oedd hyn, ond o safbwynt y bobl a wrthodai'r sieciau, nid oeddynt yn deall yr hyn a ysgrifennwyd ar y siec. Soniodd Prys Edwards (ŵyr Syr Owen. M. Edwards), o Aberystwyth, fod un o siopau Caerdydd wedi gwrthod ei siec ddwyieithog ar ddechrau Ionawr 1987, a chlywodd Gwilym gan Elen Wyn Roberts o'r BBC fod un arall o siopau mawr Caerdydd wedi gwrthod ei siec hithau adeg gwyliau'r Nadolig 1986.

Pwynt pwysig arall oedd yn poeni'r ymgyrchydd penderfynol oedd yr angen i sefydlu corff ac iddo awdurdod y gellid cwyno wrtho pan gredid bod corff cyhoeddus yn gwahaniaethu yn erbyn y Gymraeg. Dadleuai hefyd y dylai carcharor o Gymro gael yr hawl i gyfathrebu yn Gymraeg â'i deulu ac eraill a ddeuai i'w weld ac i dderbyn llythyrau yn y Gymraeg. Cyfeiriodd Syr David Hughes Parry at yr anhawster hwn, ond ni wnaed dim i'w symud.

Yr oedd yr Arglwydd Gwilym Prys-Davies fel ei ffrind, yr

Arglwydd Cledwyn Hughes, yn ymwybodol fod tair prif ddadl yn erbyn Deddf Iaith Newydd. Yr ofn cyntaf oedd yr hyn a bregethid yn gyson gan Leo Abse, sef y byddai'r Ddeddf yn 'effeithio'n anffafriol ar yrfaoedd staff di-Gymraeg'. Ond y ffordd i oresgyn hyn fyddai cynnwys mewn 'Deddf Newydd waharddiad ar arwahanu yn erbyn naill ai'r Gymraeg neu'r Saesneg'. Ofnai llawer iawn o brif swyddogion y Swyddfa Gymreig am safon y cyfieithu. Yr oedd hwn yn bwynt hynod o berthnasol a'r unig ffordd i'w ddatrys fyddai gosod cyfrifoldeb ar y Swyddfa Gymreig i sicrhau bod 'darpariaeth cyfieithu ar gael yn ganolog i gwrdd â'r angen'. Ofn arall oedd y costau a fyddai'n oblygedig. Dadleuai'r Arglwydd Gwilym y 'dylid edrych i'r Trysorlys i'w dalu fel rhan o'r pris y dylid ei dalu i gynnal diwylliant cenedlaethol Cymru sy'n gyfraniad yn ei dro i fywyd Prydain'.

Yr oedd yr ymateb i'r galw am Ddeddf Newydd wedi llonni calon yr ymgyrchwyr dros y Gymraeg. Teimlai Gwilym fod y gefnogaeth yn well nag i'r syniad o Gynulliad. Dyma oedd ei deimlad yng nghanol yr wythdegau:

> Credaf y bydd cyfran galonogol o'r cyrff y mae'r Ysgrifennydd Gwladol yn ymgynghori â nhw yn bleidiol iawn i ddeddfwriaeth a fydd yn ceisio sicrhau bod egwyddor dilysrwydd cyfartal yn gweithio'n ymarferol, ond ni fyddant yn bleidiol i egwyddor dwyieithedd.[35]

Disgwyliai gefnogaeth i'w ymdrech oddi wrth gynghorau dosbarth Gwynedd, Dyfed a Morgannwg Ganol (ac eithrio Rhymni), nifer o gynghorau Gorllewin Morgannwg, Cyngor Dinas Caerdydd, Cymdeithas y Cynghorau Iechyd Cymuned, y Gymdeithas Feddygol (ond nid yr awdurdodau iechyd enwebedig), Cyngor Defnyddwyr Cymru, Cyngor Gweithredu Gwirfoddol Cymru, y Bwrdd Dŵr, Sefydliad y Merched, WEA (Gwynedd) a WEA (y de), yn ogystal â'r cyrff y disgwylid ymateb cadarnhaol ganddynt fel y Llyfrgell Genedlaethol,

---

35 *Ibid.*

Merched y Wawr, y Bwrdd Twristiaeth, Mudiad Ysgolion Meithrin, Ymddiriedolaeth Glyndŵr yr Ysgolion Cymraeg, Undeb Ffermwyr Cymru, y BBC a chorff Cynrychiolwyr yr Eglwys yng Nghymru a'r holl gyrff enwadol fel Eglwys Bresbyteraidd Cymru, Undeb yr Annibynwyr Cymraeg ac Undeb y Bedyddwyr Cymraeg, i enwi'r rhai mwyaf tebygol o ymateb. Sefydlodd Cyngor Undebau Llafur Cymru weithgor dan gadeiryddiaeth George Wright i lunio adroddiad yn 1987. Llusgo traed a wnâi'r Bwrdd Glo, ond gwyddai Gwilym fod Mel Rosser yn procio'r dyfroedd am ymateb, ac ni chafodd ddedfryd y Bwrdd Trydan. Cafodd ymateb anffafriol oddi wrth y WDA – Awdurdod Datblygu Cymru – er gwaethaf cyngor cadarnhaol ei brif swyddogion. Derbyniodd ymateb anffafriol arall gan gydffederasiwn y busnesau, y CBI yng Nghymru, ond gobeithiai y byddai digon o'r aelodau yn gwrthod yr argymhellion a gafwyd gan y sefydliad hwnnw. Gweithiodd yn galed, nid yn unig o ran egluro a gohebu, ond hefyd wrth gael gair ar y ffôn â phobl mewn swyddi cyfrifol o fewn y mudiadau a'r cyrff hyn a defnyddio ei berswâd a'i ddylanwad.

Iddo ef yn 1986–87 yr oedd yr alwad am Ddeddf Newydd yn taro tant. Gwelai nifer o ffactorau yn cyd-gwrdd yn yr ymgyrch a thrwy hynny yn hwyluso'r cyfan. Yn gyntaf, daeth mwy a mwy o Gymry Cymraeg i goleddu'r un safbwynt ag ef, sef fod yr iaith Gymraeg yn drysor amhrisiadwy, ac na ddylid gadael iddi drengi a diflannu fel cymaint o ieithoedd lleiafrifol eraill. Nid Cymry Cymraeg yn unig oedd yn coleddu safbwynt Emrys ap Iwan fel petai, ond dysgwyr yr iaith o gefndiroedd a gwledydd gwahanol. Yn ail, cyhoeddwyd yn y saithdegau ddwy gyfrol Saesneg bwysig ar yr ieithoedd a geid ym Mhrydain a gorllewin Ewrop. Y gyntaf oedd cyfrol W. B. Lockwood, *Languages of the British Isles Past and Present*, a gyhoeddwyd gan André Deutsch (Llundain, 1975). O'r pum iaith Geltaidd, Cymraeg, Cernyweg, Gwyddeleg, Gaeleg a Manaweg, y Gymraeg oedd y fwyaf 'bywiog' ohonynt i gyd. Geiriau W. B. Lockwood oedd y rhain:

Though the outlook must be bleak, we remember that Welsh is, numerically, by far the stronger of the three Celtic languages still used in Britain, and it has therefore possibilities which the others haven't.[36]

Cyhoeddodd Gwasg Gomer yn Hydref 1976 gyfrol orchestol Meic Stephens, *Linguistic Minorities in Western Europe*, a chafwyd ail argraffiad ym mis Medi 1978.[37] Edrychodd Meic Stephens ar hanner cant o ieithoedd lleiafrifol mewn un ar bymtheg o wledydd Ewrop, ac ym Mhrydain; gwelwyd pwysigrwydd y Gymraeg, a'i phwysigrwydd yn wir o fewn gorllewin Ewrop. Golygodd waith enfawr iddo i baratoi 796 o dudalennau, a chyflwyno darlun cytbwys gan roddi i'r Gymraeg sylw ymysg yr holl ieithoedd a nodir.

Nid Gwilym Prys-Davies na Dafydd Wigley oedd yr unig rai a oedd yn poeni am ddiffygion Deddf yr Iaith Gymraeg. Mor gynnar ag 1969 cyhoeddwyd cyfrol Robyn Lewis, *Second-class Citizen*, casgliad o ysgrifau yn dangos bod Deddf 1967 yn syrthio'n fyr o egwyddor dilysrwydd cyfartal a argymhellwyd yn adroddiad 1965 o'r Swyddfa Gymreig, sef *Legal Status of the Welsh Language*, ac yn dangos safle'r Gymraeg ym mywyd cyhoeddus Cymru yn y cyfnod cyn pasio'r Deddf ac yn y ddwy flynedd ar ôl hynny. Pwysig hefyd oedd llyfryn Alwyn D. Rees, *The Magistrate's Dilemma vis-a-vis the Welsh Language Offender* a ddaeth o Wasg y Dryw yn 1968, i atgyfnerthu dadl Robyn Lewis.

Yr oedd mwy a mwy o Gymry Cymraeg nag erioed yn dewis byw eu bywyd drwy gyfrwng y Gymraeg i'r graddau mwyaf posibl y tu allan i rengoedd gweinidogion yr enwadau Ymneilltuol. Am bedwar ugain mlynedd yr oedd gweinidogion capeli Cymraeg a ffermwyr a thyddynwyr yn medru byw eu bywydau bron yn gyfan gwbl yn Gymraeg. Dyna oedd ymffrost Saunders Lewis

---

36 W. B. Lockwood, *Languages of the British Isles Past and Present* (Llundain, 1975), 33.

37 Meic Stephens, *Linguistic Minorities in Western Europe* (Llandysul, 1978).

fel mab y mans yn Seacombe ar Lannau Mersi, ac felly hefyd athrawon y Gymraeg yn yr ysgolion cwbl Gymraeg. Ond yn chwedegau a saithdegau'r ugeinfed ganrif daeth mwy a mwy o bobl, trwy'r cyfryngau torfol a busnesau bychain, cyhoeddwyr a'r byd pop Cymraeg, i fyw eu bywydau trwy gyfrwng y Gymraeg i'r graddau mwyaf posibl. Yn y de-ddwyrain gwelodd Gwilym â'i lygaid ei hun Gymry di-Gymraeg yn mynnu bod eu plant yn cael y gwaddol ieithyddol, cenedlaethol yr amddifadwyd hwy ohono am genedlaethau. A sylweddolodd hefyd fod pobl ieuainc yn bywiocáu'r ymwybyddiaeth o werth y Gymraeg trwy Gymdeithas yr Iaith ac Adfer, ac fe agorwyd siopau llyfrau, siopau crefftau, cymdeithasau tai a mentrau eraill. Gwilym Tudur oedd un o'r rhai a fentrodd, ef a'i briod Megan, trwy agor siop lyfrau ardderchog yng nghanol tref Aberystwyth, a'i galw'n Siop y Pethe. Un o ddysgwyr y Gymraeg oedd Dr Carl Clowes, sylfaenydd Antur Aelhaearn, sefydliad cydweithredol ym mhentref Llanaelhaearn (bro geni Syr David Hughes Parry), ac ym myd cerddoriaeth fodern a thraddodiadol sefydlwyd cwmni recordiau Sain gan yr ymgyrchwr selog Dafydd Iwan, dyn busnes Brian Morgan Edwards a Huw Jones, cwmni a ddaeth yn gwmni recordiau pennaf Cymru. Y rhain a'u tebyg oedd yn cynhesu calon Gwilym Prys-Davies.

> Dywed Nic Edwards fod ganddo 'ymrwymiad personol' i'r Gymraeg. Mae ganddo hefyd synnwyr o werth hanes. Pe bai'r ymateb yn ei alluogi i wneud hynny credaf y medrem gael ymateb positif ganddo yntau hefyd a dyna fyddai ei gyfraniad mwya i'r iaith Gymraeg. Bid a fo am hynny, credaf fod y dystiolaeth yn dangos bod lle i ddeddfwriaeth i sicrhau fod egwyddor dilysrwydd cyfartal a dderbyniwyd gan Lafur yn 1967 yn gweithio'n ymarferol ym mywyd cyhoeddus Cymru.[38]

---

38 Llyfrgell Genedlaethol Cymru, Papurau yr Arglwydd Gwilym Prys-Davies. Llythyr Gwilym Prys-Davies at yr Arglwydd Cledwyn Hughes, dyddiedig 8 Rhagfyr 1986.

Ond gwyddai Gwilym nad oedd llawer o obaith am Ddeddf tra oedd Nicholas Edwards yn y Swyddfa Gymreig. Mynegodd hynny wrth y Parchedig Rhydwen Williams, golygydd *Barn*, mor bell yn ôl â Hydref 1984. Dyma a ddywedodd:

> Rwy'n sylweddoli na cheir Deddf Newydd i'r Iaith yn hawdd. Mi fydd yn rhaid cenhadu'n galed a hir er mwyn dwyn perswâd ar Nicholas Edwards.[39]

Yr un adeg mynegodd Barry Jones, Ysgrifennydd Gwladol yr Wrthblaid, yn blwmp ac yn blaen ei rwystredigaeth yntau:

> Poor Wales. Let Labour return. I despise the growing arrogance of our unrepresentative Secretary of State.[40]

Ond fe ddaeth newid ar ôl Etholiad Cyffredinol 1987 pan enillodd y Blaid Geidwadol fwyafrif digonol a chyflwynodd Margaret Thatcher swydd Ysgrifennydd Gwladol Cymru i Peter Walker, gwleidydd cyfforddus ei fyd, nad oedd yn gwybod dim o gwbl am sefyllfa'r iaith Gymraeg. Nid oedd y Prif Weinidog am roddi dyrchafiad i Wyn Roberts a phenderfynodd ef y byddai'n well gosod y Gymraeg ym myd pwysig yr ysgolion fel rhan o Fesur Addysg. Yr oedd hi'n amlwg nad oedd Peter Walker yn mynd i roddi blaenoriaeth i Ddeddf Iaith, ac er mwyn gohirio unrhyw benderfyniad sefydlwyd Gweithgor Iaith dan gadeiryddiaeth Wyn Roberts. Penodwyd wyth o Gymry amlwg y cyfnod i drafod mater a oedd yn bwysig i bob un ohonynt a chafodd yr Undebwr Tom Jones, Shotton, un o Lafurwyr egnïol ei gyfnod, ei benodi ar y gweithgor.[41] Diddymwyd y gweithgor fodd bynnag ym mis Gorffennaf 1988, gan osod yn ei le Fwrdd yr Iaith dan

---

39 Llythyr Gwilym Prys-Davies at y Parchedig Rhydwen Williams, dyddiedig 14 Hydref 1984.
40 Llythyr Barry Jones AS at Gwilym Prys-Davies, dyddiedig 26 Ebrill 1985.
41 Y gweddill oedd John Elfed Jones, Euryn Ogwen Williams, Prys Edwards, Elfed Roberts (Banc y Midland), Winston Roddick a D. Hugh Thomas, Prif Weithredwr Morgannwg Ganol.

gadeiryddiaeth John Elfed Jones.[42] Gwrthododd Prys Edwards eistedd ar Fwrdd yr Iaith heb ddatganiad clir ynglŷn â Deddf Iaith Newydd. Bu protest Prys Edwards yn bwysig gan i'r Ysgrifennydd Gwladol weld na ellid osgoi deddfwriaeth am byth. Fodd bynnag, bu sefydlu Bwrdd yr Iaith yn foddion i ohirio Mesur Iaith. Gŵr arall pendant ei farn a'i air oedd Winston Roddick a mynnodd yntau fod y Bwrdd, o ran egwyddor, o blaid Deddf Iaith Newydd, a hysbyswyd y Swyddfa Gymreig o'r farn honno.

Yr oedd Dafydd Wigley yn barod i roddi croeso i Fwrdd yr Iaith, tra oedd Gwilym Prys-Davies yn anghysurus ynghylch rhoddi sêl ei fendith ar Fwrdd di-Statud yr Iaith Gymraeg. Dyma ei eiriau wrth ei gyd-weithiwr Dafydd Wigley:

> Atebais yn groyw y byddai Bwrdd Iaith ymgynghorol heb seiliau statudol a heb ddeddf iaith gyflawn ynghlwm ag ef yn ateb anghyflawn ac annigonol.[43]

Poenai yn feunyddiol am y mewnlifiad o Saeson i'r fro Gymraeg, a chanmolai Harold Carter, Gwynfor Evans, Meredydd Evans, R. S. Thomas a John Roberts Williams am gysylltu ag ef, ateb ei gwestiynau, a galw sylw yn gyson at y peryglon a allai arwain at ddifancoll yr iaith yn ei chadarnleoedd. Ar 19 Ebrill 1989 bu Gwilym yn arwain dadl yn Nhŷ'r Arglwyddi ar yr argyfwng a wynebai'r cymunedau Cymraeg yng Ngwynedd, Dyfed a Phowys.[44] Tynnodd sylw at argyfwng yr iaith a'r diwylliant a phwyso ar y Swyddfa Gymreig i weithredu yn effeithiol a diymdroi.

---

42 Dafydd Wigley, *Dal Ati*, Cyfrol 2, 376.

43 Gwilym Prys-Davies, *Llafur y Blynyddoedd*, 152–3. Sonia hefyd am y ffaith na fu ef a Dafydd Wigley yn ymgynghori digon yn y cyfnod hwn: 'Eto, yn wyneb y safbwynt a gymerai Dafydd Wigley a'm parch i'w weithgarwch dros ddeddf iaith newydd, holais fy hun: a oeddwn yn rhy ochelgar, yn rhy amheus o fwriadau'r Ysgrifennydd Gwladol, neu yn rhy hen-ffasiwn fel yr oedd Dafydd Elis Thomas yn awgrymu.'

44 *House of Lords Official Report*, Cyfrol 506, Rhif 70, dydd Mercher, 19 Ebrill 1989.

Nid oedd y proffwyd dewr yn hapus na chysurus ag agwedd Bwrdd yr Iaith, a gwelai ei fod yn colli'r cyfle i arwain ar y mater a galw sylw at y sefyllfa enbydus a wynebai'r cymunedau Cymraeg. Gofidiai yn feunyddiol am y difrawder a welai a'r 'esgeulustod ar lwybr y Gymraeg', a sylweddolai fel arbenigwr yn y gyfraith na allai'r Gymraeg oroesi heb ddeddfwriaeth gadarn a phriodol i'w chynnal, fel y dadleuodd yn ei ysgrifau. Ym mis Tachwedd 1989 cyhoeddodd Bwrdd yr Iaith ei fesur drafft yn seiliedig, fel y dymunai ef, ar egwyddor dilysrwydd cyfartal, ond heb unrhyw ymgynghori â'r cyrff Cymreig a oedd yn gweithio dros barhad yr iaith. Teimlai Gwilym Prys-Davies yn anghysurus a dweud y lleiaf ac aeth ati i lunio beirniadaeth adeiladol ar y mesur.

Siaradodd â dau o'i gyfeillion, Merfyn Griffiths a Cyril Hughes, dau a fu'n weithgar gyda Chyhoeddiadau Modern yn y chwedegau, ac a oedd yn ddiwyd yn awr gyda mudiad Urdd Gobaith Cymru. Trwy hyn derbyniodd Gwilym wahoddiad i annerch cynrychiolwyr Cynhadledd Urdd Gobaith Cymru yn Aberystwyth ar 13 Ionawr 1990.[45] Cyfrannodd Meredydd Evans yn odidog i'r drafodaeth gan sicrhau bod pob un yn gweld yn dda i beidio â chollfarnu yn llwyr fesur drafft Bwrdd yr Iaith. Trefnodd Prys Edwards gynhadledd genedlaethol yn Aberystwyth, a hynny o fewn mis, ar 24 Chwefror 1990. Gofynnodd Gwilym i ddau o'i gyfeillion, Goronwy Daniel a Melfyn Rosser, roi arweiniad o lwyfan y gynhadledd. Y neges o'r gynhadledd oedd fod angen cryfhau mesur drafft y Bwrdd. Teimlai Gwilym ei bod hi'n gwella o gam i gam, a braf oedd cael undod a brwdfrydedd, a gweld Merched y Wawr yn cefnogi. Darparodd y mudiad pwysig hwnnw ddirprwyaeth i Dŷ'r Cyffredin ar 18 Mehefin 1990.[46] Yn ystod Eisteddfod Genedlaethol Cwm Rhymni yn 1990 trefnwyd cyfarfod cyhoeddus yn y pafiliwn mawr gan Lys yr Eisteddfod. Bu'r cyfarfod hwnnw yn boen enaid iddo gan na chafwyd yr undod a ddymunai. Nid oedd yn hapus o gwbl ag aelodau'r

---

45 Gwilym Prys-Davies, *Llafur y Blynyddoedd*, 164.
46 *Ibid.*

sefydliad eisteddfodol, llawer ohonynt am blesio ac yn nerfus ynghylch cael gwleidyddiaeth o fewn y pafiliwn. Ei frawddegau ef amdanynt oedd:

> Dichon fod cyfarfod cyhoeddus yr Eisteddfod wedi gwneud mwy o ddrwg nag o les i'r alwad am gryfhau'r mesur. Bu'n gyfrwng i dawelu'r dyfroedd.[47]

Ym mis Chwefror 1991 cyhoeddodd y Bwrdd y Mesur Iaith diwygiedig a chroesawodd Gwilym nifer o'r gwelliannau yn y ddogfen *Argymhellion ar gyfer Deddf Iaith Newydd i'r Iaith Gymraeg*. Addawodd y Blaid Lafur, pe baent yn ffurfio llywodraeth yn y dyfodol agos, y byddent yn pasio deddf gyffelyb i'r argymhellion a gyflwynwyd. Ond i'r Arglwydd Gwilym Prys-Davies yr oedd gormod o ddylanwad Nicholas Edwards a Peter Walker ar y ddogfen, ac er ei bod yn well na'r ddogfen gyntaf, nid oedd y mwyafrif o'r Cymry yn barod i ofyn am y cyfiawnder a oedd yn haeddiannol iddynt. Yr oedd Prydeindod yn gafael yn dynn yn aelodau Bwrdd yr Iaith, yn hytrach na Chymreictod iachus. Nid oedd dim amdani ond protestio. Trefnodd Hywel Teifi Edwards, un o edmygwyr mawr Gwilym, rali fawr yng Nghaerdydd ar 31 Hydref 1992, a gorymdeithiodd o leiaf bedair mil o bobl trwy ganol y brifddinas o Erddi Sophia i Barc Cathays i'r cyfarfod awyr agored ac anerchwyd gan Gwilym Prys-Davies, Cynog Dafis AS, Richard Livsey AS a Dafydd Wigley AS. Methodd Rhodri Morgan AS ag annerch am fod arno annwyd trwm.

Cyhoeddwyd Mesur Iaith y Llywodraeth Geidwadol ar 17 Rhagfyr 1992, chwe blynedd a hanner ar ôl i Dafydd Wigley gyhoeddi mesur ar lawr Tŷ'r Cyffredin yn 1986. Teimlai ef a Gwilym Prys-Davies a'r holl rai a fu'n ymgyrchu siom aruthrol yn y Swyddfa Gymreig a'r Llywodraeth. Y gwir plaen oedd mai mesur gwan ydoedd, gwannach na mesur drafft 1991 o eiddo Bwrdd yr Iaith. Gwrthododd y Swyddfa Gymreig y prif

---

47 *Ibid.*

argymhellion, gan anwybyddu'r gri am statws i'r iaith. Gwelwyd yn y mesur ofnau Gwilym ar hyd yr amser, gan na chafwyd dim darpariaeth addysgol yn yr iaith, ac anwybyddwyd y ddadl am reithgor mewn llysoedd a ddeallai'r Gymraeg; ni chafwyd dim newid i'r Ddeddf Cysylltiadau Hiliol, na dim sicrwydd o ffurflenni dwyieithog; dim math o ddarpariaeth ar gyfer y sector preifat na'r gwasanaethau a breifateiddiwyd.[48] Ni ddaeth Wyn Roberts allan o'r sefyllfa heb feirniadaeth lem, ond addawodd y byddid yn cryfhau'r mesur er mwyn arbed aelodau'r Bwrdd yr Iaith rhag ymddiswyddo.

Sylweddolwyd bod yr hawliau i gyd yn nwylo Ysgrifennydd Gwladol Cymru nad oedd yn Gymro na chwaith yn cynrychioli etholaeth yng Nghymru. Gwilym Prys-Davies oedd y gwleidydd a'r ymgyrchydd na ellid ei lorio na distewi ei ddadleuon. Aeth ef i'r gad fel y gellid disgwyl, gyda chymorth pump o Arglwyddi a oedd yn Gymry o ran iaith ac argyhoeddiad. Cynrychiolai'r Arglwydd Dafydd Elis-Thomas Blaid Cymru, yr Arglwydd Geraint Howells a'r Arglwydd Emlyn Hooson y Blaid Ryddfrydol, ac roedd y tri arall yn wleidyddion y Blaid Lafur – yr Arglwydd Cledwyn Hughes o Benrhos, yr Arglwydd Gareth Williams o Fostyn a'r Arglwydd Prys-Davies o Lanegryn. Yr oedd yr Iarll Ferrers ar ran y Llywodraeth yn llythrennol ar goll, a chyflwynwyd rhesi o welliannau i'r mesur.[49] Derbyniai Gwilym Prys-Davies gymorth amhrisiadwy gan y mudiad Cefn a'i ysgrifennydd Eleri Carrog o'r swyddfa yng Nghaernarfon. Dywedodd Dafydd Orwig y gwir amdani mewn llythyr at Gwilym ar ddechrau 1992: 'Mae Eleri Carrog yn ferch ryfeddol gydag ymennydd craff a dewrder arbennig.'[50] Gweithiai hi yn ddiwyd y tu ôl i'r llenni.

Yr hyn a oedd yn poeni'r Arglwydd Gwilym oedd methiant y Mesur Iaith i ddatgan yn glir y byddai'r Gymraeg yn meddu

---

48 *Ibid.*
49 Dafydd Wigley, *Dal Ati*, Cyfrol 2, 383.
50 Llyfrgell Genedlaethol Cymru, Papurau yr Arglwydd Gwilym Prys-Davies. Llythyr Dafydd Orwig, Bethesda at Gwilym Prys-Davies, dyddiedig 4 Ionawr 1992.

statws swyddogol ym mywyd Cymru. Meistrolodd Gwilym y mesur, a chyflwynodd ddadansoddiad cyfreithiol manwl ohono ar 10 Mawrth 1993 i aelodau'r Fforwm Iaith Cenedlaethol yn Aberystwyth. Ddau fis yn ddiweddarach rhoddodd anerchiad i'r Fforwm eto gan ddweud:

> Mae'r Mesur yn di-orseddu egwyddor 'dilysrwydd cyfartal' a luniwyd gan Dafydd Hughes Parry ac yn gosod yn ei le ar ymylon cymalau 2(2) (h) a 4(2) egwyddor 'sail cydraddoldeb'. Awgrym yr ymadrodd newydd yw y bydd y ddwy iaith yn gydradd. Pam felly na roddwyd statws iaith swyddogol i'r Gymraeg? Mae'r ateb yn un syml: na fwriadwyd gwneud y ddwy yn gydradd.[51]

Cafodd yr Arglwydd Prys-Davies ei blesio pan bleidleisiodd pob un ohonynt o blaid statws swyddogol, hyd yn oed Nicholas Edwards oedd bellach yn Nhy'r Arglwyddi fel Arglwydd Crucywel. Teimlent fod yn rhaid i'r mesur sicrhau statws i'r iaith os oedd i fod yn gredadwy. Un o'r cyntaf i'w longyfarch oedd Gwyneth Morgan. Dywedodd y gwir:

> Mae Cymru – a'r iaith Gymraeg – yn eich dyled. Mae'r anerchiadau ar y cyfan, yn cyrraedd safon uchel, ond naw wfft i Dafydd Elis-Thomas. Mae'r creadur yn mynd o ddrwg i waeth.[52]

Merch weithgar arall a anfonodd i ddiolch iddo oedd Lili Thomas, a gofir gan lawer ohonom fel darlithydd yn y Coleg ger

---

51 *Ibid.* 'Anerchiadau i'r Fforwm'.
52 *Ibid.* Llythyr Gwyneth Morgan at Gwilym Prys-Davies, 6 Mawrth 1993. Cafodd hi siom fawr yn Dafydd Elis-Thomas:

> Am wn i na fu'n genedlatholwr o argyhoeddiad erioed. Mae'n drueni. Mae cryn allu yno ond diffyg cymeriad. Fe fethodd y Blaid yn llwyr wrth ei ethol yn Llywydd flynyddoedd yn ôl. Awgrymaf fod cyfnod hir Gwynfor wrth y llyw wedi cadw aml un o arweinyddiaeth Plaid Cymru. Fe sugnwyd y Blaid bron yn hesb o arweinwyr yng nghyfnod Gwynfor a J. E. [Jones]. Ond, trwy drugaredd fe'u cawsom yn rhengoedd Cymdeithas yr Iaith.

y Lli. Diolchai iddo am sefyll yn gadarn i wneud y Gymraeg yn iaith swyddogol. Ychwanegodd:

> Credaf – ac y mae miloedd yn credu'r un fath – mai dyna'r
> unig beth a rydd gredinedd a bywyd i'r iaith yn y dyfodol.[53]

Bu Dr Prys Morgan a Wynne Melville Jones yn gweld Syr Wyn Roberts yn nechrau Mawrth gan bwysleisio'r angen i'r mesur greu gwell hinsawdd ieithyddol yng Nghymru.[54] Cytunai John Walter Jones, swyddog Bwrdd yr Iaith, â safbwynt Gwilym a bod angen diffinio hefyd ddyletswyddau cyffredinol perthynas Bwrdd yr Iaith â'r holl gyrff eraill a oedd yn hybu'r iaith.[55]

Derbyniodd Gwilym 84 o lythyrau yn cefnogi'n benodol yr alwad i roi statws iaith swyddogol i'r Gymraeg, ynghyd â 7 yn galw am gryfhau'r mesur mewn amryw feysydd. Ni dderbyniodd un llythyr o blaid y mesur fel yr oedd nac o blaid cadw pethau fel yr oeddynt. Derbyniodd lythyr pwysig oddi wrth Peredur Evans, cyfreithiwr yn Nhregaron a Llanbedr Pont Steffan, yn amlinellu'r anghyfiawnder a ddioddefai'r Cymry Cymraeg cyn dyfod i'r llysoedd.[56] Gwelai Peredur yr heddlu a chlercod y llysoedd yn ddifater. Dywed:

> Mae gan ddiffynnydd neu dyst hawl i gynnal cyfweliadau
> efo'r heddlu yn y Gymraeg ond o'm profiad i ni hysbysir yr
> hawl hon gan yr heddlu neu heddweision. Gwell ganddynt
> gynal y cyfweliad yn Saesneg.[57]

Hoffai Peredur Evans weld gorfodaeth statudol ar heddwas i

---

53 *Ibid*. Llythyr Lili Thomas, Aberystwyth at Gwilym Prys-Davies, dyddiedig 18 Chwefror 1993.
54 *Ibid*. Llythyr Prys Morgan a Wynne Melville Jones at Gwilym Prys-Davies, dyddiedig 15 Mawrth 1993.
55 Sgwrs rhwng yr awdur a John Walter Jones yn swyddfa Bwrdd yr Iaith yng Nghaerdydd yn 1993.
56 *Ibid*. Llythyr Peredur Evans, 33 Stryd Fawr, Llanbedr Pont Steffan at Gwilym Prys-Davies, dyddiedig 5 Chwefror 1993.
57 *Ibid*.

hysbysu'r diffynnydd fod ganddo hawl i gynnal y drafodaeth yn y Gymraeg, a gosod gorfodaeth debyg ar glercod y llysoedd ynadon o ran eu dyletswyddau hwythau.

Adlewyrchid y sefyllfa dorcalonnus yn y Senedd. Cafwyd anerchiadau gwefreiddiol gan Dafydd Wigley, Elfyn Llwyd a John Morris. Dywedodd cyn-Ysgrifennydd Gwladol Cymru y byddai'r cwestiwn yn codi ei ben yn barhaus, hyd nes y ceid y parch a haeddai'r iaith. Derbyniodd y Mesur Iaith ail ddarlleniad diwrthwynebiad ar 20 Mai 1993.[58] Erbyn hyn yr oedd Peter Walker wedi gadael, a Sais mwy rhagfarnllyd fyth wedi ei benodi yn ei le fel Ysgrifennydd Gwladol Cymru, sef John Redwood. Gwir y dywedodd Dafydd Wigley amdano:

> Ni faliai fotwm fod hawliau Cymru yn cael eu tramgwyddo; y peth pwysig oedd cyfleustra'r Llywodraeth Geidwadol a sicrhau y caent hwy eu ffordd eu hunain bob tro.[59]

Trefnodd John Redwood bethau'n glyfar er mwyn ennill y dydd trwy sefydlu pwyllgor yn cynnwys 28 o Aelodau Seneddol – 15 o Doriaid, 11 Llafur a 2 Plaid Cymru. A gwelwyd mai Saeson a gynrychiolai etholaethau Tiverton, Colchester a Bosworth oedd i benderfynu tynged y Mesur Iaith! Sylweddolwyd yn Nhŷ'r Cyffredin fod o fewn y Blaid Lafur Aelodau Seneddol a oedd yn hynod o gefnogol i'r iaith, yn bennaf Paul Flynn (Casnewydd), Jon Owen Jones (Canol Caerdydd) a Ted Rowlands (Merthyr).[60] Ni ellid dweud hynny am Dr Alan Williams, Aelod Seneddol Llafur Caerfyrddin, a bu pob un a enwyd yn ddifrifol eu beirniadaeth ohono ef a'i bropaganda dros fudiad Education First.[61] Llefarwyd araith feistrolgar gan Elfyn Llwyd (Plaid Cymru, Meirionnydd), a chynigiodd ef a Dafydd Wigley 45 o welliannau a 14 cymal newydd i'r Mesur Iaith. Ond

---

58 Deddf yr Iaith Gymraeg (1993) yn *Gwyddoniadur Cymru* (Caerdydd, 2008), 283–4
59 Dafydd Wigley, *Dal Ati*, Cyfrol 2, 390–393.
60 *Ibid.*, 400–1.
61 *Ibid.*

daeth ymwared yn y bleidlais gyda 123 o bleidleisiau o blaid a 19 yn erbyn. Gallai Dafydd Wigley a Gwilym Prys-Davies a'r holl garedigion a frwydrodd ar hyd y blynyddoedd lawenhau. Nid oedd Gwilym mor feirniadol o Syr Wyn Roberts ag y mae'r Arglwydd Dafydd Wigley yn ei hunangofiant. Ysgrifennodd Syr Wyn Roberts i Gwilym eiriau sydd yn crynhoi ei lwyddiant a'i rwystredigaeth.[62] Nid hyn oedd y gair olaf. John Redwood oedd yn penderfynu ac nid Syr Wyn Roberts. Dywedodd Syr Wyn Roberts ar 17 Chwefror 1993:

> Ei fod yn benderfynol fod y Mesur ar ddiwedd ei yrfa yn rhoi cystal sylfaen i'r Gymraeg yn ein bywyd ag y gallwn ei osod yn y dyddiau sydd ac a fydd.[63]

Dywed y frawddeg yna y cwbl. Byddai'n rhaid aros am ddyddiau gwell i gael y cyfan. Nid oedd Gwilym am roddi'r ffidil yn y to, er ei fod yn hynod o flinedig erbyn mis Mai 1993.

Wedi'r holl ymgyrchu dygn, enillwyd Deddf yr Iaith Gymraeg i hyrwyddo'r Gymraeg, a da y dywedodd yr ysgolhaig o Langennech, Hywel Teifi Edwards, ar 4 Mawrth 1993:

> Bendith arnoch, nid yn unig am yr hyn yr ydych wedi'i wneud, ond am yr hyn yr ydych eto'n barod i'w wneud fel y tystia eich llythyr.[64]

Sylweddolai Gwilym mai canlyniad pwysicaf Deddf Iaith 1993 oedd sefydlu Bwrdd Iaith statudol i hyrwyddo'r iaith. Gofalai gysylltu â'r Bwrdd a derbyniodd lythyr gan John Elfed Jones, Coety, pan oedd yn gadael y Llywyddiaeth ac yn cyflwyno'r dasg i Dafydd Elis-Thomas. I John Elfed Jones yr oedd y dewis yn un da:

---

62 Llyfrgell Genedlaethol Cymru, Papurau yr Arglwydd Gwilym Prys-Davies. Llythyr Wyn Roberts at Gwilym Prys-Davies, dyddiedig 17 Chwefror 1993.
63 *Ibid.*
64 *Ibid.* Llythyr Hywel Teifi Edwards at Gwilym Prys-Davies, dyddiedig 4 Mawrth 1993.

Dewis doeth a dewr oedd dewis Dafydd El yn Gadeirydd ar y Bwrdd Iaith Newydd; fe wnaiff waith ardderchog os caiff ef a'i Fwrdd hanner cyfle.[65]

Yr oedd yn gofyn gormod gan fod ymgyrchwyr fel yr Arglwydd Gwilym yn gweld gwendid yn y Ddeddf a'r 'Cynlluniau Iaith'. Anfonodd nodyn personol at John Walter Jones, Ysgrifennydd Bwrdd yr Iaith, ym mis Medi 1993 a dywedodd wrtho galon y gwir:

Mae gennych flwyddyn drom o'ch blaen, ac rwy'n dymuno'n dda iawn i chi yn y gwaith pwysig, er y buasai'n dda gennyf pe medrid bod wedi rhoddi mwy o bwerau ac annibyniaeth i chi.[66]

Nod y Bwrdd oedd cael y Gymraeg yn iaith swyddogol yng Nghymru a sicrhau bod yr iaith Gymraeg yn dod yn rhan annatod o weithgareddau pob corff cyhoeddus. Fel y pwysleisiodd Gwilym, ni roddwyd awdurdod i'r Bwrdd i adolygu polisi'r awdurdodau addysg neu'r ysgolion ar gyfer dysgu Cymraeg. Ond nid Bwrdd i'w anwybyddu ydoedd chwaith, ond un i gadw cysylltiad ag ef a chynnig gwelliannau yn ôl y galw. Dyna a wnaeth y gŵr doeth a deallus. Un o'r ysgolheigion oedd yn poeni am yr iaith Gymraeg ar ôl pasio'r Ddeddf oedd Dr J. Elwyn Hughes, Bethel, ger Caernarfon, un a oedd yn awdurdod ar fro ei febyd, Bethesda. Tynnodd ef sylw y wasg at yr angen i sefydlu corff cenedlaethol y gellid ei alw'n Awdurdod Iaith Cymru, a fyddai'n meddu ar 'gredinedd ac awdurdod – a chefnogaeth statudol – i ymgymryd ag amryfal swyddogaethau allweddol.'[67]

---

65 *Ibid.* Llythyr John Elfed Jones, Coety, Pen-y-bont ar Ogwr, at Gwilym Prys-Davies, dyddiedig 24 Gorffennaf 1995. Mae'n amlwg fod John Elfed Jones wedi blino ar yr anghydweld a brofwyd yn y cyfnod dan sylw. Dywed, 'Ymgecru a beirniadu plwyfol welwn eto mae gen i ofn.'

66 Llyfrgell Genedlaethol Cymru, Papurau yr Arglwydd Gwilym Prys-Davies. Llythyr Gwilym Prys Davies at John Walter Jones, Caerdydd dyddiedig 25 Medi 1993.

67 Sgwrs yr awdur gyda Dr J. Elwyn Hughes, Bethel ar 30 Rhagfyr 2020.

Derbyniodd awgrym J. Elwyn Hughes gryn sylw, a daeth yr Arglwydd Gwilym Prys-Davies i gysylltiad ag ef dros y ffôn. Mynegodd y ddau ddiddordeb yn y syniad, ac yn yr wythosau dilynol buont yn siarad gryn lawer a gohebu â'i gilydd. Yna, daeth y newyddion dros y radio a'r teledu fod Bwrdd yr Iaith Gymraeg yn ystyried y cam o sefydlu pwyllgor pwysig i ystyried y posibilrwydd o sefydlu corff ar linellau'r hyn y cytunodd Elwyn a Gwilym arno yn eu sgyrsiau. Gwyddai J. Elwyn Hughes mai dim ond un person oedd yn gyfrifol am y cam pwysig hwn, sef yr Arglwydd Gwilym Prys-Davies. Dan ei gadeiryddiaeth ef a chyda Gwyn Griffiths, R. Geraint Jones, y Barnwr Dewi Watcyn Powell, Dr Aled Rhys Wiliam a Dr J. Elwyn Hughes ei hun yn aelodau, gwnaeth y Panel Cymraeg Swyddogol waith sylweddol o fewn ychydig fisoedd. Ymddangosodd adroddiad pwysig, cynhwysfawr ym mis Gorffennaf 1995.[68] Yn ôl J. Elwyn Hughes, 'pensaer yr adroddiad manwl hwnnw oedd yr Arglwydd Gwilym Prys-Davies.'[69]

Serch hynny, cafodd pob un o'r chwech a eisteddai yn y pwyllgorau a gynhaliwyd yng Nghaerdydd 'siom enbyd yn niffyg cefnogaeth Rod Richards a'i lywodraeth i gefnogi sefydlu'r hyn a argymhellwyd, dan y teitl 'Adran Safonau Iaith'. Ond gwyddai pob un o'r aelodau na fyddai'r Cadeirydd yn bodloni ar y sefyllfa, gan mai ymgyrchwr a ddisgwyliai berffeithrwydd ydoedd o ran agwedd, cefndir a phrofiad

---

68   Cyhoeddwyd Adroddiad dwyieithog pwysig.
69   Sgwrs yr awdur gyda Dr J Elwyn Hughes ar 30 Rhagfyr 2020.

Newid byd yn llwyr: gwahoddiad i Dŷ'r Arglwyddi (1982–1992)

G WYDDOM FOD GWILYM wedi gwrthod cyfle i gael ei ddyrchafu'n Arglwydd yn y saithdegau, ond erbyn dechrau'r wythdegau sylweddolai fod yr Arglwydd Cledwyn yn pwyso'n drwm arno i ailystyried. Wedi'r cyfan, bu yn ei flynyddoedd fel myfyriwr yn dra beirniadol o'r Sefydliad, fel ei gyd-Weriniaethwyr. Ac yn ei flynyddoedd cynnar yn Ysgol Gynradd Llanegryn daeth i glywed gan y prifathro fod Tŷ'r Arglwyddi yn sefydliad snobyddlyd ac adweithiol. Gwilym Arwel Hughes oedd y radical hwnnw, gŵr o gyffiniau Llandderfel yn Edeirnion ac yn meddu ar gryn dipyn o ysbryd sosialaidd un arall o'r fro, R. J. Derfel. Roedd yn Gymro gwlatgar, yn gerddor da ac yn flaenor selog gyda'r Methodistiaid Calfinaidd Cymreig. Dywed Gwilym amdano:

> Fe'n dysgodd mai yn y lle hwnnw [Tŷ'r Arglwyddi] yr oedd breintiau, rhwysg a balchder ymerodraethol yn cwrdd. Dyna, efallai, feithrin ynom, blant Llanegryn, syniadau ac egwyddorion radicalaidd.[1]

Yn ei flynyddoedd cynnar nid oedd ganddo lawer i'w ddweud wrth Dŷ'r Arglwyddi, ond erbyn yr wythdegau credai fod gwaith yr ail siambr yn cyfoethogi llywodraeth Prydain ac o gryn fudd

---

1   Gwilym Prys-Davies, *Llafur y Blynyddoedd*, 173. Gwelodd werth yr Ail Siambr wrth ddarllen adroddiadau Pwyllgor Dethol Tŷ'r Arglwyddi ar y Gymuned Ewropeaidd. Digwyddodd hynny pan oedd yn aelod o Bwyllgor Economaidd a Chymdeithasol y Gymuned Ewropeaidd ym Mrwsel. Gw. D. Ben Rees, *Cofiant Cledwyn Hughes*, 171 am y gwahoddiad iddo.

ar faterion Cymreig. Yn haf 1982, gofynnodd yr Arglwydd Cledwyn i Gwilym a oedd ef yn barod i weithio dros Lafur a Chymru yn yr ail siambr, pe deuai'r cyfle. Cytunodd y tro hwn a daeth y gwahoddiad swyddogol yn Rhagfyr 1982[2] Pwysleisiodd yr Arglwydd Cledwyn fod mwy 'o obaith y dyddiau hyn i ddiwygio mesur yn Nhŷ'r Arglwyddi nag yn y Tŷ arall.'

Sylweddolai fod cyfle da ganddo, ac yr oedd ei edmygedd o Cledwyn Hughes yn fawr iawn. Mewn mwy nag un ffordd yr oedd Tŷ'r Arglwyddi yn atyniadol iddo. O leiaf ceid cyfraniadau gan bobl brofiadol, llawer ohonynt wedi bod yn amlwg iawn yn eu galwedigaethau, yng ngwleidyddiaeth Tŷ'r Cyffredin, neu ym myd yr Eglwys Wladol a byd y gyfraith. Bu'n darllen adroddiadau Pwyllgor Dethol Tŷ'r Arglwyddi ar y Gymuned Ewropeaidd yn gyson yn ystod ei gyfnod yn aelod o Bwyllgor Economaidd a Chymdeithasol y Gymuned Ewropeaidd ym Mrwsel, a chael budd a chymorth oddi wrth y dogfennau hyn. Dymuniad mawr Gwilym oedd cael llefaru'r llw yn Gymraeg yn Nhŷ'r Arglwyddi, ond nid oedd hyn yn dderbyniol gan nad oedd neb o'r Arglwyddi wedi gofyn am hynny cyn 1983. Bu'n rhaid cymrodeddu a chaniatawyd iddo yr hawl i ailadrodd y llw yn ei iaith ei hun ar ôl ei lefaru yn gyntaf yn yr iaith Saesneg.

Daeth i'r Tŷ pan oedd yr Arglwydd Cledwyn wedi ennill y bleidlais i fod yn Arweinydd yr Arglwyddi Llafur, mewn gwirionedd yn Arweinydd yr Wrthblaid. Yr oedd Gwilym yn weddol ifanc o'i gymharu â'r rhelyw o'r Arglwyddi. Dim ond 59 mlwydd oed ydoedd ac roedd yn gwbl anghyfarwydd â'r gyfundrefn a oedd yn rhoddi cymaint o bwys ar gonfensiwn, gwisg a rheolau. Bu'n anodd iddo setlo ac oni bai am gefnogaeth, graslonrwydd a chyfarwyddyd yr Arglwydd Cledwyn byddai hi wedi bod bron yn amhosibl iddo ddygymod â Thŷ'r Arglwyddi. Daeth yn fuan iawn i sylweddoli'r defnydd a wneir gan

---

2   Llyfrgell Genedlaethol Cymru, Papurau yr Arglwydd Cledwyn o Benrhos, Ffeil B11. Llythyr Elystan Morgan at Cledwyn Hughes, dyddiedig 16 Chwefror 1981.

gymaint o gyrff gwirfoddol o aelodau'r Tŷ, ac mor ofnus oedd y cymdeithasau Cymreig i alw ar ei gyngor a'i wasanaeth. Ond bu newid syfrdanol yn hyn o beth yn ystod y deng mlynedd y bu'r Arglwydd Cledwyn yn llywio ymateb yr Wrthblaid yn Nhŷ'r Arglwyddi.

Gofynnwyd iddo ysgwyddo rhan o gyfrifoldeb Mainc Flaen yr Wrthblaid am Ogledd Iwerddon ac iechyd, ac yn y man am faterion Cymreig yn ogystal. Nid oedd hyn yn hawdd gan nad oedd ganddo ymchwilydd. Golygai lwyth o waith iddo i ddarllen a meistroli'r adroddiadau, meithrin cysylltiadau, casglu gwybodaeth o gylchlythyrau ac astudio cylchgronau torfol. Disgwylid iddo mewn amser byr ddod yn gwbl gyfarwydd â'i bynciau a pharatoi areithiau cryno ac i bwrpas, gan gymryd sylw o'r modd yr oedd Cledwyn yn ennill y Tŷ gyda'i ddull a'i ddywediadau.

Bu penderfyniad yr Arglwydd Elystan Morgan i ganolbwyntio ar y gyfraith yn hytrach na Thŷ'r Arglwyddi yn gryn siom iddo. Yr oedd Elystan Morgan mor awyddus i ddod yn aelod o'r Tŷ fel y gwelir o'i ohebiaeth â'r Arglwydd Cledwyn, ac yn 1981 cafodd ei wahodd yno.[3] Ond ni allai fod yno heb ddilyn ei alwedigaeth fel bargyfreithiwr. Dyma ei dystiolaeth ef ei hun:

> Yn aml, golygai y byddwn ar fy nhraed yn croesholi drwy'r dydd yn Llys y Goron yng Nghaerdydd, cyn neidio i mewn i'r car am hanner awr wedi pedwar a gyrru i Lundain. Yna cymryd rhan mewn cyfnod pwyllgor neu gyfnod adroddiad yn Nhŷ'r Arglwyddi a throi yn ôl am 11 o'r gloch yr hwyr a chyrraedd Caerdydd yn oriau mân y bore, mynd i'r siambrau i weld oedd yno bapurau i'w darllen, cyn cario ymlaen â'r achos y diwrnod canlynol. Un tro, mi wnes i hynny dair gwaith yn yr un wythnos.[4]

Sylw yr Arglwydd Prys-Davies am ei gyfaill oedd hyn:

---

3   Huw L. Williams (gol.), *Atgofion Oes Elystan*, 241.
4   *Ibid.*

Ysywaeth, prin fu'r cyfle i gydweithio . . . Pan benodwyd ef
i'r fainc collwyd ei huodledd o'r Senedd, a chiliodd o'r maes
gwleidyddol. Heb amheuaeth bu hynny'n golled i Gymru.[5]

Gan i'r Arglwydd Elystan wrthod y cyfle, cymerwyd ei le gan yr
Arglwydd Prys-Davies yn Nhŷ'r Arglwyddi. Yr oedd Cledwyn
a Gwilym yn dîm pwerus a phwysig yn y siambr. Hwy oedd y
cewri Cymreig. Nid oedd y tri arall o Gymru a oedd ar feinciau
Llafur, Eirene White, Gordon Parry na Brian Morris, yn yr un
llinach fel cenedlaetholwyr sosialaidd. O'r tri, canmolai Eirene
White, merch Thomas Jones, Rhymni, a fu mor garedig tuag ato
pan oedd yn wael yn y pumdegau cynnar yn Aberystwyth, fel un
a'i synnodd ar yr ochr orau. Dywedodd amdani:

> Rydym yn ddyledus iddi am yr areithiau cadarn a chlir a
> draddodai yn Nhŷ'r Arglwyddi – areithiau sydd heb unrhyw
> duedd sentimental, ond sydd yn dibynnu ar ffeithiau ac yn
> tynnu ar ei phrofiad fel Gweinidog ac ar ddiwylliant eang.[6]

Canmolodd hi am ei safiad dros gefn gwlad, yr amgylchedd
ac addysg uwch; ond am Gymru, nid oedd modd ei chlodfori
yn aml. Er bod Gordon Parry yn fab y mans bedyddiedig,
twristiaeth a materion o'r fath oedd yn llenwi ei fryd, a chafodd
ef ei ddyrchafu i'r Tŷ am iddo, fel Roger Roberts ymhlith y
Rhyddfrydwyr, sefyll fwy nag unwaith yn ymgeisydd seneddol
aflwyddiannus – gwobr am ei ffyddlondeb i ofynion etholiadau
cyffredinol. Anodd deall pam y bu i'r Blaid Lafur roddi'r cyfle
i Brian Morris ei gynrychioli yn Nhŷ'r Arglwyddi. Gwnaeth
ddiwrnod da o waith fel Prifathro Coleg Dewi Sant, Llanbedr
Pont Steffan, ac fel dehonglwr barddoniaeth Harri Webb, ond
prin fod hynny'n ddigon o reswm i'w anfon i amddiffyn Cymru
yn Nhŷ'r Arglwyddi. Yr oedd dau o wŷr y gyfraith, y Barnwr
Edmund Davies ac Elwyn Jones, a fu'n Arglwydd Ganghellor, yn

---

5   Gwilym Prys-Davies, *Llafur y Blynyddoedd*, 178
6   *Ibid.*, 179.

gefnogol i Cledwyn a Gwilym ac wedi cyrraedd yno oherwydd disgleirdeb eu cyfraniad, ac er bod y ddau yn rhugl yn y Gymraeg, nid oedd yr un ohonynt yn Gymry i'r carn. Prydeinwyr oeddynt yn bennaf ac yn Llundain y cafodd y ddau eu bara menyn. Ymhlith y pleidiau eraill yr oedd dau y gellid dibynnu arnynt pan ddeuai materion yn ymwneud â Chymru i'w trafod, sef Emlyn Hooson o'r meinciau Rhyddfrydol a Peter Thomas o'r meinciau Torïaidd. Dyrchafwyd yr Arglwydd Griffiths o Fforest-fach, *guru* Margaret Thatcher, i Dŷ'r Arglwyddi yn 1990, ond ni soniodd yr Arglwydd Gwilym ryw lawer amdano. Nid oedd yr iaith Gymraeg a Chynulliad yn y brifddinas yn flaenoriaethau iddo. Yn wir, gellir dweud fod y Blaid Geidwadol wedi bod am flynyddoedd lawer yn yr wythdegau a dechrau'r nawdegau yn elynion anghymodlon i'r bwriad o gael Cynulliad Cymreig, ac ar ôl iddynt ddechrau ennill seddau yn y Cynulliad yn 1999 y cafwyd newid agwedd.

Un o gymrodyr Gwilym o ddyddiau'r Gweriniaethwyr a fu'n feirniadol ohono ef ac Elystan Morgan fel Arglwyddi oedd y bargyfreithiwr adnabyddus Ithel Davies, a oedd wedi symud i ymddeol i dreflan y Waunfawr, Aberystwyth, ond yr un mor lliwgar a bygythiol ag y bu erioed. Awgrymodd Ithel Davies nifer o welliannau y gellid eu dilyn, ond y prif beth ganddo oedd fod angen iddynt, fel Cymry, fod yn fwy ymfflamychol ymhlith hufen cymdeithas. Dyma a ddywed:

> Caraswn glywed mwy o drwst y Cymry yn y Tŷ Arglwyddi gennych chwi ac Elystan yn arbennig, canys gwn eich bod ill dau yn Gymry twymgalon ond yn ofni eich bod yn cael eich tagu yn llwch oesol yr erminiau ar glustogau esmwyth feinciau! Y Tŷ hwnnw sydd o hyd fel y Sefydliad Seisnig a'i gynrychiolaeth grymusaf, ar y meinciau hynny, a'i nod a'i amcan i larpio Cymru'n gyfan a diwahaniaeth i fola rheibus Sion Tarw. Gwnewch dipyn o sŵn yn y Tŷ bonheddig fel y clywo Cymru a gwybod eich bod ar waith er mwyn edfryd i bobl Cymru, a Chymru benbaladr eu hawliau wrth

Gyfamodau'r Cenhedloedd Unedig 1946 ar Freiniau Dyn,
ac fel breiniau dyn yn freiniau ei genedl hefyd.[7]

Dyma ymateb nodweddiadol o Ithel Davies, ond nid oedd y
feirniadaeth yn deg o gwbl, gan fod Gwilym yn gweithio mewn
partneriaeth adeiladol gyda Cledwyn. Fel y dywedodd wrth ei
hen gyfaill Ithel, bu'n hynod o brysur yn y ddadl ar y Gwasanaeth
Iechyd – gofalodd gyfeirio at anghenion Cymru, a bu'n ymweld
â'r ysbytai meddwl enfawr a leolid ym Morgannwg Ganol. Ef
oedd y person a ddrafftiodd bedwar gwelliant i'r Mesur Addysg,
er mwyn rhoddi lle priodol i'r Gymraeg yn ysgolion Cymraeg
ac Undebau Cymru. Siaradodd o'u plaid. Ef a gafodd y fraint o
gloi'r ddadl ar Ymchwil Amaethyddol, a bu'n beirniadu polisi'r
Llywodraeth Doraidd tuag at Fridfa Blanhigion Cymru yng
Ngogerddan. Clodd y ddadl ar y Mesur Iechyd, a bu'n dadlau am
yr angen i ddiogelu'r ardaloedd gwledig a chydnabod gwerth y
busnesau bychain.[8] Siom iddo oedd na chyfeiriwyd at yr un o'r
dadleuon hyn yn y wasg Saesneg na Chymraeg, ond ni fu'n segur
nac yn fud.

Gwelwyd ef fel Prif Lefarydd y Blaid Lafur ar Ogledd
Iwerddon yn Nhŷ'r Arglwyddi yn cadw cysylltiad agos â'r
Ynys Werdd, gogledd a de. Teithiodd i Ddulyn yn nechrau
Rhagfyr 1986, lle y cafodd foddhad mawr a chroeso gwresog gan
gymaint o'r Gwyddelod. Clywodd ddadl Garret Fitzgerald am
gael llysoedd tri barnwr; yr oedd hynny yn bwysicach iddo na
chael rheithgor. Bu'n darllen Mesur Iawnderau Dynol ar gyfer
Gogledd Iwerddon. Cafodd gwmni'r gwleidydd craff Charles
Haughey am dri chwarter awr, ac fel y dywedodd wrth Cledwyn:

Roedd e braidd yn oeraidd am y rhan fwyaf o'r amser ac yn
cadw ei gardiau iddo'i hun.[9]

---

7 Llyfrgell Genedlaethol Cymru, Papurau yr Arglwydd Gwilym Prys-Davies,
Bocs 1/3. Llythyr Ithel Davies, Waunfawr, Aberystwyth at Gwilym Prys-Davies
yn 1986 (dim dyddiad penodol).

8 *Ibid*. Llythyr Gwilym Prys-Davies at Ithel Davies, 4 Medi 1986.

9 Llythyr Gwilym Prys-Davies at yr Arglwydd Cledwyn Hughes, dyddiedig

Derbyniai groeso o dro i dro gan Richard Ryan yn Llys-genhadaeth Iwerddon yn Llundain a chael cyfle i drafod ag ysgolheigion a gwleidyddion. Mwynhaodd ginio yn y Llysgen-hadaeth yng nghwmni'r Athro Stockman, Deon Astudiaethau Gwyddeleg ym Mhrifysgol Queen's yn Belfast.

Olynodd Cledwyn fel Prif Lefarydd Llafur yn y Tŷ ar faterion Cymreig o 1987 i 1995. Gweithiodd yn ddygn i gryfhau Mesur Addysg 1988, gan ei fod yn poeni am gyflwr y Gymraeg yn yr ysgolion hynny lle nad oedd yr holl addysg trwy gyfrwng yr iaith. Dywedodd wrth Cledwyn am y dirywiad a welid o fis i fis yn yr ysgolion cynradd:

> Mewn llaweroedd o'r ysgolion a fu'n Gymraeg o'r dechre mae dros hanner y plant mwyach yn Saeson bach a'u rhieni gan amlaf yn ddi-waith. Gall hyd yn oed y di-waith yn Lloegr werthu eu tŷ am ddwywaith y pris a dalent am un tebyg yng Nghymru.[10]

Trist oedd y sefyllfa yn yr ysgolion uwchradd gan mai dim ond mewn tri phwnc, sef Hanes, Daearyddiaeth a Mathemateg, y ceid cyflenwad digonol o werslyfrau Cymraeg ym mlynyddoedd un i bump. Gwelodd hefyd broblem recriwtio staff rhugl yn y Gymraeg i'r ysgolion. Nid oedd hyn yn broblem yn 1967, ond ugain mlynedd yn ddiweddarach yr oedd yn ymylu ar greu nyth cacwn. Ail ofid y ddau ohonynt oedd y perygl o eithrio rhag dysgu'r Gymraeg dan bwysau'r dylifiad o bobl ddi-Gymraeg. Ar ôl ymgynghori, lluniodd y ddau welliannau i gwrdd â'r ddau ofid.

Derbyniodd lythyr oddi wrth Dr D. Gareth Edwards, Cyfarwyddwr y Pwyllgor Datblygu Addysg Gymraeg yng Nghaerdydd, yn diolch iddo am ei 'waith mawr yn ein cynorthwyo i sicrhau statws i'r Gymraeg yn y Mesur Addysg'. Diolchwyd am ei 'lafur di-flino' gan roddi'r clod dyladwy iddo:

---

8 Rhagfyr 1986.
10 *Ibid.*

Mae'r gwelliannau a sicrhawyd gennych mewn perthynas
â'r Gymraeg yn y Mesur ar ei daith drwy'r siambr wedi
cryfhau ei safle yn sylweddol.[11]

Yr oedd problem fawr y dylifiad yn dod yn fwy perthnasol yng
ngolwg Gwilym o fis i fis. Erbyn 1988 yr oedd yn fater llosg, fel
y tystia John Roberts Williams wrtho.[12] Ddydd Mercher, 19
Ebrill 1989, cafwyd ymdriniaeth dreiddgar yn Nhŷ'r Arglwyddi
ar ba gamau y dylid eu cymryd i amddiffyn ffabrig cymunedau
Cymraeg yn wyneb y mewnfudo. Mynegodd Gwilym y ffeithiau'n
glir ger bron y Tŷ am y cyfnod o 1971 i 1981, gan ddefnyddio'r
ddau Gyfrifiad i gryfhau ei ddadl. Ym mhlwyf Pentraeth, Môn,
syrthiodd nifer y siaradwyr Cymraeg o 78.19% i 54.9%. Gwelid
yr un duedd yn y Brithdir ger Dolgellau, gyda chwymp o 65.91%
i 54.45%. Ym mhentref Cellan, Ceredigion gwelwyd dirywiad o
71.43% i 52.77%, ac yng Nghapel Curig ger Betws-y-coed o 45.7%
i 28.6%.

Teimlid yr angen i'r Swyddfa Gymreig gasglu ystadegau yn
flynyddol gan ganolbwyntio ar yr ysgolion. Diolchodd i Cledwyn
Hughes ac Elwyn Jones am eu cefnogaeth bob amser ac am eu
hymdrechion i gael atebiad i'r problemau a wynebid wrth geisio
gwarchod y broydd Cymraeg. Cymerwyd rhan yn y drafodaeth
gan chwech o Arglwyddi. I'r Arglwydd Peter Thomas o Wydir,
yr oedd yr ystadegau yn y rhan honno o Gymru a oedd yn agos
at ei galon, sef Dyffryn Conwy a'r cyffiniau, yn dweud y cwbl.
Yn Ysgol Gynradd Dolwyddelan, lle ceid 37 o blant, dim ond
12 oedd yn dod o deuluoedd Cymraeg, tra ym Mhenmachno
ceid 73 o blant yn derbyn eu haddysg, ond yr oedd y mwyafrif
llethol yn fewnfudwyr. Dim ond 19 oedd o gartrefi Cymraeg.
Dadleuodd yr Arglwydd Hooson, cyd-fyfyriwr gyda Gwilym
yn Aberystwyth, fod angen mwy o gymorth ar yr ysgolion, ac

---

11 *Ibid.* Llythyr Dr D. Gareth Edwards, Caerdydd at Gwilym Prys-Davies,
dyddiedig 24 Mehefin 1988.
12 *Ibid.* Llythyr John Roberts Williams, Llanrug at Gwilym Prys-Davies,
dyddiedig 17 Mehefin 1988.

felly hefyd sefydliadau iaith ac addysg bellach. Canolbwyntiodd y Farwnes Eirene White ar adroddiad y Sefydliad Materion Cymreig, *Study of Rural Wales*. Siaradodd yr Arglwydd Stanley o Alderley yn berthnasol dros ben gan danlinellu natur garedig, groesawgar y Cymry:

> The Welsh people want to be nice and they like to help people. They welcomed my family 250 years ago when a Stanley seduced and married a very beautiful and, I may say, rich and talented Miss Owen.[13]

Teimlai'r Arglwydd Stanley y Ceidwadwr deallus fod gofynion Cymru yn cael eu hanghofio mor gyson. Rhoddodd y rhybudd:

> However, I certainly know that if the Government continue to crucify the farming industry, particularly in Wales, they will destroy the Welsh Language.[14]

Sylweddolai fod y byd amaethyddol yn asgwrn cefn i'r iaith, a gwelir hynny o hyd yng ngweithgareddau'r Ffermwyr Ifanc a'r Sioe Frenhinol flynyddol yn Llanelwedd. Soniodd yr Arglwydd Kilbrandon am y gwahaniaeth rhwng yr iaith Wyddeleg a'r iaith Gymraeg, a chafwyd ple gan yr Arglwydd Trefgarne i gadw diwylliant Cymru yn fyw.

Enillodd Gwilym Prys-Davies ymddiriedaeth llu o Gymry amlwg am ei safiad dros fuddiannau'r Cymry yn Nhŷ'r Arglwyddi. Dyna'r adeg y daeth y bardd byd enwog, R. S. Thomas o Benrhyn Llŷn, i gysylltiad ag ef. Cwynai fod y Swyddfa Gymreig yn methu ymateb fel y dylai i'r mewnlifiad.[15] Dywedodd Gwilym wrtho

---

13   Ceir hanes y teulu Stanley gan yr hanesydd Thomas Richards, Stanley (Teulu), Penrhos, Môn, yn *Bywgraffiadur ar Lein*.

14   Ceir bywgraffiad o'r Arglwydd Stanley o Alderley ar ei farwolaeth yn y *Times*, Ionawr 23, 2014.

15   *Ibid*. Llythyr R. S. Thomas, Llŷn, at Gwilym Prys-Davies, dyddiedig 21 Mehefin 1989. Dyma eiriau'r bardd wrth Gwilym Prys-Davies: 'Er bod Peter Walker yn Sais, bydda i'n gyrru ato'n Gymraeg ar ran Cyfeillion Llŷn yn unol â'n polisi. Tybed a fydd o'n gweld y llythyrau yma, neu a ddelir â nhw gan ryw glerc yn

ar ddiwedd Mehefin 1989 fod y diffyg ymateb yn anfoddhaol ac yn annheilwng o'r Swyddfa Gymreig. Aeth ef ati i weithredu ar ei union, fel y sonia wrth y bardd:

> Siaradais wrth Cledwyn am eich profiad a buom mewn cysylltiad ar y ffôn â'r Swyddfa Gymreig. Roeddynt yn ofidus o glywed am eich profiad a byddant yn gwneud yr ymholiadau priodol ar unwaith. Gofidiai nad oedd Bwrdd yr Iaith yn gweithredu yn effeithiol â'r argyfwng sy'n dwysau yn y cadarnleoedd, ac nad ydynt yn ffeindio atebion i'r problemau beunyddiol sy'n parlysu a phoeni caredigion yr iaith.[16]

Bu ymyrraeth Gwilym gyda'r Swyddfa Gymreig yn llwyddiannus a derbyniodd R. S. Thomas ar ddechrau Awst lythyr oddi wrth R. J. Davies ar ran y gwasanaeth sifil, y biwrocratiaid a'r gwleidydd Peter Walker. Dywed y bardd mai yn null y diplomyddion yr ysgrifennai R. J. Davies, 'ond o leiaf y mae'n ateb yn lle distawrwydd, ac yr ydym yn ddiolchgar iawn i chi am wasgu rhyw sŵn ohonynt.'[17]

Ond sŵn digon diflas ydoedd – canmol y Blaid Geidwadol ac Ysgrifennydd Gwladol Cymru, nad oedd yn barod o gwbl i 'roddi'r galluoedd angenrheidiol i'r cynghorau Cymreig i reoli'r mewnlifiad, er ym marn Cyfeillion Llŷn, honno ydy'r unig ffordd

---

y Swyddfa Gymreig?'
16 *Ibid.* Llythyr Gwilym Prys-Davies at R. S. Thomas, dyddiedig 27 Mehefin 1989. Soniodd Gwilym Prys-Davies wrth R. S. Thomas fod Bwrdd yr Iaith yn annigonol. Mae'n anobeithiol ar faterion sy'n galw am arweiniad, ac yn methu cyfarfod â'r argyfwng; mae'n 'rhoddi pwyslais gormodol ar egwyddor gwirfoddoldeb gan fychanu dylanwad deddfwriaethol ac yn methu ffeindio atebiad i broblemau hawdd fel sieciau Cymraeg'.
17 *Ibid.* Llythyr R. J. Davies, Y Swyddfa Gymreig, Caerdydd at R. S. Thomas, dyddiedig 2 Awst 1989. Dywed y llythyr: 'Yn ei farn ef [Peter Walker], rhaid oedd seilio'r ymagwedd briodol ar ddarparu'r tai, a'r cyfleoedd cyflogaeth a fyddai'n fodd i'r bobl Gymraeg leol aros yn eu hardaloedd eu hunain a ffynnu wrth wneud hynny.'

i achub Cymry Cymraeg rhag cael eu boddi.'[18] Y gwir plaen oedd fod yr Ysgrifennydd Gwladol Peter Walker yn amharod i wneud dim byd ar y mater. Roedd hi'n ddirgelwch ei fod ef, a fu mewn swyddi llawer pwysicach, wedi derbyn cynnig Margaret Thatcher i ofalu am y Swyddfa Gymreig. Ond cafodd y swydd am ei bod hi'n ofni y byddai'n niwsans ar y meinciau cefn, ac felly gwell oedd ei gael o fewn y Cabinet lle y medrai gadw llygad barcud arno o 1987 ymlaen. Fel y dywedodd Ioan Bowen Rees, Prif Weithredwr Cyngor Sir Gwynedd, wrth yr Arglwydd Prys-Davies ar ôl ei ymweliad â'r Ysgrifennydd Gwladol, nid oedd y swydd yn golygu affliw o ddim iddo: 'Nid oedd ganddo unrhyw amgyffred o'n problemau na'r amynedd i wrando.'[19]

Yn Eisteddfod Genedlaethol Cymru yn Llanrwst yn Awst 1989 cafodd Gwilym ei wahodd i annerch ym Mhabell y Cymdeithasau, yng nghwmni'r Archdderwydd Emrys Roberts (brodor o Lerpwl), y gwleidydd Jon Owen Jones a'r Athro Gwyn A. Williams, hanesydd o'r radd flaenaf.[20] Yr oedd galw parhaus arno i annerch, paratoi dogfennau, gohebu, a phwyso ar yr awdurdodau i wrando ac i weithredu yn wareiddiedig. Daliai berthynas agos â nifer o Gymry amlwg o fewn y Blaid Lafur. Nid rhyfedd i'r ysgolhaig a gefnogai Blaid Cymru, Dr Derec Llwyd Morgan, anfon llythyr ato yn 'diolch am eich gwaith gwych dros y Gymraeg yn y Tŷ a thrwy'r wlad'.[21]

Sylweddolai hefyd fod y Blaid Lafur yn brin o bobl fel ef yn Nhŷ'r Arglwyddi. Serch hynny, nid oes tystiolaeth iddo geisio cael rhagor o Gymry o'i weledigaeth ef i'r ail siambr. Derbyniodd lythyr cyfrinachol yn 1990 oddi wrth y Parchedig Ddoctor T. J. Davies, Caerdydd, yn fy nghyflwyno i ystyriaeth Gwilym. Mae'n llythyr na wyddwn i ddim am ei fodolaeth cyn gweld ei archif

---

18   *Ibid*. Llythyr R. S. Thomas at Gwilym Prys-Davies, dyddiedig 3 Awst 1989.
19   *Ibid*. Llythyr Ioan Bowen Rees at Gwilym Prys-Davies, dyddiedig 4 Medi 1989.
20   Cadeiriwyd y cyfarfod gan Jon Owen Jones, Caerdydd, Cadeirydd Ymgyrch Senedd i Gymru.
21   *Ibid*. Llythyr Dr Derec Llwyd Morgan at Gwilym Prys-Davies (dim dyddiad).

gan na soniodd T. J. na Gwilym amdano. Dyma ddarnau o'r llythyr:

> Rhyw deimlo ydw i, ei bod hi'n bryd i rai ohonom mewn sefyllfa o ddylanwad i ystyried gwahodd Ben Rees i ymuno â'ch tŷ chi. Rydych chi yn ei nabod cystal a minnau. Mae ei sosialaeth Gymreig, ymneilltuol yn apelio at y genhedlaeth hon.[22]

Mae'n ddiddorol sylwi ar lythyr cynhwysfawr T. J. Davies, ond yn y cyfnod hwn yr oedd gohebiaeth a chri y bardd enwog R. S. Thomas yn mynd â'i fryd bron yn gyfan gwbl. Agorodd y bardd eneiniedig ei galon iddo. Er ei eni yng Nghaerdydd a'i fagu yng Nghaergybi, nid oedd R. S. Thomas yn gysurus yn y Gymraeg o ran llunio barddoniaeth. Bu'n rhaid iddo ganolbwyntio ar y Saesneg fel cyfrwng ei gerddi. Yr oedd hynny yn ei gythruddo. Soniodd am ei briod a oedd yn siarad Saesneg ar hyd eu bywyd priodasol o hanner can mlynedd. Cyffesa:

> Ond rwy'n cenfigennu at y Cymry hynny sydd yn gallu byw eu bywyd yn gyfan gwbl trwy gyfrwng y Gymraeg.[23]

Y lleiafrif oedd yn y sefyllfa honno. Nid oedd gan R. S. Thomas yr un parch i Gymdeithas yr Iaith ag a feddai'r Arglwydd Prys-Davies, fel yr adwaenid ef ar ôl iddo ddod yn aelod o'r ail siambr. Dywed yr offeiriad o fardd ei fod yn 'siomedig yn eu hymateb'. Gwelai R. S. Thomas ei hun fel Saunders Lewis, ond ychwanega'r bardd, 'Dydw i ddim hanner cystal dyn ag o!'[24] Sonia am ei safiad fel heddychwr:

---

22 *Ibid*. Llythyr y Parchedig Ddr T. J. Davies, Radur, Caerdydd at Gwilym Prys-Davies (dim dyddiad ond ar fore Gwener).
23 *Ibid*. Llythyr R. S. Thomas at Gwilym Prys-Davies, dyddiedig 3 Awst 1990 a llythyr Gwilym Prys-Davies at R. S. Thomas dyddiedig 29 Medi 1990. Diolchodd iddo am ei anerchiad i'r Cyfamodwyr a gafodd gryn lawer o feirniadaeth. Gwelai Gwilym Prys-Davies 'ddiffyg hunan ymddiriedaeth y Cymry Cymraeg yn amlwg'.
24 Annes Glynn, 'R. S. Thomas', *Y Cymro*, 26 Medi 1990.

Y mae Lloegr yn barod i ymladd bob amser hyd yn oed hefo arfau niwclear, ond i ni fel heddychwyr arfau niwclear ydi *reductio ad absurdum* rhyfel.[25]

I R. S. Thomas, yr Arglwydd Prys-Davies oedd un o Gymry cadarnaf a godidocaf ei genhedlaeth. Dyma'i folawd:

Ond mae gen i barch at rywun fel Gwilym Prys-Davies sydd yn ceisio gweld yr argyfwng. Y peth mwyaf dymunol fyddai gweld mwy o ruddin yng ngwerin Cymru. Tân siafins ydan ni yn anffodus . . . Y drwg yng Nghymru ydi, oni bai bod bygythiad ar garreg drws wnawn nhw ddim ymateb.[26]

Daliodd R. S. Thomas i ohebu â'i arwr.[27]

Cafodd Gwilym oriau lawer o lawenydd yn Nhŷ'r Arglwyddi yn ystod cyfnod yr Arglwydd Cledwyn yn Arweinydd yr Wrthblaid. Daeth â hanfodion pwysicaf y genedl Gymreig i sylw'r Tŷ. Agorodd y ddadl ar argyfwng yr iaith Gymraeg ac ar Fwrdd Datblygu Cymru Wledig, a gwelsom ei gyfraniad tuag at gryfhau'r iaith gynhenid yn y Cwricwlwm Cenedlaethol. Yr oedd y Gwasanaeth Iechyd yn fater pwysig yn ei agenda, a gwyddai o brofiad gymaint o agweddau oedd yn perthyn i'r ddarpariaeth, o fabanod i'r henoed yn eu hangen. Gwyddem ei fod ef ar flaen y gad ar fater y Gwasanaeth Iechyd Cenedlaethol, ac yn pwyso am yr angen i ehangu'r gofal am y rhai a ddioddefai o iselder ysbryd, digalondid llethol, neu o nam meddyliol. Enillodd yn llwyr gefnogaeth R. S. Thomas fel y mynegodd yn un o'r epistolau.[28]

---

25 *Ibid.*
26 Annes Glynn, 'R. S. Thomas', *Y Cymro*, 26 Medi 1990.
27 *Ibid.*
28 Llyfrgell Genedlaethol Cymru, Papurau yr Arglwydd Gwilym Prys-Davies. Llythyr R. S. Thomas at Gwilym Prys-Davies (dim dyddiad). Mae hwn yn llythyr pwysig. Dyma ddau ddarn gwerthfawr i'w gosod ar gof a chadw:

Os gwnaethoch chi ymdrech arbennig i hyrwyddo'r cynulliad, nid dyna farn fy nghyfeillion yn Llŷn am yr aelodau eraill o'r Blaid Lafur. Gwyddom

Bu ei ofal am Ogledd Iwerddon yn gyfrifoldeb a gymerodd o ddifrif. Aeth ati i'w addysgu ei hun am hanes a chefndir y Protestaniaid a'r Pabyddion, er mwyn ei arbed ei hun rhag gwneud camgymeriadau elfennol. Gwyddai yn dda mai delfryd y Blaid Lafur Brydeinig oedd Iwerddon Unedig, tra oedd y Torïaid a'u cydymdeimlad â'r Unoliaethwyr Protestannaidd. Eu dyhead hwy oedd gadael y sefyllfa fel yr oedd. Sylweddolodd fod aelodaeth Prydain a Gweriniaeth Iwerddon o'r Gymuned Ewropeaidd yn gorfodi'r gwleidyddion i wrando ar ei gilydd a thrwy hynny greu gwell amodau. Er hynny, ni chafwyd llawer o gydweithio ar lawr gwlad. Pan sefydlwyd y Corff Rhyng-Seneddol Prydeinig-Wyddelig yn 1990 i drafod pynciau a oedd yn galw am gydweithio, gwahoddwyd ef yn aelod ohono.

Dangosodd ddewrder anghyffredin yn ystod ei ymweliadau â Belfast adeg y treisio mawr a'r bomio cyson o'r ddwy ochr. Byddai'n aros gan amlaf yng Ngwesty Stormont ac yn mynychu cyfarfodydd di-ri. Croesawodd weithred Séamus de Napier o Downpatrick yn sefydlu Ymddiriedolaeth Ultach ym mis Medi 1989, mudiad eciwmenaidd dros yr iaith Wyddeleg yng Ngogledd Iwerddon. Daliai cydnabod yr Wyddeleg fel iaith swyddogol yng Ngogledd Iwerddon yn broblem aruthrol yn y blynyddoedd 2017 a 2018–2020.[29] Ddeng mlynedd ar hugain cyn hynny yr oedd Gwilym yn barod i ganmol Ymddiriedolaeth Elusennol Joseph Rowntree pan gyflwynodd y swm o £7,500 tuag at Ymddiriedolaeth Ultach. Y gwir oedd na allai Gwilym ddim gwneud mwy na

---

fod Abse a Kinnock yn erbyn y peth ac yr oedd yna deimlad fod llawer arall yn ddigon llugoer.

Yna aiff ymlaen i sôn am ryfel niwclear:

Ar y llaw arall doedd yna ddim digon o ruddin yn y mesur i ddenu cefnogaeth gwlatgarwyr. Ond fel y cynyddodd y bygythiad o ryfel niwclear, ac fel y dangosodd llywodraeth Lloegr nad oedd hi am barchu dymuniad pobl Cymru i fod yn ddi-niwclear, deuthum i'r casgliad y buasai cynulliad yn gefn i ni yn ein hymdrech.

29 *Ibid.* Llythyr Séamus de Napier, Downpatrick, Co. Down at Gwilym Prys-Davies, dyddiedig 8 Rhagfyr 1989.

rhoddi cefnogaeth trwy lythyr. Gwyddai am agwedd Dr Brian Mawhinney o Lywodraeth y Torïaid, nad oedd yn barod o gwbl i hybu'r iaith Wyddeleg o fewn Gogledd Iwerddon.

Bu'n brysur yn y cyfnod hwn, 1990 ac 1991, yn paratoi cyfrol o'i atgofion a gyhoeddwyd yn Nhachwedd 1991 gan Wasg Gee dan y teitl *Llafur y Blynyddoedd*. Cyflwynodd y gyfrol i Llinos a'r merched am ddioddef llafur y blynyddoedd. Cafwyd deuddeg pennod, o 'Lanegryn' i 'Tua'r Dyfodol'. Llwyddodd i greu cyfrol a gafodd dderbyniad mawr gan ei gyfeillion a hefyd gan yr aelodau o'r cyhoedd a oedd fwyaf selog dros yr iaith, gan ei fod wedi croniclo yn deg yr hyn y ceisiodd ei gyflawni, o fewn y Blaid Lafur yn bennaf. Dywedodd yr Arglwydd Cledwyn:

> Y mae'n gyfraniad sylweddol i hanes y deugain mlynedd diwethaf, a bydd haneswyr y dyfodol yn pwyso arno.[30]

Gwir yw hynny. I'r Cynghorydd Dafydd Orwig, Bethesda:

> Mae'n gyfraniad gloyw i hanes diweddar Cymru – yn arbennig felly o safbwynt gwleidyddol ac ieithyddol.[31]

Yn ôl Syr Goronwy Daniel, dangosodd *Llafur y Blynyddoedd* ddyled Cymru gyfan iddo fel gwleidydd ac ymgyrchwr:

> Bydd pob un sydd â diddordeb yn hanes Cymru ac yn enwedig yn yr ymdrechion dros yr iaith a chymhelliad Cymreig yn drwm mewn dyled i chwi.[32]

Yn y blynyddoedd hyn collwyd yn yr angau ddau o weision ffyddlon y Blaid Lafur yng Nghymru. Bu farw Cliff Prothero yn Nhachwedd 1990 a methodd Gwilym â mynychu'r arwyl. Soniodd ei weddw, Vi Prothero, wrtho:

---

30 *Ibid*. Llythyr Cledwyn Hughes at Gwilym Prys-Davies, dyddiedig 16 Rhagfyr 1991.
31 *Ibid*. Llythyr Dafydd Orwig Jones at Gwilym Prys-Davies, dyddiedig 4 Ionawr 1992.
32 *Ibid*. Llythyr Goronwy Daniel at Gwilym Prys-Davies, dyddiedig 2 Mawrth 1992.

If you were present, Cliff had requested that you should say a few words in Welsh. He very much regretted his inability to speak his 'mother's tongue.'[33]

Dyn o gefndir capelyddol fel Gwilym oedd Cliff Prothero ac un a oedd yn arddel egwyddorion Ymneilltuol Cymreig ar hyd ei oes. Er nad oedd yn siarad Cymraeg, medrai ei deall hi, galwodd ei gartref ym Mhenarth yn Hedd Wyn ac ym mlynyddoedd olaf ei oes bu'n addoli yng nghapel Cymraeg yr Annibynwyr. Flwyddyn yn ddiweddarach yn ninas Bryste bu farw J. Emrys Jones, olynydd Cliff Prothero fel Trefnydd y Blaid Lafur yng Nghymru. Ni ddaeth mor adnabyddus â Prothero o fewn y Mudiad Llafur ond bu ei gefnogaeth i'r Cynulliad arfaethedig yn hynod o bwysig. Meddyliai Gwilym y byd ohono, a lluniodd deyrnged iddo dan y teitl 'Labour's Quiet Man Dies' i'r *Western Mail*.[34]

Yr oedd llawer o aelodau ac arweinwyr lleol y Blaid Lafur yng nghymoedd y de yn ei gorddi yn gyson. Soniodd wrthyf am aml un ohonynt. Ar ben rhestr y cynghorwyr a oedd yn peri iddo grychu talcen yr oedd Charles Anzani ym Mhontypridd ynghyd â Dai ('Rats') Davies yn Ystrad Rhondda. Bu Dai Davies yn un o arloeswyr y Blaid Lafur, a chyfrifid ef yn un o'r gwŷr galluocaf o fewn llywodraeth leol. Yng Nghaerdydd llywodraethid gan W. R. Jeffcott (cyfaill agos i James Callaghan) a daeth Gwilym i'w adnabod ym myd iechyd, ond o ran yr angen i amddiffyn y Gymraeg nid oedd ganddo ryw lawer o gydymdeimlad. Gellid dweud yr un peth am y Parchedig Tegwel Thomas, gweinidog y Bedyddwyr Castell-nedd. Yr oedd yntau yn Llafurwr galluog ac yn gymeriad i'w edmygu o fewn Cyngor Sir Morgannwg am ei holl gyfraniad fel cynghorydd dros y Blaid Lafur. Nid oedd yn gefnogwr tanbaid i'r Gymraeg a gweinidogaethai fel gweinidog yr efengyl yn yr iaith Saesneg.

---

33 *Ibid.* Llythyr V. L. Prothero, Penarth at Gwilym Prys-Davies, dyddiedig 26 Tachwedd 1990.

34 Gwilym Prys-Davies, 'Labour's Quiet Man Dies', *Western Mail*, 2 Ionawr 1992. Bu farw J. Emrys Jones yn ei gartref ym Mryste ar 21 Rhagfyr 1991.

Ymhlith Aelodau Seneddol Cymru ni allai Gwilym ond gofidio yn gyson am yr ysbryd gwrth-Gymreig amlwg a welid yn eu datganiadau. Yn y dosbarth hwn y gwelwyd cymaint o'r Aelodau Seneddol Llafur Cymreig yn y chwedegau a'r saithdegau. Ni chawn ef yn ysgrifennu yn werthfawrogol o gwbl am Iori Thomas, Leo Abse, Arthur Probert a'i olynydd yn etholaeth Aberdâr, Ioan Evans, Elfed Davies (Dwyrain y Rhondda), Donald Coleman (Castell-nedd), Harold Finch a'i olynydd ym Medwellte, Neil Kinnock, Donald Anderson ac Alan Williams, Aelodau Seneddol Dwyrain a Gorllewin Abertawe. Gofalodd Ness Edwards, Leo Abse, Arthur Probert, Elfed Davies, Donald Coleman, Harold Finch ac Alan Williams godi cwestiwn gweithredu y 'Rheol Gymraeg a fu o fudd i'r Eisteddfod Genedlaethol' yn San Steffan yn Awst 1966 trwy 'Early Day Motion' a chythruddo digon o Gymry i wneud bywyd Llafurwyr fel Cledwyn Hughes a Gwilym Prys-Davies yn fwrn. Ceisiodd Gwilym wareiddio George Thomas a'i wahodd am ginio i'w gartref yn Nhon-teg, a llwyddodd ef a Llinos i raddau helaeth i ddarbwyllo'r Methodist brwdfrydig trwy sôn am emynwyr ac emynau ei enwad. Dylsai George Thomas fod yn gallach yn ei oes yn ei ymateb i'r wasg Gymreig ar gwestiwn datganoli. Gweithiodd Cledwyn arno hefyd gan ganiatáu iddo ddod am wyliau i'r Alban ac i'w gartref ym Mae Trearddur.

Tua 1992 gofynnodd Mrs Mair Davies, prifathrawes Ysgol Gynradd Gymraeg Evan James ym Mhontypridd, a fuasai'r Arglwydd Prys-Davies yn barod i gael ei enwebu i fod yn un o lywodraethwyr yr ysgol.[35] Esboniodd yn gyfrinachol ei bod yn cael cryn boendod gydag un o'r rheolwyr di-Gymraeg. Yr oedd ef yn Undebwr Llafur adnabyddus ac yn amlwg iawn yng nghylchoedd Llafur Pontypridd. Nid oedd ganddo ronyn o gydymdeimlad â'r Gymraeg, fel llawer o wleidyddion bron pob plaid yn etholaethau Morgannwg a Mynwy. Pan fu sôn gyntaf

---

35   Llyfrgell Genedlaethol Cymru, Papurau yr Arglwydd Gwilym Prys-Davies. Llythyr Mair Davies at Gwilym Prys-Davies, dyddiedig 1 Hydref 1992.

am droi Ysgol Evan James yn ysgol Gymraeg, ei eiriau ef oedd 'not over my dead body'. Yn ôl y brifathrawes yr oedd angen Llafurwr a oedd yn coleddu egwyddorion gwahanol, ac un a fyddai'n gwarchod y Gymraeg ar bob cyfle posibl. Yr Arglwydd Prys-Davies oedd y person hwnnw yn ei thyb hi a phawb o'i chydnabod. Gwyddai Gwilym am y person anodd, cibddall hwn, a medrai ddeall ei phryderon a'i rhwystredigaeth gan ei fod yn cynrychioli'r blaid gryfaf yn lleol. Cytunodd, ar ôl clywed y cefndir, i'w enw fynd ger bron ac fe'i penodwyd yn un o'r rheolwyr. Daliodd y swydd am nifer o flynyddoedd gan ymhyfrydu ei fod yn medru cefnogi ysgol mor llwyddiannus. Oddeutu blwyddyn ar ôl i Gwilym dderbyn y gwahoddiad, ymddiswyddodd y Llafurwr anodd. Symudwyd y maen tramgwydd heb unrhyw gyhoeddusrwydd a daeth awyrgylch gwahanol i gyfarfodydd y llywodraethwyr.

Golygai Ysgol Gynradd Gymraeg Evan James, a leolid yn Ffordd y Rhondda, Pontypridd, lawer iawn i'r teulu. Anfonodd y brifathrawes, Mair Davies, lythyr ato ar 1 Hydref 1992 yn diolch iddo am ei gyfraniad fel llywodraethwr, gan ychwanegu iddi 'weld newid mawr yn agwedd ambell gymeriad tuag at yr ysgol hon.'[36] Bu presenoldeb yr Arglwydd Prys-Davies yn ffactor pwysig. Dywed y brifathrawes hefyd iddi 'weld eisiau Llinos o gwmpas yr ysgol'. Yr oedd hi wedi cefnogi'r ysgolion Cymraeg ar hyd y blynyddoedd, ac wedi bod yn athrawes ymroddedig yn yr ysgolion hynny yng Nghwm Cynon ac ym Mhontypridd.[37]

Cafodd yr Arglwydd Prys-Davies ddegawd llwyddiannus dan arweiniad yr Arglwydd Cledwyn fel Arweinydd yr Wrthblaid yn yr ail siambr.[38] Byddai Gwilym yn paratoi dogfennau ar gyfer Cledwyn, ac yn gyfrifol am y ffaith ei fod yn medru cael y llaw

---

36 *Ibid.*

37 *Ibid.* Roedd Llinos Prys-Davies yn meddu yr un delfrydau â'i phriod.

38 Ceir hanes ef a'i gyd-Gymry yn yr ail siambr yn gyflawn yn D. Ben Rees, *Cofiant Cledwyn Hughes*, 158–81, pennod 12. Papurau yr Arglwydd Gwilym Prys-Davies. Llythyr Gwilym Prys-Davies at Peter Hain AS, dyddiedig 16 Rhagfyr 1996.

drechaf mor aml ar lywodraeth y dydd. Collodd y Llywodraeth Dorïaidd y bleidlais gan gwaith, er mai dim ond 119 o Arglwyddi a gynrychiolai'r Blaid Lafur. Llwyddwyd i dymheru'r Blaid Geidwadol, ac roedd Gwilym yn fodlon ar y gwaith a wnaeth ef i ddiwygio'r mesurau a chefnogi Cledwyn. Dewiswyd Cymro arall i ddilyn Cledwyn, sef Ivor Richard, brodor o'r Betws yn Nyffryn Aman, yr un pentref â'r annwyl Jim Griffiths.

Gweithio o blaid y Cynulliad a datganoli

B U'R YMGYRCH O BLAID y Cynulliad yn y saithdegau yn fwrn ar Gwilym am flynyddoedd lawer. Ni allai anghofio bod ei Aelod Seneddol ef ei hun, Brynmor John, a oedd o blaid, wedi methu â chael neb bron o'i gefnogwyr Llafurol i'w gynorthwyo yn yr ymgyrch ym Mhontypridd yn 1979. Soniodd mewn llythyr at Peter Hain, Aelod Seneddol Llafur Castell-nedd, ym mis Rhagfyr 1996 ei fod ef yn gobeithio y byddai hi'n well yn 1997 nag yr oedd hi yn 1979.[1]

Soniodd am y teimlad unoliaethol cryf a glymai'r dosbarth gweithiol yng Nghymru gyda'r dosbarth gweithiol yng ngweddill Prydain ac na ddylid diystyru hynny. Cofiai yn dda fel yr oedd hi yn 1979. Nid hawdd oedd gweld sut y gellid gosod datganoli yn ôl ar agenda'r Blaid Lafur, ac yn araf iawn y digwyddodd, gan i J. Emrys Jones roddi'r gorau i'w swydd fel Trefnydd yn niwedd y saithdegau. Ond bu blynyddoedd y Llywodraeth Dorïaidd yn yr wythdegau a'u polisïau yn fodd i argyhoeddi Llafurwyr nad oedd datganoli yn fater i'w ddiystyru. Sylweddolodd y cynghorwyr lleol fod yr awdurdodau lleol, cadarnleoedd traddodiadol y Blaid Lafur yn ne a gogledd-ddwyrain Cymru, yn colli eu grym a'u swyddogaethau i'r Swyddfa Gymreig ac i'r cwangos, tra'u bod hwythau, y cynghorwyr, yn colli eu dylanwad ar lawr gwlad. Y drasiedi fwyaf oedd fod y cynghorwyr hyn mor anwybodus o'u gorffennol. Pe bai Lloegr wedi bod yn elyn anghymodlon i Gymru oddi ar 1918, ni fyddai cenedl y Cymry wedi cael ei thrin

---

1   Llyfrgell Genedlaethol Cymru, Papurau Gwilym Prys-Davies. Bocs 1/4 Llythyr Gwilym Prys-Davies at Peter Hain 16 Rhagfyr 1996.

yn salach. Caewyd y pyllau glo wrth y dwsinau, diswyddwyd glowyr, a'r un stori oedd hi ym mhob diwydiant – y rheilffyrdd, y dociau, a'r diwydiannau tun, haearn a dur. Agorwyd ffatrïoedd yn y tridegau ond ychydig iawn o swyddi a ddaeth i Gymru. A dyna'r stori o 1918 hyd 1986, ar wahân i'r cyfnodau byr y bu llywodraethau Llafur mewn grym. A gwelodd yr Aelodau Seneddol Llafur eu bod hwythau yn gwbl ddiddylanwad yn y Senedd, er mai un ohonynt, Neil Kinnock, oedd olynydd Michael Foot fel Arweinydd yr Wrthblaid. Yr oedd gan Cledwyn Hughes fwy o ddylanwad yn Nhŷ'r Arglwyddi nag oedd gan Kinnock fel Arweinydd yr Wrthblaid yn y Senedd. Nid oedd ef yn argyhoeddedig o gwbl ynghylch y Cynulliad, a chreodd yr eithafwyr dan faner Militant fel Derek Hatton, Lerpwl ddigon o drafferth iddo fel arweinydd. Hefyd yn y blynyddoedd hyn creodd mwy a mwy o awdurdodau lleol gysylltiad agos â'r Gymuned Ewropeaidd, a dod i adnabod cynghorwyr o wahanol ranbarthau ar y Cyfandir. Gwelent yn glir y grymoedd a oedd yn nwylo'r rhain yn y rhanbarthau. O ganlyniad i'r datblygiadau a'r cyffroadau rhwng y glowyr a'r Llywodraeth adeg y Streic Fawr, ac nid oherwydd newid athronyddol sylfaenol, y daeth y sôn am Gynulliad yn fwy derbyniol gan arweinwyr a oedd cyn hynny yn elyniaethus i'r bwriad, er bod y Blaid Lafur yng Nghymru yn arfer bod yn iach yn y ffydd ar y cwestiwn mor bell yn ôl â'r Ail Ryfel Byd. A daeth hi'n ffasiynol i'r alwad am Gynulliad gael ei chodi yng Nghynhadledd Flynyddol y Blaid Lafur Gymreig, fel y gwnaed gan ganghennau'r Blaid Lafur yng Nghaerdydd ac Abertawe yn 1942 ac 1943.

Trwy gydol yr wythdegau yr oedd nifer o ddeallusion di-Gymraeg trwy'r Sefydliad Materion Cymreig yn cyhoeddi a chynnal seminarau i drafod y Cynulliad. Un o'r blaenaf o'r rhain oedd John Osmond, newyddiadurwr o'r radd flaenaf. Cofiaf Gwilym yn dweud wrthyf fod trwch mawr aelodau gweithgar y Blaid Lafur yn amheus dros ben o weithgarwch John Osmond dros ddatganoli, gan y credent nad oedd yn gyfaill o gwbl i'r

Blaid Lafur a'i fod ef a'i sefydliad yn cydymdeimlo yn ormodol ag agwedd Plaid Cymru.[2] Roedd gan John Osmond feddwl uchel o'r Arglwydd Prys-Davies a chadwai gysylltiad ag ef, gan amlaf dros y ffôn. Iddo ef yr oedd Gwilym yn 'iach yn y ffydd', fel petai, ar ddatganoli, er mai'r Ddeddf Iaith a lanwodd ei fryd yn yr wythdegau. Gyda'r mewnlifiad yn y degawd hwnnw i'r broydd Cymraeg a ffaeleddau Deddf Iaith 1967 yn amlwg iddo, gweithiodd yn ddiarbed, fel y gwelsom, dros y Ddeddf Iaith Newydd a chyda'i orchwylion pwysig yn Nhŷ'r Arglwyddi. Fodd bynnag, ni fu ar y cyrion yn gyfan gwbl, er ei fod yn rhoddi'r argraff honno i bobl y wasg fel y *Western Mail* a'r *Liverpool Daily Post*. O leiaf bu iddo annerch dau gyfarfod cyhoeddus a alwyd gan Bwyllgor Cynulliad i Gymru, y cyntaf ar faes y Brifwyl yn y Rhyl yn 1985. Bu hwnnw, yn ei dyb ef, yn gyfarfod llwyddiannus. Cynhaliwyd y llall yn Eisteddfod Aberystwyth yn 1992. Cyfarfod aflwyddiannus oedd hwnnw, yn ôl ei farn ef.

Erbyn Etholiad Cyffredinol 1992 yr oedd sefydliad y Blaid Lafur yn Llundain a Chaerdydd yn credu yn ffyddiog fod Neil Kinnock yn mynd i groesi rhiniog rhif 10 Downing Street. Nid oedd Gwilym yn rhannu'r optimistiaeth honno o bell ffordd am ei fod yn credu nad oedd Kinnock yn ddigon peniog i fod yn yr un swydd â Wilson, na hyd yn oed Callaghan. Ond o leiaf yr oedd Llafur yng Nghymru trwy ei ddylanwad ef a John Morris a

---

2   Cefais y manylion hyn o sgyrsiau â Gwilym Prys-Davies. Yr ysgrif gyntaf y gwn i amdani ar Gwilym Prys-Davies gan John Osmond yw 'A Quiet Man Hones in on Wales' "faceless" Society', *Western Mail*, 17 Mai 1974. Disgrifia John Osmond ef fel dyn cadarn ac un a fu'n ddylanwadol dros ben y tu ôl i'r llenni yn hanes y Blaid Lafur Gymreig ers 1959. Gartref gyda'i deulu yr oedd yn ŵr mor wahanol. Dadleua Osmond mai cadw llygad ar y gweision sifil oedd ei brif waith yn y Swyddfa Gymreig fel ymgynghorydd i John Morris. Dyfynna sylw Marcia Williams (a gadwai Harold Wilson yn ei le pan oedd yn Brif Weinidog) yn ei chyfrol *Inside No. 10* fod y gweision sifil yn gyfrifol am y sefyllfa annemocrataidd a welid ym Mhrydain, ac wedi bod yn rhwystr mawr i Lywodraeth Lafur ar hyd y blynyddoedd. Ofnaf fod cryn lawer o wir yn y cyhuddiad hwn. Gweler hefyd John Osmond, *Creative Conflict: The Politics of Welsh Devolution* (Llandysul, Llundain, Boston), 124–5.

Ron Davies yn addo Deddf Iaith a Chynulliad i Gymru. Yr oedd Kinnock wedi dod o le pell mewn tair blynedd ar ddeg ac yn awr yn pledio gwerth Cynulliad a datganoli. Bu hi'n dröedigaeth Damascus yn ei hanes. Gofalodd y Torïaid roddi addewid o Ddeddf Iaith, ond bu hynny'n siom yn nes ymlaen. Ar drothwy'r etholiad gwelwyd hysbyseb tudalen gyfan yn y *Western Mail* gan yr Ymgyrch dros Senedd i Gymru a Siarter 88 Cymru, wedi ei harwyddo gan arweinwyr a chefnogwyr yr ymgyrch. Dywedodd yr Arglwydd Prys-Davies wrth John Osmond ei fod yn gefnogol i'r ymgyrch, fel y gwyddai pawb, ond credai ac ofnai y byddai hynny yn sicr o godi crechwen ymhlith rhai o aelodau Pwyllgor Gwaith y Blaid Lafur Gymreig. Bu'n rhaid iddo ddioddef cyhuddiadau cyson dros y blynyddoedd, fel cyhuddiad Patrick Jones, Treletert (Ysgrifennydd Cymdeithas Rhyddfrydwyr Sir Benfro), a ofynnodd iddo a oedd ef wedi cytuno pan oedd yn Weriniaethwr i ffrwydro Argae Cwm Elan ger Rhaeadr Gwy.[3] Gwnaeth llythyrau o'r fath y gŵr cadarn, a wyddai am deithi'r gyfraith gystal â neb, yn ofnus ddigon.

Daeth siom fawr i'w gyd-radicaliaid ym Mhrydain pan gyhoeddwyd canlyniad etholiad 1992. Gwyddai ef mai felly y byddai hi. Yr oedd hi'n edrych yn anobeithiol i Lafur am dymor arall, ac efallai am ddeng mlynedd arall, i mewn i'r ganrif nesaf. Gan fod pleidlais yr Wrthblaid yn gytûn, gyda Llafur, Plaid Cymru a'r Rhyddfrydwyr yn credu mewn rhyw ffurf ar gynulliad i Gymru, gwelodd Gwilym ei gyfle. Awgrymodd yn y ddarlith a draddododd i Urdd Graddedigion Prifysgol Cymru (Adran Gwleidyddiaeth a Hanes Cyfoes), ddiwedd Ebrill 1992, y dylid sefydlu confensiwn i fraenaru'r tir er mwyn diwygio'r maes ar gyfer cyfansoddiad safonol. Sylweddolodd fod John Osmond yn cytuno â'i awgrym, a dilynodd y trywydd gan drefnu i ymweld ag ef yn Nhon-teg i drafod yr awgrym mewn mwy o fanylder.

---

3   Llyfrgell Genedlaethol Cymru, Papurau yr Arglwydd Gwilym Prys-Davies. Llythyr Patrick Jones, Llys Parselau, Treletert (Ysgrifennydd Cymdeithas Ryddfrydol Sir Benfro) at Gwilym Prys-Davies, dyddiedig 24 Ebrill 1969.

Clywodd fod Cyngres Undebau Llafur Cymru a'r enwadau Ymneilltuol, yn arbennig Bwrdd Eglwys a Chymdeithas Eglwys Bresbyteraidd Cymru, i gyd yn gytûn o blaid y syniad. Eglurodd ef, os oedd modd i Bwyllgor yr Ymgyrch dros Senedd i Gymru sefydlu Pwyllgor Llywio, y dylid paratoi yn fanwl y camau i'w cymryd i gynnal confensiwn cenedlaethol cyn diwedd y flwyddyn. Dyn heb lawer o amynedd na phwyll oedd John Osmond, am ei fod yn gweld yr amser yn mynd heibio a dim byd wedi ei gyflawni. Y mae'n amlwg fod ganddo ef yr enwau ar gyfer y Pwyllgor Llywio a'i fod am i Gwilym fod yn Gadeirydd. Yr oedd ar Gwilym angen amser i feddwl a phwysleisiodd ddau beth: yn gyntaf, 'fod yna reidrwydd i'r ymgyrch arfaethedig fod yn annibynnol ar yr ymgyrch a drefnwyd dros Senedd i Gymru gan fod sefydliad y Blaid Lafur yn edrych yn amheus ar yr ymgyrch honno.'[4] Yn ail, teimlai Gwilym fod yr amserlen yn rhy fyr, ac i lwyddo i gael confensiwn byddai'n rhaid cael mwy o amser i baratoi'r tir. I Gwilym, tasg y Pwyllgor Llywio fyddai paratoi dogfen fanwl yn crynhoi'r ymgyrchu o blaid y Cynulliad dros y blynyddoedd ac yn ateb y gwrthddadleuon a oedd yn dal i gael eu cyflwyno.

Gofalodd Gwilym gael sgwrs hir â dau o aelodau amlwg y Blaid Lafur Gymreig a oedd yn ei adnabod yn dda ac y bu'n cydweithio â hwy. Derbyniodd gefnogaeth ganddynt dros dro. Ym mis Mehefin cyhoeddwyd darn yn y *Western Mail* gan John Osmond yn disgrifio'r hyn a oedd ar y gweill gan gefnogwyr y Cynulliad. Tarfodd yr erthygl fel bollt ar yr Arglwydd Prys-Davies. Yr oedd yn gandryll, fel y sylweddolais pan gysylltodd â mi, gan fod y cyhoeddusrwydd yn tanseilio ei safiad. Darllenodd y ddau gyfaill yr un adroddiad, gan ddweud wrtho na fedrent feddwl am wasanaethu o gwbl ar y Pwyllgor Llywio, canys eu blaenoriaeth wleidyddol hwy oedd y Blaid Lafur. Trwy'r Blaid Lafur yn unig y gellid cael Cynulliad i Gymru, canys nid oedd

---

4 Llyfrgell Genedlaethol Cymru, Papurau y Blaid Lafur, Ymgyrch Senedd i Gymru.

grym gan Blaid Cymru yn San Steffan i weithredu y weledigaeth. Trafodwyd y freuddwyd a'r cynlluniau gan y Blaid Lafur Seneddol Gymreig. Rhannwyd y grŵp yn dri gwersyll. Cafwyd un rhan o dair o'r Aelodau Seneddol yn erbyn. Ymhlith y rhai a oedd o blaid clywid lleisiau cyson John Morris a Barry Jones. Siom oedd sylwi nad oedd Denzil Davies o bawb yn bleidiol i'r Cynulliad arfaethedig. Credaf fod John Morris yn haeddu'r clod pennaf fel ymgyrchydd dros ddatganoli. Byddai Gwilym yn ei ystyried ef a Jim Griffiths yn ymgyrchwyr o ddifrif. Gallai John Morris droi Wilson o amgylch ei fys bach o ddiwedd y chwedegau a byddai'n gohebu yn gyson â'r gŵr hwnnw ar ddatganoli pan oedd yn Brif Weinidog. Yn yr ail grŵp a oedd o blaid y syniad o ryw fath o ddatganoli gwelid un rhan o dair o Aelodau Llafur Cymru ac ymhlith y rhain clywid llais Ron Davies, Caerffili ac Ann Clwyd, Aelod Seneddol Cwm Cynon, a oedd yn edmygydd mawr o Gwilym, a hefyd y pryd hwnnw yn llefarydd seneddol swyddogol. Yr oedd gweddill yr Aelodau o dan faner y Prif Weinidog James Callaghan yn ddifater a heb fynegi barn y naill ffordd na'r llall, ond y gwir oedd fod angen arweiniad Aelodau Seneddol Llafur ac yn arbennig y Prif Weinidog er mwyn grymuso'r ymgyrch.[5]

Sylweddolwyd bod y cynghorau sir yn rhanedig iawn ar gwestiwn datganoli. Gwrthwynebai Powys, am fod y sir fawr honno mor rhagfarnllyd wrth-Lafurol ac yn ofni y byddai'r Cynulliad yn y brifddinas yn gweithredu polisïau sosialaidd. Rhaid cofio bod darn mawr o Bowys, sef Sir Drefaldwyn, heb erioed gael Aelod Seneddol Llafur i'w gynrychioli, yr unig sir yng Nghymru. Dywed hynny stori fawr ddigon trist am drigolion y darn tir a nodweddir gan yr hyn a elwir yn gariadus yn 'fwynder Maldwyn'. Ac eto, yn y Drenewydd y ganwyd Robert Owen a osododd sosialaeth ar fap y byd. I gynghorau Llafur yng Ngwent, De Morgannwg a Gorllewin Morgannwg, afreal oedd cydweithio ag aelodau o Blaid Cymru – agwedd gwbl ddwl arall. Cafodd Gwilym ei hun ar Bwyllgor Ymgynghorol y

---

5   D. Ben Rees, *Cofiant Jim Griffiths*, 256.

Cynulliad Cymreig (Welsh Assembly Consultative Committee) gyda'r canlynol: yr Archesgob Alwyn Price Jones, Bob Hart, Dr Noel Davies, David Jenkins, Jon Owen Jones AS, Ioan Bowen Rees, Tom Quinn, John Osmond, Alun Evans a Kieron Hill. Daeth i fodolaeth hefyd Bwyllgor Llywio gyda John Osmond yn Gadeirydd ynghyd â deg ar hugain arall, yn cynnwys yr athrylithgar Jan Morris, Syr Goronwy Daniel a Martin Thomas QC. Ofnai Gwilym weld unrhyw Gymro a drigai yn Lloegr yn cael ei enwebu ar y pwyllgorau hyn. Nid oedd wedi ymddihatru yn llwyr o feddylfryd carfan ddigon afresymol o genedl-aetholwyr Cymru. Pan awgrymwyd enw Garry Evans, Llwydlo, fel un a fyddai'n barod i helpu, ei ymateb ef oedd 'ond hwyrach mai camgymeriad fyddai mynd y tu allan i Gymru, oni bai ein bod yn ail hawlio daear Llwydlo.'[6] Eto yng Nghroesoswallt, tref fel Llwydlo sydd ar y ffin rhwng Cymru a Lloegr, y ganwyd Gwilym ei hun! Nid ei fod ef yn ymfalchïo yn hynny o bell ffordd na byth yn sôn am y ffaith iddo weld golau dydd yn agos i Glawdd Offa.

Ynghanol argyfwng yr arweinyddiaeth ymddangosodd Ron Davies, Aelod Seneddol Caerffili, o'r cysgodion fel petai, ac yn ei ohebiaeth helaeth â Gwilym datgelodd ei gefndir teuluol anodd ac fel y daeth yn niwedd yr wythdegau i hybu'r symudiad i sefydlu corff etholedig i Gymru. Yr oedd angen gwleidydd i gymryd yr awenau, gan i'r syniad o gonfensiwn syrthio ar dir caregog. Teithiodd Gwilym i Gaeredin a manteisio ar y cyfle i gael sgwrs â'r Canon Colin Wright am gonfensiwn cyfansoddiadol yr Alban. Ni fu fawr ar ei ennill gan fod amgylchiadau'r ddwy wlad mor wahanol. Pan ymddiswyddodd Neil Kinnock o arweinyddiaeth y Blaid Lafur ar 12 Ebrill 1992, 72 o oriau ar ôl i fythau'r Etholiad Cyffredinol gau ledled y Deyrnas Unedig, gobeithiai Gwilym y byddai ei ffefryn ef yn gwisgo'r fantell. Gwireddwyd hynny a gwelid yn amlwg mai'r Albanwr John Smith, dyn parchus i'r

---

6   Ni cheir gan Yr Arglwydd Gwilym Prys-Davies y rheswm pam nad oedd Garry Evans, Llwydlo yn dderbyniol i fod ar bwyllgor.

cyhoedd, oedd y ffefryn i ddilyn Kinnock. Safodd yr Undebau
Llafur fel un gŵr o'i blaid ac yr oedd ar y mwyafrif o'i gyd-
aelodau ar Gabinet yr Wrthblaid ofn sefyll am y swydd. Yr unig
un a safodd oedd Bryan Gould a hanai o Seland Newydd, ac er
ei ddisgleirdeb fel gwleidydd deallus gwyddai nad oedd ganddo
obaith yn y byd. Yn y gynhadledd arbennig a gynhaliwyd ar
18 Gorffennaf yn Llundain cafodd John Smith fuddugoliaeth
ysgubol. Pleidleisiodd 550 o'r etholaethau yn solet iddo allan o
gyfanswm o 600.

Yr oedd Smith yn Albanwr i'r carn, yn flaenor gydag Eglwys
Bresbyteraidd yr Alban, ac yng ngeiriau'r Rhyddfrydwr Menzies
Campbell AS, oedd yn gyd-fyfyriwr ag ef ym Mhrifysgol Glasgow
yr oedd ganddo 'all the virtues of a Scottish Presbyterian but
none of the vices.'[7] Ei Bresbyteriaeth oedd sylfaen ei sosialaeth
Gristnogol. Daeth yn wleidydd a oedd o ddifrif ar fater datganoli
– Senedd i'r Alban a Chynulliad i Gymru. Dyma eiriau Gwilym
Prys-Davies:

> Ond gweledigaeth ac arweiniad y Sgotyn John Smith, yr
> arweinydd Llafur, fu'n brif sbardun i'r Mudiad Llafur yng
> Nghymru osod datganoli yn ôl ar frig y rhaglen wleidyddol
> yn y nawdegau.[8]

Etholwyd Ron Davies i Gabinet yr Wrthblaid, fel Prif Lefarydd
dros Faterion Cymreig. Gosododd John Smith y dasg iddo:

> We'll need a proper Parliament in Wales, just like we'll
> legislate for in Scotland.[9]

---

7   Roedd Menzies Campbell yn meddwl yn fawr o John Smith. Hefyd ceir
portread o John Smith yn D. Ben Rees, *Cwmni Deg Dawnus* (Lerpwl, 2003),
132–41.
8   Gwilym Prys-Davies, *Cynhaeaf Hanner Canrif*, 125.
9   Ron Davies, *Reflections*, Darlith yr Archif Wleidyddol Gymreig, Aber-
ystwyth, 2003:
> I found myself in the Leader of the Opposition Office . . . being told in no
> uncertain terms by the party leader, John Smith, what he expected of me.
> 'We'll need a proper Parliament in Wales,' he said, 'just like we'll legislate

Golygai hynny sefydlu Cynulliad deddfwriaethol i Gymru – nid tasg hawdd o bell ffordd. Dyn dieithr oedd Ron Davies i Gwilym; nid oedd erioed wedi siarad ag ef nac wedi meddwl amdano fel datganolwr, gan nad oedd y Blaid Lafur yng Nghaerffili yn nodedig am ei hymgyrch o blaid cynulliad, ar wahân i ambell un fel y sylwebydd craff ar y cyfryngau Gareth Hughes.

Gan fod Gwilym yn Llefarydd Llafur ar Faterion Cymreig yn Nhŷ'r Arglwyddi, trefnwyd iddynt gyfarfod am sgwrs. A chafodd yr Arglwydd Prys-Davies ei synnu ar yr ochr orau. Talodd deyrnged i Ron Davies yn *Cynhaeaf Hanner Canrif*; dyma a ddywedodd yn 2008:

> Felly, synnais ei fod mor gadarnhaol at ddatganoli a'r Gymraeg. Fel yr âi'r wythnosau heibio, fe'm argyhoeddwyd ei fod yn mynd i'r afael â'r sefyllfa. Hefyd croesawn yr arwyddion ei fod yn coleddu egwyddorion gweriniaethol, ond mae'n sicr y byddai hynny'n gwbl annerbyniol i eraill.[10]

Teimlai Ron Davies fod cymaint yn gyffredin rhyngddo ac Aelodau Seneddol o Gymru a gynrychiolai Blaid Cymru a'r Democratiaid Rhyddfrydol. Ond pan oedd yr ymgyrch yn dangos gobaith o ennill tir, daeth angau dychrynllyd o sydyn i darfu ar yr holl weledigaeth. Dioddefai John Smith o ddolur y galon a chafodd ail drawiad pan oedd yn ei fflat yn y Barbican, Llundain. Bu farw ar 16 Mai 1994 yn 56 mlwydd oed, ac fe'i holynwyd fel Arweinydd yr Wrthblaid gan ŵr ifanc llawn bywyd a hynod o boblogaidd – Tony Blair.

---

in Scotland.' He rallied passionately against those he described as 'silly buggers' – Welsh and, to a lesser degree, Scottish Labour Party members, who were opposed to devolution. 'Ron,' he said, 'you are in favour of devolution, aren't you?' Fortunately for me, the answer was a genuine 'Yes'.

Gw. www.llgc.org.uk/lc/awg-s-darlith.htm

Gw. hefyd Adroddiad Comisiwn Richard, *Y Comisiwn ar Bwerau a Threfniadau Etholiad Cynulliad Cenedlaethol Cymru*, 2004, 87.

10   Gwilym Prys-Davies, *Cynhaeaf Hanner Canrif*, 124.

Yr oedd hyn yn gryn enbydrwydd, fel y cydnabu Ron Davies wrth Gwilym Prys-Davies, ond bu'n frawychus o lawdrwm ar Blair:

Blair did everything he could to emasculate and frustrate what I was trying to do, and I know that there were 'senior party figures' who were constantly advising him against devolution in Wales. He was never helpful.[11]

Ychydig o gefnogwyr o blaid datganoli oedd gan Ron Davies. Ni chyfrifai Paul Flynn na Jon Owen Jones yn bobl y dosbarth cyntaf, ond gwyddai eu bod hwy yn barod i gefnogi.[12] Ni fu Denzil Davies na Ted Rowlands yn rhwystr iddo. Yr oedd Ann Clwyd o blaid ond yn ei eiriau ef, 'more interested in her own campaigns'. Cefnogai Win Griffiths, Pen-y-bont ar Ogwr, ddatganoli, ond nid oedd ganddo lawer o ddewis gan ei fod yn ddirprwy i Ron Davies. Gwrthwynebai Alan Williams, Caerfyrddin, fel y gellid disgwyl, a chefnogai Martyn Jones, Aelod Seneddol un o seddau Clwyd, ond i Ron Davies, gwleidydd 'low key and ineffectual'

---

11   Llyfrgell Genedlaethol Cymru, Papurau yr Arglwydd Gwilym Prys-Davies. Llythyr Ron Davies at Gwilym Prys-Davies, dyddiedig 31 Ionawr 2006. Y mae'n amlwg nad oedd Ron Davies yn deg â Blair, gan iddo ddweud lawer tro na fyddai'r Cynulliad wedi dod i Gaerdydd heb ei lywodraeth ef. Cawn ddarlun o ddiddordeb digon difater Tony Blair yng ngwleidyddiaeth Cymru yn Andrew Rawnsley, *Servants of the People* (Llundain, 2000), 236–9. A rhaid talu sylw i eiriau Rhodri Morgan am y Refferendwm:

And lastly, we would never have won without Tony Blair's half-day in Wrexham . . . But, Wrexham turned out in force to see Tony Blair. That half-day had all the qualities of a religious visitation from on high. People were hanging out of upstairs office windows just to catch a glimpse of the great man.

Gw. Rhodri Morgan, *Rhodri: A Political Life in Wales and Westminster* (Caerdydd, 2017), 118. Byddwn i yn bersonol yn anghytuno â Ron Davies.

12   Am Paul Flynn, gw. D. Ben Rees, *Cwmni Deg Dawnus*, 152–8. Anfonodd lythyr at Gwilym Prys-Davies i ofyn am help i sefydlu ysgol gynradd Gymraeg yng Nghasnewydd. Gw. Llyfrgell Genedlaethol Cymru, Papurau yr Arglwydd Gwilym Prys-Davies. Llythyr Paul Flynn, Casnewydd at Gwilym Prys-Davies, dyddiedig 12 Mai 1971. Ac onid Jon Owen Jones oedd Cadeirydd yr Ymgyrch dros Senedd i Gymru?

oedd ef.[13] Gwrandawi Blair ar ddau o'r Aelodau Seneddol
Cymreig, Kim Howells, Pontypridd a Neil Kinnock, dau a fu
yn wrthwynebwyr am flynyddoedd i ddatganoli. Dywed Ron
Davies wrth Prys-Davies:

> In 1995 his then principal researcher, Pat McFadden, leant
> on Andrew Bold, the Labour Party apparatchik servicing
> the Welsh Policy Committee, chaired by Ken Hopkins,
> to neuter the final report against the evidence and earlier
> findings of the Commons. In particular they deleted pro-
> posals for an element of PR and for primary law powers.[14]

Cyfarfu â Blair ond nid oedd yr arweinydd newydd yn ildio
modfedd.[15] Yn ystod ymgyrch y Refferendwm pwysodd Ron
Davies arno i gymryd mwy o arweiniad, ond gwrthododd
roddi ei ynni yn yr ymgyrch. Pan ddaeth ar ymweliad, y cwbl a
ddywedodd oedd hyn, yn ôl Ron Davies: 'If I lived in Wales, I
would vote Yes – hardly an endorsement.'[16]

Y gwleidydd oedd ar yr un donfedd â Ron Davies oedd
Dafydd Wigley. Yr oedd perthynas ardderchog rhwng y ddau.
Byddent yn cyfarfod yn gyson, yn trefnu cael prydau bwyd gyda'i
gilydd, weithiau gyda Ieuan Wyn Jones (Aelod Seneddol Plaid
Cymru, Môn) yn bresennol. Yr oedd Ron Davies yn cofleidio
Cymreictod; dechreuodd ddysgu'r iaith yn haf 1993, a bu ar
gwrs yn Nant Gwrtheyrn. Trefnodd yn ddiweddarach dderbyn
cyfarwyddyd un o'r tiwtoriaid gorau ym maes cyflwyno'r
Gymraeg i ddysgwyr, sef John Albert Evans, edmygydd mawr o

---

13   Llyfrgell Genedlaethol Cymru, Casgliad yr Arglwydd Gwilym Prys-Davies.
Llythyr Ron Davies at Gwilym Prys-Davies, dyddiedig 5 Chwefror 2006.
14   *Ibid.* Llythyr Gwilym Prys-Davies at Ron Davies, dyddiedig 3 Chwefror
2006. Derbyniodd Gwilym Prys-Davies fersiwn Ron Davies ar Tony Blair fel
y gwelwn yn y geiriau hyn: 'I am glad that you have pointed out that Blair was
difficult. That accords with the general impression which I formed at the time, but
I had no supportive material.'
15   *Ibid.* Llythyr Ron Davies at Gwilym Prys-Davies, dyddiedig 5 Chwefror
2006.
16   Gwilym Prys-Davies, *Cynhaeaf Hanner Canrif*, 125.

Gwilym Prys-Davies. Gwelir llun Gwilym yn ei hunangofiant, *Llanw Bwlch* (2012).

Yn ystod 1995 gwnaeth Ron Davies ddau ddatganiad a blesiodd Gwilym yn fawr. Dyma a ddywed yn *Cynhaeaf Hanner Canrif* am y ddau ddatganiad:

> Y naill oedd mai 'proses yw datganoli, nid un digwyddiad'; proses sydd yn mynd yn ei flaen. Gwelir mai cam cyntaf, ond cam neilltuol bwysig tuag at rywbeth mwy, fyddai sefydlu Cynulliad Cymru pa mor annigonol bynnag a fyddai ar y dechrau. Dengys profiad mor gall oedd ei ddiffiniad o ddatganoli fel 'proses'. Y llall oedd ei addewid y byddai'r Cynulliad yn tanio 'coelcerth o'r cwangoau'. Bu'r addewid dramatig hwn yn gyfrwng i ennill llu o bleidleisiau i'r achos yn Refferendwm 1997, fe gredaf.[17]

Nid oedd Gwilym ei hun am weld y Cynulliad yn llyncu'r holl gwangoau. Yr oedd gormod ohonynt, o leiaf chwe deg. Trafododd y pwnc â Ron Davies, ond ni symudai hwnnw gam o'r ffordd gan 'ei fod yn gaeedig ei feddwl ar y mater' Erbyn hyn roedd Gwilym yn bennaf ffrindiau gyda Gwynfor Evans. I'r ddau ohonynt fe fu y cyfnod o baratoi ar gyfer yr ail Refferendwm ar ddatganol yn goron ar yrfa y ddau.[18] Yr oedd gan Gwilym ddigon i feddwl amdano, gan fod aelodau amlwg o'r Blaid Lafur yng Nghymru, fel Ken Hopkins o'r Rhondda, yn erbyn y system PR oedd wedi ei chynnig. Ei ddymuniad ef a'i gefnogydd Anita Gale oedd cael Cynulliad Llafur yng Nghaerdydd, ac nid oedd cynrychiolaeth gyfrannol yn arf i sicrhau hynny. Gwyddai Gwilym na dderbynid hynny gan y pleidiau eraill.

---

17 *Ibid.*
18 Dyma stori arbennig. Yn 1966 bu isetholiad Caerfyrddin, ond bellach yr oedd Gwilym a Gwynfor yn bennaf ffrindiau. Dywed Gwynfor Evans fod yr ail Refferendwm ar ddatganoli yn goron ar ei yrfa. Gw. Rhys Evans, *Rhag Pob Brad*, 470. Dywedodd wrth yr ysgolhaig Dr Bobi Jones y byddai'r Cynulliad yn 'ddigon i ddiogelu bywyd y genedl'. Gw. Llyfrgell Genedlaethol Cymru, Casgliad Bobi Jones, Ffeil 327. Llythyr Gwynfor Evans at Bobi Jones, dyddiedig 22 Medi 1997.

Bu 1997 yn flwyddyn i'w chofio oherwydd buddugoliaeth ysgubol Tony Blair a'r Blaid Lafur Brydeinig yn yr Etholiad Cyffredinol. A dylid nodi, rhag inni gael ein cyflyru gan ddehongliad unochrog Ron Davies, fod Tony Blair wedi rhoddi arweiniad digon cymeradwy yng Nghynhadledd Flynyddol Plaid Lafur Cymru yn Llandudno ddydd Gwener, 28 Chwefror 1997. Rhoddodd ei addewid i'r gynhadledd ei fod yn bleidiol i'r ymgyrch gan obeithio eu bod yn fuan am weld diwedd ar ddeunaw mlynedd yn yr anialwch fel gwrthblaid. Cyflawnodd gamp fel arweinydd ifanc, syml ei anerchiad, sydd yn haeddu cofnod. Am y tro cyntaf ers 1906, nid oedd yr un Aelod Seneddol Ceidwadol wedi'i ethol yng Nghymru wedi'r Etholiad Cyffredinol. Aeth 34 sedd i'r Blaid Lafur, 4 i Blaid Cymru a 2 i'r Democratiaid Rhyddfrydol – goruchafiaeth debyg i 1945 i Lafur. Trannoeth yr etholiad, rhoddodd y Prif Weinidog newydd y flaenoriaeth i'r rhaglen ddeddfwriaethol ar gyfer datganoli'r gyfundrefn lywodraethol i Senedd yr Alban, Cynulliad Gogledd Iwerddon a Chynulliad Cymru. Yr oedd Blair wedi cadw at ei air er llawenydd i'r datganolwyr. Croesawyd Ron Davies yn Ysgrifennydd Gwladol Cymru, ac ef yn awr oedd yn arwain yr ymgyrch Ie yn y Refferendwm ar gyfer etholwyr Cymru a oedd i'w gynnal ar 18 Medi 1997, yr un diwrnod â Refferendwm yr Alban. Llwyddodd Ron Davies i greu a chynnal clymblaid ynghyd â chydweithio â Dafydd Wigley. Ysbrydolodd y grŵp ymgyrchu trawsbleidiol 'Ie dros Gymru' er gwaethaf difaterwch y cyhoedd a llawer o'r arweinwyr.

Bu'n rhaid aros tan 4.45 o'r gloch y bore i glywed canlyniad Sir Gaerfyrddin a chlywed bod Cymru wedi pleidleisio i sicrhau Cynulliad. Roedd breuddwyd fawr Gwilym Prys-Davies wedi'i gwireddu, breuddwyd a fu'n ei ysbrydoli ers dyddiau Llanegryn. Dyma'r datganolwyr yn dathlu:

> Hon oedd un o'r buddugoliaethau pwysicaf yn hanes Cymru fodern. Roedd clychau buddugoliaeth yn atseinio

am ddyddiau yng nghlustiau pob gwladgarwr. Llifodd y siampên. Dyrchafwyd Ron Davies yn arwr dros Gymru.[19]

Aeth Gwilym ati i baratoi erthygl gynhwysfawr i'r cylchgrawn *Barn* dan y teitl 'Paratoi ar gyfer y Cynulliad: Drannoeth y Drin', a hefyd i gylchgrawn y Senedd, *The House Magazine*. Yr oedd ef yn weddol hapus, ond sylweddolai pe bai y Refferendwm heb addo elfen o PR ei bod yn amheus a fyddai pobl Cymru wedi cefnogi'r bleidlais o gwbl. Siom arall iddo oedd sylweddoli mai dim ond 46 y cant o'r etholwyr a bleidleisiodd. Dyna sefyllfa anfoddhaol ac anghysurus. Poenai hefyd am yr etholwyr niferus a bleidleisiodd yn erbyn y Cynulliad, gan gredu bod rhaid i'r sefydliad newydd bontio rhwng y rhai oedd o blaid a'r rhai oedd yn erbyn. Yn ei ysgrif mynegodd ei safbwynt:

> Credaf y dylai'r Cynulliad roi mynegiant digonol i holl ddinasyddion Cymru. Ond byddwn hefyd yn barod iawn i gytuno bod un amod bwysig arall, a'r amod honno yw sicrhau y bydd y Cynulliad yn gorff a fydd yn darparu gwasanaeth da mewn dull effeithiol yn ogystal â bod yn gorff a fydd yn cyfoethogi ein democratiaeth.[20]

Y mae'n amlwg fod hyn wedi ei wireddu oddi ar 1997. Fel un a wyddai gryn lawer am y Swyddfa Gymreig a phwysigrwydd y gweision sifil yng Nghaerdydd, rhydd gryn lawer o gyfrifoldeb arnynt hwy fel pobl a fydd yn cynghori'r Cynulliad o wythnos i wythnos. Gofynna'r cwestiwn tyngedfennol yn ei olwg ef: Beth fydd cyfrifoldeb y Cynulliad dros y Gymraeg? Croesawyd ganddo yr addewid fod y ddwy iaith yn gyfartal yng ngweithgareddau'r Cynulliad, a bu'r Cynulliad yn ffodus bod pob un a ysgwyddodd y

---

19 Teimlai Gwilym Prys-Davies mai Refferendwm 1997 oedd 'un o'r buddugoliaethau pwysicaf yn hanes Cymru fodern'. Gw. *Cynhaeaf Hanner Canrif*, 127. Cytunai â'r hanesydd John Davies ei bod yn 'fwy cyffrous i fod yn aelod o'r genedl Gymreig yn negawd olaf yr ugeinfed ganrif nag y bu hi erioed o'r blaen'. Gw. John Davies, *Hanes Cymru*, 662.

20 Gwilym Prys-Davies, 'Paratoi ar gyfer y Cynulliad: Drannoeth y Drin', *Barn*, Tachwedd 1997, 13.

dasg o fod yn Weinidog Cyntaf (Prif Weinidog yn ôl Newyddion
S4C) yn Gymry da sydd yn rhugl yn yr iaith. I Gwilym yr oedd
y gair 'cyfartal' yn well o lawer na'r geiriad a gafwyd yn Neddf
Iaith 1993. Sylweddolai yn yr erthygl fod sefydlu'r Cynulliad yn
her i'r genedl gyfan ac i bob agwedd o fywyd Cymru. Diddorol
yw sylwi ei fod am gadw swydd Ysgrifennydd Gwladol Cymru,
er bod cymaint o'i ddyletswyddau i'w trosglwyddo i ofal y
Cynulliad. Ond er ei fod yn gorfod cydnabod bod y Cynulliad
yn dod o flaen swydd yr Ysgrifennydd Gwladol yn y Cabinet, aiff
ati i wneud awgrym digon radical:

> Ond ni welaf fod y model o ddatganoli a gynigir heddiw
> yn galw yn awr am ddileu swydd yr Ysgrifennydd Gwladol.
> Eto, os dengys ystyriaeth bellach fod yn rhaid aberthu'r
> swydd er mwyn sefydlu Cynulliad Cenedlaethol Cymru ar
> seiliau cadarn a pharhaol, yna boed felly.[21]

Ni ddigwyddodd hynny hyd yn hyn. Deil yr Ysgrifennydd
Gwladol yn y Cabinet i amddiffyn buddiannau Cymru, er bod
hynny yn dibynnu cymaint ar bersonoliaeth y gwleidydd a hefyd
ar argyhoeddiadau yr Ysgrifennydd Gwladol. Croesawodd y
deallusyn Ddeddf Llywodraeth Cymru 1998 a seiliwyd i raddau
helaeth ar Ddeddf Cymru 1978, yr ymgais gyntaf gan Lywodraeth
Lafur i ddod â mesur o hunanlywodraeth i Gymru. Cydnabu
Gwilym fedrusrwydd Ron Davies, gan ei fod yn Neddf 1998 wedi
mabwysiadu strwythur cabinet i'r Cynulliad, yn lle pwyllgorau
trawsbleidiol Deddf 1978, a hefyd wedi argyhoeddi'r Blaid Lafur
fod rheidrwydd i fabwysiadu egwyddor cynrycholiaeth gyfrannol
ar gyfer etholiadau'r Cynulliad. O un safbwynt, camgymeriad,
o safbwynt arall, mwy o ddemocratiaeth. Llawenydd mawr
i Gwilym oedd sylwi ar nifer o gymalau a olygai gymaint yn
Neddf 1998. Rhestrodd hwy yn *Cynhaeaf Hanner Canrif*: mae
Adran 47 (1) yn datgan bod y ddwy iaith yn gyfartal â'i gilydd
yng ngwaith y Cynulliad 'cyn belled ag y bo'n briodol o dan yr

21 *Ibid.*, 14.

amgylchiadau ac yn rhesymol ymarferol'. Sylwa ar Adran 66 (4) lle y mae pob deddfwriaeth eilaidd yn ddwyieithog, oni bai fod hynny yn 'anaddas' neu yn 'rhesymol ymarferol'. Yn Adran 122 (1) gwelir bod pob deddfwriaeth eilaidd a wneir yn y ddwy iaith yn gydradd o ran eu statws cyfreithiol. Ac yn ôl Adran 32 gall y Cynulliad 'wneud unrhyw beth i gefnogi yr iaith Gymraeg'. Er na osodwyd dyletswydd ar y sefydliad i hyrwyddo a hybu'r iaith, roedd hyn yn sicr yn gam mawr ymlaen.

Ond er hyn i gyd, ni chafodd Ron Davies a'r Cynulliad y grymusterau oedd ym meddwl ac athroniaeth John Smith flynyddoedd cyn hynny. Methodd Llywodraeth San Steffan â pherswadio Tony Blair i roddi 'pwerau deddfu sylfaenol i Gymru'. Bu'n rhaid aros yn hir am hyn, ond yn 1997 ac 1998 nid oedd llais Ron Davies yn argyhoeddi'r Cabinet chwaith. Nid oedd o bell ffordd yn fodlon ar y cymrodeddu ac meddai am ei rwystredigaeth:

> I knew, and so did just about everybody else, that the proposals were flawed, but politics is the art of the possible, and so we got on with what we could.[22]

Nid Donald Dewar, Ysgrifennydd Gwladol yr Alban, mo Ron Davies, a buan y sylweddolwyd hynny. 26 Hydref 1998 oedd y dyddiad yr aeth Ron Davies i gors anobaith, ac nid oedd dewis gan Tony Blair ond gadael iddo lithro o olwg y cyhoedd i'r cysgodion a gofalu ei fod yn ymddiswyddo yn ddiymdroi o'r Swyddfa Gymreig. Bu'n rhaid i Ysgrifennydd Cymru a darpar Arweinydd Llafur yn y Cynulliad lithro i'r meinciau cefn. Caiff y stori drist, lawn trasiedi sylw manwl gan Tony Blair a Rhodri Morgan yn eu hunangofiannau.[23] Cynyddodd y siom yn y blynyddoedd dilynol. Erbyn 2002 nid oedd Ron Davies yn meddu hyd yn oed ar gerdyn aelodaeth y Blaid Lafur a fu mor gefnogol iddo ac mor

---

22 Llyfrgell Genedlaethol Cymru, Casgliad yr Arglwydd Gwilym Prys-Davies. Llythyr Ron Davies at Gwilym Prys-Davies, dyddiedig 12 Chwefror 2006.

23 Rhodri Morgan, *Rhodri: A Political Life in Wales and Westminster*, 119–20.

drugarog tuag ato, ac erbyn 2003 nid oedd yn medru ennill sedd i'r Cynulliad y bu ef mor allweddol yn ei ddyfodiad i'r Bae yng Nghaerdydd.

Ni chollfarnwyd ef o gwbl gan Gwilym. Ysgrifennodd yn llawer rhy garedig amdano; yn wir, roeddd ganddo feddwl uchel iawn ohono.[24] Ceisiodd ei roi ei hun yn esgidiau Ron Davies ar ddiwrnod agor y Cynulliad Cenedlaethol ar 26 Mai 1999, a gweld to newydd o wleidyddion wedi eu dewis i weithredu a'r mwyafrif ohonynt heb lawer o brofiad hyd yn oed o lywodraeth leol. I Gwilym yr oedd agor y Cynulliad yn gompliment i ddelfrydiaeth Jim Griffiths, a fu farw dros ddau ddegawd ynghynt, a balch ydoedd fod dau arall a oedd ar dir y byw y diwrnod hwnnw, sef ei ffrindiau Cledwyn Hughes a Gwynfor Evans, yn medi 'cynhaeaf' eu llafur'. Ni chafodd siom fod y Blaid Lafur heb feddu ar fwyafrif mawr. Roedd hynny i'w ddisgwyl, a gobeithiai y byddai'r Cynulliad yn arbrofi ac anturio i baratoi yn rymus ar gyfer anghenion amlwg Cymru. Cafodd siom yn y diflastod a ddigwyddodd rhwng Rhodri Morgan ac Alun Michael ynglŷn â phwy fyddai'n dal swydd Gweinidog Cyntaf Cymru ac arweinydd y Llafurwyr yn y Cynulliad. Roedd hyn yn ei atgoffa ef o'r brwydro rhwng y ddau Gymro Jim Griffiths ac Aneurin Bevan yn y pumdegau. Daliodd Gwilym mewn cysylltiad â Ron Davies am flynyddoedd ar ôl sefydlu'r Cynulliad. Bu'r ddau yn gohebu gryn lawer yn 2006 am ei yrfa, ei farn ddigon rhagfarnllyd ar adegau, am ei gyd-ddatganolwyr a'r berthynas wych a fu rhyngddo ef a Dafydd Wigley o Blaid Cymru. Gwelai Gwilym botensial mawr ym mherson Ron Davies a mynegodd ei ofid ynghylch ei absenoldeb:

> Collwyd o'r Cynulliad Cenedlaethol lais un o'i brif hyrwyddwyr ac fe erys bwlch ar ei ôl.[25]

---

24 Dywed Ron Davies iddo adael y Blaid Lafur am na allai ddygymod â Llafur Newydd.

25 Llyfrgell Genedlaethol Cymru, Casgliad yr Arglwydd Gwilym Prys-Davies. Llythyr Gwilym Prys-Davies at Ron Davies, dyddiedig 28 Ionawr 2006: 'Your

Dyna farn Gwilym; barn gymedrol, ry garedig o lawer ydoedd. Yn ôl Rhodri Morgan, y bu'n rhaid iddo gydweithio ag ef yn y Cynulliad, perthynai Aelod Caerffili i grŵp o o leiaf bedwar aelod anhydrin a thrafferthus. Y rhai amlycaf oedd Ron Davies, John Marek, Peter Law, ac ar brydiau Tom Middlehurst. Rhwng Hydref 2000 a Mai 2003 bu'r tri cyntaf, ac weithiau Tom Middlehurst o'r gogledd-ddwyrain, yn bla i Rhodri ac arwein-yddiaeth y Glymblaid rhwng Llafur a'r Democratiaid Rhydd-frydol.[26] Mae'n amlwg fod dwy ochr i gymeriad cymhleth Ron Davies, fel y mae i lawer un arall o'i gyd-wleidyddion ar hyd y canrifoedd ac mae'n amlwg nad oedd perthyn i'r Blaid Lafur mor bwysig â hynny i'r pedwar ohonynt, gan iddynt yn y diwedd adael a chreu pleidiau gwleidyddol bach newydd a fu'n rhan o dân siafins gwleidyddiaeth Gymreig yr unfed ganrif ar hugain. Digwyddodd, darfu a diflannodd y rhain bron mor gyflym ag y'u crëwyd. Mae'n debyg mai Marek a Law fu hiraf ar y llwyfan bregus hwn o'u heiddo.

---

leadership is missed by people of my persuasion.'
26   Rhodri Morgan, Rhodri: *A Political Life in Wales and Westminster*, 226.

PENNOD 14

Cymwynaswr di-ail

Y R HYN SYDD YN AMLWG DDIGON wrth bwyso a mesur
bywyd Gwilym Prys-Davies ar hyd y degawdau yw ei barod-
rwydd i fod at wasanaeth unigolion, cymdeithasau, mudiadau
iaith a mudiadau datganoli, yr Eglwysi Rhyddion, Cyhoeddiadau
Modern Cymreig, Cyngor yr Ysgol Sul, Cronfa Glyndŵr, y Blaid
Lafur a Ffederasiwn Glowyr De Cymru, a hynny yn gyson. Yn
ystod Streic y Glowyr 1984–5 bu ei gynghorion i swyddogion
Undeb y Glowyr yn ne Cymru yn eithriadol o werthfawr. Bu'n
hynod garedig wrth ei gyfaill yr Arglwydd Cledwyn Hughes.
Gweithiai'r ddau gyda'i gilydd. Dywedodd am y berthynas:

> Af i ofyn ei gyngor, neu i drafod pwnc. Bûm ar fy ennill
> yn fawr o'i gyngor da sydd ar y naill law yn ffrwyth profiad
> cyfoethog mewn gwleidyddiaeth ymarferol, ond sydd ar y
> llaw arall yn tynnu ar argyhoeddiadau cryf sy'n deillio o
> fagwraeth yn nhraddodiad Anghydffurfiaeth Cymru.[1]

Magwyd Gwilym yn yr un traddodiad a bu'n garedig iawn
wrth fudiadau a ddeilliai o Anghydffurfiaeth, ond nid oedd
mor ymglymedig ag yr oedd Cledwyn Hughes. Bu Cledwyn yn
flaenor yn Eglwys Bresbyteraidd Cymru am hanner can mlynedd,
ond ni dderbyniodd Gwilym y cyfle i fod yn ddiacon mewn capel
Annibynnol yn Nwyrain Morgannwg. Gwir y dywedodd am ei
gyfaill cywir:

> Nid oes un gwleidydd arall yn Westminster sy mor
> ymwybodol o'i ddyled i dreftadaeth Anghydffurfiaeth
> Cymru. Deuthum fwyfwy i barchu ei radlonrwydd a'i

---

1   Gwilym Prys-Davies, *Llafur y Blynyddoedd*, 179.

gytbwysedd – priodoleddau a enillodd barch iddo ar bob tu – a'r dycnwch a sicrhaodd ei fod yn Nhŷ'r Arglwyddi, megis ym Mhrifysgol Cymru, yn rhoi arweiniad clir ar y materion sy'n bwysig i ddyfodol ein cenedl.[2]

Manteisiodd Cledwyn ar ddeallusrwydd a chymwynasgarwch Gwilym wrth baratoi adroddiadau manwl yn ymwneud â llu o bynciau, ac yn arbennig Prifysgol Cymru. Ar ôl darllen adroddiad Jarratt, credai Gwilym y dylai'r Brifysgol wynebu'r newidiadau yn ffyddiog. Yn ei farn ef dylai'r Brifysgol symud yn agosach at ddiwydiant, busnes a byd chwaraeon, er mwyn cryfhau'r sefydliad ac er mwyn cael cyfleon a fyddai'n cyflwyno i'r myfyrwyr galluocaf sgiliau arbennig. Iddo ef, dylai'r Brifysgol lwyddo i sefyll fwy ar ei thraed ei hunan a dibynnu llai ar y Trysorlys. Lluniodd ddogfen fanwl ar y modd y medrai Prifysgol Cymru helpu'r colegau a berthynai iddi i fod yn llawer mwy llwyddiannus nag yr oeddynt. Daeth Gwilym yn aelod o Lys y Brifysgol, a chyn hynny fe'i gwahoddwyd i fod yn ddarlithydd yng Ngholeg y Brifysgol, Aberystwyth.[3] Byddai'n dra pharod i baratoi dogfennau ar hyd y blynyddoedd i'w gyfeillion a oedd ar flaen y gad yn ymgyrchu mewn protestiadau. Un o'r rhai a fanteisiodd yn helaeth ar ei gymwynasgarwch oedd yr athronydd a'r cyfathrebwr Dr Meredydd Evans, Cwmystwyth. Anfonodd ef ato droeon lythyrau yn diolch am ei ddogfennau. Dyma enghraifft deg:

---

2   *Ibid.*

3   Pan oedd Syr Thomas Parry yn Brifathro Coleg y Brifysgol, Aberystwyth, mynegodd ei obaith y byddai Gwilym Prys-Davies yn barod i ymuno fel Athro Ymchwil yn Adran y Gyfraith. Gwrthododd Gwilym Prys-Davies y cynnig am ddau reswm. Yn gyntaf, am nad ef oedd y person i roddi arweiniad academaidd ym maes y gyfraith, ac yn ail, derbyniai foddhad trwy weithredu yn ymarferol i gryfhau seiliau Cymru. Dywed frawddeg sy'n dangos ei deyrngarwch i gymoedd diwydiannol y de: 'Ofnaf y byddai symud o'r cymoedd hyn ac ymdaflu i weithio gyda'r genhedlaeth iau yn Aberystwyth yn cau'r drws i wasanaeth yr wyf efallai yn fwy cymwys i'w wneud.' Gw. Llyfrgell Genedlaethol Cymru, Casgliad yr Arglwydd Gwilym Prys-Davies. Llythyr Gwilym Prys-Davies at Syr Thomas Parry, dyddiedig Llun y Pasg, 1971.

Diolch am lunio dogfen mor rhagorol ac am dy ymroddiad dygn a thra medrus i'r ymgyrch hon. Mae'n bleser cael cydymgyrchu â thi.[4]

Byddai'n barod i fwydo pob un oedd mewn sefyllfa i ddilyn ei arweiniad. Gŵr dylanwadol ym myd addysg a gwleidyddiaeth y Rhondda oedd Ken Hopkins. Daeth Gwilym i gysylltiad ag ef pan oedd yn defnyddio swyddfa Morgan, Bruce a Nicholas yn y Porth, lle y trigai Hopkins. Perthynai i bwyllgorau pwysig y Blaid Lafur yng Nghymru. Yn nechrau 1990 cynhelid Pwyllgor y Blaid Lafur ar y Cynulliad yng Nghaernarfon, a medrai Hopkins ei hysbysu iddo lwyddo i addasu'r genadwri ar 'linellau a gynigai Gwilym.'

Mudiad arall y bu Gwilym yn gymwynaswr iddo oedd Cymdeithas yr Iaith. Gohebai â phrif weinyddwyr y mudiad yn nechrau'r nawdegau, yn arbennig Dafydd Morgan Lewis o'r brif swyddfa yn Aberystwyth, Steffan Webb o gell Caerdydd o'r Gymdeithas, ac un o'r gweithwyr anwylaf o ran oedran a brwdfrydedd, y Cynghorydd Dafydd Orwig Jones, Bethesda. Cydnabu Dafydd Morgan Lewis fod y ddogfen a anfonodd Gwilym atynt ynghylch y Mesur Iaith wedi bod yn gymorth amhrisiadwy. Ar ôl astudio'r ddogfen honno nid oedd amheuaeth gan aelodau'r Gymdeithas na ddylid taflu Mesur Drafft Bwrdd yr Iaith Gymraeg i'r bin sbwriel agosaf. Aed ati i addasu dogfen Gwilym, gan gydnabod bod 'eich stamp chwi yn drwm iawn ar y ddogfen, yn arbennig yn y sylwadau ar Ran 2 y Mesur'.[5] Tra oedd Mike Kean yn gwahodd Gwilym i annerch cyfarfod o gangen Plaid Lafur Llanilltud Faerdre yn Nhŷ Illtyd, Pentre'r Eglwys, yr oedd Steffan Webb o gell Caerdydd yn ei wahodd i

4   Ibid. Llythyr Dr Meredydd Evans at Gwilym Prys-Davies, dyddiedig 5 Hydref 1987. Anfonodd lythyr arall ar 22 Rhagfyr 1995, pan ddaeth ar ei ofyn ynghylch paratoi dogfen fel ymateb i ddogfen Plaid Cymru.
5   *Ibid*. Llythyr Dafydd Morgan Lewis, Aberystwyth at Gwilym Prys-Davies, dyddiedig 18 Ionawr 1990, a llythyr Gwilym Prys-Davies at Dafydd Morgan Lewis, Calan Mai (dim dyddiad).

ddod atynt i'r brifddinas i annerch ar y Ddeddf Iaith, Bwrdd yr
Iaith a'r siopau. Pan fu Cymdeithas yr Iaith mewn gohebiaeth â'r
Arglwydd Cledwyn, mynegodd ef barodrwydd llwyr i gyfarfod
â 'rhai o'ch aelodau', ond 'diau,' meddai, 'y bydd Gwilym Prys-
Davies hefo mi os bydd cyfarfod.[6]

Byddai'r arweinwyr yn barod i gydnabod bod dehongliad
Gwilym yn agosach ati ar faterion yn ymwneud â Chymru na
bron neb o'i gyfoeswyr, ar wahân i Gwynfor Evans a Cledwyn
Hughes. Dyna gasgliad Dr Meredydd Evans:

> Ofnaf fod dy olwg dywyll di ar bethau, wedi'r cyfweliad â
> Hunt a Wyn Roberts, yn nes ati na heulogrwydd niwlog
> John Elfed. Dyma ni'n gweld unwaith yn rhagor beth yw
> swyddogaeth waelodol y Bwrdd Iaith, sef tawelu'r dyfroedd
> a chadw ymateb cyhoeddus rhag bod â min pendant arno;
> gwanychu yr ewyllys wleidyddol.[7]

Nid anghofiodd y bobl a alwai ef yn 'arwyr yr iaith' fel Gwyneth
Morgan ac Eileen Beasley. Gwelodd Gwilym freuddwyd y
caredigion yn chwalu dros y blynyddoedd ond daliodd ati heb
laesu dwylo, fel y cydnabu Gwyneth Morgan wrtho lawer tro. Yr
oedd enw Gwilym yn warant o ddidwylledd ac argyhoeddiad.
Iddo ef, fel i Saunders Lewis, yr oedd Eileen a Trefor Beasley,
Llangennech wedi dangos y ffordd yn dra rhagorol wrth fynnu
papur y dreth yn Gymraeg oddi wrth Gyngor Dosbarth Llanelli.
Gwysiwyd Eileen i'r llys ryw 16 o weithiau, rhai o'r rhain yn
ohiriadau ar gais cadeirydd mainc yr ynadon. Ond daeth y cyfan
i ben pan gyhoeddwyd papur y dreth yn ddwyieithog yn Ebrill
1961. Pan symudodd Eileen o Llangennech i Fryn-derw, Henllan
Amgoed yn 1987, bu Gwilym yn gymwynaswr iddi, fel y cydnabu
hi wrth fynegi ei gwerthfawrogiad o'i waith cyfreithiol.

Poenai hefyd am yr argyfwng a ddaeth i ran y papur
wythnosol *Y Faner*, cyfrwng newyddion a dadleuon ar bynciau'r

6 D. Ben Rees, *Cofiant Cledwyn Hughes*, 118.
7 *Ibid*. Llythyr Dr Meredydd Evans at Gwilym Prys-Davies (dim dyddiad).

dydd a fu'n bwysig iawn iddo ef a'i deulu. Lluniodd femorandwm am ddyfodol *Y Faner* ar ôl y golled ariannol yn 1986/87, pan ddiddymwyd grant Cyngor y Celfyddydau. Awgrymodd Gwilym y dylid sefydlu ymddiriedolaeth ond pwysleisiai y byddai'n rhaid cyfyngu'r wythnosolyn, a gâi ei argraffu yng Ngwasg y Sir, y Bala, i bynciau addysgol a llenyddol yn unig. Y mae'r memorandwm a luniodd yn cynnwys syniadau gwych.[8] Er yr ymdrech, darfod a wnaeth *Y Faner* ac amddifadwyd o leiaf mil o wladgarwyr o bapur a oedd yn barod i roddi i'r cenedlaetholwyr, y sosialwyr a gweddill y pleidiau le o fewn y tudalennau.

Bu Gwilym Prys-Davies yn gymwynaswr yn Nhŷ'r Arglwyddi mewn perthynas â'r Mesur Iaith, 1988, Mesur yr Iaith Gymraeg, 1993, y Mesur Llywodraeth Leol, 1994 a Mesur Llywodraeth Cymru, 1998. Cafodd Bernard R. Assinder, arweinydd Cyngor Bwrdeistref Blaenau Gwent, ei blesio'n fawr, ef a dau arall, pan fu'r Arglwydd Prys-Davies a'r Arglwydd Brian Morris wrthi'n cyflwyno cymal addas yn Nhŷ'r Arglwyddi ar 17 Ionawr 1994 i'r hyn a elwid yn Welliant Blaenau Gwent i Fesur Llywodraeth Leol yng Nghymru. I Assinder a'i gyfeillion yr oedd dull yr Arglwydd Gwilym o weithredu yn garedig a thra effeithiol. Derbyniodd air yr un mor ganmoliaethus oddi wrth Syr Goronwy Daniel, Llandaf, ar ôl ail ddarlleniad o'r Mesur ar Lywodraeth Leol yng Nghymru. Dywedodd:

> Llongyfarchaf chi, Cledwyn a Brian, am eich areithiau gwych, tri ohonoch oedd yr unig siaradwyr i ddangos yn glir fod y Mesur yn wirioneddol ddrwg mewn egwyddor.[9]

Condemniai'r cyn-was sifil Lywodraeth John Major:

> Bydd y penderfyniadau pwysig dros yr ardaloedd lleol yn cael eu gwneud gan bobl ganolog, fydd â blaenoriaethau

---

8 Gw. y memorandwm yn ei archif, 'Memorandwm ar ddyfodol *Y Faner*', 21 Rhagfyr 1987.
9 *Ibid.* Llythyr Syr Goronwy Daniel at Gwilym Prys-Davies, dyddiedig 26 Ionawr 1994.

gwahanol, ac fel yn y trefedigaethau, canlyniad colli menter a brwdfrydedd lleol, fydd tlodi.[10]

Daeth Syr Goronwy i'r casgliad anorfod mai sefydlu Cynulliad oedd yr ateb, gorau po gyntaf:

> Credaf yn awr taw efallai'r ateb gorau yw sefydlu Senedd Gymreig etholedig gyda swyddogaethau sylweddol a phwerau gweithredol.[11]

Yr oedd Gwilym erbyn hyn yn cymysgu â'r Sefydliad Seisnig, fel y Sefydliad Cymreig. Nid oedd o bell ffordd yn debyg i Cledwyn a dderbyniai wahoddiadau wythnosol i giniawa ac i gyfarfodydd arbennig. Er hynny, derbyniodd Llinos ac yntau wahoddiad i Blas Buckingham ar 20 Mehefin 1994 i dderbyniad gan y Frenhines a Dug Caeredin.

Defnyddiai gryn dipyn o'i amser i ddarllen y dogfennau a ddeuai o'r Swyddfa Gymreig, a gofalai hysbysu'r Gweinidogion o frychau amlwg a llai amlwg. Erbyn hyn yr oedd yn aelod yn San Steffan o'r Cydbwyllgor ar Offerynnau Statudol. Ymhyfrydai yn y dasg o astudio'r ddogfen, a gofalai bob amser dynnu sylw'r Pwyllgor at gyflwr y fersiwn Cymraeg. Soniodd wrth Syr Wyn Roberts, y Gweinidog Gwladol, am Offeryn Statudol 1994, gan ddweud, 'Mewn gwirionedd, hwn fydd y pedwerydd achos a gefais fel aelod o'r Pwyllgor gan gyfeirio at ansawdd annerbyniol y cyfieithu.'[12] Dywedodd ei fod yn falch o weld y fersiynau Cymraeg, ond ychwanegodd ei fod am weld cywirdeb; yn wir, defnyddiodd yr ymadrodd 'yn berffaith gywir'. Ysgrifennai yn gyson yn y cyfnod hwn at yr Iarll Robert Ferrers yn Nhŷ'r Arglwyddi ar wahanol bynciau. Un ohonynt oedd penodi Prif Gwnstabl Heddlu Gogledd Cymru. Rhyngddo ef a'r Arglwydd Cledwyn, sicrhawyd bod y swydd yn cael ei hailhysbysebu gan

---

10 *Ibid.* Roedd Gwilym yn bennaf ffrindiau gyda Goronwy Daniel a byddent yn ymweld â'i gilydd yn gyson.

11 *Ibid.*

12 Llythyr Gwilym Prys-Davies at Syr Wyn Roberts, dyddiedig 18 Ebrill 1994.

gyfeirio at gymhwyster ieithyddol neu o leiaf y 'parodrwydd i ymrwymo i ddysgu'r iaith'. Bu'n rhaid i'r ddau gysylltu â'r Swyddfa Gartref. Soniodd Gwilym wrth Cledwyn y byddai'r neges lawer yn rymusach pe bai'n 'dod oddi wrthych chi hefyd'. Ar ôl cael cytundeb anfonodd air, ar ran y ddau, at yr Iarll Ferrers gan ddweud:

> I have talked at length with Lord Cledwyn about the position and he has authorised me to say that he fully supports the content of this letter.[13]

Bu'r ymyrraeth yn hynod o fendithiol a chafwyd Prif Gwnstabl o Sais a ddysgodd Gymraeg yn rhugl, a chael ei dderbyn maes o law yn aelod o Orsedd y Beirdd yn yr Eisteddfod Genedlaethol. Derbyniodd yr Iarll Ferrers hefyd air yn gofidio am achos Eleri Carrog o fudiad Cefn, a wnaeth gais am ffurflen Gymraeg wrth ofyn am basbort newydd. Gwrthododd Swyddfa Lerpwl ei chais. Gofynnodd Gwilym iddo ymchwilio yn ddiymdroi i'r rheswm pam nad oedd ffurflen ddwyieithog ar gael.[14] Lluniodd lythyr flwyddyn yn ddiweddarach i'r Farwnes Blatch ar fater Siôn Aubrey Roberts o Langefni a oedd dan glo yng ngharchar Full Sutton ar ôl ei gael yn euog o fod â rhan yn ymgyrch losgi meibion Glyndwr.[15] Yno, gwrthododd yr awdurdodau iddo weld tâp fideo o S4C am ei fod mewn carchar y tu allan i Gymru. Bu'n trafod yr achos a'i brotest â'r Arglwydd Cledwyn; yr oedd yntau yn cytuno bod y weithred yn bychanu hawl ddynol y carcharor fel Cymro. Atebodd Derek Lewis, o Wasanaeth y Carcharau, yr Arglwydd Prys-Davies, gan ddweud bod Llywodraeth Major

---

13   *Ibid.* Llythyr Gwilym Prys-Davies at yr Iarll Robert Ferrers, dyddiedig 20 Awst 1990, ar y Mesur Darlledu, Cymal 16. Mae'n cynnig gwelliant yn llinell 26, sef dileu y gair 'suitable' a rhoddi yn ei le 'comprehensive' – manwl a doeth fel arfer.
14   *Ibid.* Llythyr Gwilym Prys-Davies at yr Iarll Robert Ferrers, dyddiedig 19 Ebrill 1994.
15   *Ibid.* Llythyr Gwilym Prys-Davies at y Farwnes Blatch, dyddiedig 20 Mawrth 1995.

yn gwrthod, a chydnabyddai ei bod braidd yn ansensitif.[16] Yr oeddynt yn barod i gyflwyno llyfrau iddo, ond nid tapiau am ei fod mewn carchar 'diogelwch uchaf'.

Ysgwyddodd Gwilym swydd arall yn 1994, pan awgrymodd yr Arglwydd Cledwyn, ar ei ymddeoliad o fod yn Gadeirydd Cymdeithas Aelwyd, oedd â'i phencadlys yn Nhreorci, y dylai ei gyfaill ei olynu.[17] Yn naturiol, yr oedd Aelwyd yn falch dros ben o hyn, a dangosodd Eglwys Bresbyteraidd Cymru gryn ddiddordeb yn y dasg o ehangu tiriogaeth yr Aelwyd o baratoi tai a fflatiau ar gyfer rhai nad oedd yn medru prynu eu cartrefi. Yr oedd Ysgrifennydd Cyffredinol yr enwad, y Parchedig Dafydd Owen, yn aelod o'r Pwyllgor Gwaith, ac yn gefnder cyfan i'r Arglwydd Cledwyn. Yn yr wythdegau a'r nawdegau byddwn yn trefnu bob blwyddyn ddirprwyaeth o Eglwys Bresbyteraidd Cymru i ymweld â Gweinidogion Gwladol Cymru yn y Swyddfa Gymreig yn Whitehall, ac yna cyfarfod â'r gwleidyddion Cymreig o'r ddau Dŷ mewn ystafell yn Nhŷ'r Cyffredin. Ysgrifennodd Dafydd Owen at Gwilym yn haf 1995:

> Roeddwn yn falch iawn o glywed fod Ben Rees a'n dirprwyaeth wedi gallu codi'r mater gyda Rod Richards yn y Swyddfa Gymreig, ynghyd â'r cyfarfyddiad ... Diolch i chi am gysylltu â Ben Rees ymlaen llaw oherwydd mae ef yn awyddus iawn i weld datblygu yn y Gogledd o dan nawdd Aelwyd.[18]

Yn nodweddiadol o'r Arglwydd Prys-Davies, gwelodd gyfle arall i ninnau o wersyll yr Ymneilltuwyr gan ddweud wrth Dafydd Owen mewn llythyr arall:

---

16 *Ibid.* Llythyr Derek Lewis o Wasanaeth y Carcharau at Gwilym Prys-Davies, dyddiedig 12 Ebrill 1995.

17 *Ibid.* Llythyr Cledwyn Hughes a Richard H. Hearn (Cadeirydd) at Gwilym Prys-Davies, dyddiedig 25 Mawrth 1994.

18 *Ibid.* Llythyr y Parchedig Dafydd H. Owen, Caerdydd at Gwilym Prys-Davies, dyddiedig 21 Gorffennaf 1995. Llythyr Gwilym Prys-Davies at y Parchedig Dafydd H. Owen, dyddiedig 27 Gorffennaf 1995.

Pan ddaeth Ben Rees a'r cyfeillion i'n gweld, soniwyd wrthym am gonsyrn yr Eglwys am le'r teulu yn y gymdeithas fodern. Mae'n siŵr eich bod wedi sylwi mai dyma un o themâu Blair, ond 'wn i ddim ydy o wedi meddwl yn ddwfn am hyn. Buaswn i'n awgrymu y byddai'n werth i'r Eglwysi ym Mhrydain ystyried mynd â dirprwyaeth i'w weld ar y thema.[19]

Mater oedd hwn a berthynai i Gytûn, ond ni ddaeth dim byd ohono, gwaetha'r modd.

Ym mis Mawrth 1995 cyflawnodd Gwilym gymwynas arall, trwy dderbyn gwahoddiad Bwrdd yr Iaith Gymraeg a'r Swyddfa Gymreig i fod yn gadeirydd panel i ystyried y dasg o gyfieithu o'r Saesneg i'r Gymraeg. Gosodwyd dyletswydd statudol ar y cyrff cyhoeddus i ddarparu cynlluniau iaith i sicrhau bod yr iaith ar sail gydradd â'r Saesneg mewn gweinyddiaeth gyhoeddus. Pwysig oedd edrych ar yr hyn a oedd ar gael eisoes, fel *Termau Gwleidyddiaeth* (1976) a *Termau Meddygol* (1993). Gwnaeth y Panel Cymraeg Swyddogol waith sylweddol o fewn byr amser a chyhoeddwyd adroddiad pwysig a chynhwysfawr ym mis Gorffennaf 1995.

Bu Gwilym am flynyddoedd yn cynghori ac yn awgrymu gwelliannau i banel cyfieithwyr y Swyddfa Gymreig. Bu'r gair 'cyfartalog' a ddyfeisiwyd gan y Swyddfa Gymreig yn ei boeni. Iddo ef byddai defnyddio 'ar gyfartaledd' yn llawer gwell. Hefyd, defnyddiwyd 'dileu' am ddileu gwall. Fel y dywedodd, y gair gorau yw 'dymchwel', symud ymaith. Ni allai ddeall fod angen creu geiriau newydd pan fo gennym ddigon o eiriau ar gael yn barod. Dyna'i neges i Elizabeth Hume o'r Swyddfa Gymreig: '"Dal-dŵr" means weatherproof, but the translation emerges with "gwrth dywydd"'; oes angen 'pont draed' am *footbridge*, pan mae gennym 'pompren'? Credai mai 'yswiriant atebolrwydd

19   *Ibid.* Llythyr Gwilym Prys-Davies at y Parchedig D. H Owen, dyddiedig 5 Gorffennaf 1995.

i'r cyhoedd' oedd yr awgrym gorau am *public liability insurance.* Am y gair *boulder*, nid 'clogwyn' yw'r cynnig gorau yn ei dyb ef ond 'maen mawr', neu 'garreg fawr'.[20] Bu'n gohebu droeon ag E. A. Hume o'r Swyddfa Gymreig gan fynegi ei ofid am y modd y dylid cyfieithu nid yn llythrennol, ond gyda theithi meddwl y Gymraeg. Daeth i'r casgliad yn 1998 mai'r 'gymwynas orau y medraf ei wneud â'r iaith Gymraeg yw dweud bod yr amser wedi dod i'r Swyddfa Gymreig i drefnu darpariaeth broffesiynol i ymgymryd â'r gwaith y ceisiais i ei wneud am y pum neu'r chwe mlynedd diwethaf'.[21]

Yr oedd digon o waith ganddo i'w gyflawni. Ef oedd y gŵr a baratôdd gais i gofnodi Menter Iaith Taf-Elái gyda'r Comisiwn Elusennau. Crëwyd y Fenter yn 1992 a bu Steffan Webb, Swyddog Datblygu Menter Taf-Elái, yn gofyn am ei gymorth – ie, cymwynas arall. Nid oedd yn colli cyfle. Bu ar daith yng Ngogledd Lloegr yn casglu gwybodaeth ddiwedd Mai 1995, ac yntau'n teimlo'n anesmwyth am y modd yr oedd Macedonia yn delio â'r lleiafrif Albanaidd oedd yn byw o fewn ei ffiniau. O leiaf yr oedd un cysur, sef fod y Comisiwn Ewropeaidd ar Hawliau Dynol yn ymwybodol o'r treisio a'r erledigaeth.

Pan fyddai pobl o fewn y grefydd Gristnogol neu ym maes yr iaith Gymraeg yn anfon ato am gymorth ymarferol, ni allai wrthod haelioni na chymwynas. Un a fu ar ei ofyn oedd y Tad Deiniol o Eglwys Uniongred yr Amddiffyniad Sanctaidd ym Mlaenau Ffestiniog. Sefydlodd y Tad Deiniol, Cymro Cymraeg, Eglwys Uniongred Rwsiaidd ym Mlaenau Ffestiniog, a hynny

---

20 *Ibid.*, Bocs 1/4. Cyfarfu'r Panel bedair o weithiau, sef ar 27 Mawrth, 4 Mai, 25 Mai a 21 Mehefin 1995. Darparai Deddf yr Iaith Gymraeg 1993 fod y ddwy iaith ar sail cydraddoldeb wrth gynnal busnes cyhoeddus a gweinyddu cyfiawnder o fewn Cymru. Llythyr Elizabeth A. Hume, Swyddfa Cyfieithu, Y Swyddfa Gymreig, Caerdydd at Gwilym Prys-Davies, dyddiedig 9 Rhagfyr 1996. Gofynnai am arweiniad ar dermau Cymraeg ym myd cynllunio.

21 *Ibid.* Llythyr Gwilym Prys-Davies at Elizabeth A. Hume, dyddiedig 4 Rhagfyr 1996; *Ibid.* Llythyr Gwilym Prys-Davies at Steffan Webb, dyddiedig 7 Ionawr 1997.

yn Heol Manod. Llwyddodd i godi cronfa yn 1988 tuag at anghenion yr Eglwys a chysylltodd â'r Arglwydd Gwilym Prys-Davies. Derbyniodd ar ddydd olaf Hydref 1988 rodd hael i'r achos, mor hael nes yr awgrymodd y Tad Deiniol wrtho y medrai fod ymhlith y 'noddwyr'.[22] Nid oedd hynny yn dderbyniol i un a fagwyd yn Annibynnwr, ymhell o sawr a phresenoldeb yr iconau. Bu'n help mawr i Ganolfan yr Ymbarél, fel y'i gelwid, ym Mlaenau Ffestiniog. Ymladdodd ei hachos a derbyniodd y Ganolfan, a oedd yn cyflawni gwaith da ymhlith y mamau a'r plant, arian oddi wrth y Loteri i'w cynnal yn eu dyddiau blin.[23]

Gŵr y meddyliai y byd ohono oedd y bardd J. Eirian Davies; yr oedd y ddau yn fyfyrwyr yn Aberystwyth. Daeth i wybod bod angen cymorth ariannol arno yn ei hen ddyddiau, a gofalodd ei hun, a thrwy ei ohebiaeth â'r Parchedig Dafydd H. Owen, fod y gŵr amryddawn yn cael yr hyn a haeddai, sef cysur ar ddiwedd y daith yn ei sir enedigol, mewn cartref henoed yn Ffair-fach ger Llandeilo.

Achos arall y bu Gwilym yn gymwynaswr mawr iddo oedd ymgyrch Rachel Davies, Llangynwyd ger Maesteg. Hi oedd Cadeirydd y Tribiwnlysoedd Diwydiannol yng Nghymru, ac roedd yn ferch i Major John Edwards, Aelod Seneddol y Rhyddfrydwyr yn etholaeth Aberafan o 1918 hyd 1922. Soniodd am ei rhwystredigaeth yn ceisio gweinyddu Deddf Iaith heb 'awch iddi', ac yn bwrw 'ein pennau yn erbyn mur o weision gwladol'. Cyngor Gwilym iddi oedd:

Peidiwch â digalonni. Dyma yn union fel y bu hi ar hyd y ganrif. Yn araf iawn y gellir sicrhau y newidiadau yn y polisi at y Gymraeg y mae angen amdanynt. Ond rhaid dal ati. Rym yn ennill tir o gam i gam.[24]

22 *Ibid*. Llythyr diolchgar y Tad Deiniol, Blaenau Ffestiniog at Gwilym Prys-Davies, dyddiedig 31 Hydref 1988.
23 *Ibid*. Llythyr Sally Burns, Blaenau Ffestiniog at Gwilym Prys-Davies (dim dyddiad).
24 Llythyr Gwilym Prys-Davies at Dr Rachel Davies, dyddiedig 25 Ebrill 1996.

Gwyddai ef gystal â neb am sefyllfa drist y Gymraeg a bu'n gohebu â'r Arglwydd Archer o Sandwell, gan ddatgelu ffeithiau digon digalon. Dim ond un o'r deuddeg o gadeiryddion rhanamser y tribiwnlysoedd oedd yn siarad Cymraeg, ac o'r 940 aelod a berthynai i'r tribiwnlysoedd, dim ond tri oedd yn medru siarad iaith frodorol y wlad, yr iaith a oedd ar dir Cymru ymhell cyn y Saesneg. Ni feddai'r gyfundrefn strwythur addas gyda theipydd a allai weithio yn y Gymraeg ac nid oedd cyfieithu yn digwydd. Y mae'n amlwg nad oedd Deddf Iaith 1993 wedi ei gweithredu o gwbl ym myd y tribiwnlysoedd.

Cadwodd gysylltiad â Dr Rachel a daeth Dafydd Wigley i'w gefnogi erbyn diwedd y degawd. Ni ellid ond gofidio bod y swm o £30,000 a glustnodwyd ar gyfer gosod y Gymraeg yn rhan o'r strwythur wedi ei gamddefnyddio gan un o swyddogion Swyddfa Comisiwn y Tribiwnlysoedd Diwydiannol. Dyhead Dr Rachel Davies, fel y ddau a'i cefnogai, oedd gweld Cymru yn cael triniaeth debyg i'r Alban. Hysbyswyd Gwilym yn 1999 gan Dafydd Wigley ei fod wedi paratoi cynllun ar gyfer Bwrdd yr Iaith, oherwydd bod 'swyddfa'r Tribiwnlysoedd Diwydiannol wedi peidio â defnyddio arian a glustnodwyd ar wneud darpariaethau ar gyfer yr iaith'.[25] Bellach yr oedd ganddynt gynllun iaith, ar ôl yr holl amser a wastraffwyd. Teimlai Dafydd Wigley y dylai fod yna swyddfa ar wahân yng ngogledd Cymru a swyddfa yng Nghaerdydd, 'ac na ddylai rhan o Gymru fod yn cael ei rhedeg o'r Amwythig fel sydd hefyd yn digwydd'.[26] Hysbysodd Gwilym ei gyfaill ei fod ef yn cytuno â Dr Rachel Davies.

Bu Gwilym yn ymgodymu â phroblemau'r Cynulliad, a lluniodd erthygl ddiddorol i gylchgrawn San Steffan a elwid *The House Magazine* ar ddechreuad y sefydliad y bu ef mor weithgar o'i blaid.[27] Disgwyliodd yn naturiol weld y Blaid Lafur yn

---

25 *Ibid*. Llythyr Dafydd Wigley at Gwilym Prys-Davies, dyddiedig 28 Ionawr 1999.
26 *Ibid*.
27 Gwilym Prys-Davies, 'Building a Focus of Pride', *The House Magazine*, 17 Mai 1999, 16.

blaid fwyaf y Cynulliad, ac annisgwyl iawn felly oedd ei gweld hi heb fwyafrif o aelodau. Bu'n rhaid i Lafur yn y tymor cyntaf lywodraethu heb y mwyafrif a ddisgwylid. Rhoddodd hyn her i Lafur fel i bawb a ymddiddorai mewn democratiaeth. Sylweddolai fod y Refferendwm wedi addo elfen o gynrychiolaeth gyfrannol a bod hynny'n newid yr holl strwythur er budd democratiaeth, ac i ofalu na fyddai unrhyw Blaid yn tra arglwyddiaethu. Byddai'n cymryd blynyddoedd i'r Cynulliad ddod yn rym yn y tir gan fod San Steffan yn denu y gwleidyddion uchelgeisiol. Ac ar ben hynny, dibynnai'r mwyafrif o bobl Cymru ar y cyfryngau Saesneg am eu gwybodaeth – BBC 1 a 2, ITV a phapurau fel y *Sun* a'r *Daily Mirror.*

Gwelodd o ddyddiau ei rieni yn Llanegryn fod y Blaid Geidwadol yn elyn anghymodlon i'r gwerthoedd Cymreig, ac erbyn y nawdegau diolchai iddo gael rhan fechan yn y frwydr i orfodi'r blaid adweithiol honno i newid ei thiwn. Gwelai Blaid Cymru yn ddigon cymedrol a chreadigol; yn wir, yr oedd ef yn meddwl cryn lawer o arweinwyr y blaid honno. Felly hefyd y Democratiaid Rhyddfrydol, plaid a fu'n bwysig ryfeddol ond a oedd bellach yn ymladd am ei heinioes o fewn gwleidyddiaeth Cymru heb sôn am y Deyrnas Unedig.

Gofynna Gwilym, fel y gwnâi aelodau brwd eraill o'r Blaid Lafur, pam yr oedd cymaint o Lafurwyr amlwg wedi bod yn llugoer ynghylch y blaenoriaethau y cysegrodd ef ei fywyd drostynt, a pham y bu i gymaint o'r cefnogwyr aros gartref neu bleidleisio i Blaid Cymru yng nghadarnleoedd y Blaid Lafur ar ddiwrnod y pleidleisio. Ni cheir ateb hawdd, ond gwyddid bod llawer i Lafurwr o gefndir yr Undebau yn gresynu bod penaethiaid y Blaid Lafur, ac yn arbennig Tony Blair, yn gwthio merched i fod yn aelodau o'r Cynulliad trwy restr fer o ferched yn unig yn enw'r Blaid Lafur, a bod Ron Davies wedi llwyddo i gael y blaid i fabwysiadu trefn PR. Gwyddid bod aml i ardal lle roedd Llafur yn amhoblogaidd oherwydd yr hyn a gyflawnwyd yn ei henw ar hyd y blynyddoedd gan y cynghorau lleol. Esbonia hynny pam roedd Plaid Cymru wedi gwneud cystal yn etholaethau Caerffili a Rhondda Cynon Taf. Anghofiodd Gwilym yn ei ddadansoddiad am gefndir anwadal yr ardaloedd hyn, oddi ar yr isetholiadau yn 1967. Daeth etholaethau Islwyn a'r Rhondda i ddwylo Plaid Cymru. Bu'r ffrae rhwng Alun Michael a Rhodri Morgan am yr arweinyddiaeth yn bennod ddiflas, a gobeithiai y byddai Alun a Rhodri yn llwyddo i gymodi. Gofidiai fod Tony Blair a Llundain wedi bod yn afresymol ac wedi gwneud mawr ddrwg i ymgeisyddiaeth Alun Michael. Roedd ganddo feddwl mawr ohono ef er hynny, am ei fod yn cefnogi datganoli yn 1979.

Llwyddodd Plaid Cymru i wneud argraff yn yr ardaloedd lle y ceid cymorth ariannol sylweddol oddi wrth yr Undeb Ewropeaidd; hynny yw, hen faes glo cymoedd de Cymru a chymunedau difreintiedig yn siroedd Mynwy, Morgannwg a Chaerfyrddin. Bu'r cymoedd hyn, lle y bu ef yn byw ei fywyd fel oedolyn, yn disgwyl yn hir am wanwyn arall – a gobeithiai weld y Cynulliad yn cofio hynny. Gellid cyflawni llawer o ran gweithredu. Llywodraeth leiafrifol oedd Llywodraeth Lafur MacDonald yn 1924. Ond llwyddodd y Llywodraeth honno i bwysleisio dwy egwyddor; yn gyntaf, fod paratoi tai ar gyfer teuluoedd yn ddyletswydd gymdeithasol, ac yn ail fod addysg uwchradd yn hawl i bob person ifanc. Teimlai Gwilym yn 1999 y dylai Aelodau'r Cynulliad arbrofi ac anturio, gofalu eu bod yn paratoi polisïau creadigol a bod yn weinyddwyr gofalus. Pe baent yn llwyddo, dôi'r Cynulliad yn destun balchder i bobl Cymru.

Pe bai rhywun yn cael ailysgrifennu hanes, fel hyn y byddid yn gwneud hynny. Yn lle colli'r Refferendwm yn 1979, dyweder bod pobl Cymru wedi dweud 'Ie', a bod y Cynulliad wedi dod i fodolaeth y flwyddyn honno. A dychmyger pe buasai'r Blaid Lafur yn greadigol, ei bod wedi gosod Gwilym Prys-Davies yn ymgeisydd i'r Cynulliad. Yna Llafur yn ennill yr etholiad a'r sefydliad Llafurol yn enwi Gwilym fel Gweinidog Cyntaf y Cynulliad. Byddai bywyd Cymru wedi elwa a'r iaith a'i diwylliant wedi eu cefnogi hyd yr eithaf. Ond nid felly y bu, a'r cyfle a gafodd Gwilym oedd paratoi a pharatoi, cefnogi a chefnogi, breuddwydio yn ddi-baid. Ac ar ôl hir ddyheu gweld gobaith am ddyddiau gwell. Lluniodd Merêd lythyr ato gan ddweud:

> Byddai'n wir drychinebus pe na ddefnyddid y Gymraeg yn aml a naturiol yng ngweithgareddau'n prif gorff gwleidyddol.[28]

A dyna'r drychineb sydd wedi digwydd. Ni ddefnyddir y Gymraeg mor aml ag y dylid, ond ni all rhywun ddychmygu Gwilym fel Prif Weinidog yn siarad Saesneg byth a beunydd yn y Cynulliad, ond yn hytrach yn rhoddi arweiniad positif, creadigol yn iaith ei fam. Onid ef oedd un o'r arloeswyr yn y defnydd o'r iaith Gymraeg yn y llysoedd, y cyntaf erioed i dyngu llw yn Gymraeg yn Nhŷ'r Arglwyddi? Anaml iawn y byddai'n syrthio'n fyr o fod yn gymwynasydd pennaf yr iaith Gymraeg yn ail hanner yr ugeinfed ganrif. Gofalodd mai'r Gymraeg oedd iaith yr aelwyd a bod y tair merch yn mynychu ysgolion Cymraeg.

Bu'n gymwynaswr diflino i gymaint o Gymry a oedd wedi cael syrffed ar y modd y trinnid yr iaith. Bu Dr Marc Tomas Davies a Llion Richards o Aberbargod mewn cysylltiad ag ef. Roedd y ddau'n dysgu'r iaith, ac yn cwyno am y ddarpariaeth Gymraeg yn swyddfeydd y Ganolfan Gwaith a Budd-daliadau ym Margoed. Os dymunid gwasanaeth yn y Gymraeg yn y flwyddyn 2000, rhaid oedd aros am dair wythnos i gael rhywun o Gaerdydd i ddod i Fargoed i gyflawni'r gofyniad. Sonia'r ddau eu bod heb dderbyn un geiniog o fudd-dal i fyw arno. Pwysid arnynt gan y gweision sifil i gydymffurfio a gwneud popeth yn Saesneg, sef llenwi'r ffurflenni, er mwyn iddynt dderbyn yr arian o fewn yr amser disgwyliedig. Cyfrifid hwy yn niwsans llwyr, a dymunai'r ddau dderbyn ei gyngor. Yr oedd rheswm arbennig pam yr oeddynt wedi dod i gysylltiad ag ef – am ei fod yn

---

28 Llyfrgell Genedlaethol Cymru, Papurau yr Arglwydd Gwilym Prys-Davies, Llythyr Dr Meredydd Evans at Gwilym Prys-Davies, dyddiedig 27 Ionawr 1999.

'ymgyrchydd profiadol ac effeithiol dros y Gymraeg.'[29] Ni ellid gwadu hynny, a daliodd ati hyd y diwedd. Ni allwn anghofio bod Cytundeb Gwener y Groglith 1998 yng Ngogledd Iwerddon yn destun cryn foddhad iddo, ac ysgrifennodd erthygl werthfawr i'r *Goleuad* ar y pwnc.[30] Yr oedd ef yn un a fu'n rhan o'r stori, a gwelai'r cytundeb fel y cyfle gorau ers chwarter canrif i sicrhau cymod rhwng y ddwy gymuned yng Ngogledd Iwerddon. Talodd wrogaeth i'r Americanwr, y Seneddwr Mitchell, a'r Prif Weinidog, Tony Blair. Datgela'r erthygl y cefndir a'r cymeriadau pwysicaf, fel Trimble, Adams a Hume, ac yn y cysgodion, Paisley a McGuinnes. Gwir y dywedodd:

> Y Pasg hwn, mae cyfle o'r hir ddiwedd i dorri llwybr newydd. Gobaith y rhan fwyaf ohonom yw y bydd mwyafrif etholwyr Gogledd Iwerddon yn manteisio ar y cyfle anghyffredin hwn sydd o fewn eu cyrraedd.[31]

Bûm ar ei ofyn droeon ar gwestiwn dyrys Gogledd Iwerddon, a byddai bob amser yn barod i egluro a chyflwyno memorandwm defnyddiol, fel y medrwn innau egluro'r sefyllfa i'm cyd-aelodau ar Fwrdd Eglwys a Chymdeithas enwad y Presbyteriaid Cymreig. Daeth yn gryn arbenigwr ar y diriogaeth anodd, gecrus a berthynai i'r Deyrnas Unedig ac a oedd yn ymddwyn yn gyson mewn ffordd mor dreisgar a gwahanol i'r gweddill ohonom. Perthynai Gwilym i griw bach o Gymry a feistrolodd y cefndir dyrys, cymhleth sydd yn nodweddu Gogledd Iwerddon. Byddai'n dweud yn aml ein bod ni'n anwybodus ynghylch yr hyn a oedd yn wynebu cymaint o'r arweinwyr y daeth ef i'w hadnabod. Cymerer, er enghraifft, sefyllfa David Trimble. Ysgrifennodd fel hyn amdano:

---

29   *Ibid.* Llythyr Dr Marc Tomos Davies, Aberbargod a Llion Richards, Aberbargod at Gwilym Prys-Davies, dyddiedig 21 Tachwedd 2000.
30   Gwilym Prys-Davies, 'Cytundeb Gwener y Groglith', *Y Goleuad*, 1 Mai 1998, 3.
31   *Ibid.*

Mae ganddo broblemau dyrys o fewn ei blaid ei hun, yr Uniolaethwyr Swyddogol, sef y brif blaid unoliaethol. Bydd yn rhaid iddo ennill cymeradwyaeth y Cyngor Unoliaethol ac yna'i blaid seneddol.[32]

Gwyddom i Trimble gael ei ddiorseddu, a bu'n rhaid gadael i Ian Paisley gael y clod a'r holl rym o fewn Cynulliad etholedig Gogledd Iwerddon. David Trimble oedd un o brif actorion Cytundeb Gwener y Groglith, ond ddeng mlynedd yn ddiweddarach, Dr Ian Paisley oedd wrth y llyw.

Yr oedd hanes Iwerddon, Gogledd a De, ar flaenau ei fysedd. Yr oedd ei adnabyddiaeth o Gerry Adams yn caniatáu iddo ei bortreadu fel un arall o brif gymeriadau y dalaith. Dywed amdano:

> Mae gan Adams yntau ei wrthwynebwyr o fewn y mudiad gweriniaethol. Ond bu Adams – yn wahanol i Trimble – yn fwy o athro i'w bobl, yn eu dysgu na ellir ar hyn o bryd wireddu'r weledigaeth genedlaethol yn y tymor byr, ond y gall y cytundeb fod yn gam at Iwerddon Unedig.[33]

Medrai lenwi'r darlun yn llawn pan gyflwynai arweinwyr a gwleidyddion yr Ynys Werdd, Gogledd a De. Soniodd am bwysigrwydd y Refferendwm yn y Weriniaeth a'r Gogledd ar 22 Mai 1998, agoriad i gyfnod newydd y bu ef yn rhan o'i greu. Ceir arddull yr Arglwydd Prys-Davies ar ei gorau yn y darn am y Prif Weinidog Ahern:

> Mae'r Prif Weinidog Ahern yn meddu ar y credinedd i alw ar ei gyd-ddinasyddion i wneud y newid i'r Cyfansoddiad y geilw'r Cytundeb amdano. Wedi'r cyfan mae'n hanu o gyff o weriniaethwyr pybyr. Ar ddydd Iau'r Cablyd, pan y

---

32 *Ibid.*

33 *Ibid.* Gw. John O'Farrell, 'Northern Ireland: Today, we have agreed', *New Statesman*, 2, Ebrill 2007, 19. Bu Ian Paisley a Gerry Adams yn cydweithio yn Stormont. Gwelir yn yr ysgrif ran allweddol Peter Hain, Ysgrifennydd Gwladol Gogledd Iwerddon, yn y broses a'i gefnogaeth i'r iaith Wyddeleg.

gofidiai llawer na cheid Cytundeb, rhoddwyd corff ei fam i orwedd ym mynwent Glasnefin lle gorwedd llwch yr arwyr Gwyddelig enwog, gan gynnwys Stewart Parnell, Michael Collins ac Eamon de Valera.[34]

Dywed y darn godidog yna o lenyddiaeth y cyfan, gan awgrymu lle yr oedd cydymdeimlad pennaf Gwilym. Gweriniaethwr ydoedd, er ei fod yn gwisgo ermin yr Arglwyddi a fu mor bleidiol i'r Ymerodraeth Brydeinig. Yn ei galon meddyliai gryn lawer o Parnell, Collins a de Valera. Bu de Valera yn ysbrydoliaeth i'r Gweriniaethwyr Cymreig, fel y gwelsom, ac iddo ef, arwyr oeddynt hwy oll.

Ac i lawer un yng Nghymru yr oedd yr Arglwydd Prys-Davies yn arwr Cymreig i'w anwylo fel arwyr gwledydd eraill ei oes a'i genhedlaeth.

---

34 *Ibid.*

PENNOD 15

Brwydro o fewn y genedl

C AFODD GWILYM yr anrhydedd yn 1999 o gael ei wahodd i draddodi Darlith Wleidyddol y Llyfrgell Genedlaethol, arferiad a gychwynnwyd yn 1988 pan fu John Grigg yn darlithio yn Saesneg ar Lloyd George. Traddodir y darlithiau gan bobl o gefndir Cymreig sydd wedi gwneud diwrnod da o waith fel gwleidyddion neu fel ysgolheigion neu haneswyr neu gyfathrebwyr. Dewisodd Gwilym yn destun 'Troi Breuddwyd yn Ffaith', ac edrychodd ar ymdrech y Cymry ar lwybrau datganoli. Un o'r rhai a deithiodd o Ben-y-groes yn Nyffryn Nantlle i'r ddarlith oedd y llenor a'r ymgyrchydd Angharad Tomos. Cafodd ei boddhau yn fawr gan y deunydd, y dehongli a'r cyflwyniad. Anfonodd lythyr ato i ddiolch am y ddarlith yn Aberystwyth gan ei disgrifio fel darlith bwysig. Profiad cynhyrfus oedd gwrando ar y cyfan:

> 'Ai difaterwch a roddodd i ni y Cynulliad?' oedd cwestiwn olaf y darlithydd. Cawsom ein cyfareddu gan eich darlith.[1]

Yn ystod y flwyddyn hon bu Gwilym yn cysylltu ag un o ysgolheigion pennaf y Mudiad Llafur yng Ngwynedd sef Dr Cyril Parry, Porthaethwy, ynglŷn â'i briod faes. Y mae'r ohebiaeth a fu rhwng y ddau yn hynod o berthnasol i ddod o hyd i ddechreuadau'r Blaid Lafur yng ngogledd Cymru. Pwysleisiodd Dr Cyril Parry y cefndir a oedd yn gyfrifol am dwf y Blaid Lafur.

---

1   *Ibid.* Llythyr Angharad Tomos, Pen-y-groes, Dyffryn Nantlle at Gwilym Prys-Davies, dyddiedig 6 Tachwedd 1999.

Iddo ef, yr Undebau Llafur oedd cerrig sylfaen y cyfan.[2] Ganddynt hwy yr oedd yr arian, a chanddynt hwy hefyd yr oedd y rhwydwaith o ganghennau lleol, hynny yw y cyfrinfaoedd, a fedrai fod yn sail i ganghennau o'r Blaid Lafur. Rhoddai'r Undebau'r pwyslais ar amodau gwaith, yr oriau, a'r anghydfod a godai yn gyson o fewn y gweithle. Nid oedd dysgeidiaeth sosialaidd Keir Hardie neu Karl Marx yn un o'r blaenoriaethau. Y flaenoriaeth oedd problemau diriaethol eu haelodau, ond fel arall yr oedd hi gan yr arloeswyr a fu'n cenhadu o blaid pleidiau a chymdeithasau o fewn y Mudiad Llafur.

Pwysleisiodd Dr Cyril Parry gefndir llwm y cymunedau Cymraeg, yn arbennig yn ardaloedd y chwareli.[3] Bu dirwasgiad garw o 1902 i 1914 ar y diwydiant llechi. Nid oedd elusen na budd-daliadau ar gael i liniaru poen a blinder y gweithwyr a'u teuluoedd. Dyna, ym marn Dr Parry, a ysgogodd athro ysgol, David Thomas, i weithio dros y Mudiad Llafur. Gwelodd â'i lygaid ei hun yn ysgol Tal-y-sarn blant bach yn cysgu wrth eu desgiau oherwydd diffyg bwyd. Rhoddodd Dr Parry gryn glod i E. Morgan Humphreys, y newyddiadurwr goleuedig, gan bwysleisio na fu neb yng Ngwynedd yn fwy deifiol ei feirniadaeth o'r llywodraeth glymbleidiol a'i pholisïau yn Iwerddon. Aeth nifer dda o Gymry a berthynai i'r Blaid Ryddfrydol drosodd at Lafur, ac roedd y cyffro a'r gwrthdaro yn Iwerddon yn hybu'r syniad o ddatblygu plaid genedlaethol annibynnol y chwith yng Ngwynedd.

Pwysleisiodd Dr Parry wrtho hefyd fod bywyd yng Ngwynedd yn gwbl Gymraeg hyd yr Ail Ryfel Byd. Yr oedd Undeb y Chwarelwyr yn drwyadl Gymraeg. Cadwent bob

---

2   *Ibid.* Llythyr Dr Cyril Parry, Afallon, Porthaethwy at Gwilym Prys-Davies, dyddiedig 5 Chwefror 1999. Atebodd Gwilym Prys-Davies mewn llythyr dyddiedig 14 Chwefror, ar ôl bod am rai dyddiau yn ninas Prag, yn gofyn pa mor ddylanwadol y bu y Cymry pybyr fel Cyril O. Jones, Caergybi, Artemus Jones, Dinbych a J. Pentir Williams, Clerc Dinas Bangor.

3   *Ibid.* Llythyr Dr Cyril Parry at Gwilym Prys-Davies, dyddiedig 22 Ionawr 1999.

cofnod a chymal yn y llyfrau cofnodion yn yr iaith, a byddai pob dadl a phob cyfarfod o'r Undeb yn yr iaith Gymraeg. Ychydig o chwarelwyr oedd yn deall areithiau gwesteion Saesneg i'r Ŵyl Lafur Flynyddol, a dyna pam y bu i genhedlaeth gyfan o sosialwyr Cymraeg gael rhyddid y llwyfannau. Enwodd David Thomas, R. T. Jones, Percy Ogwen Jones, a'r newyddiadurwr a'r bargyfreithiwr John Jones Roberts, ymgeisydd y Blaid Lafur ym Meirionnydd yn etholiadau cyffredinol 1922, 1923, 1924 ac 1929. Byddai ef yn annog hunanlywodraeth i Gymru yn ei ymgyrchoedd etholiadol.[4] Yr oedd Dr Parry wedi anghofio sôn am fuddugoliaeth ryfeddol Syr Owen Thomas yn enw Llafur ym Môn yn 1918, ac am Cyril O. Jones, y cyfreithiwr a drodd o liwiau'r Blaid Ryddfrydol at y Blaid Lafur gan sefyll ym Môn yn 1924, a'r ffarmwr William Edwards a ddaeth yn ail yn etholiad 1929.[5] Sosialydd eithriadol o bwysig a anghofiwyd yn yr ohebiaeth gynharaf oedd y Parchedig Silyn Roberts. Bu ei ddylanwad ef yn fawr ar sosialwyr ifanc fel Hedd Wyn yn Nhrawsfynydd a Jim Griffiths yn y Betws ger Rhydaman.[6] Cafodd ei enwi mewn llythyr diweddarach. Gwelai Dr Parry y Mudiad Llafur yn barhad o'r traddodiad radicalaidd ac yn hynny o beth yr oedd yn llygad ei le. Iddo ef yr oedd y Mudiad Llafur yn wydn, yn bragmataidd, ac yn canoli ei sylw ar broblemau diriaethol megis cyflogau, tai addas ac oriau gweithio.[7]

Diddordeb mawr Gwilym yn ei ohebiaeth â'r hanesydd oedd cael deunydd a dehongliad ynghylch yr aden Gymreig, sosialaidd genedlaetholgar y perthynai ef a'i gyfeillion Cledwyn Hughes,

---

4   *Ibid.*

5   Ceir cyfeiriadau at Syr Owen Thomas, William Edwards a Cyril O. Jones yn D. Ben Rees, *Cofiant Cledwyn Hughes*, 20, 25 a 259. Am William Edwards, gw. David A. Pretty, 'The Socialist Candidate for Anglesey: the political path of W. Huw Rowlands, John Morris-Jones and William Edwards', *Llafur*, 11 (2), 2013, 40–55.

6   Am Silyn Roberts, gw. David Thomas, *Silyn* (Lerpwl, 1956).

7   Llyfrgell Genedlaethol Cymru, Casgliad yr Arglwydd Gwilym Prys-Davies. Llythyr Dr Cyril Parry at Gwilym Prys-Davies (dim dyddiad).

Elystan Morgan a Jim Griffiths iddi. Cadwodd y ffrwd gref hon o flaen ein llygaid o fewn y Blaid Lafur. Fflam Mudiad Cymru Fydd Lloyd George a Tom Ellis ydoedd yn wreiddiol, ond fe'i trosglwyddwyd i ddwylo Llafurwyr fel Cledwyn Hughes, Silyn Roberts, Huw Morris-Jones, Cyril Parry, Goronwy Roberts, Aneurin Owen, T. W. Jones, Tudor Watkins ac S. O. Davies, heb anghofio Gwilym Prys-Davies ei hun a'r rhai eraill a enwa ef fel ei gefnogwyr pennaf. Ac y mae ganddo ddarn byr, ond hyfryd, yn un o'i lythyron at Dr Cyril Parry ar ymdrech ei dad:

> Ond roedd nythaid o Sosialwyr ymhlith crefftwyr pentref gwledig Llanegryn – ac yng nghysgod Peniarth a Haydn Jones, yn y dau ddegau pa mor eithriadol oedd hyn?[8]

Yr un adeg bu'n holi Angharad Tomos am sosialaeth ei thaid, David Thomas, a lluniodd hi yn ddiweddarach gyfrol bwysig arno.[9] Pwysleisiwyd y gohebu a fu rhwng Thomas Jones ('Rhymni') a David Thomas, a soniodd fod ei thaid heb gael swydd gyda'r WEA yn 1919 am iddo fod yn wrthwynebydd cydwybodol.[10] Diddorol yw llythyr arall oddi wrthi yn sôn am David Thomas yn rhannu ei weledigaeth ag un o sosialwyr

8   *Ibid.* Llythyr Gwilym Prys-Davies at Cyril Parry, dyddiedig 29 Ionawr 1999, sef atebiad i lythyr diddyddiad.

9   Angharad Tomos, *Hiraeth am Yfory: David Thomas* (Llandysul, 2002). Am David Thomas ei hun dylid darllen ei hunangofiant, *Diolch am Gael Byw: Rhai o f'Atgofion* (Lerpwl, 1968). Yr oedd David Thomas yn ŵr hynaws a charedig a theithiodd Gwilym Prys-Davies a minnau i'w gynhebrwng yn Amlosgfa Treforys. Bu farw yng nghartref ei ferch, gweddw y Parchedig Herman Jones, yn 2 Pen-y-bryn, Porth Tywyn ar 27 Mehefin 1967. Gw. D. Ben Rees, 'David Thomas (1880–1967)', *Cymry Adnabyddus 1952–1972*, 178–80. Gwilym a minnau a drefnodd gyhoeddi cyfrol deyrnged iddo yn enw Cyhoeddiadau Modern. Gw. Ben Bowen Thomas (gol.), *Lleufer y Werin: Cyfrol Deyrnged i David Thomas, MA* (Abercynon, 1965).

10   Llyfrgell Genedlaethol Cymru, Casgliad yr Arglwydd Gwilym Prys-Davies. Llythyr Angharad Tomos at Gwilym Prys-Davies, dyddiedig 19 Ionawr 1999. Holodd Gwilym Prys-Davies hi ymhellach yn ei lythyr dyddiedig 23 Ionawr 1999, am sosialaeth ei thaid David Thomas, ac am y llyfryn eithriadol o brin gan Thomas Jones a Philip Snowden, *Y Mudiad Llafur yng Nghymru*.

Cymreig maes glo Mynwy adeg y Rhyfel Byd Cyntaf, William Harris, Pontllanfraith.[11]

Hanesydd arall a fu'n gohebu â Gwilym oedd Dr Ioan Matthews,[12] a wnaeth ymchwil ar y maes glo caled a thrwy hynny ymddiddori ym mywyd a gwaith Jim Griffiths. Anfonodd lythyr at Dr Matthews i danlinellu pwysigrwydd Jim Griffiths yn hanes y Swyddfa Gymreig. Credai ef y dylai'r Swyddfa Gymreig fod yn annibynnol ar bob adran arall o'r Llywodraeth. Bwriad Evelyn Sharp, Ysgrifennydd Parhaol yr Adran Tai a Llywodraeth Leol, oedd bod y Swyddfa Gymreig yn rhyw fath o adran o fewn ei gweinyddiaeth hi; bu'n croesi cleddyfau â Richard Crossman, fel y gwelwn yn ei ddyddiaduron. Mynnodd Jim Griffiths gael y gair olaf a sicrhau bod y Swyddfa yn dal i dyfu dan ei arweiniad ef. Yr oedd Ioan Matthews wedi gofyn iddo a oedd ef yn dal i goleddu yr un agwedd tuag at Jim Griffiths yn awr, chwarter canrif yn ddiweddarach, ag yr oedd pan oedd ei gyfaill ar dir y byw. Cafodd ateb pendant:

> Nid oes gennyf reswm dros newid fy marn amdano. Credaf mai ef ydy'r Cymro Cymraeg enwocaf yn hanes Llafur ac Undebaeth. Mae arnom ddyled enfawr iddo.[13]

Cledwyn Hughes fyddai'n dod yn ail iddo yn ei farn aeddfed ef. Gweithiodd y ddau yn ddygn o blaid y Mesur Addysg (1992) a'r Mesur Iaith. A chredai ffrind mawr Gwilym, yr Athro Beverley Smith, y byddai cyfraniad yr Arglwydd Cledwyn yn sicr o gael ei nodi gan haneswyr y dyfodol, ac erbyn hyn cyflawnwyd y dasg honno. Ond erbyn dechrau'r flwyddyn 2001 yr oedd Cledwyn yn un o gleifion cyntaf yr uned trin cancr newydd yn Ysbyty Glan Clwyd, ac yno y bu farw ar 22 Chwefror. Cynhaliwyd ei arwyl

---

11   *Ibid.* Llythyr Angharad Tomos at Gwilym Prys-Davies (dim dyddiad).
12   Anfonodd Dr Ioan Matthews, Coleg y Drindod, Caerfyrddin lythyr at Gwilym Prys-Davies, dyddiedig 18 Ionawr 1999, yn dweud iddo gael budd mawr o'r gyfrol *Llafur y Blynyddoedd*.
13   Llyfrgell Genedlaethol Cymru, Casgliad yr Arglwydd Gwilym Prys-Davies, Llythyr Gwilym Prys-Davies at Dr Ioan Matthews, dyddiedig 21 Ionawr 1999.

yng Nghapel Disgwylfa, Caergybi, ar 27 Chwefror a chafwyd teyrngedau iddo gan ei gefnder, y Parchedig D. H. Owen, a'r Arglwydd Gwilym Prys-Davies.[14] Derbyniodd lythyr gan yr Athro Derec Llwyd Morgan a ysgrifennwyd ddiwrnod ar ôl yr arwyl yn gwerthfawrogi'r deyrnged 'wirioneddol dda a roesoch i Cledwyn'. Diolchodd iddo am grynhoi ei gyfraniad lluosog, a disgrifio'r person 'a oedd ar un waith yn barchus sefydliadol ac yn Gymreig a phersonol'. Dywedodd galon y gwir, 'O'i golli ef collasom gynghorwr doeth iawn, iawn.'[15] Un felly ydoedd. Gofalodd y ddau ohonynt fod llais ac anghenion Cymru yn cael eu nodi yn yr uwch-siambr.

Lansiwyd Cymdeithas Cledwyn yn Eisteddfod Genedlaethol Dinbych ym mis Awst 2001. Anfonodd Eluned Morgan, un o'r prif bobl y tu ôl i'r gymdeithas, lythyr cynhwysfawr at Gwilym.[16] Nododd brif amcanion y gymdeithas a oedd i gadw yn fythol wyrdd y cof am yr annwyl wleidydd a wasanaethodd Gymru am hanner can mlynedd. Soniodd ymhellach am yr amcanion. Yn gyntaf, hwyluso'r defnydd o'r iaith Gymraeg o fewn y Blaid Lafur. Yn ail, trefnu rhwydwaith i ddenu mwy o bobl Gymraeg eu hiaith i gefnogi'r Blaid Lafur, ac i drafod materion gwleidyddol trwy gyfrwng yr iaith Gymraeg. Yn drydydd, bwriedid rhoddi cymorth ymarferol i aelodau'r Blaid Lafur yn yr ardaloedd hynny lle roedd gan Blaid Cymru Aelodau Seneddol neu Aelodau yn y Cynulliad. Yn olaf, bwriedid cynnal Ysgol Haf yn enw'r gymdeithas a hynny yng Ngholeg Harlech o'r 5ed i'r 7fed o Orffennaf 2002. Y mae'n amlwg mai cnewyllyn y gymdeithas a gysylltid â Cledwyn oedd y rhain ym marn y trefnydd Paul Flynn, Angharad Davies, Rhodri Morgan, Cath Sherrington, Carwyn Jones, Tecwyn Thomas (Undebwr Llafur o Gaernarfon), Alun Michael, Gwilym Prys-

14 D. Ben Rees, *Cofiant Cledwyn Hughes*, 200–2.

15 Llyfrgell Genedlaethol Cymru, Casgliad yr Arglwydd Gwilym Prys-Davies. Llythyr yr Athro Derec Llwyd Morgan at Gwilym Prys-Davies, dyddiedig 28 Chwefror 2001.

16 *Ibid*. Llythyr Eluned Morgan at Gwilym Prys-Davies, dyddiedig 27 Chwefror 2001.

Davies, Denzil Davies, Ceri Williams, Ann Beynon, Alwyn Roberts, Deian Hopkin a Martin Eaglestone.

Nid oedd Gwilym ei hun yn hapus â dau beth penodol, fel un a oedd yn adnabod Cledwyn yn well na neb o'r personau a nodwyd uchod. Go brin fod llawer o gydweithio wedi bod rhwng Paul Flynn a Cledwyn; bu ychydig mwy gydag Alun Michael ac Alwyn Roberts, ond Gwilym oedd yr agosaf ato, a chofier y bu'r ddau yn cydweithio â'i gilydd am ddeugain mlynedd. Ni allai Gwilym ddygymod o gwbl â thuedd arferol cynifer o wleidyddion i ymosod yn ddidrugaredd ar un blaid wleidyddol arbennig. Credai fod ymosod yn enw'r Blaid Lafur ar Blaid Cymru, plaid oedd yn bwysig dros ben iddo, yn golygu colli hygrededd gwleidyddol. Dywedodd wrth Eluned Morgan: 'A chofiwch hefyd mai gŵr y consensws oedd Cledwyn.'[17]

Gofidiai yn ogystal nad oeddynt am drafod lle'r Gymraeg yng ngwleidyddiaeth y Blaid Lafur nac yn athroniaeth Llafur, a gofynnodd i Eluned Morgan ailfeddwl am hyn. Hyd y gwelaf, ni chafodd ateb ar bapur; mae'n debyg i hynny ddigwydd mewn sgwrs rhyngddynt. Deil y gymdeithas mewn bodolaeth. Bellach yn 2021 trosglwyddodd y Farwnes Eluned Morgan, gwleidydd sydd i'w hedmygu am un mlynedd ar hugain o arweiniad i'r gymdeithas, a bellach etholwyd Nia Griffiths, Aelod Seneddol Llanelli yn olynydd iddi. Gwelir dylanwad Cymdeithas Cledwyn ar y Blaid Lafur Gymreig a da gweld bod cyfarfod o'r Gymdethas wedi ei gynnal yn 2022 yn Llandudno. Dylid rhoi lle i'r gymdeithas ar wefan y Blaid. Ni chwaraeodd Gwilym ran mor allweddol â hynny yn y gymdeithas ac ni chafodd gyfle i'w hannerch ar faes yr Eisteddfod Genedlaethol yn negawd cyntaf yr unfed ganrif ar hugain. Er hynny cafodd ei gyfle. Gwelwn mai'r siaradwyr yn yr Ysgol Haf 2002 yng Ngholeg Harlech oedd Paul Flynn, Rhodri Morgan, Carwyn Jones, Alun Michael, Denzil Davies, Deian Hopkin, Albert Owen, Gareth Thomas,

---

17 *Ibid.* Llythyr Gwilym Prys-Davies at Eluned Morgan, dyddiedig 9 Mawrth 2001.

Syr John Morris, Gwilym Prys-Davies a Hywel Francis – sef saith o Aelodau Seneddol, dau o'r Cynulliad, ac un o haneswyr pennaf y Mudiad Llafur yng Nghymru. ynghyd ag Aelod amlwg o'r ail Siambr. Gyda'r holl arweinwyr hyn mae'n resyn na fyddai Cymdeithas Cledwyn wedi croniclo ei hanes pwysig, gan gyhoeddi cyfrol flynyddol o ysgrifau a fyddai'n trafod y pynciau pwysig yn Senedd San Steffan a Senedd Bae Caerdydd a hynny yn yr iaith Gymraeg.

Mater a oedd yn poeni Gwilym yn fawr yn nechrau'r ganrif newydd oedd argyfwng y broydd Cymraeg.[18] Deuai yn wythnosol ar y ffôn ataf yn ei ofid a'i wae am y llanast argyfyngus a wynebai'r ardaloedd hyn. Gwelai'r ifanc yn gadael Cymru a'r henoed yn llifo dros Glawdd Offa i dreulio gweddill eu bywydau yn yr ardaloedd Cymreiciaf – ym Môn a gwlad Llŷn, ac ar arfordir Bae Ceredigion. Tanseilid yn ddi-baid y droedle hanesyddol yn y gogledd a'r gorllewin. Hon oedd y fro Gymraeg. Y broblem fawr oedd ganddo oedd cael person neu gymdeithas neu enwad a fyddai o leiaf yn galw pobl at ei gilydd i wyntyllu'r sefyllfa argyfyngus. Gwelwn ei fod yn disgwyl i mi wirfoddoli yn gynullydd gan fy mod yn Ysgrifennydd Bwrdd Eglwys a Chymdeithas Eglwys Bresbyteraidd Cymru. Bodlonais i alw ynghyd gyfarfod ar ddydd Iau, 27 Medi 2001 yn y Deml Heddwch yng Nghaerdydd.[19] Anfonais at y cymdeithasau crefyddol, diwylliannol ac ieithyddol yn eu gwahodd i anfon cynrychiolwyr er mwyn ystyried sefydlu dirprwyaeth i ymweld â'r Cynulliad, ac i gyfarfod â Jenny Randerson a Rhodri Glyn

18 Gwilym Prys-Davies, 'Brwydr Olaf y Cymunedau Cymraeg', *Barn*, Rhif 460, Mai 2001, 15–18. Dadleuodd y dylid sefydlu comisiwn dan gadeiryddiaeth Barnwr o'r Uchel Lys i ystyried sut y gellid mynd ati i achub yr hyn oedd yn weddill o'r Gymru Gymraeg. Anwybyddodd y Cynulliad yr alwad daer, ddidrynnol. Roedd Gwilym yn falch o gael gair gan y nofelwraig Marion Eames, Dolgellau yn 'diolch am yr erthygl bwysig yn *Barn*'. Gw. Llyfrgell Genedlaethol Cymru, Casgliad yr Arglwydd Gwilym Prys-Davies. Llythyr Marion Eames at Gwilym Prys-Davies, dyddiedig 2 Mehefin 2001.
19 Bu ymateb godidog i'r cyfarfod ddydd Iau, 27 Medi 2001 yn y Deml Heddwch yng Nghaerdydd.

Thomas. Daeth pump ar hugain o gynrychiolwyr ynghyd i'r Deml Heddwch a chawsom gyfle i wyntyllu'r sefyllfa. Bu'r cyfarfod yn llwyddiant, a chadwyd y cofnodion gan y Parchedig Aled Edwards o Gytûn a gynrychiolai enwadau crefyddol y Cymry. Ar ddiwedd y cyfarfod hwn penderfynodd y cynrychiolwyr anfon pump o arweinwyr yn aelodau o'r ddirprwyaeth. Gwahoddwyd yr Arglwydd Gwilym Prys-Davies, Dr Brynley Roberts, Aberystwyth, yr Esgob Daniel Mullins o'r Eglwys Babyddol, Ann Rhys Davies a minnau. Trefnwyd y cyfarfod ar bnawn Mercher, 28 Tachwedd 2001. Methodd yr Esgob Mullins a Dr Brynley Roberts, ar y funud olaf, â dod i Gaerdydd, a gwahoddais y Parchedig R. Alun Evans i gynrychioli enwad yr Annibynwyr a'r Eisteddfod Genedlaethol a'r Parchedig W. Gareth Edwards i gynrychioli'r Eglwysi Rhyddion. Gofynnwyd i Gwilym baratoi'r memorandwm yn Saesneg, a gofynnwyd i'r ysgolhaig Dr Brynley Roberts ei gyfieithu i'r Gymraeg. Defnyddiwyd y memorandwm fel dogfen y gellid ei chyflwyno, a dyna ddigwyddodd.

Cawsom siom fawr yn y cyfarfod â Jenny Randerson gan nad oedd ganddi ddim llawer o wybodaeth am yr argyfwng a'r frwydr fawr yr oeddem yn rhan ohoni. Bu'n rhaid trafod y mater â hi yn Saesneg. Cadwodd Rhodri Glyn Thomas ei hunan allan o'r drafodaeth. Yr oedd hi'n ddiwrnod trist i'r ddirprwyaeth ond dadleuodd pob un ohonom yn daer am i'r Cynulliad ymgodymu â'r argyfwng. I Gwilym, dyma oedd y frwydr fawr a lanwai ei feddwl. Gwelwyd y diwrnod hwnnw fod tân yn ei fol dros y Cymry Cymraeg. Nid oes unrhyw amheuaeth ei fod ef yn fwy cenedlatholgar na'r mwyafrif llethol o aelodau unrhyw un o'r pleidiau, gan gynnwys Plaid Cymru.

Cymro oedd yn uchel ei barch ganddo am godi ei lais yn erbyn effeithiau andwyol y mewnlifiad i Gymru oedd y Cynghorydd Seimon Glyn o Benrhyn Llŷn. Gofidiai am ymateb cymaint o wleidyddion ym mhob plaid yn erbyn cri Seimon Glyn am gyfiawnder i'r cymunedau.[20] Nid oedd y perygl yn newydd o

20 Gwilym Prys-Davies, 'Brwydr Olaf y Cymunedau Cymraeg', 16. 'Cododd

gwbl yn y flwyddyn 2001. Cafwyd araith eirias boeth o enau ei gyfaill, Dr Meredydd Evans, o lwyfan Eisteddfod Genedlaethol Cymru yn Abergwaun yn 1986. Yna cafwyd rhybudd gan yr Athro Harold Carter o Aberystwyth yn ei ddarlith 'Diwylliant, Iaith a Thiriogaeth' (BBC Radio Cymru), a neges rymus arall gan Ioan Bowen Rees o lwyfan Eisteddfod Genedlaethol Llanrwst yn 1989.[21] Ceir gohebiaeth y tri hyn yn archif Gwilym. Pan feddylir am y ffeithiau dyna ugain mlynedd o rybuddio cyson i'n harweinwyr ym mhob cylch – crefyddol, gwleidyddol, cymdeithasol, eisteddfodol ac ieithyddol. Ond ofnai Gwilym mai pobl oedd yn ymylu ar fod yn fyddar a wrandawodd ar y tri gŵr da yn ail hanner yr wythdegau, ar wahân i weithred Cymdeithas yr Iaith yn cyhoeddi dogfen yn galw am Ddeddf Eiddo. Bu ganddo feddwl uchel o Gymdeithas yr Iaith ar hyd y degawdau. Gwelai hon yn ddogfen arloesol a haeddai ei gweithredu. Un o egwyddorion pwysicaf y Ddeddf Eiddo yw rhoddi'r hawl i'r awdurdodau lleol ganiatáu i bobl o'r cylch brynu tŷ yn eu cynefin pan ddaw ar y farchnad. Dylid caniatáu iddynt ei brynu am bris rhesymol ac nid am grocbris. Y broblem fawr oedd fod y mewnfudwyr yn meddu ar arian i brynu'r tŷ gan fod prisiau tai yn ninasoedd Lloegr yn llawer uwch nag yng Nghymru.

Deddf syml oedd ei hangen, yn cyfyngu'r farchnad ac yn ffrwyno'r prisiau.[22] Ond yn anffodus, nid oedd y Cynulliad yn mynd i wrando ar ddadl felly gan ei bod yn 'cyfyngu ar ryddid' yr unigolyn i brynu ei fwthyn a'i blasty lle bynnag y dymuna hynny. Ac yr oedd cyfeirio at bobl leol yn anodd; byddai'n rhaid diffinio hynny, fel rhywun a anwyd yn y fro, neu sydd â theulu o fewn y plwyf, a wiw i neb nodi fod yn rhaid i'r prynwr fedru siarad neu ddeall Cymraeg, neu fod yn barod i ddysgu. Byddai angen fformiwla a fyddai'n dderbyniol ar bris y farchnad. Synhwyrai

---

y Cynghorydd Seimon Glyn ei lais yn erbyn effeithiau'r mewnlifiad o du allan i Gymru ar y cymunedau Cymraeg, galwodd yn rymus arnom i wynebu'r her. Siomedig oedd ymateb annheg rhai gwleidyddion ym mhob plaid.'

21   *Ibid.*

22   *Ibid.*, 17.

Gwilym fod y syniad o orfodaeth a geir yn y Ddeddf Eiddo yn codi cwestiynau anodd. Gwyddai, fel cyfreithiwr o'r radd flaenaf, fod gorfodaeth yn annerbyniol i'r gyfraith. Bargen o'u 'dewis eu hunain rhwng prynwr a gwerthwr yn y farchnad rydd yw sail cytundeb prynu a gwerthu eiddo'. Sylweddolai yn well na neb nad oedd ymyrraeth o'r fath yn dderbyniol, yn sicr i'r gwerthwr. Gosododd y broblem yn gignoeth:

Neu eto, a fyddai'n deg creu cyfundrefn a allai olygu na allai person yn y fro Gymraeg adennill gwerth ei fuddsoddiad.[23]

Roedd dau eithriad yn ei olwg ef y dylid edrych arnynt yn fanwl:

1 Hawl prydleswr dan amodau penodedig i brynu rhydd-ddeiliadaeth ei gartref.
2 Hawl awdurdodau lleol ac adrannau'r llywodraeth ganol a rhai cyrff eraill i brynu'r tir drwy ddefnyddio Gorchymyn Prynu Gorfodol (GPG) i bwrpas penodedig.

Defnyddid Gorchymyn Prynu Gorfodol yn helaeth er mwyn gwneud ffyrdd newydd. A fyddai'r Cynulliad yn barod i argymell hyn i'r awdurdodau ac i brynu tai trwy orfodaeth i'w gosod ar rent rhesymol i drigolion lleol? Nid Aneurin Bevan oedd Rhodri Morgan, ac er y medrai lefaru ambell ymadrodd cofiadwy, nid oedd yn ei gymeriad yr angerdd i orfodi neb er mwyn amddiffyn y cymunedau. Cynnyrch maestrefi Caerdydd ydoedd ef, heb brofiad nac argyhoeddiad Gwilym Prys-Davies a oedd â'i wreiddiau yng nghefn gwlad Meirionnydd.

Soniodd yr Arglwydd Prys-Davies am yr Undeb Ewropeaidd, gan drafod egwyddorion a oedd yn sylfaenol i Gytundeb Rhufain. Yn ôl Cytundeb Rhufain y mae hawl gan ddinasyddion y Gymuned i symud i fyw lle y mynnant. Ac eto, ar y llaw arall y mae'r Comisiwn Ewropeaidd yn hyrwyddo hunaniaeth. Credai pe defnyddid y Ddeddf Eiddo gan yr Awdurdod Tai y

---

23 *Ibid.*, 18.

deuai gobaith i'r broydd dan warchae. Ond nid digon cael tai i'r sosialydd deallus – rhaid cael ffatrïoedd i weithredu 'n lleol yn y broydd hyn. Gwelai fod yr economi ac amaethyddiaeth mewn argyfwng. Cofier fod cymaint ag 84 y cant o dir Gwynedd, Dyfed a Phowys yn 'cael ei gydnabod yn ardal lai ffafriol'. Plediai hefyd am addysg i'r ifanc a'r oedolion, ynghyd â hyfforddiant ac ailhyfforddi ar gyfer technoleg newydd. Canmolai y Cymro brwd Dr Emrys Evans, cyn-reolwr Banc y Midland yng Nghymru, am ei weledigaeth yn sefydlu elusen i gynorthwyo addysg a busnes. Gwrandawai Gwilym yn gyson hefyd ar ei ffrind, Syr Goronwy Daniel, a fynnai 'mai'r busnes gorau yw'r busnes sy'n cynhyrchu nwyddau'.[24]

I Gwilym, yr oedd gan y Cynulliad gyfrifoldeb i weithredu, a gwelai obaith y byddai hynny'n digwydd. Siomwyd ef yn fawr fod Rhodri Morgan mor betrusgar. Yn y Cynulliad ym mae Caerdydd y dylid ymladd y brwydrau dros Gymru a'i thrigolion. Medrai'r Arglwydd Prys-Davies, mae'n wir, fod yn ddauddyblyg ei feddwl ar adegau. Byddai'n medru canmol a beirniadu yr un pryd. Sylweddolai y medrai'r Cynulliad, dan Adran 32 o Ddeddf Llywodraeth Cymru, 'wneud unrhyw beth i gefnogi yr iaith Gymraeg'. Os hynny, dylai'r Cynulliad fentro, a siomwyd ef yn fawr fod y Parchedig Rhodri Glyn Thomas, Aelod o'r Cynulliad a Chymro twymgalon, yn betrusgar ac yn amharod i ymgodymu â'r argyfwng yn y broydd Cymraeg, a llawer o'r rhain yn ei etholaeth ef yng ngorllewin Cymru.[25] Methai â deall y gwleidyddion ofnus a chredai fod llawer gormod o arafwch, a diffyg ewyllys i symud ymlaen i warchod broydd ac i adfer y broydd Cymraeg i'r hyn y dylent fod.[26]

---

24 *Ibid.*

25 Cynnwys sgwrs bersonol a hefyd llythyr i ateb llythyr o'm heiddo innau, dyddiedig 25 Ionawr 2002.

26 Yn ei lythyr ataf, dyddiedig 27 Ionawr 2002, mynegodd Gwilym Prys-Davies ei ofid am iddo roddi cymaint o sylw i Rhodri Glyn Thomas a'i ysgrif yn *Golwg*, 17 Ionawr 2002. Cwynai Gwilym na chafwyd dadansoddiad ar sut i ymgodymu â'r argyfwng. Dengys syniadau y Parchedig Rhodri Glyn Thomas AC fod yna wendid

Gofynnodd y cwestiwn teg: oni ddylai'r Cynulliad sefydlu comisiwn annibynnol o arbenigwyr dan gadeiryddiaeth Barnwr o'r Uchel Lys? Tasg y comisiwn fyddai archwilio canlyniadau'r mewnlifiad y mae'r ardaloedd Cymraeg wedi cael profiad ohono ers deng mlynedd ar hugain a mwy, ac yn ail, mesur yr effeithiau ar yr iaith Gymraeg ac ar fywyd diwylliannol a chymdeithasol mewn ardaloedd lle y bu'r Gymraeg yn iaith y gymuned. Dylid hefyd fesur y perygl tebygol i ddyfodol y Gymraeg yn y tymor hir os pery'r mewnlifiad, ac argymell y mesurau a'r adnoddau ariannol sydd eu hangen i wynebu problemau amlwg y mewnlifiad. Disgwyliai i'r Cynulliad arwain a gofalu am anghenion pennaf y Cymry Cymraeg, sef gwarchod plwyfi fel Llanegryn. Ni fu'n dawel ar hyn, a sylweddolai yn well na neb fod corff o gyfraith Gymreig yn araf, araf ddatblygu. Croesawodd weithgarwch y Barnwr Dewi Watkin Powell a'r Athro Iwan Davies. Bu darlithiau'r ddau wrth fodd ei galon. Traddodwyd hwy yn yr Eisteddfod Genedlaethol, ac yr oedd ymchwil ac ymdriniaeth Richard Rawlings yn 2003 a 2004 i'w croesawu hefyd. Ffrwyth ysgolion cyfraith yng Nghymru oedd hyn, pob un o'r ymdriniaethau yn effro i'r angen i ddatblygu cyfundrefn gyfraith drwyadl ddwyieithog yng Nghymru. Cydnabyddai ran bwysig yr Ustus Roderick Evans a Winston Roddick, Cwnsler Cyffredinol cyntaf y Cynulliad. Gohebai'r ddau â'i gilydd ers blynyddoedd ac roedd gan Gwilym feddwl mawr iawn o gymeriad ac argyhoeddiad Winston Roddick QC. Ysgrifennodd at ei gyfaill i ddiolch am sgwrs, ac anfonodd gopi o Adroddiad Rhif 30 Pwyllgor Dethol Tŷ'r Arglwyddi ato ar bwerau sydd i'w rhannu ac i'w cyflwyno o fewn y gyfraith. Dywedodd Winston Roddick wrtho nad oedd am estyn ei dymor o bum mlynedd fel Cwnsler Cyffredinol y Cynulliad.[27] Yn wir, gorffennodd ei

---

affwysol yn y Cynulliad, yn arbennig diffyg arweinyddiaeth.

27 Llyfrgell Genedlaethol Cymru, Casgliad yr Arglwydd Gwilym Prys-Davies. Llythyr Winston Roddick QC at Gwilym Prys-Davies, dyddiedig 5 Tachwedd 2000.

stiwardiaeth yn Nhachwedd 2003 yn ôl y disgwyl. Anfonodd Syr John Shortridge, Ysgrifennydd Parhaol Cynulliad Cenedlaethol Cymru, at yr Arglwydd Prys-Davies yn canmol cyfraniad pwysig Winston Roddick o fewn y Cynulliad:

> During his time with us, Winston has made an enormous contribution, and a much greater one than he has been given credit for by external commentators. Finding a replacement for him who is of a similar calibre will be essential, but I am in no doubt as to how difficult this may prove to be.[28]

Gofynnodd am gymorth yr Arglwydd Prys-Davies i chwilio am olynydd teilwng: 'I do hope you will not mind me seeking your assistance in this way.'[29]

Aeth Prys-Davies ati yn ddiymdroi i gynorthwyo Syr John Shortridge, gan sylweddoli pwysigrwydd cyfraniad Cwnsler Cyffredinol cyntaf y Cynulliad.

Ceisiodd ei orau glas i gael Winston Roddick QC i Dŷ'r Arglwyddi, gan y gwyddai y byddai'n gaffaeliad mawr iawn i'r iaith ac i anghenion Cymru yno, fel y bu ef a Cledwyn. Ond er ei holl ymdrech ef ac eraill o'r Arglwyddi, gwrthododd Charles Kennedy, arweinydd y Democratiaid Rhyddfrydol, roddi sêl ei fendith a chynnig ei enw. Dyma gamgymeriad mawr ar ran Charles Kennedy, a bu'n ofid ac yn siom i'r Arglwydd Prys-Davies fel i Winston Roddick ei hun. Ysgrifennodd Roddick at ei gyfaill:

> Yr oeddwn yn wir siomedig fy mod ddim ar restr y Rhyddfrydwyr. Deallaf i Emlyn (Hooson) a'r Arglwyddi eraill (Thomas, Carlile a Livsey) fynd i weld Kennedy i geisio perwadio arno i fy nghynnwys yn y rhestr. Deallaf

---

28 *Ibid.* Llythyr Syr John Shortridge, Ysgrifennydd Parhaol Cynulliad Cenedlaethol Cymru, at Gwilym Prys-Davies, dyddiedig 7 Mai 2003.
29 *Ibid.*

i McNally, a'r Rhyddfrydwyr yn Nhŷ'r Arglwyddi, fod yn gefnogol.[30]

Yn anffodus, yr oedd Charles Kennedy am ryw reswm wedi cymryd yn erbyn Roddick. Nid oedd tycio arno; yr oedd fel mul ystyfnig ac yn gwarafun i Gymro Cymraeg pennaf y Blaid Ryddfrydol yng Nghymru gael ei anrhydeddu a chael y cyfle i wasanaethu ei genedl yn yr ail siambr. Gobeithiai Roddick fwrw ymlaen â'r cais i gael ei dderbyn i blith y meinciau croesion, y *cross benches*, heb oedi. Diolchai i'r Arglwydd Gwilym am 'gynnig fy helpu', ond yn anffodus ni lwyddwyd i fynd trwy'r drws hwnnw chwaith, er gwaethaf y llythyrau manwl a anfonwyd i gefnogi ei gais.

Ar hyd y degawd, felly, bu'r broydd Cymraeg yn destun gofid a myfyrdod cyson. Gwelodd gymaint o'r gwleidyddion o fewn Cymru yn syrthio'n fyr o'i ddisgwyliadau. Talai deyrnged i aml un fel Ray Powell, Aelod Seneddol Ogwr, a Peter Hain. Dywedodd am Hain:

> Hain was an innovative Welsh Secretary of State, at a key stage in the Welsh Assembly's history, and played a vital part in pushing forward the pace of Welsh devolution.[31]

Gofidiai hefyd am y dirywiad ym mhleidlais Llafur Cymru yn etholiad y Cynulliad yn 2007 ac etholiad yr awdurdodau lleol yn 2008. Ni chafodd llyfryn Peter Hain, *Changing Wales: Changing Welsh Labour*, y croeso y gobeithiai ei gael oherwydd ei agwedd at yr iaith Gymraeg a'r mewnlifiad. Dywedodd am Hain a'r iaith: 'But his discussion of the Welsh language situation is disappointing and unhelpful.'[32]

Ac am y mewnfudwyr Saesneg, agwedd Peter Hain oedd eu

---

30 *Ibid*. Llythyr Winston Roddick QC at Gwilym Prys-Davies, dyddiedig 6 Awst 2001.

31 *Ibid*. Ysgrif Gwilym Prys-Davies dan y teitl 'Guard our Inheritance' a welir yn ei archif yn y Llyfrgell Genedlaethol.

32 *Ibid*.

croesawu yn gynnes: 'This enriches Wales culturally, socially and economically.'[33]

Y gwir plaen oedd fod gwleidyddion fel Peter Hain a James Callaghan o'i flaen yn methu amgyffred yr argyfwng truenus a wynebai'r cymunedau Cymraeg a'r dirywiad enbyd yn y niferoedd a siaradai'r iaith oherwydd y mewnfudo. Efallai wedi'r cwbl mai Michael Foot yw'r unig Sais a fu'n cynrychioli'r Blaid Lafur yng Nghymru wedi'r Ail Ryfel Byd a oedd yn deall gobeithion ac ofnau pennaf y Cymry Cymraeg. Nid ofnai'r Arglwydd Prys-Davies herio'r gwleidyddion proffesiynol, gan ddadlau'n huawdl fel y gwnaeth ar hyd y blynyddoedd. Ni fu neb yn fwy cyson ei gefnogaeth nag ef i'r Cynulliad, neu fel y galwai ef y sefydliad addawedig, 'Cyngor Etholedig i Gymru'. Gwir y dywedodd Elystan Morgan fod ei gyfraniad yn sylweddol:

> I Gwilym Prys-Davies yn bennaf mae'r diolch am hynny, ac ni ellir talu teyrnged ry uchel i Gwilym am ei waith cyson, diwyd a manwl dros hawliau Cymru. Mae ei gyfraniad i wleidyddiaeth Cymru yn un hanesyddol.[34]

Yr hyn a wnaeth y Cynulliad yng ngolwg rhai o'i gefnogwyr pennaf oedd aeddfedu fel yr âi'r blynyddoedd heibio, a bu sefydlu Comisiwn Richard yn hynod o bwysig, fel y tystiodd Gwilym droeon.[35] Corff ar linellau llywodraeth leol oedd Cynulliad Cymru yn y lle cyntaf, ond ar sail Adroddiad y Comisiwn, Deddf Llywodraeth Cymru 2006, ac yna Refferendwm Mawrth 2011, bu newid; rhannwyd y Gweinidogion a'r Llywodraeth oddi wrth y corff, a ddaeth yn fwy tebyg i Senedd. Dyma gam enfawr ymlaen. Datganolwyd ugain o feysydd a oedd wedi'u trosglwyddo'n weinyddol. Adroddiad pwysig oedd hwn, felly, a'i

---

33 *Ibid.*

34 Huw L. Williams (gol.), *Atgofion Oes Elystan*, 170.

35 Llyfrgell Genedlaethol Cymru, Casgliad yr Arglwydd Gwilym Prys-Davies. Yn yr archif ceir 'Memorandum by Gwilym Prys-Davies to the Richard Commission' (12 tudalen), a drosglwyddwyd ar 28 Chwefror 2003. Mae'n femorandwm o'r radd flaenaf a mawr fu ei ddylanwad.

ddylanwad yn bellgyrhaeddol. Lluniodd Gwilym femorandwm a'i drosglwyddo i'r Comisiwn, a gofalodd y Comisiwn nad aeth yn anghofiedig. Ei safbwynt ef sydd i'w weld yn amlwg yn yr adroddiad. Dangosodd yn ei femorandwm wendidau amlwg yn y Cynulliad a bod:

> achos cryf dros wahanu gwaith Llywodraeth y Cynulliad (fel gweithrediaeth) oddi wrth y gwaith a wneir gan aelodau'r Cynulliad (fel deddfwrfa) a bod anallu'r Cynulliad i wneud deddfau sylfaenol i gwrdd â'i anghenion yn wendid sylfaenol sy'n ei rwystro rhag bod yn llwyddiant gwirioneddol.[36]

Gofidiai Gwilym fod y Cynulliad yn gorfod dibynnu yn ormodol ar San Steffan a Whitehall. Dywedodd wrth Gomisiwn Richard nad oedd y Cynulliad ar yr un tir â Senedd yr Alban a Chynulliad Gogledd Iwerddon:

> The Assembly with its limited law making powers is widely regarded in Wales as being inferior to the Scottish Parliament and the Northern Ireland Assembly.[37]

Ni welai ef bobl o allu yn barod i sefyll fel ymgeiswyr ar gyfer y Cynulliad, ac i raddau yr oedd hynny'n wir. Ychydig iawn oedd yn barod i adael San Steffan am y Cynulliad. Awgrymodd fod angen mwy o gydweithrediad rhwng Caerdydd a Chaeredin a bod yr Albanwyr a'r Cymry yn cydweithio mwy, rhywbeth na ddigwyddodd hyd 2017, pan fu Carwyn Jones a Nicola Sturgeon yn pwyso ar Lywodraeth San Steffan ar Bregsit.

Cododd lu o gwestiynau a syniadau sydd yn dal yn berthnasol. Trafododd swydd Ysgrifennydd Gwladol Cymru, gan ddweud:

> The Secretary of State is not answerable to the Assembly.
> He is accountable only to Westminster. Secretary of State

---

36   *Ibid.*
37   *Ibid.*

Murphy acknowledges that he did not see himself as a facilitator for the Assembly[38]

Nododd fod gwaith y Swyddfa Gymreig wedi lleihau yn arw ers sefydlu'r Cynulliad. Prin oedd yr arbenigwyr bellach yn y Swyddfa, ond gwelai fod gan yr Ysgrifennydd Gwladol gyfle i ddylanwadu yn y Cabinet ar Lywodraeth y Deyrnas Unedig. Dibynna hyn ar y gwleidydd. Byddai gan Peter Hain fwy o ddylanwad yn sicr nag a fu gan eraill. Ond ei ofid pennaf yn ei femorandwm yn 2003 oedd yr angen i drosglwyddo pwerau deddfu sylfaenol i'r Cynulliad yn y meysydd datganoledig erbyn y flwyddyn 2010. Dyma ei eiriau:

> The limited legislation power devolved to the elected National Assembly is a great deal less than what is required.[39]

Croesawodd Gwilym yr argymhellion gan eu bod yn tanlinellu'r hyn a oedd yn bwysig iddo. A chymerodd ef ran yn y drafodaeth a ddilynodd gyhoeddi Adroddiad Richard, a dilyn yn ofalus wrthwynebiad un o'r Comisiynwyr, Ted Rowlands, i'r adroddiad. Clywodd Rhodri Morgan yn annerch rhai o aelodau Cymreig Tŷ'r Arglwyddi ym mis Rhagfyr 2004. Roedd yn falch fod Gweinidog Cyntaf y Cynulliad yn derbyn 'dilysrwydd dadansoddiad Richard', ond gwyddai fod angen cefnogaeth Aelodau Llafur yn y Cynulliad a Thŷ'r Cyffredin arno i wireddu'r cyfan.

Bu Gwilym yn feirniadol o adroddiad y Cynulliad ar yr iaith Gymraeg yn 2002, yn ei ysgrif sy'n dwyn y teitl 'Ein Hiaith: Ei Dyfodol?'.[40] Pwyllgor Diwylliant y Cynulliad oedd yn gyfrifol am ran gyntaf yr adroddiad, a'r Pwyllgor Addysg a Dysgu Gydol Oes am yr ail ran. Canolbwyntiodd y pwyllgor cyntaf ar greu

38 *Ibid.*
39 Gwilym Prys-Davies, 'Ein Hiaith, Ei Dyfodol?', *Barn*, Gorffennaf/Awst 2002, 40-3.
40 *Ibid.*, 42

Cymru ddwyieithog ac amcanu at gytundeb o ryw fath. Gwelai Gwilym, fel Saunders Lewis o'i flaen, ddiffyg amlwg mewn dwyieithrwydd, a synnai na nodwyd y peryglon. Gofidiai fod y Pwyllgor oedd yn gyfrifol am yr iaith Gymraeg heb roddi'r flaenoriaeth i ddiogelu'n ddi-oed y cymunedau Cymraeg lle mae'r iaith yn dal ar leferydd y bobl, a bod y sefyllfa yn llusgo byw yn wyneb amarch a diffyg cefnogaeth carfan uchel o'r mewnfudwyr diddiwylliant, sydd weithiau yn bobl hynod o gefnog ac yn arddel dro arall ysbryd difeddwl a difater. Rhoddodd Gwilym y sefyllfa mewn iaith gymedrol er bod y sefyllfa yn gwaethygu:

> A gosod y peth yn fras, synhwyraf ein bod yn dod fan hyn – daw'r peth i'r golwg mewn argymhellion cyffelyb yn yr Adroddiad – wyneb yn wyneb ag un o'r prif anawsterau, sef na fedrai'r Pwyllgor ddychmygu am argymell polisi a fyddai'n cryfhau'r gymuned Gymraeg neu iawnderau'r siaradwyr Cymraeg, onid oedd yn bolisi i'w weithredu'n gyffredinol er budd pob cymuned ym mhob cwr o Gymru. Ai dyna feddylfryd gwleidyddion y Cynulliad?[41]

Methai ddeall y Pwyllgor yn 'annog' yr awdurdodau lleol i ymarfer y pwerau oedd yn eu meddiant, fel trefnu bod pobl leol yn cael cartrefi yn eu cymunedau, yn hytrach na defnyddio'r gair cryfach 'gofynnol'. A gofidiai nad oedd y Pwyllgor yn ddigon craff i leoli prif swyddfeydd y Pwyllgor pan fo'n addas yn y broydd Cymraeg. Byddai hynny yn ffordd dda i ddatblygu 'cymunedau cynaliadwy'.

Canmolai'r Pwyllgor am roddi clod i'r Mentrau Iaith ac am nodi'r angen i ffurfio Fforwm Iaith gan nodi'r dyletswyddau. Yn naturiol, edrychodd y gŵr craff yn fanwl ar yr alwad am ddeddfwriaeth iaith newydd, a sylweddoli nad oedd aelodau'r Pwyllgor o'r un feddylfryd ag ef. Gosodwyd y cyfrifoldeb ar Gomisiwn Richard i edrych ar y 'posibilrwydd o roi pŵer i'r Cynulliad i ddiwygio Deddf 1993.' Canmolodd y Pwyllgor am

---

41 *Ibid.*

alw am yr hawl i sicrhau rheithgor a fyddai'n deall Cymraeg, ond beirniadodd hwy yn llym am anwybyddu argyfwng cymunedau'r fro Gymraeg. Ei farn ef, ar ôl darllen y ddogfen yn ofalus, oedd ei bod hi'n 'ddogfen anorffenedig ac anghyflawn'. Nid yw o bell ffordd yn ateb y cwestiynau dwys a wyneba Gymry y ganrif newydd. Ond y brif broblem gyda'r Pwyllgor oedd diffyg arweinwyr a oedd yn gweld y Gymraeg fel hanfod bywyd gwareiddiedig. Dyma ei farn am y rhai a ddewiswyd i drafod y cwestiwn. Nid oedd rhai yn gwybod y nesaf peth i ddim am y Gymraeg, na chwaith am

> broblemau ieithoedd lleiafrifol, a rhai yn eu plith heb fod yn llawer mwy goleuedig ar werth y Gymraeg na Matthew Arnold yn ei ddydd, a chlywsom gyda phryder amryddawn anoddefgarwch ambell aelod at rai o'r tystion o rengoedd y mudiadau iaith.[42]

I bawb, y Cabinet yw 'pwerdy'r Cynulliad Cenedlaethol'. Ac meddai'r Arglwydd Gwilym:

> Tasg y Cabinet yw saernïo polisïau i ddiogelu cadarnleoedd yr iaith Gymraeg. Y dydd hwn Rhodri Morgan yn anad un gwleidydd arall sy'n bennaf gyfrifol am bolisi'r Cabinet. Ond rhaid gofyn y cwestiwn: A yw Rhodri Morgan erbyn hyn wedi suddo yng nghyfrifoldebau gweinyddiaeth pob dydd y Cynulliad? Ni ddylai'r Cabinet fod wedi ymwadu â'r cyfrifoldeb dros y Gymraeg trwy ei throsglwyddo i bwyllgor mor anaddas ei aelodaeth.[43]

Disgwyliai Gwilym gryn lawer gan Rhodri Morgan am ei fod yn fab i'r Athro T. J. Morgan a fu'n Athro'r Gymraeg yng Ngholeg Prifysgol Cymru, Abertawe. Gofynnodd yn ei gyfrol *Cynhaeaf Hanner Canrif*:

---

42 *Ibid.*, 43
43 Gwilym Prys-Davies, *Cynhaeaf Hanner Canrif*, 123.

Pa wleidydd Llafur arall sydd o fewn y fath linach, ac o'r herwydd mor wybodus am bwysigrwydd y dreftadaeth Gymraeg?[44]

Digon teg, ac eto rhaid cydnabod nad oedd Rhodri yn meddu ar argyhoeddiadau cadarn am yr iaith. Nid y Gymraeg oedd iaith ei aelwyd, ac er ei fod yn medru siarad yr iaith yn raenus, nid oedd yn poeni am y broydd Cymraeg fel eraill ohonom, gan mai cynnyrch dosbarth canol Radur, un o faestrefi Caerdydd, ydoedd y gwleidydd hoffus. Roedd hefyd yn coleddu diwylliant nerth braich y clwb rygbi a phwysigrwydd y ddiod feddwol o fewn yr adeilad hwnnw. Gwelir yn ei hunangofiant fod ganddo ddigon o broblemau o fewn y Blaid Lafur yn y Cynulliad ac nid oedd ganddo'r gefnogaeth i fentro ar lwybr amhoblogaidd, ond hynod bwysig. Siaradai Rhodri Morgan yn Saesneg gyda chryn ddogn o hiwmor, ac yn Gymraeg clywid ymadroddion hyfryd ei dafodiaith. A sylweddolodd gyda syndod mawr, yn fuan yn ei gyfnod fel Aelod Seneddol Gorllewin Caerdydd, bwysigrwydd y Gymraeg:

> One little surprise was that not a day went by without somebody coming up to me and talking Welsh. It had never occurred to me how important speaking Welsh was going to be in a seat like Cardiff West.[45]

Er ei fod yn croesawu'r cyfle i annerch cymdeithasau yn iaith ei fagwraeth, nid oedd yn ymwybodol o gwbl y dylai ofalu bod y Gymraeg yn cael ei gwarchod gan Aelod Cymraeg ei iaith o fewn ei blaid. Anodd credu iddo apwyntio Jenny Randerson i ofalu am Ddiwylliant, Chwaraeon a'r Iaith Gymraeg o Hydref 2000 hyd Ebrill 2003.[46] Yr oedd hynny yn dweud y cyfan, a gwn o brofiad

44 Ibid.
45 Rhodri Morgan, *Rhodri: A Political Life in Wales and Westminster*, 74–5.
46 Nid oedd hi'n hawdd ar y gweinidog cyntaf gan fod y Blaid Lafur mewn clymblaid gyda'r Rhyddfrydwyr Democrataidd yn y cyfnod hwn. Wedi'r cyfan bu Jennifer Randerson yn Ddirprwy weinidog cyntaf y Cynulliad o 6 Gorffennaf

fod gwybodaeth Randerson o'r Gymraeg yn bitw bychan. Yn wahanol i Rhodri Morgan, yr oedd y tân ym mol Gwilym dros y Gymru Gymraeg heb ddiffodd ers dyddiau'r Coleg ger y Lli, ac o fewn y Blaid Lafur ac yn wir yr holl bleidiau, gan gynnwys Plaid Cymru, yr oedd ar bedestal cenedlaetholgar sosialaidd. Llawenydd i'r Arglwydd Prys-Davies oedd i Adroddiad Comisiwn Richard arwain at Ddeddf Llywodraeth Cymru 2006. Byddai pobl Cymru yn cael y cyfle i ddweud 'Ie' neu 'Nage' i bwerau deddfu llawn ar gyfer y Cynulliad. Fel y dywedodd ei gyd-Lafurwr, Elystan Morgan:

> Cyn adroddiad Richard roedd perygl na fyddai'r Cynulliad yn ddim mwy na Chyngor Sir siaradus, ond ar ei ôl, roedd y llwybr at senedd yn gwbl weladwy.[47]

Cafodd Gwilym gryn dipyn o syndod o ddarllen y llythyr a anfonodd y Barnwr Dewi Watkin Powell ato yn 2006. Ar ôl diolch am holl stiwardiaeth Gwilym, dywed: 'Diolch yn fawr am eich gofal dros yr iaith – a bod eich llaw ymhob ystyr yn gadarn.'[48]

Aiff ymlaen i sôn am y ddirprwyaeth a anfonodd Bwrdd yr Orsedd i'r Cynulliad i gael gweld Rhodri Morgan, ac i ddatgan eu bod yn cefnogi gwelliannau'r Mesur Llywodraeth Leol a gynigid gan yr Arglwydd Prys-Davies a'r Arglwydd Ted Rowlands. Ond siomedig fu'r cyfarfod am fod Rhodri Morgan yn mynnu siarad fel pwll y môr. Ganddo ef yn unig yr oedd y stori, ac anghofiodd fod dyletswydd arno i wrando ar yr hyn a oedd gan y ddirprwyaeth i'w ddweud wrtho. Ei gri oedd 'mae pawb o blaid y Gymraeg', fel pe na bai angen mesurau arbennig i warchod yr iaith. Er bod gan Dewi Watkin Powell a'i deulu

---

2001 i 13 Mehefin 2002. (Gweler wefan swyddogol Jenny Randerson (1948–) am ei hanes).

47   Huw L. Williams (gol.), *Atgofion Oes Elystan*, 271.

48   Llyfrgell Genedlaethol Cymru, Casgliad yr Arglwydd Gwilym Prys-Davies. Llythyr y Barnwr Dewi Watkin Powell at Gwilym Prys-Davies, dyddiedig 1 Mehefin 2006.

berthynas gwaed â Rhodri, nid oedd ganddo glod iddo, fel y mynegodd mewn llythyr at Robyn Léwis, Nefyn. Dywedodd nad oedd Rhodri Morgan 'wedi sicrhau lle'r Gymraeg ar unrhyw achlysur', a'i ymateb i gais Cymdeithas yr Iaith am Ddeddf Iaith Newydd oedd llefaru'r geiriau Saesneg 'boring, boring'.[49] Dywed hynny'r cyfan. Yn arweinyddiaeth y Cynulliad y ceid y drwg yn y caws, fel yr ofnai yr Arglwydd Prys-Davies, ac fel y cadarnhaodd y Barnwr Dewi Watkin Powell.

---

49 Llyfrgell Genedlaethol Cymru, Papurau y Barnwr Dewi Powell. Llythyr y Barnwr at Robyn Léwis, dyddiedig 14 Mehefin 2006.

PENNOD 16

Dylanwadu a dal i obeithio

NID OEDD NEB TEBYG i Gwilym am ymateb i lythyron a byddai bob amser yn gwerthfawrogi pan fyddwn yn anfon ein papur bro, *Yr Angor*, ato. Hoffai weld ambell i goffâd fel yr un a luniwyd i Cyril P. Cule, ac ysgrifau gwleidyddol.[1] Soniai bob amser am yr hyn a ddarllenai yn y wasg Gymraeg a Saesneg. Byddai'n derbyn papurau dyddiol yr *Independent*, y *Times*, yr *Irish Times* a'r *Western Mail*. Darllenai bob wythnos *Y Cymro* a *Golwg*, ac ar y Sul y *Sunday Times*.[2]

Erbyn 2002 yr oedd yn gofidio cryn dipyn am ei iechyd. Methodd â mynd i'r Fforwm Iaith yn Llandrindod; y rheswm, meddai wrthyf, oedd 'oherwydd fy mod mor simsan ar fy nhraed a blinedig'. Pedwar ugain oed ydoedd yr adeg honno, ond eisoes gwelid newid mawr o ran ei gerddediad, ond nid o ran ei grebwyll a'i feddwl clir. Darllenodd ar 24 Mai 2002 yn *Golwg* fod un o aelodau'r Cynulliad, y Parchedig Rhodri Glyn Thomas, 'yn ofni mai gwastraff amser oedd yr arolwg o'r iaith Gymraeg'.[3] Sylw Gwilym wrthyf oedd: 'Os yw hyn yn wir, mae'n drueni mawr, ond mae'n ategu ein barn y dylid bod wedi sefydlu Comisiwn annibynnol i arolygu'r sefyllfa a dwyn argymhellion ger bron.'[4]

---

1   Yr oedd gan Gwilym feddwl uchel o Cyril P. Cule. Ceir ysgrifau diddorol gan Cule yn D. Ben Rees (Golygydd), *Codi Angor yn Lerpwl a Penbedw a Manceinion* (Lerpwl, 2019), 209, 311–12, 343–4.

2   Thomas Davies, *Pwy yw Pwy yng Nghymru*, Cyfrol 1 (Lerpwl a Llanddewi Brefi, 1981),8.

3   Pan oedd yn Weinidog Diwylliant daeth Rhodri Glyn Thomas dan feirniadaeth gyson. Gw. Simon Brooks, 'Ceidwad y Winllan', *Barn*, 542, Mawrth 2008, 18–19.

4   Archif breifat yr awdur. Llythyr Gwilym Prys-Davies at Dr D. Ben Rees, dyddiedig 24 Mai 2002.

Yr oedd 2002 yn flwyddyn bwysig iddo oherwydd aeth ati i drefnu cyfieithu cyfrol fawr ei dad ar hanes plwyf Llanegryn o'r Gymraeg i'r Saesneg, a threfnu cyfarfod yn y pentref i lansio'r gyfrol a chyflwyno copi i bob plentyn a drigai yn y plwyf. Erbyn hyn yr oedd yn cefnogi, hyd eithaf ei allu, Gymdeithas Hanes Sir Feirionnydd ac yn cyfrannu ambell i erthygl i'r cylchgrawn. Daeth y golygydd, Arwyn Lloyd Hughes, Caerdydd, a brodor o Drawsfynydd, ac yntau i gymdeithasu â'i gilydd. Dywedodd wrthyf:

> Awgrymaf wrth y Pwyllgor yn Llanegryn y dylent hysbys-
> ebu *Hanes Plwyf Llanegryn* yn *Yr Angor* – mae'n bosib
> bod rhai o ddisgynyddion Cwmwd Tal-y-bont ymhlith ei
> darllenwyr. Rwy'n gobeithio y dônt i gysylltiad â chi.[5]

Digwyddodd hynny a gwyddwn am rai a oedd o'r cwmwd ac a dderbyniai'r papur bro yn fisol.

Y mae hyn i gyd yn dangos ei ddawn i ddylanwadu. Un o'r rhai y dylanwadodd ef yn fawr arno ar fater yr iaith oedd y Llafurwr o Gwm Rhondda, Ken Hopkins. Ganwyd ef yng Nghwm Garw i rieni Cymraeg eu hiaith, ond erbyn iddo gyrraedd yr ysgol uwchradd diflannodd y Gymraeg gan ei amddifadu o drysorau amlwg. Ar ôl gyrfa academaidd apwyntiwyd ef yn athro Saesneg yn y Porth a Ferndale cyn ei wahodd yn Swyddog Addysg gyda Chyngor Bwrdeistref y Rhondda. Ef oedd Cyfarwyddwr Addysg Sir Morgannwg Ganol yn ystod y saith a'r wythdegau, a daliodd i hyrwyddo'r Blaid Lafur ac ysgwyddo cyfrifoldeb fel Ysgrifennydd yr Etholaeth. Bu'n Gadeirydd Pwyllgor Gwaith Plaid Lafur Cymru. Edmygwn ef yn fawr fel y gwnâi Gwilym, a gohebai'r ddau yn gyson â'i gilydd gan i Ken Hopkins ddod yn aelod dylanwadol ar Bwyllgor Iaith Gymraeg y Blaid Lafur Gymreig.

Byddai Gwilym yn sylweddoli fod arno gyfrifoldeb i gefnogi'r gŵr gweithgar o'r Porth ar fater a oedd yn amhoblogaidd yn aml

---

5   Archif breifat yr awdur.

o fewn rhengoedd y Blaid Lafur.[6] Cafodd llu o bobl sioc eu bywyd yn 2006 pan gyhoeddodd Ken Hopkins, gyda'r Sefydliad Materion Cymreig, *Achub Ein Hiaith*, llyfryn hynod o bwysig.[7] Ken Hopkins oedd y cyntaf i awgrymu y dylid gosod nod o ddyblu nifer y siaradwyr Cymraeg. Iddo ef yn 2006, y flwyddyn 2025 oedd y targed ac nid 2050 fel y sonnir gan Lywodraeth Cynulliad Cymru a'i llyfryn cynharaf *Iaith Pawb*, a awgrymai gynnydd o bump y cant erbyn 2011. Nid llyfryn dof, diniwed a gafwyd gan un o ddisgyblion Gwilym, ond beirniadaeth ddeifiol, fel y disgwylid gan ei athro a'i fentor. Y mae'r llyfryn godidog yn dechrau gyda galwad ar Lywodraeth Cynulliad Cymru i fynd ati yn ddiymdroi i achub yr iaith Gymraeg rhag 'prysuro'n anochel i ebargofiant'. Galwodd yn daer am gychwyn ymgyrch bositif gyda chefnogaeth pob plaid yn y Cynulliad yng Nghaerdydd i Faniffesto Iaith, ac i Ddatganiad Difrifddwys 'ein bod [mewn] Cymru ddatganoledig, yn falch o'n hunaniaeth Gymreig a'n diwylliant, a bod yn rhaid ystyried ein hiaith a'i llenyddiaeth [yn] rhan hanfodol o'r hunaniaeth honno'.[8]

Er bod lle i anghytuno ag aml i baragraff yn y llyfryn, eto rhaid canmol, fel y gwna Wyn Hobson:

> Serch hyn holl, rhaid diolch yn ddiffuant am ddogfen sy'n cyflwyno glasbrint nid anfentrus ar gyfer gwella sefyllfa'r Gymraeg. Diolch hefyd am nodwedd fwyaf rhyfeddol y ddogfen, sef iddi gael ei chyhoeddi o gwbl.[9]

Y mae'n amlwg na wyddai Wyn Hobson am y cyfeillgarwch a'r dylanwadu ar Ken Hopkins gan yr Arglwydd Prys-Davies. Ond dylid cofio, er ei ddylanwad ar ei agwedd at y Gymraeg, na

---

6   *Ibid.*

7   Ken Hopkins, *Achub Ein Hiaith* (Caerdydd, 2006).

8   Wyn Hobson, 'Y Tro Pedol Mawr', *Barn*, 525, Hydref 2006, 20–3.

9   Am flynyddoedd tybiwyd bod y Llafurwr o Gwm Rhondda, Ken Hopkins, yn ddeinosor o ran ei agweddau at y Gymraeg, ond dengys Wyn Hobson yn yr adolygiad treiddgar hwn nad oedd hynny yn wir. 'Dyma drobwynt i'r Blaid Lafur o ran ei hagwedd at y Gymraeg,' yn ôl golygydd *Barn*.

lwyddodd i wireddu breuddwyd Ken Hopkins o fod yn aelod o Dŷ'r Arglwyddi. Mynegodd yntau ei rwystredigaeth tuag at ei fentor mewn dogfen a oedd ym meddiant yr Arglwydd Prys-Davies:

> In the late 80s, Gwilym Prys-Davies had been telling me and Cledwyn how hard I was working for the party in Wales and how very useful I would be in the Lords. So many of the Labour members there did very little, he used to tell me. Neither Cledwyn nor Neil [Kinnock] dispute the efforts Allan [Rogers] and Gwilym [Prys-Davies] were able to deliver. Indeed, in 1990, Neil put forward, not me, but [Brian] Morris of Lampeter, who was not even a party member and had ingratiated himself with the Tory establishment to such an extent that they had made him the paid Chair of the Museums Commission. Presumably, Cledwyn [Hughes] in his role as Vice Chancellor of the University of Wales, thought that such disadvantages were outweighed by Morris' role as principal of the smallest of the Welsh colleges. Gwilym said it was the London connection.[10]

Byddai Ken Hopkins wedi bod yn gaffaeliad mawr yn Nhŷ'r Arglwyddi, ond er ei holl lafur cariad o fewn y Blaid Lafur, ni chafodd ei anrhydeddu. Cwynai Cledwyn a Gwilym am y nifer bychan o Arglwyddi Llafur Cymreig y gallent ddibynnu arnynt ac eto, anodd oedd perswadio arweinwyr y Blaid Lafur Brydeinig i gymeradwyo rhai o'r enwau a gyflwynodd y ddau ohonynt dros y blynyddoedd.

Yn Rhagfyr 2005, cyflwynodd Llywodraeth Tony Blair fesur seneddol i gryfhau pwerau Cynulliad Cymru. Yr oedd

---

10 Llyfrgell Genedlaethol Cymru, Casgliad yr Arglwydd Gwilym Prys-Davies. Dwy dudalen gan Ken Hopkins yn dweud y drefn am na chafodd ef gyfle i wasanaethu yn Nhŷ'r Arglwyddi, er bod Gwilym Prys-Davies a Cledwyn Hughes ac eraill lawer wedi rhoddi addewid o hynny iddo.

gwir angen i alluogi Llywodraeth y Cynulliad i weithredu ei deddfwriaeth yn fwy cyflym ac effeithiol, a gyda llai o drafferth. Teimlid bod angen diwygio llawer iawn o'r trefniadau etholiadol a gwahanu'r gweithredu oddi wrth y deddfu. Awgrymodd Comisiwn Richard y dylid trosglwyddo pwerau deddfu sylfaenol yn syth i'r Cynulliad fel y gwnaed yn yr Alban. Nid oedd y Blaid Lafur yn Llundain na Chaerdydd am dderbyn hynny. Dadleuodd yr arweinwyr mai'r unig ffordd y gellid newid y Cynulliad i fod yn Gynulliad deddfwriaethol oedd trwy gynnal refferendwm. Onid felly y daeth y Cynulliad i fodolaeth yn y lle cyntaf? Ond fel y dadleuai'r Arglwydd Prys-Davies, yr oedd hynny yn temtio gwrthodiad. Sylweddolai ef, gystal â neb, fod yr etholwyr Cymreig at ei gilydd yn unoliaethwyr gydag 'u' fach ac nid yn genedlaetholwyr sosialaidd. Profodd siom Refferendwm 1979, er iddo weithio'n ddygn, a gwyddai mai 'dim-ond-y-dim', chwedl yntau, y llwyddwyd i ennill Refferendwm 1997. A ellid ymddiried unwaith yn rhagor mewn etholwyr digon difater? Mentro oedd raid.

Brawychodd Gwilym wrth ddarllen yn ofalus fesur 2005 o weld fod 'safle statudol yr iaith Gymraeg yn wannach ynddo na'r hyn ydoedd o dan Ddeddf Llywodraeth Cymru 1998'. Ef oedd un o'r cyntaf o gyfeillion y Gymraeg i weld y diffyg. Sylwodd hefyd fod yna wendid mawr arall. Disgwylid i Weinidogion y Cynulliad hyrwyddo llywodraeth leol, y sector gwirfoddol, buddiannau busnes, datblygiad cynaliadwy a chyfle cyfartal, yn ôl y cymalau 73 i 77 a chymal 79, ond ni welwyd cyfeiriad o gwbl at y ddyletswydd i hyrwyddo'r Gymraeg. I Gwilym yr oedd hyn yn anghyfiawnder o'r mwyaf, a chafodd air yn ddiymdroi â Bwrdd yr Iaith. Cytunodd Bwrdd yr Iaith â'i safbwynt. Bu cydweithio rhyngddynt ar yr angen i ystyried y 'ddyletswydd statudol', sef:

a   fod y cyllid angenrheidiol yn cael ei neilltuo o fewn y weithrediaeth i hyrwyddo'r iaith;

b   na fyddai gweithredu i sicrhau parhad yr iaith mwyach

yn fater disgresiwn i lywodraeth y dydd – byddai
dyletswydd arni i wneud hynny, a

c byddai gan Aelodau'r Cynulliad a phleidiau yr
wrthbleidiau o fewn y Cynulliad sail statudol i fynnu
bod y weithrediaeth yn gweithredu ei dyletswydd i
hybu'r iaith.

Soniodd Cyfarwyddwr Gweithredu Strategol Bwrdd yr Iaith am
gyfraniad Gwilym Prys-Davies gan bwysleisio y byddai hi'n stori
bur wahanol hebddo ef. Ac mewn llythyr at Gwilym, diolchodd y
gwas sifil o'r enw Prys-Davies iddo am eich 'cyfraniad hollbwysig'
y blynyddoedd diwethaf hyn. Ychwanegodd:

> Heb eich mewnbwn uniongyrchol, ni fyddai'r Gymraeg
> wedi cael sylw priodol o fewn Deddf Llywodraeth Cymru
> 2006.[11]

Dyma glod haeddiannol iawn, a bu Gwilym mewn cysylltiad
agos â'r Swyddfa Gymreig. Ni fu hi'n hawdd fel y cydnabu yn
Cynhaeaf Hanner Canrif:

> Am wythnosau ni chytunai'r gweision sifil fod angen
> diwygio'r Mesur; dadleuent fod y Llywodraeth eisoes yn
> hyrwyddo'r Gymraeg.[12]

Ond trwy drugaredd, er yn hwyr yn y dydd, cytunodd Rhodri
Morgan, ar ôl derbyn dirprwyaeth o Fwrdd yr Orsedd, i ofalu bod
y Llywodraeth yn cyflwyno gwelliant a oedd yn cyfateb 'bron air
am air, i'r un a gyflwynwyd gennym yn Nhŷ'r Arglwyddi.[13]

Buddugoliaeth bwysig iawn oedd hyn, gan fod y gair 'rhaid'
wedi ei osod yn y Ddeddf. Disgwylid mewn geiriau eraill

---

11   *Ibid.* Llythyr un o staff Bwrdd yr Iaith gyda'r un cyfenw â gwrthych ein
cofiant, Prys-Davies at Gwilym Prys-Davies. Gw. Casgliad Gwilym Prys-Davies
Llyfrgell Genedlaethol Cymru. Llythyr Prys-Davies at yr Arglwydd Gwilym Prys-
Davies, dyddiedig 15 Awst 2006.

12   Gwilym Prys-Davies, *Cynhaeaf Hanner Canrif*, 138.

13   Gw. Rhys Williams, 'Tua Whitehall', *Barn*, 536/4, Rhagfyr/Ionawr 2009/10,
6. 'Bu datganoli yn gymaint o ddaeargryn i'r gweision sifil ag y bu i'r gwleidyddion.'

i Weinidogion y Cynulliad gyflawni'r canlynol: yn gyntaf, mabwysiadu strategaeth i hybu a hyrwyddo'r iaith Gymraeg; yn ail, mabwysiadu cynllun iaith ar sail cydraddoldeb y ddwy iaith yn unol â gofynion Deddf Iaith 1993; yn drydydd, paratoi adroddiad blynyddol i'r Cynulliad ar sut y gweithredwyd y cynllun iaith; a hefyd paratoi adroddiad blynyddol am effeithiolrwydd y strategaeth i hybu a hyrwyddo'r iaith. Derbyniwyd yn unfrydol gan y Tŷ fel Cymal 78, ac roedd yr Arglwydd Prys-Davies yn falch o gydnabod cydweithrediad Bwrdd yr Iaith, dirprwyaeth Bwrdd yr Orsedd – sef y Barnwr Dewi Watkin Powell; Elfyn Llwyd, Aelod Seneddol Meirionnydd; Robyn Léwis a'r Archdderwydd John Gwilym Jones – a hefyd gyfraniad hollbwysig Rhodri Morgan. Dengys y cyfan pa mor bwysig yw bod yn wyliwr ar y tŵr ac yn benderfynol o gael y maen i'r wal. Dyna gyfrinach yr Arglwydd Prys-Davies yn yr argyfwng hwn, ac fel y dywedodd mewn llythyr at Meri Huws wrth ganmol Bwrdd yr Iaith:

> Mae'n dal i fod yn rhy hawdd i swyddogion digydymdeimlad lesteirio polisi i hyrwyddo'r iaith.[14]

Gwelodd hynny yn y Swyddfa Gymreig. Cadwodd fi yn y darlun ar hyd y cyfnod. Anfonai'r *Hansard* ataf yn achlysurol, yn arbennig pan siaradai ef yn y Tŷ. Dywedodd wrthyf mewn llythyr:

> Os cytunwn ei bod yn bwysig bod y statud yn rhoi dyletswydd ar weinidogion y Cynulliad i hyrwyddo a chynnal yr iaith, buaswn yn gwerthfawrogi pe medrid ceisio dylanwadu ar Gytûn – neu ryw gorff arall – i ofyn i Rhodri Morgan dderbyn dirprwyaeth o fewn y tair wythnos neu'r mis nesaf.[15]

---

14   Llyfrgell Genedlaethol Cymru, Casgliad yr Arglwydd Gwilym Prys-Davies. Llythyr Gwilym Prys-Davies at Meri Huws, dyddiedig 18 Awst 2006.

15   Archif breifat yr awdur. Llythyr Gwilym Prys-Davies at D. Ben Rees, dyddiedig 23 Mawrth 2006.

Cafwyd Bwrdd yr Orsedd yr Eisteddfod Genedlaethol i ymateb. Yr oedd Gwilym ei hun wedi ei dderbyn i'r Orsedd ar sail ei waith disglair dros ei genedl – anrhydedd yr oedd yn deilwng ohono ac felly hefyd cael bod yn Llywydd Coleg y Brifysgol Abertawe. Mewn llythyr arall ataf soniodd am ddirprwyaeth y Bwrdd:

> Bu pedwarawd yr Orsedd i lawr ger bron Rhodri Morgan wythnos yn ôl, a deallaf iddynt glywed bod y Llywodraeth yn ail edrych ar y gwelliant sydd yn fy enw, ac efallai y daw rhywbeth o'n hymdrechion yn Nhŷ'r Arglwyddi. Ond pan na chafwyd gair yn *Y Cymro* a *Golwg* – roeddwn yn ddiolchgar am ddarn yn *Barn*.[16]

Fel ôl-nodiad, gofynna a 'lwyddasoch i fynd ar drywydd y Parchedig Towy Evans? Buaswn yn ddiolchgar dros ben am unrhyw oleuni'. A dyma ddechrau ar dasg arall, sef ymateb i gwestiynau mynych fy nghyfaill am Ymneilltuaeth Gymraeg er mwyn llenwi'r darlun gan ei fod am lunio cyfrol ar wleidyddiaeth Gymreig o lywodraeth Attlee yn 1945 hyd Lywodraeth Blair yn 2005. Llwyddodd i lunio cyfrol hynod o ddifyr dan y teitl *Cynhaeaf Hanner Canrif: Gwleidyddiaeth Cymru 1945–2005* a gyhoeddwyd yn 2008 gan Wasg Gomer. Yn ei adolygiad treiddgar yn *Barn*, soniodd Vaughan Hughes amdano fel yr ymgeisydd yn isetholiad Caerfyrddin. Dywedodd y gwir i gyd yn ei baragraff:

> Dyna beth oedd eironi – eironi'r eironïau – oherwydd nid oes odid neb sy'n fyw heddiw a gysegrodd fwy o'i amser a'i egni i hyrwyddo achos hunanlywodraeth i Gymru a pharhad y Gymraeg na Gwilym Prys-Davies. Wrth guro y gŵr hwn fe gurodd Gwynfor genedlaetholwr Cymreig a Chymraeg o sylwedd ac argyhoeddiad.[17]

Gweithiodd Gwilym yn galed ar y gyfrol. Llwyddais i gael goleuni llachar ar y Parchedig T. Towy Evans, gweinidog Ness

---

16   *Ibid.* Llythyr Gwilym Prys-Davies at D. Ben Rees, dyddiedig 25 Mai 2006.
17   Vaughan Hughes, adolygiad ar *Cynhaeaf Hanner Canrif, Barn*, Medi 2008.

Edwards yn ei lencyndod yn Abertyleri, trwy lunio erthygl a'i hanfon i *Seren Cymru*. Ar 5 Medi 2006 ymatebodd Alun Lewis o Garn-swllt ger Rhydaman i'm herthygl:

> Diolch am eich erthygl yn *Seren Cymru* rai wythnosau yn ôl bellach, yn ymwneud â dylanwad y Parch T. Towy Evans ar fywyd Ness Edwards. Yn anffodus ni ddywedoch wrthym pa ddylanwad a fu arno, hyd y gwelaf i, ni lwyddodd neb erioed i fod yn ddylanwad da ar y Diawl hwnnw.
>
> Dyn rhyfedd oedd T. Towy Evans ei hun, 'roedd llawer o Fedyddwyr Blaenau Morgannwg yn y cyfnod yna yn Gymry uniaith fel rhai o deulu 'nhad a ymfudodd o Lanfynydd, Sir Gaerfyrddin i Sirhywi, ond i T. Towy Evans roedd eneidiau y Saeson uniaith yn bwysicach nag eneidiau y Cymry Cymraeg.
>
> Dyn rhyfeddach fyth oedd ei fab Syr Guilhaume Myrddin Evans a urddwyd yn farchog gan Frenhiniaeth Lloegr, ond yn ôl a wn i, ni wnaeth ddim erioed dros ei wlad ei hun.[18]

Clasur o lythyr a anfonais i Don-teg, a daeth yr ymateb:

> Mae llythyr sarrug Lewis yn tystio i'r casineb mawr a enynnodd Ness Edwards – 'Y Diawl hwnnw' fel y dywed. Ac am y rheswm hwnnw'n unig, mae'n drysor o lythyr. Mae'n werth gwybod hefyd bod G. Myrddin Evans yn fab i Towy Evans – gwybodaeth ddiddorol odiaeth. (Gyda llaw, onid oedd Cadeirio Llywodraeth Leol yng Nghymru yn y pumdegau a'r chwedegau cynnar, fel y gwnaeth GME, yn wasanaeth i Gymru – efallai y carai Mr Lewis wybod am hynny.)[19]

Sonia wedyn am fy ysgrif ar Towy Evans:

---

18 Archif breifat yr awdur. Llythyr Alun Lewis, Trem-y-ddôl, Garnswllt, Rhydaman at D. Ben Rees, dyddiedig 5 Medi 2006.
19 Ibid. Llythyr Gwilym Prys-Davies at D. Ben Rees, dyddiedig 6 Medi 2006.

Roeddwn yn falch o weld eich darn am Towy Evans.
Mae'n werthfawr fel y saif, ond ddaru ef 'lwyddo i oresgyn
problem yr iaith'? Onid cefnu'n llwyr arni wnaeth e? Tybed
a ddylech weithio i mewn i'ch darn y posibilrwydd y gellir
edrych ar eglwys Blaenau Gwent fel *English Cause*?[20]

Ac aiff ymlaen i fanylu ar y trawsnewid a ddigwyddodd yn
eglwysi Cymraeg Blaenau Gwent, y newid y bu gwleidyddion fel
Ness Edwards ac Aneurin Bevan yn dystion personol iddo.

Yn ei araith pan lawnsiwyd y gyfrol yn stondin y Cynulliad ar
faes Eisteddfod Genedlaethol Cymru, Caerdydd ar 7 Awst 2008,
soniodd y Dr J. Elwyn Hughes, Bethel, fel y tyfodd y gyfrol dros
gyfnod o bum mlynedd. Pymtheg mil o eiriau oedd y nod ar y
dechrau ond fe drodd y pymtheg mil yn ddeugain mil, yn hanner
can mil ac yn y diwedd yn ychydig dros drigain mil pan ddaeth y
gyfrol o Wasg Gomer. Dyma eiriau Dr Elwyn Hughes:

> Mae'r llythyru cyson a fu rhyngom ni, a'r galwadau ffôn
> aneirif, yn brawf o'r perffeithydd ar waith. Bu'n ofalus
> hynod drwy gydol yr amser i gyflwyno darlun diduedd
> a gonest o bob un o'r gwrthrychau amlwg a chwaraeodd
> ran flaenllaw ar lwyfan gwleidyddiaeth Gymreig yn ystod
> y cyfnod dan sylw, gan bwyso a mesur eu lle o safbwynt
> eu cyfraniad i wahanol agweddau ar fywyd yng Nghymru
> – a'r iaith Gymraeg, wrth gwrs, yn un o'r prif agweddau
> hynny.[21]

Hyfryd oedd derbyn copi o *Cynhaeaf Hanner Canrif* oddi
wrth yr awdur ym Mehefin 2008 a'r geiriau: 'Gyda'n diolch am
gymorth parod a gwerthfawrogiad o'i gyfeillgarwch ar hyd y
blynyddoedd.'

Derbyniodd Gwilym nifer o lythyron yn cydnabod safon
y gyfrol. Daeth un oddi wrth yr Athro R. Geraint Gruffydd,

---

20 *Ibid.*
21 Casgliad o lythyron a gyflwynwyd gan Catrin Waugh i mi i'w cadw. Yma ceir
gwerthfawrogiad Elwyn Hughes, Bethel.

Aberystwyth yn dweud iddo dderbyn llawer iawn o addysg a mwynhad, a gwir y dywedodd:

Buoch yn haeddiannol hael eich clod i arloeswyr megis James Griffiths a Cledwyn Hughes – y cafodd fy ngwraig ei magu gydag ef yn Nisgwylfa, Caergybi.[22]

Daeth llythyr gan Wyn Thomas o Abertawe – ef yn un o fechgyn Bethesda, Arfon, ac yn un a fu'n hynod o weithgar o fewn y Blaid Lafur. Safodd fel ymgeisydd y Blaid Lafur yn sedd Maldwyn yn Etholiad Cyffredinol 1970. Cyfaddefa nad oedd ganddo 'y sgiliau na'r ymroddiad i fod yn wleidydd llawn amser'. Trodd i fyd y cyfryngau am gynhaliaeth ac anghofio am lwybr y gwleidydd proffesiynol. Ond heb amheuaeth credai yntau fod y Gymraeg wedi cael cyfrol nodedig.[23]

Yn ei lythyron cyson a'r sgyrsiau ar y ffôn byddai cyflwr Cymru, yr iaith a'r cymunedau Cymraeg yn brigo fel blaenoriaethau. Cadwai lygad barcud ar Lywodraeth Cymru gan ei fod yn sylweddoli mai yn y fan honno y dylid cynllunio, ond credai hefyd fod pob asiant a chymdeithas â chyfle i weithredu. Croesawodd raglen Llywodraeth Cynulliad Cymru, *Cymru'n Un*, pan gytunodd Plaid Cymru a'r Blaid Lafur i greu amodau ar gyfer cryfhau'r iaith. Y maes newydd oedd ganddynt dan sylw oedd sefydlu swydd Comisiynydd y Gymraeg, ac fe ddaeth hynny'n ffaith. Cadarnhawyd statws swyddogol y Gymraeg a'r Saesneg yng Nghymru a hefyd sicrhau hawliau ieithyddol o ran darparu gwasanaethau. Bu Llywodraeth y Cynulliad wrthi'n adolygu *Iaith Pawb*, strategaeth yr iaith Gymraeg a gyhoeddwyd yn y lle cyntaf yn 2003. Llwyddodd Syr Emyr Jones Parry, un a fu'n Llysgennad Prydain yn y Cenhedloedd Unedig, i arwain Cynhadledd Cymru Gyfan a gyhoeddodd adroddiad er

---

22 Llyfrgell Genedlaethol Cymru, Casgliad yr Arglwydd Gwilym Prys-Davies. Llythyr yr Athro R. Geraint Gruffydd, Aberystwyth at Gwilym Prys-Davies, dyddiedig 11 Medi 2008; a chyfarfod lansio *Cynhaeaf Hanner Canrif*.
23 *Ibid.* Llythyr Wyn Thomas at Gwilym Prys-Davies, dyddiedig 15 Medi 2008.

paratoad ar gyfer y Refferendwm a gynhaliwyd yn 2011. Fel un a edmygai Peter Hain yn fawr, gwyddai Gwilym Prys-Davies mai ef a neb arall a wthiodd y broses ddatganoli ymlaen yn wyneb gwrthwynebiad ystyfnig carfan uchel o Aelodau Seneddol Llafur Cymru. Yr oedd y rhain yn gwrthwynebu Comisiwn Richard ond gofalodd Hain, fel pensaer Deddf Llywodraeth Cymru 2006, ddistewi y lleisiau croch.

Ac felly synhwyrai Gwilym fod y Blaid Lafur yn colli tir o hyd yng Nghymru, a bod Llafur o fewn y Cynulliad yn llawer rhy ofnus a gofalus ar faterion a ofynnai am ddewrder moesol a gwleidyddol. Yr oedd y trafod gwleidyddol personol a digon amrwd ar brydiau yn ei boeni yn fawr. Dyheai am drafodaeth aeddfed, ond fel arall yr oedd hi. Ac yn 2010 daeth yr angau creulon yn ei rym i dorri'r berthynas rhyngddo ef a'i briod ymroddgar Llinos, ac ni fu bywyd byth yr un fath ar ôl 10 Chwefror y flwyddyn honno. Dyna ddyddiad ei marwolaeth, a bu'r blynyddoedd ar ôl hynny yn anodd iddo ym mhob ystyr.

PENNOD 17

Diwedd dyddiau

DRYLLIWYD BYWYD Gwilym Prys-Davies yn Chwefror 2010, ac am saith mlynedd olaf ei oes ni fu'r amgylchiadau yr un fath. Erbyn 2010, yr oedd ef ei hun yn simsan iawn ar ei draed, ond ei feddwl mor finiog ag erioed. Golygai Llinos bopeth iddo, ac o'r foment gyntaf y daeth y ddau at ei gilydd yng Ngholeg Aberystwyth fe gafwyd partneriaeth a oedd yn parchu doniau ei gilydd. Yn Abercynon, y dref lofaol ar waelod Cwm Cynon, y ganwyd Llinos, yn 1925, yn ferch i Abram ac Olwen Evans, dau o Gymry cefnogol y cefais gefnogaeth wych ganddynt. Meddai Llinos ar allu arbennig ac yn ei harddegau astudiodd Hanes a'r Gymraeg yn Ysgol Ramadeg Aberpennar. Gwyneth Morgan oedd ei hathrawes eneiniedig yn y Gymraeg. Gwnaeth y Gymraeg yn bwysig yn ei bywyd. Yn ddiweddarach bu o dan gyfarwyddyd T. H. Parry-Williams, Gwenallt, Thomas Jones ac R. F. Treharne yng Ngholeg y Brifysgol, Aberystwyth. Gwnaeth gryn farc yn y brifysgol, ac yn ôl Alun Eirug Davies, yr oedd Llinos yn ferch hynod o adnabyddus a gweithgar – yn gydymaith i'r cenedlaetholwr a'r gweriniaethwr, Gwilym Prys, fel y'i gelwid. Priododd y ddau yn 1951 a chael fflat yn Heol Caradog ger Heol Llanbadarn. Dywedodd yr Arglwydd Morris o Aberafon (John Morris):

> Byddwn yn seiadu'n ddwys yn fflat Gwilym a Llinos yn Heol Llanbadarn ar nos Sadyrnau yn fuan ar ôl iddyn nhw briodi. Wrth edrych yn ôl dwi'n siŵr fy mod yn niwsans iddynt yn aml.[1]

---

1   Yr Arglwydd Morris o Aberafan (John Morris), 'Derwen fawr ein cenedl', *Barn*, Mai 2017, 17–18.

Etifeddodd Llinos gryn lawer o ymroddiad ei mam Olwen, bydwraig a nyrs y gymuned yn Abercynon, a bu'n garedig iawn i'm priod pan oedd yn disgwyl ein mab hynaf. Cymwynasgar, gofalus o arall, gweithgar – dyna nodweddion y fam a'r ferch. Gwelwyd hynny yn ei gofal am Gwilym, ac fel mam tair merch, Catrin, Ann ac Elin, a'i gofal am eu plant hwythau. Gofalodd Llinos yn dyner am ei mam ei hun yn ei henaint, fel y gwnaeth ei merched amdani hithau. A braint i mi oedd teithio o Lerpwl i Abercynon i ofalu am arwyl ei mam, ac i Lanegryn yn 2010 i ddiolch am fywyd Llinos Prys-Davies.

Roedd yn ferch ddeallus a llengar ac o ddifri fel athrawes yn ysgolion Cymraeg Aberdâr a Phontypridd. Er bod y Gymraeg yn colli tir yng Nghwm Cynon ei phlentyndod, cenhadai hi a Gwilym gydol eu hoes dros sicrhau adferiad yr iaith yn y de-ddwyrain. Gwireddwyd geiriau John Legonna am Gwilym mor bell yn ôl ag 1965:

> Credaf yn gwbl ddiffuant dy fod ti'n cyflawni dyletswydd
> tra arbennig i genedl y Cymry ac os na losgi'r gannwyll yn
> ei deupen yn ormodol yr wyf yn disgwyl dy weld yn un o'n
> harweinwyr pennaf yn y man.[2]

Yr oedd ef a Llinos wedi 'llosgi'r gannwyll yn ei deupen' erbyn diwedd degawd cyntaf yr unfed ganrif ar hugain. Yn llesgedd misoedd olaf Llinos, eli i'w chalon oedd cael ymweld ag Eisteddfod Genedlaethol y Bala i glywed ei gŵr yn annerch y dorf o lwyfan y Brifwyl, ac ym mis Medi 2009 cael teithio i Lanegryn i lansio cyfrol ei phriod ar hanes Ysgol Llanegryn. Yn Neuadd Egryn yr oedd hi'n gysurus braf ymhlith pobl y fro hyfryd honno, er bod y ddau yn gofidio am ddirywiad yr iaith Gymraeg yn y plwyf. Daliai Gwilym fel proffwyd i'n hatgoffa am ddylifiad Saeson (carfan uchel ohonynt yn hidio dim am iaith

---

2   Llyfrgell Genedlaethol Cymru, Casgliad yr Arglwydd Gwilym Prys-Davies. Llythyr John Legonna, Llundain at Gwilym Prys-Davies, dyddiedig 19 Tachwedd 1965.

gynhenid Llanegryn) i Feirionnydd ac am ymadawiad gorfodol
Cymry ifanc dros Glawdd Offa i Loegr, oherwydd diffyg gwaith
a chartrefi fforddiadwy. Cofient eiriau R. S. Thomas, gohebydd
cyson â hwy, yn ei gerdd 'Welcome':

> You can come in,
> You can come a long way;
> We can't stop you . . .
> But you won't be inside,
> You must stop at the bar,
> The old bar of speech.

Gwrth-Seisnig ar un llaw ond llawn cyfeiriadaeth ar y llaw
arall.[3] Ac nid oedd Gwilym na Llinos yn wrth-Seisnig na
gwrth-neb; estynnai hi ddwylaw cymdeithas i bobl o bob lliw
a chenedl a diwylliant.[4] Bu'n groesawus iawn tuag atom i gyd.
Mwynhaodd mawrion y Sefydliad Cymraeg, yn ddiwylliannol
a gwleidyddol, ginio gyda'r nos yn Lluest, ac edmygem ni hi
am ei gwastadrwydd amcan ac am fedru creu perthynas dda â
phawb. Llwyddodd i gael Gwilym i wynebu siom yr isetholiad
mewn byr amser, gan fod ei hagwedd mor gadarnhaol. Ar ôl i'w
phriod gael ei ddyrchafu i Dŷ'r Arglwyddi agorwyd llu o ddrysau
newydd sbon. Ond ni newidiodd hynny ddim arni. Nid oedd
rhwysg ar ei chyfyl nac unrhyw arlliw o hunanymffrost. Yr oedd
yn ddiysgog ei chenhadaeth dros y gwerthoedd Cymreig a rhyng-
genedlaethol. Bu allan yn Awstralia yn gweld Ann a'r teulu, ac
ymserchai yn ei thylwyth. Gofynnodd Gwilym i mi gymryd
ei chynhebrwng yn eglwys hardd Llanegryn, ac aethpwyd ati i
drefnu'r gwasanaeth. Nid oedd hi'n hawdd gan fod offeiriad
Eglwys y Santes Fair newydd gyrraedd, a dysgwr ydoedd ef. Ond
trwy raslonrwydd yr Eglwys Anglicanaidd, caniatawyd i mi gael

---

3   Lyndon Pugh, 'Barddoniaeth R. S. Thomas', *Llais y Lli*, 17 Ionawr 1965, 5.

4   Gw. Llinos Prys-Davies, Ton-teg, 'Os Hoffech Wybod', *Yr Angor* (papur bro
Glannau Mersi a Manceinion), Cyfrol 23, Rhif 12, Mai 2002, 11; D. Ben Rees,
'Ysgrif Goffa Llinos Prys-Davies (1925–2010)', *Barn*, Ebrill 2010, 25.

gwasanaethu yn gyfan gwbl ar fy mhen fy hun trwy gyfrwng y Gymraeg. Yr oedd Gwilym a'r teulu uwchben eu digon, a chawsom egwyl gyda'n gilydd y noson cyn yr arwyl mewn gwesty ar gyrion tref Dolgellau i rannu profiadau ac i gysuro ein gilydd. Daeth cynulleidfa gref ynghyd i dalu'r deyrnged olaf i'r ferch o Gwm Cynon, yr annwyl Llinos Prys-Davies.

Dychwelodd Gwilym i'w gartref yn Nhon-teg. Yr oedd Elin a'r teulu yn byw drws nesaf iddo a deuai Catrin a'i hanwyliaid o Lundain yn gyson i'w weld ac i'w gynorthwyo. Ond yr oedd yn anodd arno ac yn ei unigrwydd deuai'n feunyddiol ar y ffôn am sgwrs. Fel y dywedai, yr oedd y tŷ yn wag a'r hiraeth yn ddirdynnol. Byddai'r sgyrsiau hyn yn parhau am o leiaf awr ar y tro a byddai'n awyddus am drafodaeth ar wleidyddiaeth Gymreig.

Pinacl y cyfnod hwn oedd pan ddywedais wrtho fy mod am fynd ati i lunio cofiant yn Gymraeg i'w arwr mawr, y Gwir Anrhydeddus Jim Griffiths. Yr oedd wrth ei fodd a chynigiodd ddarllen pob dim a luniais ar y gwron a gyfrifai ef yn un o fawrion cenedl y Cymry. Bûm yn ffodus. Cafodd ef gystal adnabyddiaeth o Jim Griffiths â neb oedd ar dir y byw, yn arbennig yn ei gyfnod fel datganolwr. Darllenodd Gwilym y tri drafft a baratois, gan fynd yn fanwl, fanwl trwy bob tudalen. Yr oedd yn gefn i'm hymchwil, a'i ganmoliaeth a'i feirniadaeth yr un mor werthfawr â'i gilydd. Dyma a ddywedais yn fy niolchiadau pan gyhoeddwyd y gyfrol yn 2014:

> Roedd Gwilym yn drylwyr yn ei fynych sylwadau a'i lythyron a chawsom oriau lawer o gysylltiad ar y ffôn a chyfle i drafod yn fanwl bob un o'r penodau heb sôn am yr ymweliad braf â'i gartref yn Nhon-teg.[5]

Llwyddais i'w gael i lunio cyflwyniad i'r gyfrol, a gwir a ddywedodd:

---

5   Cafodd hyfrydwch mawr yn fy ysgogi i weithio'n galed ar gofiant Jim Griffiths, ei ffrind cywir. D. Ben Rees, Diolchiadau, *Cofiant Jim Griffiths*, 8.

Rwyf innau'n ddiolchgar am y cyfle a gefais i ddarllen y cofiant yn ei ffurf gynnar, i godi nifer o gwestiynau a ystyriwn yn berthnasol ac i awgrymu rhai ffynonellau newydd o wybodaeth.[6]

Gwir bob gair, a phan ymddangosodd y cofiant cefais lythyr caredig yn canmol yn fawr y ffaith fy mod wedi gwneud cyfiawnder â'r gwron. Ni chafodd gyfle i gadw golwg ar fy ymchwil ar ei gyfaill yn Nhŷ'r Arglwyddi, yr Arglwydd Cledwyn o Benrhos, ond cadwodd y ddau ohonom gysylltiad agos, yn arbennig ar ôl iddo benderfynu derbyn y gwahoddiad i fyw yng nghartref ei ferch hynaf, Catrin, a'r teulu yn Dulwich yn ne Llundain. Derbyniodd y gofal gorau posibl yn y cartref a hefyd o du'r meddygon a'r ysbyty lleol.

Yr oedd ef yn gorffwys bob dydd am oriau lawer. Byddai'n codi tua un ar ddeg ac yn mynd yn ôl i orffwys gyda'r nos, oddeutu saith o'r gloch. Bu nifer o'i ffrindiau yn cadw cysylltiad cyson, yn arbennig John Morris, Beverley Smith, Elfyn Llwyd a minnau. Teithiais yn arbennig i'w weld yn ardal Dulwich a threulio dwy awr bleserus yn ei gwmni. Yr oeddwn yn ymwybodol iawn ei fod yn dirywio o'r meddyliwr clir i fod yn ŵr a oedd yn cael trafferth cofio aml i enw ac amgylchiad, ysgrif a ddarllenodd yn y cylchgrawn *Barn* neu symudiad o eiddo hwn a'r llall. Cofiaf feddwl y diwrnod hwnnw am yr hyn a ysgrifennodd Dr Robyn Léwis amdano yn *Y Goleuad* ryw saith mlynedd ynghynt:

Yng Nghymru ac efallai trwy Brydain, ni roddwn mohono'n ail, hyd yn oed i Keir Hardie.[7]

6 Cyflwyniad Gwilym Prys-Davies, *ibid.*, 9–11. Gw. tudalen 11 am y dyfyniad.

7 Adolygiad gwerthfawr iawn gan Dr Robyn Léwis yn *Y Goleuad*, 14 Tachwedd 2008; ceir adolygiadau gwerthfawr hefyd gan Russell Thomas yn *Cambria*, Ionawr/Chwefror 2009, a gan J. Graham Jones yn *Yr Angor*, Tachwedd, 2008 sydd yn codi pwynt pwysig ar ddiwedd yr adolygiad gorau a gafwyd ar *Cynhaeaf Hanner Canrif*:

Erys ambell gŵyn – am lyfryddiaeth, dim lluniau na ffotograffau, papur hynod o simsan a fydd yn sicr yn dirywio'n gyflym. Tybed paham

Soniodd am yr hyn a ddylai fod wedi digwydd yn ei hanes:

I'm tyb i, mae'n un o drasiedïau Cymru na ddaeth yn Aelod
Seneddol ac yn Ysgrifennydd Gwladol, gan gamu efallai i
swydd Prif Weinidog cyntaf Cymru.[8]

Cytunaf yn llwyr â'r cyn-Archdderwydd, ac yn arbennig fod ei
angen yn San Steffan. Byddai wedi gwneud byd o wahaniaeth i
Gymru, i'r Gymraeg, ac i'n dyfodol fel cenedl. Er ei edmygedd o
J. Emrys Jones, gallai hwnnw fod wedi gwneud mwy o ymdrech i
ofalu iddo gael sedd ddiogel ym Morgannwg, ond ni fu ymgais o
gwbl i gyflawni hynny. Wedi'r cyfan, Gwilym Prys-Davies oedd
un o'r meibion galluocaf a mwyaf ymroddedig a welodd Cymru
rhwng 1960 a 2014. Ni ellir ysgrifennu hanes y Gymraeg na saga'r
Cynulliad na'r Blaid Lafur yng Nghymru heb grybwyll ei gyfran-
iad disglair, godidog a welir yn y cofiant hwn.

Cymro i'r carn ydoedd, ond er na wnaeth erioed gydnabod
hynny, mae'n amlwg fod yr ymgyrchu dros y Mudiad
Gweriniaethol yng nghymoedd y de ac yng ngorllewin Cymru
wedi bod yn gamgymeriad dybryd. Mae ei ymlyniad i'r
Gweriniaethwyr yn haeddu sylw, ond i arweinwyr etholaethau'r
Blaid Lafur yn ne Cymru, gwastraff amser ydoedd. Yn wir, ofnai'r
bobl hyn, fel y gwnaeth cymaint o Lafurwyr Meirionnydd,
roddi eu cefnogaeth iddo. Yr oedd yn ymgeisydd llawer mwy
ymroddedig a galluog na William Edwards. Ond gofalodd Owen
Edwards o Flaenau Ffestiniog a Kate Jones Roberts na fyddai
Gwilym yn ennill yr enwebiad a haeddai. Yn wir, cyfaddefodd
Aneurin Owen, o Swyddfa Llafur Blaenau Ffestiniog, fod holl
ganghennau'r Blaid Lafur ym Mlaenau Ffestiniog a'r cyffiniau

---

y gwendidau hyn mewn cyfrol benigamp, ddadlennol a darllenadwy
odiaeth?

Ni chafwyd ateb ond gwn fod yr Arglwydd Gwilym Prys-Davies yn siomedig dros
ben fod yr argraffwyr a'r cyhoeddwyr wedi defnyddio 'papur hynod o simsan'. Pan
ddaeth hi'n fater o gyhoeddi cofiant Jim Griffiths, siarsiodd fi i ofalu na fyddwn yn
caniatáu papur mor denau i gyfrol mor bwysig.

8   Adolygiad Dr Robyn Léwis, *Y Goleuad*, 14 Tachwedd 2008.

yn pleidleisio i William Edwards. Perthynai Aneurin Owen, yr Undebwr, i gangen Manod yn nhref y Blaenau a chafodd ei siomi o weld tri ar ddeg o'r aelodau yn pleidleisio i William Edwards a dim ond pedwar i Gwilym Prys-Davies.

Geiriau Aneurin Owen wrth Gwilym am Owen Edwards oedd y rhain: 'Na, y mae wedi bod yn ddichellgar.'[9] Nid gŵr siriol bob amser mo Owen Edwards, fel y sylweddolais pan safodd fy mab yn lliwiau'r Blaid Lafur ym Meirionnydd yn Etholiad Cyffredinol 1997. Anfonodd lythyr at Gwilym i ofyn, 'beth yw ystyr eich datganiad eich bod yn bwriadu dod i fyw i Feirion? Ai byw gyda'ch teulu, neu i dŷ penwythnos?'[10] Rhybuddiodd yr ymgeisydd fod yn rhaid iddo wneud yn glir yn y cyfarfod lle y safai, gan iddo glywed gair o Lan Ffestiniog yn dweud nad oedd Llinos a Gwilym yn bwriadu byw yn yr etholaeth am ei bum mlynedd cyntaf fel Aelod Seneddol. A dyma Edwards yn taro clec arall:

> Credwch fi mae yma lawer o holi, dweud a gwrth-ddweud
> – fel ymhob achlysur o'r fath a fu erioed.[11]

Ni welai Owen Edwards yr hyn a welodd Robyn Léwis ac eraill ohonom yn Gwilym; yn wir, yr oedd ef yn gweld hyd yn oed Cledwyn Hughes yn rhy Gymreigaidd fel Aelod Seneddol.[12] Yr oedd llawer o gefnogwyr posib i Gwilym mewn tref Gymreig fel Blaenau Ffestiniog ac yn un o etholaethau Cymreiciaf Cymru. Y mae'n drasiedi bod Gwilym wedi rhoi'r gorau iddi ar ôl Caerfyrddin am iddo ddod, yn anghywir, i gredu nad oedd ganddo'r sgiliau angenrheidiol i ennill etholiad. Y mae'n wir nad

---

9   Llyfrgell Genedlaethol Cymru, Papurau yr Arglwydd Gwilym Prys-Davies. Llythyr Aneurin Owen, Swyddfa Llafur, Blaenau Ffestiniog at Gwilym Prys-Davies yn 1965 (dim dyddiad).
10   *Ibid*. Llythyr Owen Edwards, Blaenau Ffestiniog at Gwilym Prys-Davies, dyddiedig 20 Awst 1965.
11   *Ibid* .
12   D. Ben Rees, *Cofiant Cledwyn Hughes*, 52. Barn Owen Edwards am Cledwyn Hughes oedd fod 'gormod o wyrddni a dim digon o goch' yn ei rethreg.

gwleidydd cusanu-babis ydoedd. Ond yr oedd digon o Aelodau
Seneddol deallus, o ddifri, gan y Blaid Lafur i gyfiawnhau ei
bresenoldeb a'i gyfraniad pwysig. Oherwydd y gwir yw nad oedd
gan y Blaid Lafur wleidydd mwy Cymreig ei anian a'i agwedd a'i
argyhoeddiad na Gwilym. Yn hynny o beth nid oedd Jim Griffiths
na Cledwyn Hughes yn rhagori arno. Gwelir eu rhagoriaeth hwy
yn y cyfleusterau a ddaeth i'w rhan fel Ysgrifenyddion Gwladol
i Gymru.

Fel crefyddwr nid oedd mynychu oedfaon yn bwysig iddo
erbyn iddo gyrraedd yr ail siambr, gan ei fod wedi gweld dirywiad
affwysol yn rhengoedd pregethwyr Ymneilltuaeth Gymraeg
yn Nwyrain Morgannwg. Ond ef a gafodd ei wahodd yn dad
bedydd i'n mab hynaf Dafydd Llywelyn Rees yn nechrau 1967 a
derbyniodd, yn hynod o ddiolchgar am ein hymddiriedaeth. Nid
oedd y ffaith ei fod yn cadw draw o'r cysegr yn y blynyddoedd
olaf yn gwarafun i'w briod Llinos ymlwybro. Daliodd hi i fynd
fel y gwnaeth aelodau o'i theulu yn Abercynon a Chilfynydd ar
hyd y cenedlaethau. Ac eto, cynnyrch capel Ymneilltuol ydoedd
yntau, a chofiaf y Parchedig D. Kemes Lewis yn dweud wrthyf
am ei gefnogaeth iddo pan fu ef yn gweinidogaethu yng Nghapel
yr Annibynwyr, Sardis, Pontypridd. Ond cofier fod Kemes, y
deuthum i'w adnabod yn Lerpwl, yn gryn lyfrbryf ac yn apelio
at y deallusyn Gwilym Prys-Davies. A gallai Gwilym ddweud
wrth un o gewri yr Eglwys Fethodistaidd, y Parchedig J. Haines
Davies, Hen Golwyn:

> Credaf mai'r peth gwerthfawrocaf a gawsom, ar ôl
> hanfodion ein Ffydd, yw'r Gymraeg a'r deall a'r ffordd o
> fyw sy'n gysylltiedig â hi.[13]

Ac yn y sesiwn olaf a gawsom yng nghartref Catrin Waugh holai
Gwilym fi am fy symudiadau fel pregethwr y Gair, gan ofyn un

---

13   Llyfrgell Genedlaethol Cymru, Papurau yr Arglwydd Gwilym Prys-Davies.
Llythyr Gwilym Prys-Davies at y Parchedig J. Haines Davies, Hen Golwyn
dyddiedig 22 Mai 1989.

cwestiwn ar ôl y llall am fy nheithiau, y testunau a chynnwys y pregethau, a'r ymateb o ran nifer yr addolwyr a ddeuai ynghyd ymhlith y Cymry Cymraeg. Teimlwn fod y gwerthoedd ysbrydol yn uchel ar ei agenda y dwthwn hwnnw.

Yr oedd hi'n amlwg ddigon fod haen gref o ffydd Gristnogol yn ei feddiant, ond mater preifat, personol oedd credu a mynegi'r gred honno. Ac yng ngrym y Gair a'r gred Gristnogol y bu ei arwyl yn Eglwys y Santes Fair, Llanegryn ar Sadwrn, 8 Ebrill 2017 am 11 o'r gloch, dan ofal offeiriad yr eglwys a minnau. Hunodd ar 28 Mawrth 2017, yn 93 mlwydd oed, a chynhaliwyd gwasanaeth teimladwy a chofiadwy. Yr oedd pob gair yn y Gymraeg a gofalodd y teulu argraffu taflen ddwyieithog fel bod aelodau o'r teulu ac eraill na fedrent yr iaith yn gallu dilyn. Canwyd emynau Ann Griffiths a T. Rowland Hughes a Gwyrosydd. Talodd tri ohonom deyrngedau, Beverley a Llinos Smith a minnau, a daeth tyrfa gref ynghyd i gydnabod cyfraniad un o Gymry pwysicaf eu dyddiau.

Gwasanaeth syber, eglwysig, Ymneilltuol ydoedd gyda nodyn gobeithiol yn seiliedig ar y gwirioneddau canolog, y Ffydd Gristnogol. Dywedai'r gweddïau y neges a oedd yn dderbyniol o fewn Eglwys y Santes Fair:

> Dduw trugarog, Arglwydd pob bywyd,
> Lluniaist ni ar dy ddelw
> I adlewyrchu dy wirionedd a'th oleuni:
> Diolchwn i ti am Gwilym,
> Am y cariad a'r trugaredd a dderbyniodd gennyt,
> Am y cyfan a fu'n dda yn ei fywyd,
> Am yr atgofion yr ydym yn eu trysori heddiw.[14]

Gallwn ddweud yn ddibetrus, ar ran miloedd ar filoedd o Gymry gwlatgar, diolch iddo am ei holl gymwynasau a'i weledigaeth o blaid y Gymru Gymraeg. Ac yn achos criw bach ohonom y

---

14   Llyfrgell Genedlaethol Cymru, Papurau yr Arglwydd Gwilym Prys-Davies, 2/11. Taflen yr arwyl.

cafodd ef rannu ei gyfrinachau â ni, ond nid y cyfan chwaith, diolch am gyfeillgarwch cyson a didwyll. Gosodwyd ef i orffwys gyda'i anwylyd ym mynwent Llanegryn, drws nesaf i fedd ei rieni gwerinol a diwylliedig. Braf oedd rhannu atgofion yn Neuadd Egryn ar ôl yr arwyl gyda chyfeillion o fyd gwleidyddiaeth fel Elystan Morgan, John Morris, Ann Clwyd ac Elfyn Llwyd, a chyfeillion o fyd ysgolheictod fel Beverley a Llinos Smith, Arwyn Hughes, Dr Dwyryd Jones, Dr J. Elwyn Hughes, yr Athro Gruffydd Aled Williams, a gwerinwyr fel nai Hedd Wyn, Gerald Jones o'r Ysgwrn, Trawsfynydd. Rhyfedd oedd sylwi fod carfan dda o'r rhai a ddaeth ynghyd i'r un eglwys yn 2010 wedi ei flaenori erbyn 2017, aml un ohonynt, fel yntau, yn gymwynaswyr cenedl y Cymry.

Gallai fy nghyfaill ddweud yn onest eiriau o delyneg hyfryd y bardd Crwys, un o'n telynegwyr gorau, y gerdd 'Caru Cymru', ac yn arbennig yr ail bennill:

> 'Rwy'n caru, 'rwy'n siarad iaith beraidd fy ngwlad,
>> Iaith fwynaf yr hen ynys hon,
> Iaith aelwyd a themel, iaith 'mam a fy nhad,
>> Iaith calon, boed leddf neu boed lon;
>> Mae'r emyn a'r alaw
>> A'r weddi fach ddistaw
> Yn dweud mai'r Gymraeg yw iaith galar a gwledd,
> Iaith carreg fy aelwyd, iaith carreg fy medd.[15]

Talodd y mudiad Dyfodol i'r Iaith wrogaeth i'w goffadwriaeth gan ddweud:

> Gwerthfawrogwn ei holl waith diflino dros y Gymraeg. Bu'n weithgar ac arloesol mewn sawl man, gan gynnwys datblygiad y Ddeddf Iaith 1993, a bu'n gefnogwr cadarn i ddatblygu addysg Gymraeg.[16]

---

15 Gwynn ap Gwilym (gol.), *Y Flodeugerdd Delynegion* (Abertawe, 1979), 451
16 Datganiad Dyfodol yr Iaith i'r Wasg, dyddiedig 30 Mawrth 2017.

A lluniodd Meri Huws, Comisiynydd y Gymraeg yn 2017, deyrnged haeddiannol iddo. Dyma a ddywedodd ar ôl clywed am ei farwolaeth:

> Ef, yn anad neb, fu wrthi'n ddiflino i sicrhau lle priodol i'r Gymraeg yn Neddf Llywodraeth Cymru 2006.[17]

---

17 Datganiad Meri Hughes ar farwolaeth yr Arglwydd Gwilym Prys-Davies i Cymru Fyw (BBC Cymru) ar 29 Mawrth 2017.

Ffynonellau a Llyfryddiaeth

- Llyfrgell Genedlaethol Cymru a chanolfannau eraill
- Adroddiadau o'r wasg, yn arbennig *Y Ddraig Goch, Baner ac Amserau Cymru, Barn, Y Cymro, Y Wawr, Y Gweriniaethwr, Y Goleuad, Y Llenor*
- Archif Wleidyddol Llyfrgell Genedlaethol Cymru, Aberystwyth
- Archifau'r BBC, S4C a'r Awdurdod Teledu Annibynnol Prifysgol Aberystwyth
- Archifau Prifysgol Bangor
- Papurau Alwyn D. Rees
- Papurau'r Arglwydd Cledwyn o Benrhos
- Papurau'r Arglwydd Goronwy Roberts
- Papurau'r Arglwydd Gwilym Prys-Davies
- Papurau Jim Griffiths
- Papurau'r Arglwydd Tudor Watkins
- Papurau'r Blaid Lafur yng Nghymru
- Papurau Plaid Cymru
- Papurau Harri Webb
- Papurau Cliff Prothero
- Papurau Cymdeithas yr Iaith
- Papurau David Thomas
- Papurau D. Caradog Jones
- Papurau Eirene White
- Papurau E T John
- Papurau Gwynfor Evans
- Papurau Huw T Edwards
- Papurau John Morris
- Papurau Syr Wyn Roberts
- Papurau Leo Abse
- Papurau George Thomas
- Papurau Desmond Donnelly
- Papurau Syr Goronwy Daniel
- Papurau Preifat yr Athro Ddr D. Ben Rees

ERTHYGLAU GWILYM PRYS-DAVIES

Erthyglau cynnar Gwilym Prys-Davies fel myfyriwr yn *Y Wawr*,
cylchgrawn Cangen Prifysgol Cymru, Aberystwyth o'r Blaid Genedlaethol,
a'r *Ddraig*, 1946–1951.

A   *Y Wawr* Cyfrol 1 Rhif 1

      i. GPD, 'Cymru Deilwng', t. 6;

      ii. GPD, 'Y Dewis i'r Ifanc', tt. 7–8;

      iii. Adolygiad GPD ar y cylchgrawn *Czechoslovakia*,
      Cyfrol 1, Rhif 1, t. 88.

B   Cyfres III, Rhif 2, GPD, 'Er cof am Benyberth 1936', tt. 43–6.

C   Cyfres III, Rhif 3, GPD, 'Emrys ap Iwan', tt. 79–82.

Ch   Cyfres III, Rhif 5.

      i. GPD, 'Nodiadau Golygyddol';

      ii. GPD, 'Arwyddocâd', tt. 104–7;

      iii. GPD, 'Adroddiad o Gangen Aberystwyth o'r Blaid
      Genedlaethol', t. 108.

      Golygwyd Rhifyn 1 gan Dewi Eirug Davies, Gwilym Prys-Davies a
      J. Eirian Davies; Cyfrol 2 Rhif 2 gan J. Eirian Davies; Rhifynnau 3
      a 4 gan J. Eirian Davies; Rhifyn 5 gan Gwyn Erfyl a Gwilym Prys-
      Davies.

      Gwilym Prys-Davies, 'Prifysgol Cymru', *Y Ddraig*, Cyfrol LXIX,
      Rhif 1, t. 4.

      Idem., 'Y Gymraeg a'r Coleg', *Y Ddraig*, Cyfrol LXIX,
      Rhif 2, t. 11.

      'Golygyddol', *Y Ddraig*, Cyfrol LXXI, Rhif 2, Haf 1949.

      Idem., cyfraniad i *Cyfrol Deyrnged Jennie Eirian*, gol. Gwyn Erfyl
      (Caernarfon, 1985), 86–90

LLYFRAU A LLYFRYNNAU

Davies, Gwilym Prys, *Cyngor Canol i Gymru* (Aberystwyth, 1963); cafwyd
    hefyd fersiwn Saesneg.

Idem., *Y Ffermwr a'r Gyfraith* (Abercynon, 1967), 187 tt.

Idem., *Deddf i'r Iaith* (Llys yr Eisteddfod Genedlaethol, 1988).

Idem., *Llafur y Blynyddoedd* (Dinbych, 1990), 192 tt.

Idem., *Cymru ar Drothwy'r Ganrif Newydd*, Darlith Flynyddol Urdd
    Graddedigion Prifysgol Cymru (Ebrill 1992), 29 tt.

Idem., *Troi Breuddwyd yn Ffaith*, Darlith yr Archif Wleidyddol Gymreig yn

y Llyfrgell Genedlaethol, Tachwedd 1999 (Aberystwyth, 2000)
Yr Arglwydd Gwilym Prys Davies., Darlith Goffa Gwyneth Morgan
(Gwasg Taf, Caerdydd, 2001), 25tt.
Idem., *Cynhaeaf Hanner Canrif: Gwleidyddiaeth Gymreig 1945–2005*
(Llandysul, 2008), 180 tt.

ERTHYGLAU PWYSICAF YN GYMRAEG A SAESNEG

Davies, Gwilym Prys, 'Wedi'r Is-etholiadau', *Barn*, Rhif 57, Gorffennaf
1967, tt. 224–5.
Idem., 'Cynnyrch y Swyddfa Gymreig', *Y Cymro*, 26 Hydref 1967, t. 1 a t. 14.
Idem., Sgwrs Ednyfed Hudson Davies gyda Gwilym Prys-Davies,
'Y Gwrandawr', [yn] *Barn*, Ebrill 1974, tt. 1–4.
Idem., 'Statws Cyfreithiol yr Iaith Gymraeg yn yr Ugeinfed Ganrif', [yn]
Eu Hiaith a Gadwant, gol. Geraint H. Jenkins a Marc A. Williams
(Caerdydd, 2000), tt. 207–38.
Idem., 'Drannoeth y Drin', *Barn*, Tachwedd 1997, tt. 13–14.
Idem., 'Brwydr Olaf y Cymunedau Cymraeg', *Barn*, Mai 2001, tt. 17–18.
Idem., 'O fewn y filltir sgwâr: Yr Arglwydd Prys-Davies', *Golwg*, 17 Mehefin
2001, t. 12
Idem., 'Ein Hiaith, Ei Dyfodol?', *Barn*, Gorffennaf/Awst 2002, tt. 40–3.
Idem., 'Dyfodol Elusennau Plwy a Chenedlaethol yng Nghymru', *Y Faner*,
30 Awst 1985, tt. 18–19.
Idem., 'Cytundeb Gwener y Groglith', *Y Goleuad*, 1 Mai 1998, t. 3.
Idem., 'Building a Focus of Pride', *The House Magazine*, 17 Mai 1996, t. 16.
Idem., 'The National Assembly for Wales: Some Implications for Solicitors',
Wales Law Today, Haf 1998, tt. 6–7.
Idem., *Survey of the Hospital Service in Wales* (Welsh Hospital Board,
Ionawr 1969), tt. 1–11.

DYDDIAU'R RHYFEL

Colledge, J. J., *Ships of the Royal Navy* (Llundain, 1987), ail argraffiad,
388 tt.
Gilbert, Martin, 'Pacifist Attitudes to Nazi Germany, 1936–1945', *Journal
of Contemporary History*, 27 (1992), tt. 493–511.

Griffiths, J Gwyn (Gol), Wedi'r Ddarlith Casgliad o Ysgrifau gan Fyfyrwyr
A Chyn-Fyfyrwyr (Pamffled Plaid Cymru) (Bala, 1946). Ceir ysgrif
gan Gwilym Prys Davies a anfonwyd ganddo o'r Llynges dan y teitl
'Trannoeth y Drin', tt. 15–19.

Warlow, B., *Shore Establishments of the Royal Navy* (Liskeard, 2000), ail
argraffiad, 182 tt.

CEFNDIR GWILYM PRYS-DAVIES

Bowen, D. J., 'Saunders y Snob', *Barddas*, Rhif 252, Mai /Mehefin 1999,
tt. 38–41.

Davies, Gwilym Prys, Araith Gwilym Prys-Davies a draddodwyd yn
Eisteddfod Genedlaethol Cymru Meirion, 8 Awst 2009, *Y Faner
Newydd*, 49 (Hydref 2009), tt. 49–50.

Davies, Llinos Prys, Ton-teg, 'Os Hoffech Wybod', *Yr Angor*, Cyfrol 24,
Rhif 1, Mehefin 2002, t. 10.

Davies, William, *Hanes Plwyf Llanegryn* (Llanegryn, 1949). Cyhoeddwyd
fersiwn Saesneg yn 2001 a gyfieithwyd gan Meic Stephens.

Davies, William Ll., 'William Davies, Llanegryn', *Cylchgrawn Cymdeithas
Hanes a Chofnodion Sir Feirionnydd*, Cyfrol 1, 1949–51, tt. 108–9.

Idem., 'William Davies (1874–1949)', *The Dictionary of Welsh Biography
1941–1970* (Llundain, 2001), t. 46. Ceir ysgrif gan yr un ysgolhaig yn y
fersiwn Cymraeg o'r gyfrol a gyhoeddwyd yn 1997.

Evans, Marian, 'Y diweddar Athro Thomas Jones Pierce', *Llais y Lli*,
5 Tachwedd 1964, t. 1;

'Hanes Plwyf Llanegryn', *Dail Dysynni*, Rhif 256, Ebrill 2002, t. 1.

Rees, D. Ben, 'Ysgrif Goffa: Llinos Prys-Davies (1925–2010)', *Barn*, Rhif
567, Ebrill 2010, t. 25.

TEYRNGEDAU I GWILYM PRYS-DAVIES

Davies, Thomas H., 'Gwilym Prys-Davies', [yn] *Pwy yw Pwy yng Nghymru*
(Lerpwl a Llanddewi Brefi, 1981), t. 8.

Langdon, Julia, 'Lord Prys-Davies: passionate advocate of devolution who
became a Labour peer', *The Guardian*, 13 Ebrill 2017.

Llywelyn, Emyr, 'Gwilym Prys-Davies – Cymwynaswr mawr ei iaith a'i
genedl', *Y Faner Newydd*, Rhif 45, Hydref 2008, t. 3.

Morris, John (Yr Arglwydd Morris o Aberafan), 'Cofio'r Arglwydd Gwilym Prys-Davies (1923–2017), Derwen Fawr ein Cenedl', *Barn*, Rhif 652, Mai 2017, tt. 17–18.

'Obituary: Lord Gwilym Prys-Davies of Llanegryn', *Prom*, Rhif 26 (2018), t. 45.

Rees, D. Ben, 'Cofio'r Arglwydd Gwilym Prys-Davies (1923–2017): Cymro i'r Carn', *Barn*, Rhif 652 Mai 2017, tt. 16–17.

Smith, J. Beverley a Smith, Llinos, 'Teyrnged i Gwilym Prys-Davies, LL.D. (1923–2017)', *Cylchgrawn Cymdeithas Hanes a Chofnodion Sir Feirionnydd*, Cyfrol 18, Rhif 1 (2018), tt. 1–7.

Williams, Huw L. (gol.), *Atgofion Oes Elystan* (Talybont, 2012). Ceir teyrnged hyfryd iddo gan yr Arglwydd Elystan Morgan.

CYFEILLION GWLEIDYDDOL
YR ARGLWYDD GWILYM PRYS-DAVIES

JIM GRIFFITHS (1890–1975)

Jim y Gwleidydd Coll, cynhyrchiad HTV ar gyfer S4C, 5 Awst 2000.

Mabon, 'Dylanwad James Griffiths', *Barn*, Rhif 26, Rhagfyr 1964, t. 50.

Matthews, Ioan, 'Maes y Glo Carreg ac Undeb y Glowyr, 1872–1925', [yn] *Cof Cenedl*, VIII (Llandysul, 1993), tt. 133–64.

Idem., 'Turning Labour Around', *Planet*, Awst/Medi 2000, tt. 83–8.

Morgan, Kenneth O., 'Griffiths, Jeremiah [James] (1890–1975)', *Oxford Dictionary of National Biography* (Rhydychen, 2004); darllenwyd ar-lein: 8 Mehefin 2011.

Idem., *The Red Dragon and the Red Flag: the Cases of James Griffiths and Aneurin Bevan* (Aberystwyth, 1989), tt. 1–20.

Price, Emyr, 'Y Gwleidydd Gadd ei Wrthod', *Golwg*, Cyfrol 12, Rhif 47, 3 Awst 2000, 10–11.

Rees, D. Ben, 'Cyflwyniad i Yrfa Wleidyddol James Griffiths (1890–1975)', *Trafodion Anrhydeddus Gymdeithas y Cymmrodorion*, Cyfres Newydd, Cyfrol 19 (2013), tt. 116–30.

Idem., *Cofiant Jim Griffiths: Arwr Glew y Werin* (Talybont, 2014), 352 tt.

Idem. *Jim: The life and work of the Rt. Hon James Griffiths: A hero of the Welsh nation and architect of the welfare state* (Liverpool, 2020) 3–353

Smith, J. Beverley, 'James Griffiths: An Appreciation,' *James Griffiths and his Times* (Ferndale, d.d.), tt. 58–119.

Dr Huw T. Edwards (1892–1970)

Edwards, Huw T., *Tros y Tresi* (Dinbych, 1956), 116 tt. Hunangofiant difyr yr Undebwr Llafur carismatig.

Jenkins, Gwyn, 'Gwladgarwch Huw T. Edwards', [yn] Geraint H. Jenkins (gol.), *Cof Cenedl,* XII (Llandysul, 1997), tt. 169–98.

Rees, D. Ben, 'Tros y Tresi – y llyfr godidog', *Y Casglwr*, Rhif 125, Gwanwyn 2019, tt. 17–18.

Cledwyn Hughes (1916–2001)

Davies, Gwilym Prys, 'Diwedd Oes Cledwyn: Detholiad o *Cynhaeaf Hanner Canrif*', *Barn,* Rhif 545, Mehefin 2008, tt. 25–7.

Jones, J. Graham, 'Cledwyn Hughes and the Formulation of the Lib-Lab Pact. March 1927', *Llafur*, Cyfrol 11, Rhif 2, 2013, tt. 119–37.

Price, Emyr, *Yr Arglwydd Cledwyn o Benrhos* (Penygroes, 1990), 134 tt. Cyhoeddwyd cyfrol Saesneg o waith yr un awdur.

Rees, D. Ben, 'Canmlwyddiant geni Cledwyn – cofio Cledwyn Hughes, yr Arglwydd Cledwyn o Benrhos', *Barn*, Rhif 644, Medi 2016, tt. 17–19.

Idem., *Cofiant Cledwyn Hughes: Un o Wŷr Mawr Môn a Chymru* (Talybont, 2017), 320 tt.

Richards, Emlyn, 'Yr Arglwydd Cledwyn o Benrhos', *Y Goleuad*, 27 Gorffennaf 2001,t 5

Idem., *Pregethwrs Môn* (Caernarfon, 2003). Ceir pennod ar y Parch. H. D. Hughes, tad y gwleidydd.

Roth, Andrew, 'Obituary: Lord Cledwyn of Penrhos', *The Guardian*, 23 Chwefror 2001.

Thomas, Terry, 'Cymdeithas Cledwyn', *Barn* 474/475, Gorffennaf/Awst 2002, tt. 28–9.

Aneurin Bevan (1897–1960)

Basini, Mario, 'Firebrand Orator Left a Legacy of Potent Works', *Western Mail*, 24 Mai 2003.

Edwards, Andrew, 'Aneurin; Reinventing Labour: The Voices of a New Generation', *Llafur*, 9 (2004), tt. 1–84.

Livingstone, Tomos, 'Nye Bevan opposed House of Lords Reform as a waste of time', *Western Mail*, 28 Gorffennaf 2006.

Rees, D.Ben, Cofiant Aneurin Bevan:Cawr o Gymro a Thad y Gwasanaeth Iechyd (Lerpwl 2022), 3-312.

Smith, Dai, 'Aneurin (Nye) Bevan 1897–1960', *Oxford Dictionary of National Biography*, gol. H. C. G. Matthew a Brian Harrison, Cyfrol 5 (Rhydychen, 2004), tt. 566–73.

Smith, J. Beverley, 'Pan alwodd Bevan a Robeson heibio', *Barn*, Rhif 572, Medi 2010, tt. 30–1.

Sullivan, Liam, 'A Giant of our Nation: Aneurin Bevan', *South Wales Evening Post*, 23 Tachwedd 2002, t. 9.

JOHN MORRIS (1931–)

Morris, John, *Fifty Years in Law and Politics* (Caerdydd, 2010).

Morris, John, *Cardi yn y Cabinet* (Talybont, 2019), 126 tt.

Rees, D. Ben, 'Portread o John Morris', *Barn*, Rhif 153, Hydref 1975, tt. 832–3.

NICHOLAS EDWARDS (1934–2018)

Edwards, Nicholas, *Westminster, Wales and Water* (Caerdydd, 1999).

Misell, Andrew, 'Cofio Nicholas Edwards (1934–2018)', *Barn*, Rhif 664, Mai 2018, tt. 20–1.

GWYNFOR EVANS (1912–2005)

Davies, Huw, 'Wedi Caerfyrddin', *Barn*, Hydref 1966, tt. 330–1.

Evans, Gwynfor, *Diwedd Prydeindod* (Talybont, 1981).

Evans, Rhys, *Rhag Pob Brad: Cofiant Gwynfor Evans* (Talybont, 2005).

Jones, Richard Wyn, 'Syniadaeth wleidyddol Gwynfor Evans', *Efrydiau Athronyddol*, 63 (2000), tt. 44–63.

DAFYDD WIGLEY (1943–)

Isambard, 'Etholiad y Tri Dafydd', *Barn*, Rhif 138, Ebrill 1974, tt. 264–6.

Wigley, Dafydd, *O Ddifri*, Cyfrol 1 (Caernarfon, 1992), 359 tt.

Idem., *Dal Ati* (Cyfres y Cewri 10) (Caernarfon, 1993), 468 tt.

Idem., *Maen i'r Wal*, Cyfrol 3 (Caernarfon, 2001), 275 tt.

DATGANOLI

Baines, Menna yn holi Gwilym Prys-Davies, 'Llwybyr y Llafurwr', *Barn*, Rhif 348/349, Ionawr/Chwefror 1992, tt. 3–7.

Beloff, Nora, 'Cabinet Split on Cost of Home Rule', *The Observer*, 26 Hydref 1995, t. 10.

Bogdanor, Vernon, *Devolution in the United Kingdom* (Rhydychen, 1999).

Cole, John, 'Slipping Slope to a Disunited Kingdom', *The Observer*, 26 Hydref 1975, tt. 12–13.

Davies, Grahame, *Sefyll yn y Bwlch* (Caerdydd, 1999), tt. 1–17.

'Datganoli', (yn) Gwyddoniadur Cymru yr Academi Gymreig (Caerdydd, 2008), 267-8

Hughes, Graham, 'A Plea for Wales', *Y Ddraig / The Dragon*, 1961, tt. 39–44.

Jones, Dafydd Ieuan, 'What Devolution Really Means?', *Western Mail*, 21 Chwefror 1975, t. 5.

Jones, J. Graham, 'The Parliament for Wales Campaign, 1950–1956', *Cylchgrawn Hanes Cymru*, Rhif 2 (1992), tt. 207–30.

Idem., 'D. Elystan Morgan and Cardiganshire Politics', *Cylchgrawn Hanes Cymru*, Cyfrol 22, Rhif 4, Rhagfyr 2005, tt. 730–61.

Jones, Richard Wyn, 'Adroddiad Confensiwn Cymru Gyfan', *Barn*, Rhif 563/4, Rhagfyr 2009/ Ionawr 2010, tt. 13–16.

Luke, Paul a Johnson, David, 'Devolution by Referendum, A Look at the Welsh Situation', *Parliamentary Affairs*, Cyfrol XXIX, Rhif 3 (1976), tt. 332–9.

Morris, John, 'Cynulliad Cymru', *Y Faner*, 4 Mawrth 1975, t. 5.

Prothero, Cliff, *The Labour Party in Wales and Devolution* (Caerdydd, 1975), tt. 1–7.

Rees, Hefin, *Awakening the Welsh Dragon: Will the Creation of the National Assembly for Wales Make a Significant Difference to the Constitutional Arrangements between England and Wales? (Caerdydd, 2000)*.

Rosser, Melvyn, 'Pam Rwy'n Ddatganolwr', *Y Faner*, 4 Mawrth 1977, t. 6.

Whale, John, 'Secret Papers Cast Doubts on Scottish and Welsh Assemblies', *The Sunday Times*, 28 Medi 1975, t. 4.

Williams, Rhys, 'Traha Whitehall', *Barn*, Rhif 563/4, Rhagfyr 2009/ Ionawr 2010, t. 6.

GWLEIDYDDIAETH YNG NGHYMRU

David, Wayne, *Remaining True – A Biography of Ness Edwards* (Llanbradach, 2006).

Davies, Huw, 'Wedi'r Rhondda', *Barn*, Mai 1967, t17

Idem., 'Y Comisiwn a'r Etholiad', *South Wales Evening Post*, 30 Hydref 1969.

Elis, Islwyn Ffowc, 'Cadwodd y Bobl eu Gair', *Y Ddraig Goch*, Cyfrol 35, Rhif 8, Awst 1966, t. 1.

Griffiths,J Gwyn 'Saunders Lewis fel Gwleidydd', [yn] Saunders Lewis (goln: D Tecwyn Lloyd a Gwilym Rees Hughes), (Abertawe, 1975), 72-95

Jones, D. Gwenallt (gol.), *Detholiad o Ryddiaith Gymraeg R. J. Derfel*, Cyfrol 1 (Dinbych, 1945), tt. 7–134; *idem.*, Cyfrol 2 (Dinbych, 1945), tt. 7–89.

Jones, Frank Price, 'Gwilym Hiraethog – Tad y Wasg Gymraeg', [yn] *Radicaliaeth a'r Werin Gymraeg yn y Bedwaredd Ganrif ar Bymtheg: Casgliad o Ysgrifau*, gol. Alun Llywelyn-Williams ac Elfed ap Nefydd Roberts (Caerdydd, 1997), tt. 65–72.

Jones, Gwynoro, 'Gallai Denzil Davies fod wedi curo Gwynfor Evans', Golwg 360, 12 Hydref 2018.

Jones, J. R., *Gwaedd yng Nghymru* (Lerpwl a Phontypridd, 1970), tt. 4–95.

Legonna, John, 'Plaid Cymru ar Ben Bryn', *Y Faner*, 19 Gorffennaf 1962, t. 4.

Millward, E. G., 'Dicter Poeth y Dr Pan', *Cof Cenedl*, IX (Llandysul, 1994), tt. 163–90.

Morgan, Kenneth O., 'Gwleidyddiaeth Cymru yn 1970' [yn] D. Ben Rees (gol.), *Arolwg*, Cyfrol 6, 1970 (Lerpwl a Phontypridd, 1971), tt. 27–31.

Idem., 'The New Liberalism and the Challenge of Labour: The Welsh Experience 1885–1929', *Cylchgrawn Hanes Cymru*, 6/3 (1973), tt. 288–312.

Price, Adam, *Wales: the First and Final Colony* (Talybont, 2018).

Rees, Alwyn D, 'Gwleidyddiaeth '(yn) Aled Rhys Wiliam (gol.), *Arolwg*, Cyfrol 2, (Abercynon, 1966),tt 12-16

Rees, D. Ben (gol.), *Herio'r Byd* (Lerpwl, 1980).

Idem. 'Neuaddau'r Gweithwyr', (yn) Aled Rhys Wiliam (gol.) *Arolwg* Cyfrol 2 (Abercynon, 1966), tt 55-6

Idem., 'Sosialaeth Farcsaidd Gymreig T. E. Nicholas', *Trafodion Anrhydeddus Gymdeithas y Cymmrodorion*, 3 (1996), tt. 164–73.

Idem.,Stephen Owen Davies (1886-1972) (yn) D.Ben Rees, Cymry Adnabyddus 1952-1972 (Lerpwl a Phontypridd, 1978) 39-40.

Idem.,David Thomas ('Golygydd y Lleufer)'(yn) Aneurin Vol1 No 4, 48-51.

Smith, David, *Aneurin Bevan and the World of South Wales* (Caerdydd, 1993).

Idem., *Wales! Wales?* (Llundain a Sydney, 1984).

Thomas, Ben Bowen, 'Mabon', *Y Traethodydd*, 17 (1948), tt. 167–73.

HANES CYMRU

Carr, A. D. a Jenkins, Dafydd, *Trem ar Gyfraith Hywel Dda* (Hendy Gwyn ar Daf, 1985), tt. 1–46.

Davies, John, *The Green and the Red: Nationalism and Ideology in Twentieth Century Wales* (Aberystwyth, 1980).

Idem., Hanes Cymru (Harmondsworth, 1993), 671 tt.

Davies, T. Alban, 'Y Rhondda: Ei Hynt a'i Helynt', *Barn*, Ionawr 1962, t t. 68–9.

Dienw, 'Portread o Carwyn James', *Barn*, Rhif 154, Tachwedd 1975, t. 861.

Evans, Gwynfor, *Seiri Cenedl y Cymry* (Llandysul, 1986), 316 tt.

Evans, Gwynfor ac Evans, Meredydd, *Yr Iaith yn y Nawdegau: Yr Her o'n Blaenau* (1985).

Goronwy-Roberts, Marian, *W. J. Gruffydd* (Darlith Ganmlwyddiant) (Cyhoeddiadau Barddas, 1981), tt.1–14.

Hughes, Medwin, 'Defnydd Meddwl Morgan Llwyd', *Diwinyddiaeth*, 34 (1983), 94–109.

Humphreys, Emyr, *The Taliesin Tradition – A Quest for the Welsh Identity* (Llundain, 1993), ix, 245 tt.

Jones, Dafydd Glyn, 'Helynt Prifysgol, Y Cactws yn yr Anialwch', *Barn*, 542, Mawrth 2008, 84–6.

Jones, Gareth Elwyn, *Modern Wales – A Concise History c. 1485–1979* (Caergrawnt, 1984), xii, 364 tt.

Jones, Raymond, 'Bachgen Bach o Aberfan, erioed, erioed', *Merthyr Historian*, Cyfrol 10, 1999, tt. 297–323.

McLean, Iain a Johnes, Martin, *Aberfan: Government Disasters* (Caerdydd, 2000), 274 tt.

Morgan, K. O., *Rebirth of a Nation: Wales 1880–1980* (Rhydychen, 1981), 395 tt.

Rees, Alwyn D., Golygyddol: 'Aberfan', *Barn*, Rhif 49, Tachwedd 1966, tt. 1–2.

Rees, D. Ben, 'Profiadau Rhai o Feirdd Crefyddol yr Ugeinfed Ganrif', *Y Genhinen*, 28 (1978), tt. 76–81.

Idem., 'Cofio Aber-fan', *Yr Angor*, Cyfrol 28, Rhif 7/8, Rhagfyr 2006/ Ionawr 2007, tt. 10–11.

Idem., 'Centenary of a Welsh Radical', *Labour Monthly*, Rhagfyr 1979, tt. 556–8.

Rees, Ivor, 'Thomas D. Jones: Preacher, Pastor and Politician', *The Journal of Welsh Religious History*, Cyfrol 5, 2005, tt. 87–96.

Thomas, M. Wynn, 'Agweddau Pellach ar Gymreigrwydd Morgan Llwyd', *Y Traethodydd*, 137 (1982), tt. 141–53.
Williams, Gwyn A., *When Was Wales?* (Llundain, 1989), 327 tt.

Y BLAID LAFUR YNG NGHYMRU

Awbery, Stan, *Labour's Early Struggles in Swansea* (Abertawe, 1949).
Cadwgan, Gwilym, 'Ni Biau Robert Owen', *Y Ddraig Goch*, Tachwedd 1949, t. 5.
Daniel, Emyr, 'Blwyddyn y Blaid Lafur', *Barn*, Rhif 181, Chwefror 1979, t. 43.
Davies, Llewelyn, 'Sosialaeth a Chymru', *Y Ddraig Goch*, Tachwedd 1949, t. 4.
Griffiths, J. Gwyn, 'Thomas Hugh Bevan, 1911–1979', *Barn*, 203/204 (1979), tt. 242–4.
Griffiths, James, 'Yn Syth o'r Swyddfa', *Barn*, Rhif 29, Mawrth 1965, t. 124.

CEFNOGWYR AMRYWIOL Y BLAID LAFUR

Edwards, Andrew, 'Answering the Challenge of Nationalism: Goronwy Roberts and the appeal of the Labour Party in North West Wales during the 1950s', *Cylchgrawn Hanes Cymru*, 22 (2004–5), 126–52.
Harries, E. P., *A Happy Band: The Story of the Pembrokeshire Constituency Labour Party* (Hwlffordd, 1961).
Hopkin, Deian, 'Llafur a'r Diwylliant Cymreig 1900–1940', *Trafodion Anrhydeddus Gymdeithas y Cymmrodorion*, Cyfres Newydd, Cyfrol 7 (2000), t. 209.
Jones, Percy O., 'Llafurwyr Cymru', *Y Ddraig Goch*, Ionawr 1931, t. 6.
Jones, Thomas, 'Y Mudiad Llafur yng Nghymru', *Cerrig Milltir* (Llandybïe, 1942), tt. 7–21.
Leeworthy, Daryl, *Labour Country: Political Radicalism and Social Democracy in South Wales 1831–1985* (Aberteifi, 2018), 524 tt.
Mabon, 'Arwyddocâd Etholiad 1964', *Barn*, Rhif 25, Tachwedd 1964, tt. 6–7.
Idem., 'Dylanwad James Griffiths', *Barn*, Rhif 26, Rhagfyr 1964, t. 70.
Idem., 'Tre Griffiths', *Barn*, Rhif 27, Ionawr 1965, t. 82.
Morgan, Kenneth O., 'Labour's Early Struggles in South Wales: some new

evidence 1900–8', *Cylchgrawn Llyfrgell Genedlaethol Cymru*, Cyfrol 17, Rhif 4 (Gaeaf 1972), tt. 364–70.

Idem., 'Leaders and Led in the Labour Movement: The Welsh Experience', *Llafur*, 6, (1994) tt. 110–17.

Morgan, Rhodri, *A Political Life in Wales and Westminster* (Caerdydd, 2017), 360 tt.

Parry, Cyril, 'Gwynedd Politics, 1900–1920: The Rise of a Labour Party', *Cylchgrawn Hanes Cymru*, 6/3 (1973), tt. 313–28.

Parry, Jon, 'Trade Unionists and Early Socialism in South Wales 1890–1908', *Llafur*, Cyfrol 4, Rhif 3 (1980), tt. 45–54.

Rees, Alwyn D., 'Cymru a'r Blaid Lafur', *Barn*, Rhif 55, Mai 1967, tt. 163–4.

Smith, J. Beverley, 'John Gwili Jenkins, 1872–1936', *Trafodion Anrhydeddus Gymdeithas y Cymmrodorion* (1974–5), tt. 191–214.

Smith, Llew; Bransbury, Linda; Gillam, Sarah, *The Politics of Poverty in Blaenau Gwent* (Ebbw Vale, 1933), 42 tt.

Stead, Peter, 'The Labour Party and the Claim of Wales', [yn] John Osmond (gol.), *The National Question Again* (Llandysul, 1985).

Idem., 'Our Very Old Friend the Labour Party', *New Welsh Review*, No 51, tt. 22–3.

Stevenson, John, 'Bradychwyr Gwerin Cymru', *Radical Wales*, Rhif 7, Mai 1971, t. 5.

Thomas, Ceinwen, 'Brad y Sosialwyr', *Y Ddraig Goch*, Ionawr 1950, t. 4 a t. 6.

Thomas, D. Lleufer, *Labour Unions in Wales: Their Early Struggles for Existence* (Abertawe, 1901).

Walters, Huw, 'David Rees Griffiths ("Amanwy" 1882–1953)', *The Carmarthenshire Antiquarian*, 35 (1999), tt. 89–102.

Ward, Paul a Wright, Martin, 'Mirrors of Wales – Life Story as National Metaphor: Case Studies of R. J. Derfel and Huw T. Edwards', *History*, 95, (2010), tt. 45–63.

Williams, Chris, 'The South Wales Miners' Federation', *Llafur*, 5/3 (1990), tt. 45–56.

Idem., *Democratic Rhondda: Politics and Society, 1885–1951* (Caerdydd, 1996).

Wright, Martin, *Wales and Socialism: Political Culture and National Identity before the Great War* (Caerdydd, 2016), 275 tt.

YR IAITH GYMRAEG

Allchin, A. M., *Praise Above All: Discovering the Welsh Tradition* (Caerdydd, 1991), 173 tt.

Betts, Clive, *Culture in Crisis: The Future of the Welsh Language* (Upton, Wirral, 1976), 243 tt.

Carter, Harold, *Diwylliant, Iaith a Thiriogaeth* (Llundain, 1988).

Idem., *Mewnfudo a'r Iaith Gymraeg* (Llys yr Eisteddfod Genedlaethol, 1988).

Crynodeb o Argymhellion Adroddiad Hughes Parry, *Barn*, Rhif 38, Rhagfyr 1965, t. 139.

Davies, Gwilym Prys, adolygiad ar y gyfrol *Wyt ti'n Cofio?* (Talybont, 1989) *yn Llais Llyfrau*, Hydref 1989.

Griffith, R. E., *Urdd Gobaith Cymru, Cyfrol 1: 1922–1945* (Aberystwyth, 1971), 389 tt.

Hobson, Wyn, 'Y Tro Pedol Mawr?', *Barn*, Rhif 525, Hydref 2006, tt. 20–3, sef astudiaeth o lyfryn Ken Hopkins, y Rhondda, ar yr iaith Gymraeg.

Jones, Alun Ffred, 'Deddfwriaeth, Strategaeth a Her Achub yr Iaith', *Barn*, Rhif 563/4, Rhagfyr/Ionawr 2009/10, t. 6.

Jones, Cyril, *Yr Iaith Gymraeg ym Mywyd Cyhoeddus Cymru* (Aberystwyth, 1947).

Jones, E. R. Lloyd-, *Yr Athro J. R. Jones* (Caernarfon, 1997), 97 tt.

Jones, John Walter, 'Deddf yr Iaith Gymraeg', Cymru Fyw (gwefan BBC Cymru), 19 Hydref 2018.

Jones, R. Merfyn, *Cymru 2000: Hanes Cymru yn yr Ugeinfed Ganrif* (Caerdydd, 1999), ix, 224 tt.

Lewis, Saunders, *Canlyn Arthur* (Aberystwyth, 1938).

Idem., *Ysgrifau Dydd Mercher* (Llandysul, 1945), 112 tt.

Llywelyn, Emyr, *Adfer a'r Fro Gymraeg* (Pontypridd a Lerpwl, 1976), 101 tt.

Merchant, W. Moelwyn, *R. S. Thomas* (Writers of Wales), gol. Meic Stephens ac R. Brinley Jones (Caerdydd, 1979), 109 tt.

Owen, Dafydd, 'Awen J. Eirian Davies', *Barddas*, 114 (1986), tt. 7–9.

Rees, D. Ben, 'Anhwylder y Brifysgol', *Llais y Lli*, 13 Chwefror 1966, t. 6.

'Rhifyn Coffa Saunders Lewis', *Y Faner*, 19 Medi 1985, tt. 2–12.

Smith, Robert, *Y Papur a Afaelodd yn Serchiadau'r Bobl: John Roberts Williams a'r Cymro 1945–62* (Aberystwyth, 1992).

Stephens, Meic (gol.), *Cydymaith i Lenyddiaeth Cymru* (Caerdydd, 1986), xiv, 662 tt.

Thomas, Ned (gol.), *Tynged yr Iaith Saunders Lewis* (Llandysul, 2012), 80 tt.

Walters, Huw, *Cynnwrf Canrif: Agweddau ar Ddiwylliant Gwerin* (Cyhoeddiadau Barddas, 2004), 371 tt.

Williams, S. J., 'Yr Iaith Gymraeg' (yn) Aled Rhys Wiliam (gol.) *Arolwg*, Cyfrol 2 (Abercynon, 1966), tt 24-5

TRAETHODAU YMCHWIL

Baggs, Christopher, 'The Miners' Libraries of South Wales from the 1860s to 1939' (PhD Prifysgol Cymru, Aberystwyth, 1995). Roedd gan Gwilym Prys-Davies ddiddordeb mawr yn y pwnc hwn.

Davies, B. M., 'Awdlau Gwenallt' (MA Prifysgol Lerpwl, 1973–4).

Davies, Ian Rhys, 'Popeth yn Gymraeg a Delwedd Ddinesig Caerdydd *c*.1885–1912' (MA Prifysgol Caerdydd, 2007).

Gieschen, Herbert, 'The Labour Party in Wales and the 1979 Referendum' (MA Prifysgol Cymru, Aberystwyth, 1998).

John, Rhian Dorothy Mary, 'Propaganda i'r prydydd: astudiaeth o weithiau Gwenallt, Saunders Lewis ac R. Williams Parry fel mynegiant o'u credoau crefyddol a gwleidyddol' (MA Coleg Dewi Sant, Llanbedr Pont Steffan, 1976).

Owen, Goronwy Wyn, 'Astudiaeth Hanesyddol a Beirniadol o weithiau Morgan Llwyd o Wynedd (1619–1659)' (PhD Coleg Prifysgol Cymru, Bangor, 1982).

Tomos, Angharad, 'Bywyd a Gwaith David Thomas, 1880–1967' (MPhil Prifysgol Cymru, Aberystwyth, 2000).

Treharne, S. E., 'Astudiaeth o Fywyd a Phrydyddiaeth R. J. Derfel' (MA Prifysgol Cymru, Caerdydd, 1974).

Mynegai

ab Owen Edwards, Syr Ifan 57
Aberaeron 146
Aberafan 15, 76, 78, 259, 302
Abercynon 12-13, 47, 62, 100, 103,
    124, 146, 270, 302, 303, 309, 314,
    321, 326
Aberdâr 61-2, 87, 98, 145, 165, 175,
    228, 303
Aberdyfi 29
Aber-fan 10, 13, 125, 126ff, 144, 145,
    146
Abergynolwyn 21-2, 24, 29
Aberpennar 45, 73, 127, 302
Abertawe 44, 47, 53, 65, 71, 101, 154,
    167, 175, 228, 232, 286, 297, 300,
    312, 321, 323-4
Aberteifi, sir 143
Aberystwyth 5, 7, 10, 12, 15,17, 19,
    25, 34, 36, 38-40, 43-5, 47-9, 54-6,
    59-63, 65-6, 68, 70, 71, 77-8, 80,
    96, 100, 110, 114, 122, 149-50, 157,
    160-1, 165, 175, 179-80, 182, 186-
    8n., 196, 200, 203, 206-7, 215-17,
    219, 233, 238, 250-1, 259, 267, 275-6,
    300, 302, 313-14, 317, 322, 325-6
Abraham, William (Mabon) 102, 317,
    321, 323
Abse, Leo 17, 105, 121, 172, 174n., 179,
    197, 224n., 228, 315
Ackner, Desmond, QC 130-1
Adams, Gerry 264-5
Adfer, Mudiad 159-60
Alban 35, 58, 65, 87, 139, 167-8, 170,
    172-4n., 177, 189, 228, 237-8, 243,
    246, 258-60, 282
Almaenwyr 36, 54
Amlwch 105

Amwythig 54-5, 260
Anderson, Donald 107, 172, 174n.,
    179, 228
Aneurin 100
Anwyl, Bodfan 56n.
Anzani, Charles 227
ap Gwilym, Gwynn 311n.
ap Iwan, Emrys: *gweler* Jones, Robert
    Ambrose
Archer, Yr Arglwydd 260
Ardudwy 59, 67, 70
Armstrong, R. E. 159
Arolwg 101, 124, 126, 127, 321, 326
Arwisgo Tywysog Cymru (1911) 65
Assinder, Bernard R. 253
Attlee, Clement 50, 60, 73, 297
Awstralia 73, 304

Bala, Y 22, 55, 180, 253, 303, 316
Bangor 65, 71, 72
Bargoed 77
Barn (cylchgrawn) 15, 20, 76, 121,
    122, 134, 137, 138, 142, 148, 160,
    185, 210, 244, 274, 284, 290, 292,
    295, 297, 302, 304, 306, 308, 313,
    315-20, 322-5
Beasley, Eileen a Trefor 252
Bedwellte 154
Bere, Cliff 33, 53, 61n., 64, 68, 70n.,
    72, 74-5, 77
Bere, Eluned 77
Best, Keith AS 187, 189
Bevan, Aneurin 12, 22, 52n., 79, 83,
    89, 91-3, 114, 148, 151, 156, 160, 168,
    172, 177, 179, 277, 299, 317-20

Bevan, Bill (Prifathro Coleg
    Caerdydd) 153
Beynon, Tom 273
Blaenau Ffestiniog 128, 180, 259, 307,
    308
Blair, Tony 239-41n., 243, 246, 261,
    262, 264, 293-4, 297
Blatch, Y Farwnes 255
Bogdanor, Vernon 176, 177
Bold, Andrew 241
Bonner, D. J. 98
Bowen, Yr Athro Dafydd 15, 43, 44
Bowen, Euros 45
Bowen, John 129
Bowen, Roderic 161, 165
Brooks, John E. (Jack Brooks) 168,
    170, 190, 191n.
Brooks, Simon 290n.
Bruchberger, Y Tad Raymond 54
Brycheiniog a Maesyfed 84
Bryn, Ieuan 160
Brynaman 114
Burns, Sally (Blaenau Ffestiniog) 259n.
Bwrdd Datblygu Cymru Wledig 224
Bwrdd Glo, Y 131-2, 198
Bwrdd Iechyd Cymru 148, 160, 177
Bwrdd yr Iaith Gymraeg 201-2,
    203-4, 207, 210-11, 221, 251, 257,
    260, 294-6
Bwrdd Ysbytai Cymru 7, 148-53, 155,
    161

Caerdydd 35, 44, 68, 71, 72, 75, 77,
    95, 97, 98, 141, 151-4, 162, 170, 173,
    187, 196, 197, 208, 210, 214, 219,
    221-3, 227, 251, 256, 258, 273, 277-8,
    283, 287, 291, 299
Caerfyrddin, tref a sir 7, 35, 67, 88-9,
    103-4, 108, 110-12, 114-15, 117-18,
    122-3, 134, 136-7, 139, 141, 143, 149,
    169, 178, 208, 240, 242, 271, 297,
    308, 319

Caerffili 75, 136, 173, 236, 237, 248,
    262
Caergrawnt 56, 78, 322
Caernarfon 84, 143, 180
Cairo 33, 41
Callaghan, James 95n., 167, 170, 172,
    174, 179n., 227, 233, 236, 282
Campbell, Menzies 238n.
Caple, T. E. 156
Carey-Evans, Benjie 109
Carlile, Yr Arglwydd Alex 280
Carrog, Eleri 189n., 205
Carson, Eric 38
Carter, Yr Athro Harold 202, 276
Carter-Jones, Lewis 189
Carwe 120, 135
Castell-nedd 227
Ceidwadwyr 176-7, 182, 186
Ceredigion 173
Chapman, Dr T. Robin 23n., 61n.,
    114n., 118n.
Charles, Thomas 22
Churchill, Winston 52n.
Clarke, Gillian 187
Clement, John 135n.
Clowes, Carl 189n., 200
Clwyd, Ann (Roberts) 154, 189n.,
    236, 240, 311
Clwyd, Hafina 101
Coleman, Donald 174-5n., 228
Coleg Harlech 62, 107, 140n.
Coleg Llafur, Llundain 94
Coleg Prifysgol Cymru, Aberystwyth
    12, 47, 65, 70, 149, 175, 180, 250
Coleg Prifysgol Gogledd Cymru,
    Bangor 65
Coleg y Drindod, Caerfyrddin 114
Coleman, Donald 228
Collins, Michael 266
Comisiwn Crowther 141, 176
Comisiwn Richard 239, 282, 283, 288,
    294, 301
Comiwnyddiaeth 68

Conwy 84, 88
Cousins, Frank 112
Creunant 172
Criccieth 109, 110
Croesoswallt 15-17
Cronfa Glyndŵr 74, 99, 250
Crossman, Richard 83, 93, 138,
139-40, 152, 187, 271
Cule, Cyril P. 290
Cwm Cynon 174
Cyhoeddiadau Modern Cymreig 143,
160, 177, 182-3, 203
Cymdeithas Addysg y Gweithwyr
(y WEA) 10, 24, 26, 27, 136, 172,
197, 270
Cymdeithas Cledwyn 272-3
Cymdeithas yr Aelwyd 256-7
Cymdeithas yr Iaith Gymraeg 10,
185-6, 223, 251, 252, 289
Cymro, Y 180, 313, 318
Cyngor Cymru a Mynwy 83, 142-43
Cyngor Dosbarth Gwledig Llanelli
275
Cyngor Etholedig i Gymru (pamffled)
9, 94, 95-6, 231-48
Cyngor Llyfrau Cymraeg 182, 185
Cyngor Sir Morgannwg 100
Cynwyl Elfed 110
Cytundeb Gwener y Groglith 1998
(Gogledd Iwerddon) 264-6, 283

Dafis, Cynog 160, 204
Dafis, Prys 59
Daniel, Emyr 183
Daniel, Syr Goronwy 12, 139, 142, 156,
184, 203, 226-7, 237, 253-4, 313
Datganoli 44, 163ff, 168-9, 174-6, 236
Davey, Audrey (Aber-fan) 129-30
Davies, Alun Eirug 302
Davies, Alun Talfan 104, 122
Davies, Aneurin Talfan 34, 97
Davies, Angharad 272

Davies, Ann Rhys 275
Davies, Cassie 158-9
Davies, D. Hughes 110, 135, 175, 188-9,
236, 273, 332
Davies, D. Hywel 117
Davies, D. J. (Gilwern) 53, 71, 74-5
Davies, D. J. Llewelfryn 38, 39, 49
Davies, D. J. Pennar 45
Davies, Dai 'Rats' (Y Rhondda) 227
Davies, Daniel 21n.
Davies, David, Llandinam 28
Davies, David Jones 86
Davies, Denzil AS 110, 135n., 175n.,
236, 240, 273, 321
Davies, Dewi Eirug 53, 59
Davies, Barnwr Edmund 127, 189n.,
215
Davies, Ednyfed Hudson 78, 101, 158-
9, 160n., 169-70n., 315
Davies, Elfed AS (Rhondda) 228
Davies, G. P. 52n.
Davies, George M. Ll. 42, 44, 50, 51,
61, 63, 64, 68, 70, 87-8, 124
Davies, Geraint Talfan 97n.
Davies, Yr Athro Glyn 172
Davies, Huw 42, 44, 50-1, 61, 63-4,
68, 70, 72n., 76, 77, 79, 133-4
Davies, Ifor AS 179
Davies, Ithel 10, 63, 67, 70n., 74, 78,
191-2n., 216, 217
Davies, Yr Athro Iwan 279
Davies, J. Eirian 41, 53, 59, 181, 259
Davies, Parch J. Haines 309
Davies, Jennie Eirian (née Howells)
41, 89, 181, 183, 184
Davies, John (Abergynolwyn) 24
Davies, Dr John, Bwlchllan
(hanesydd) 19, 22, 244n.
Davies, John Eurig 59
Davies, John Morgan 89
Davies, Karl 189n.
Davies, Kate 45n.
Davies, Leslie 129

Davies, Mair (Pontypridd) 228-9
Davies, Manon Rhys 141, 142, 146,
    146n.
Davies, Dr Marc Tomas 264n.
Davies, Mary Matilda (née Roberts)
    16, 23
Davies, Dr Noel 237
Davies, Dr Noëlle 71, 74-5
Davies, Parch Oswald Rees (Garnant)
    99
Davies, Dr Rachel (Llangynwyd)
    259-60
Davies, Rhys J. 52n.
Davies, Ron AS 131, 234, 236, 237,
    238, 239, 240-1ff, 246, 247, 261
Davies, Rose (Aberdâr) 98
Davies, S. O. 72n., 79-80, 131-2, 270
Davies, Parch Dr T. J. (Caerdydd)
    222-3
Davies, T. V. 29-30
Davies, W. T. Pennar (Aberpennar)
    45
Davies, William (Llanegryn) 9-10,
    16, 19, 36, 56, 70, 149
Davies, William 16n.
Davies, Syr William Llywelyn 25
de Napier, Seamus, (Downpatrick,
    county Down) 225n.
de Valera, Eamonn 67, 266
Deddf Addysg 1944 102
Deddf Addysg 1980 182
Deddf Cysylltiadau Hiliol 196, 205
Deddf Llywodraeth Leol, 1888 93
Deddf yr Iaith Gymraeg, 1967 10,
    139, 141-2, 186, 196, 199, 233
Deddf yr Iaith Gymraeg, 1993 193,
    201, 203, 205, 207, 209, 211, 260,
    271, 289, 296, 311
Democrat, Y 90
Derfel, R. J. 46, 212, 324
Dewar, Donald 246
Dinbych 84, 88-9, 154
Dolgellau 54, 67, 107, 274n., 305

Donnelly, Desmond 119-20, 121, 313
Dumbleton, Bob (UWIST) 154
Dwyrain Fflint 178
Dyell, Tam 139
Dyffryn Ardudwy 70

Ddraig, Y 39, 41-2, 46-8, 324
Ddraig Goch, Y 57, 75, 114, 116, 313,
    324

Eaglestone, Martin 273
Eames, Marion 274n.
Education First, mudiad 208
Edward, Tywysog Cymru 105
Edwards, Parch Aled 275
Edwards, Brian Morgan 200
Edwards, Dr D. Gareth 218-19
Edwards, D. Miall 21
Edwards, Y Fonesig Eirys 57
Edwards, Dr Huw (Llundain) 99n.
Edwards, Huw T. 77, 91, 114, 149n.,
    150
Edwards, Hywel Teifi 204, 209
Edwards, Syr Ifan ab Owen 57
Edwards, John AS 259
Edwards, Ness 75-6, 94, 167, 228-9,
    297-8, 299, 320
Edwards, Nicholas, Yr Arglwydd
    Crickhowell 184, 185-6, 187n.,
    188n., 189, 192n., 193, 195, 200,
    201, 204, 206
Edwards, Owen 105-6, 307-8
Edwards, Syr Owen M. 20-1, 39, 56n.,
    196
Edwards, Prys 196, 201n., 202-3
Edwards, Thomas (Twm o'r Nant) 26
Edwards, Parch W. Gareth 275
Edwards, William (AS Meirionnydd)
    105-7, 307-8

Edwards, William (Môn) 269
Eglwys Bresbyteraidd Cymru 52,
    259-60, 271-2, 274-7
Eisteddfod Genedlaethol Cymru
    222, 233
Elfyn, Menna 189n.
Elias, John 25n.
Elis, Islwyn Ffowc 53, 114, 116n., 118
Elizabeth II 67, 77
Elliott, Dan 60
Ellis, Dr E. L. 61n.
Ellis, Mari 96n.
Ellis, Thomas Edward AS 96, 270
Ellis, Dr Thomas Iorwerth 96, 110n.
Ellis, Tom AS, Wrecsam 174, 174n.
Erfyl, Gwyn 41n., 53, 55n., 314
Ethall, Huw 53n.
Etholiad Cyffredinol Rhagfyr 1910
    141
Etholiad Cyffredinol 1945 23, 50, 81,
    118
Etholiad Cyffredinol 1950 73-4, 80
Etholiad Cyffredinol 1951 80
Etholiad Cyffredinol 1955 80, 86,
    88-9
Etholiad Cyffredinol 1959 88, 91-2,
    95, 122, 171
Etholiad Cyffredinol 1964 9, 103-4,
    107, 114
Etholiad Cyffredinol 1966 108-9, 114
Etholiad Cyffredinol 1970 141, 163,
    300
Etholiad Cyffredinol Chwefror 1974
    163
Etholiad Cyffredinol 1979 182, 183
Etholiad Cyffredinol 1987 201
Etholiad Cyffredinol 1992 233
Etholiad Cyffredinol 1997 243
Evans, Miss A. M. 29
Evans, Abram 100, 302
Evans, Alun 237
Evans, David (Tresalem, Aberdâr) 87
Evans, Dyfed 24n.

Evans, Dyfrig 59
Evans, Evan (Ieuan Glan
    Geirionnydd) 157
Evans, Fred AS 174n., 179
Evans, Garry, Llwydlo 237
Evans, Syr Guilhaume Myrddin 298
Evans, Gwyndaf 75, 77
Evans, Gwynfor 16, 23, 24n., 25, 31,
    34, 38, 41-2, 46, 55, 66, 67, 68-70,
    75, 104, 109, 114, 116-18, 120, 122-
    3, 136, 164-5, 167, 173-5, 178, 184,
    202, 242, 243, 247, 252, 313, 319,
    321
Evans, Hugh 20n.
Evans, Syr Hywel 161, 184
Evans, Prifathro Ifor Leslie 61-2
Evans, Ioan 175n., 179, 228
Evans, Jack 110-11
Evans, John AS 73
Evans, John Albert 241-2
Evans, Lyn, Caerdydd 137, 137n.
Evans, Dr Meredydd 10, 11, 19, 35,
    186-7, 202, 203, 250-1, 252, 276
Evans, Muriel Bowen 59
Evans, Olwen 100, 302, 303
Evans, Peredur 207-8
Evans, Parch R. Alun 275
Evans, Rhys 38n., 69n., 70n., 71n.,
    115n., 181n., 242n.
Evans, Richard (tad Dr Meredydd
    Evans) 10, 19
Evans, Yr Ustus Roderick 279
Evans, Ron 91-3
Evans, T. R. (Llanelli) 32, 33n.
Evans, Parch T. Towy 297-8, 299
Evans, Trefor 101

Faner, Y 79, 85, 183-4, 252-3, 315-16,
    320-1, 325
Ferrers, Yr Arglwydd 205, 254, 255
Fietnam 112, 117

Finch, Harold 228
FitzGerald, Garret 217
Flynn, Paul 208, 240, 272-3
Foot, Michael 172, 174, 182, 232, 282
Francis, Dai 176
Francis, Dr Hywel 194, 274
Friog 29

Gale, Anita 242
Geffroy, Andreo 77
George, C. M. 156
George, David Lloyd 16, 31, 58, 82,
    103, 110, 148, 165, 270
George, Megan Lloyd 72n., 88, 89,
    103-4, 108-11, 122, 123
Gibson-Watt, Sir David 175, 176
Gieschen, Herbert 180n.
Glynn, Annes 223n., 224n.
Glyn, Seimon 275-6n.
Gower, Syr Raymond 74, 170
Gray, Trevor 153
Greene, Graham 134, 135n.
Griffith, Ifor Bowen 171
Griffiths, Ann 310
Griffiths, Brian (Yr Arglwydd
    Griffiths o Fforest Fach) 216
Griffiths, Gwyn 45
Griffiths, J. Gwyn 45, 69, 211
Griffiths, James/Jim 9, 13, 72, 79,
    90-1, 93-4, 96-9, 103-5, 110, 113,
    119, 121, 124, 133-5, 137-8, 139-43,
    144, 145, 149n., 163, 167-8, 179,
    186, 195, 230, 236, 247, 270-1, 300,
    305, 307, 309, 313, 317
Griffiths, Mervyn 101, 203
Griffiths, Nia 273
Griffiths, Peter Hughes 178
Griffiths, T. Elwyn 40
Griffiths, Win 240
Griffiths, Winifred 140
Gruffydd, Luned 299-300
Gruffydd, Dr R. Geraint 299-300

Gruffydd, Yr Athro W. J. 21n., 23, 39,
    51, 88
Gweinidog Gwladol dros Gymru
    163-82 passim
Gweithgor Sidberry 171
Gwenallt: gweler Jones, D. James
Gwent 180
Gwynedd 180

Hain, Peter 229n., 231, 281-2, 284, 301
Hamilton, Ben 127
Hanes Plwyf Llanegryn 25, 56, 291
Hardie, Keir 20, 52, 64, 268, 306
Harries, W. Gerallt 43-4
Harris, Cyril 'Chic' 59
Harris, May (Rhydaman) 118-19
Harris, William 271
Harry, I. D. 107
Hart, Bob 237
Hatton, Derek 232
Haughey, Charles 217
Hayes, Parch Ken 133
Hearn, Richard H. 256n.
Heath, Edward/Ted 155, 176
Heffer, Eric 168
Heol y Crwys, Caerdydd 68
Heycock, Yr Arglwydd Llewellyn 98,
    140, 158, 186, 191n.
Hill, Kieron 237
Hinks, Rhisiart 23n.
Hiraethog, Gwilym 19
Hitler, Adolf 32, 34, 54, 58
Hobson, Wyn 292-3
Hooson, Emlyn 44, 96, 205, 216, 219,
    280
Hopkin, Daniel AS 135
Hopkin, Syr Deian 180, 273
Hopkins, Ken 241-2, 251, 291, 292,
    293, 325
Howe, Geoffrey 151-2
Howells, Geraint 189, 205
Howells, Iorwerth 113

MYNEGAI

Howells, Jennie 41
Howells, Kim 241
Hughes, Arwyn Lloyd 291, 311
Hughes, Cledwyn 9, 13, 38, 72n., 78,
85, 89, 90, 94, 103, 124-5, 132, 133,
139, 141-2, 143-4, 163, 167-8, 172,
181, 184, 185-6, 190, 192, 195, 197,
200n., 205, 212, 213, 214, 216, 218,
219, 224, 226, 228, 229-30, 247,
249-50, 252, 254-5, 256, 269, 270,
271-2, 293, 300, 306, 308, 309
Hughes, Cyril 187n.
Hughes, Douglas 105
Hughes, Emrys AS 65
Hughes, Gareth 239
Hughes, Dr Glyn Tegai 15 a 15n.
Hughes, Gwilym Arwel 212
Hughes, J. Cyril 59, 78, 101, 187-8, 203
Hughes, Dr J. Elwyn (Bethel) 210-11,
299n.
Hughes, Loti Rees 105
Hughes, Meirion 178
Hughes, Dr Michael 179
Hughes, R. Elwyn (Caerdydd) 101,
311
Hughes, Roy 175n.
Hughes, T. Rowland 310
Hughes, Vaughan 297
Hume, Elizabeth A. (Swyddfa
Gymreig) 257-8
Hume, John 189
Humphreys, E. Morgan 268
Hunt, David 252
Huws, Meri 296, 312

Iaith Gymraeg 10, 13, 48, 51, 81, 99,
139, 141-3, 157, 160, 171, 183, 185,
187, 189, 191, 193, 195, 197, 201, 203,
206, 208-9, 210-11, 216, 224
Ifan, Tecwyn Rhys 160
India 29
Ireland, Richard W. 38n.

Isetholiadau
Caerfyrddin (1957) 89
Caerfyrddin (1966) 108ff, 137, 164
Caerffili (1967) 136, 137, 177
Gorllewin y Rhondda (1967) 136, 137,
177, 262
Islwyn 262

Iwan, Dafydd 200
Iwerddon 225

James, Parch W. Esger (Llanelli) 99n.
Jarvis, Athro Branwen 100
Jeffcott, W. R. 227
Jenkins, Athro Dafydd 100, 187-9
Jenkins, David 237
Jenkins, David Lloyd (Prifathro,
Tregaron) 43
Jenkins, R. T. 21n., 24
John, Brynmor 113, 129, 169, 175n.,
186, 231
Johnson, Boris 140
Jones, Alec AS 175n.
Jones, Alwyn Hughes (Caernarfon)
101
Jones, Yr Archesgob Alwyn Price 237
Jones, Artemus (Dinbych) 268n.
Jones, Barry 175n., 186, 191-2, 201, 236
Jones, Ben G. 171, 183, 189, 191
Jones, Beti 73n., 104n., 107n., 117n.
Jones, Yr Athro Bobi 15, 25n., 51n.,
242n.
Jones, Carwyn 272-3, 283
Jones, Cyril (Pumsaint) 114, 116
Jones, Cyril O. 157n., 268n., 269
Jones, D. James (Gwenallt) 42n., 46,
52n., 302, 321, 326
Jones, Dafydd M. 50, 50n.
Jones, Dafydd Orwig (Bethesda) 251
Jones, Dr Dwyryd Wyn 311
Jones, E. Cadfan 105

Jones, Dr E. D. 161, 165-6
Jones, Yr Arglwydd Elwyn 48n.,
    191n., 215, 219
Jones, Emyr Currie 98
Jones, Dr Emyr Wyn 156
Jones, Parch Erastus 133, 145
Jones, Evan (Ieuan Gwynedd) 21
Jones, Parch Fred 42
Jones, Gerald (Trawsfynydd) 296, 311
Jones, Y Barnwr Graham 129
Jones, Griffith (Llanddowror) 21
Jones, Gwilym Pryce 91-2
Jones, Gwilym R. 120-1
Jones, Gwynoro 115, 136, 164
Jones, Harold (Tredegar) 176
Jones, Harri Pritchard 189n.
Jones, Haydn (Pontardawe,
    Gweriniaethwr) 61n., 65, 72, 79
Jones, Syr Henry 21
Jones, Syr Henry Haydn AS 22, 28
Jones, Parch Herman (Porth Tywyn)
    270n.
Jones, Huw 55, 200
Jones, Huw Morris 270
Jones, Idwal 45
Jones, Ieuan Wyn 241
Jones, J. E. (trefnydd Plaid
    Genedlaethol Cymru) 32, 33,
    33n., 34n., 35, 67, 69, 70, 71, 165,
    167-8, 206
Jones, J. Emrys (trefnydd y Blaid
    Lafur yng Nghymru) 68-9, 95,
    107, 139, 167-8, 169, 170, 172, 174,
    178-80, 227, 231, 307
Jones, John Elfed 189, 201n., 202,
    209-10, 252
Jones, Dr J. Graham (Aberystwyth)
    306n.-7n.
Jones, Parch John Gwilym 296
Jones, Dr John Gwynfor 100n.
Jones, John Walter 207, 210
Jones, Jon Owen 208, 222, 237, 240
Jones, Lewis Carter 59-60, 189

Jones, Mair Saunders 65
Jones, Martyn AS 240
Jones, Mary 22-3
Jones, Michael (cyfreithiwr,
    Caerdydd) 189
Jones, Morris (Morus Cyfannedd)
    19n.
Jones, Patrick (Treletert) 234
Jones, Percy Ogwen 269
Jones, R. Geraint 211
Jones, R. Gerallt 101
Jones, R. T. 269
Jones, Richard 29, 30-1, 34
Jones, Robert Ambrose (Emrys ap
    Iwan) 49, 51-2, 198
Jones, Silvan (Llandudno) 88
Jones, Parch Stanley C. 189n.
Jones, T. Gwynn 51
Jones, T. W. AS 105, 171, 270
Jones, Thomas 270
Jones, Thomas (Coryton) 98
Jones, Thomas, CH, Dr 62, 215, 270
Jones, Yr Athro Thomas 302
Jones, Tom (Shotton) 201
Jones, Tom Ellis 56, 57n.
Jones, Victor 53
Jones, Wynne Melville 207
Joseph, Syr Keith 159
Joyce, James 34

Kean, Mike 251
Kennedy, Charles 280
Kilbrandon, Yr Arglwydd 220
Kinnock, Neil 136, 154, 172, 174-5,
    179, 207, 224n., 228, 232, 233, 237,
    240, 293

Lake, Parch Islwyn 55
Law, Peter 248

Lee, Jennie 114, 158
Legal Status of the Welsh Language,
  1965 199
Legonna, John 42, 61, 63, 68-9, 303
Leigh, John 162
Lerpwl 14, 19, 33, 35-6, 55, 59, 61, 101,
  124, 146, 160, 168, 177, 196, 222,
  232, 255, 290, 303, 309, 325-6
Levi, Thomas 38
Lewis, Alun (Garnswllt) 298
Lewis, Parch D. Kemes 309
Lewis, Dafydd Morgan 251
Lewis, Derek (Gwasanaeth y
  Carchardai) 255-6
Lewis, Geraint 185n.
Lewis, Illtud 160
Lewis, J. Saunders 23, 33, 42, 49, 60-1,
  65, 69, 95, 97, 99, 100n., 194,
  199-200, 223, 225, 252, 285
Lewis, Pedr 77
Léwis, Dr Robyn 36-7, 55, 88, 89, 199,
  289, 296, 306n., 307n., 308
Lewis, Sharon (ysgol Pantglas,
  Aber-fan) 129
Lewis, Sheila (ysgol Pantglas,
  Aber-fan) 129
Lewis, Stanley 47, 47n., 59
Livsey, Richard 189, 204, 280
Lockwood, W. B. 198-9
Lush, Archibald 148, 150-1, 156, 158-9

Llafur y Blynyddoedd 18-21, 27, 42,
  61-3, 66, 81, 83-5, 97, 102-3, 109,
  113, 117-8, 124, 137, 150-1, 157-8,
  163, 166, 170, 181, 183, 186, 190,
  192, 202, 226ff, 249, 271, 314
Llais Llafur (1945) 81-2
Llanbedr, Dyffryn Ardudwy 67
Llanbedr Pont Steffan 59
Llandeilo 115
Llanddeiniolen 88

Llandderfel 212
Llanddewibrefi 290, 316
Llanegryn 9-10, 12, 15-20, 22-9, 31, 36,
  45, 56, 70, 105, 149, 186, 212, 243,
  261, 270, 279, 291, 303-4, 310-11,
  316-17
Llanelli 72, 99, 104-5, 110, 117, 118,
  137-8, 141, 252, 273
Llanfarian, Aberystwyth 60-1
Llangelynnin 16-17, 26
Llanpumsaint 41
Llanrhystud 17, 42
Llewelyn, William (Blaenrhondda)
  98
Lloyd, D. Myrddin 51n.
Lloyd, D. Tecwyn 35, 121-2, 321
Lloyd, Dewi 88, 89
Lloyd, Rhys (Cilgerran) 191n.
Llwyd, Elfyn 208, 296, 306, 311
Llwyd, Rheinallt 160
'Llys Llangadog' 165
Llywelyn, Emyr 9-11, 12, 141, 142,
  146, 159-61

Mabon: *gweler* Abraham, William
Maby, Cedric 189n.
MacBride, Séan 57, 57n., 66
MacDonald, J. Ramsay 20, 262
Mackintosh, Dr John 139, 176
Maesteg 73
Maesyfed 84
Major, John 253, 255-6
Marek, Dr John 179n., 180, 193-4,
  248
Mars-Jones, W. L. 131
Marsh, Richard 114
Marx, Karl 52, 268
Mathias, Ron 104-5
Matthews, Dr Ioan 271
Mawhinney, Dr Brian 226
Mears, Yr Esgob Cledan 189n.

Medhurst, Yr Athro James/Jamie 149-50n.

Meirionnydd 17, 20-5, 28, 52, 80, 84, 91, 95, 97, 99, 101, 103, 105-7, 123, 143, 158, 169, 171, 208, 269, 277, 296, 307-9

Merthyr Tydfil 80

Mesur yr Iaith Gymraeg, 1993 253

Michael, Alun 247, 262, 272-3

Middlehurst, Tom 248

Militant, mudiad 232

Missel, Andy 180-1n., 185n., 186

Mitchell, Howard 189n.

Môn 84, 143, 269

Morgan, Bruce a Nicholas (cwmni cyfreithwyr) 80, 94, 102, 127, 129, 130, 149, 186, 251

Morgan, Yr Athro Derec Llwyd 15n, 189n., 222n., 272

Morgan, Eluned 272-3

Morgan, Elystan 57, 58, 60, 104n., 107, 121, 133, 174, 175, 178, 179-80, 181, 213-14, 215, 216, 270, 282, 288, 311, 320

Morgan, Enid 51n.

Morgan, Geraint 154, 189

Morgan, Gwyn 135n.

Morgan, Gwyneth 73-4, 99, 100n., 206n., 252, 302

Morgan, Hubert 179n.

Morgan, Yr Athro Prys 207

Morgan, Rhodri 189, 204, 240n., 246, 247, 262, 272, 273, 286-7, 288, 290, 295-7, 324

Morgan, Yr Athro T. J. 286-7

Morgan, Trefor 10, 44, 63, 69, 71, 72, 73-4, 99, 100n., 165

Morris, Brian 213, 215, 253, 293

Morris, J. O. 156

Morris, Jan 237

Morris, John (Yr Arglwydd Morris o Aberafan) 9, 13, 15n., 76n., 78-9, 81-2, 84-5, 87-8, 89, 104-5, 139,

162-4, 166, 169-70, 172-6, 180-2, 187, 191-2, 208, 233n.-4, 236, 237, 274, 302, 306, 311

Morris, Syr Rhys Hopkin 89

Morris-Jones, Huw 270

Morris-Jones, Syr John 269n.

Moseley, Cyril 129

Mudiad Adfer 159-60

Mudiad Gwerin 81

Mudiad Llafur 91, 100, 117, 137-8, 139, 151, 172, 238, 269-70, 274, 323

Mudiadau Senedd i Gymru 80, 166

Mudiad y Gweriniaethwyr 10, 63ff, 181

Mudiad Ysgolion Meithrin 185

Mullins, Yr Esgob Daniel 189n., 275

Murray, John Timothy 43

Murray, Mairwen 43n.

Mussolini, Benito 54

McFadden, Pat 241

Nant Gwrtheyrn 241

Nantgaredig 41

Nicholas, T. E. (Niclas y Glais) 46, 65, 68n.

Ogwr 73, 74, 170

Orpington 122

Orwig, Dafydd 205, 226, 251

Osmond, John 232-4, 235, 237

Owen, Albert 273

Owen, Aneurin 106n., 270, 307-8

Owen, Bob (Croesor) 24-5, 25n.

Owen, Parch Dafydd Henry 256-7, 259, 272

Owen, Eiflyn Peris, Parch 126-7

Owen, Hugh (1639-1700) 18

Owen, Robert (Bob) 24-6

Owen, Robert (New Lanark) 236

O'Connor, Philip 24n.
O'Farrell, John 265n.

Padley, Walter 73-4
Pages from Memory 134, 140
Paisley, Dr Ian 264-5
Parnell, Charles Stewart 265-6
Parry, Dr Cyril 267-70
Parry, Syr David Hughes 38, 139, 142, 192, 196, 200, 206
Parry, Syr Emyr Jones 300-1
Parry, Gordon 191n., 215
Parry, R. Williams 46
Parry, Syr Thomas 183-4, 250n.
Parry-Williams, Syr T. H. 302
Penyberth 23, 41, 44, 53
Pen-y-bont ar Ogwr 59
Pen-y-graig, y Rhondda 13, 88
Phillips, D. Aled 172
Phillips, John 38n.
Pierce, Yr Athro Thomas Jones 48n., 62
Pierce, J. Hopley and Bird (cwmni cyfreithwyr) 107
Plaid Gomiwnyddol 174
Plaid Lafur Annibynnol 10, 19-20, 64, 141
Plaid Lafur Brydeinig 23, 79, 138, 139, 168, 169, 225, 243, 293
Plaid Lafur Cymru 31, 79, 139, 222, 267-74
Pontypridd 11, 80, 88, 129, 168, 186, 194, 227, 228-9, 231, 241, 309
Porth, y Rhondda 86, 88, 91-2, 102, 251, 270, 291
Powell, Dewi Watkin, Y Barnwr 70, 173, 211, 279, 288-9, 296
Powell, John L. 180
Powell, Ray 170, 281
Powell, Richard 19
Prescott, John 112
Pretty, David A. 269n.

Price, Emyr 108
Prior, Jim 185
Probert, Arthur 228
Prothero, Cliff 94-5, 103,108, 167, 179n., 226-7, 313
Prothero, Vi 226-7
Prys-Davies, Gwilym: blynyddoedd cynnar 15; ei gefndir 17-22; ei rieni 16-17; ei enedigaeth yng Nghroesoswallt 15-16; ei chwaer Mairwen 16, 18; dyddiau ysgol Llanegryn 27; Nain Tan-y-banc 19-20; ei dad William Davies yn un o naw o blant 16; ei ewythr John Davies 22-3; llosgi Ysgol Fomio Penyberth yn ddylanwad ar ei rieni 23; teyrnged Gwynfor Evans i'w fam Mary Matilda Davies 23-4; ffrindiau ei dad 10, 19-20; pwysigrwydd Cymdeithas y Gweithwyr 24-5; pwysigrwydd y Blaid Lafur Annibynnol 19-20; ei dad William Davies fel ysgolhaig 25; Ysgol Ramadeg Tywyn 27-32; ei brifathro Dr Brychan Rees 29; ei hoff athrawon 29-31; caredigrwydd yr athro Cymraeg Richard Jones 30, 34; gweithio ar y tir 31; ymuno gyda'r Llynges yn yr Ail Ryfel Byd 31-7; Coleg Prifysgol Cymru, Aberystwyth 38-61; Adran y Gyfraith 34, 38-9, 48; sefydlu cangen o'r Blaid Genedlaethol yn y Coleg 41; gwahodd Saunders Lewis a mawrion eraill i annerch 60; cydweithio gyda John Legonna a Huw Davies 42-3, 50; ei gyd-ymgyrchwyr 44; gofalu am y cylchgrawn *Y Wawr* 44, 53; cyfrannu i *Fflam* 45-6; cyfarfod gyda'i ddarpar briod Llinos Evans 47, 56; ennill gradd

48; ymchwilio am radd uwch 43, 49; ei arwr mawr Emrys ap Iwan 51-2; arwain gorymdeithiau yn Aberystwyth, Dolgellau, Tregaron, Amwythig 54-5; Llywydd Undeb y Myfyrwyr 56-60; ei huodledd fel dadleuwr 58, 60; ei salwch a gofal ei Brifathro a Llywydd y Coleg drosto, 61-2; un o sylfaenwyr Mudiad y Gweriniaethwyr 63; gweithgarwch y Mudiad 64-8; gadael Plaid Cymru yn 1949 i weithio dros y Gwerinaethwyr 70-1; gadael y Mudiad am y Blaid Lafur 54; gohebu gyda John Morris a Goronwy Roberts 78-9, 81-90; symud o Aberystwyth i Gwm Rhondda i weithio gyda chwmni o gyfreithwyr 86; datganolwr 236; cynorthwyo Aneurin Bevan yn Etholiad Cyffredinol 1959 92-3; cyfarfod gyda Jim Griffiths 91, 93; paratoi llyfryn Cyngor Canol i Gymru 94-6; helpu Jim Griffiths i lunio *Pages from Memory* 134, 140; llawenhau yng ngharedigion yr Iaith o fewn y Blaid Lafur 98-9; cynorthwyo Trefor a Gwyneth Morgan i hybu addysg Gymraeg 99; Cadeirydd gwasg cyhoeddi yn Abercynon 100-2; chwilio am sedd yn Senedd San Steffan 104-7; sefyll fel ymgeisydd yn isetholiad Caerfyrddin yn 1966 110-17; colli'r etholiad i Gwynfor Evans 118; ymateb i ddedfryd yr etholwyr 120-4; cyfle i wasanaethu gyda chymuned Aber-fan yn 1966 126-35, 145; amddiffyn dau o Gymry brwd yn y llys trwy gyfrwng y Gymraeg

141; ei asesiad o Ddeddf yr Iaith Gymraeg 1967 141-2; o fewn y Swyddfa Gymreig 143-4; Cadeirydd Bwrdd Ysbytai Cymru (1968-74) 148-62; ei gyfraniad i fyd teledu Cymraeg 149; ei gyfeillgarwch gydag Archibald Lush 151; gwrthod derbyn y gwahoddiad i Dŷ'r Arglwyddi 158; fel cadeirydd Mudiad Adfer 159-60; cynorthwyo John Morris yn y Swyddfa Gymreig 163; hybu datganoli 168-9, 174-6; gelynion datganoli 172; ei ohebiaeth gyda Vernon Bogdanor 176; methiant Refferendwm 1979 181; hybu'r iaith Gymraeg 183-211; methu deall Nicholas Edwards ar gwestiwn yr iaith Gymraeg 185-7, 198, 218; cydweithio gyda Dafydd Wigley 189-93; ei waith yng Ngogledd Iwerddon 217; derbyn y gwahoddiad a'i waith yn yr Ail Siambr o 1982 ymlaen 212-30; ennill cymeradwyaeth R. S. Thomas a Robyn Léwis 220-2, 224, 306-7; o blaid y Cynulliad 231-48; ei berthynas gyda Ron Davies 239-46; fel cymwynaswr 244, 249-66; ei waith yng Ngogledd Iwerddon 264-6, 283; marwolaeth ei gyfaill Cledwyn Hughes 271-2, 306; mewnlifiad 274-9; ei ymateb i Gomisiwn Richard 282-4; ei ddylanwad pellgyrhaeddol 288-96; ei brofedigaeth 302-5; nodiadau a chyfeiriadau amdano 309-12; ei farwolaeth yn Llundain a'i arwyl yn Llanegryn 310-12.

Prys-Davies, Llinos (née Evans) 11, 12, 47, 62, 229, 302-5, 316

Pugh, Alun 135n.

Pugh, Lyndon 304n.
Pugh, Rhydwyn Lloyd (Llanegryn) 27, 66
Pwllheli 180
Pym, Francis 185

Quinn, Tom 237

Randerson, Barwnes Jenny 274, 275, 287
Redwood, John 208, 209
Rees, Alwyn D. 61n., 122-4, 199
Rees, Brinley 21n.
Rees, Dr D. Ben 10, 89, 93, 121-2, 220, 223, 238, 240, 250, 256-7, 270, 272, 274-5, 290, 296-8, 304-5, 308, 313
Rees, D. J. 41
Rees, Dafydd Llywelyn 309
Rees, G. Brychan 28-9
Rees, Athro Graham 173
Rees, Ioan Bowen 190, 222, 237, 276
Rees, Ivor Thomas 16n., 21n., 48n.
Rees, John Roderick 46
Rees, Owen 170
Refferendwm Ewrop, 1975 172-3
Rhiwbeina 88
Rhondda 13, 59, 69, 80, 86, 88, 173, 174, 262
Rhondda Cynon Taf 262
Rhondda Fach 88
Rhondda Fawr 88
Rhydaman 269
Rhyddfrydwyr 80, 165-6, 187
Rhymni 175, 203, 215
Rhys, Edward Prosser 23
Rhys, Keidrych 67
Richard, Henry 54
Richard, Ivor 230, 239n., 284, 285, 288, 301
Richards, Llion (Aberbargoed) 264n.
Richards, Rod 211, 256

Richards, Dr Thomas 18n.
Robens, Yr Arglwydd 132
Roberts, Alwyn 273
Roberts, Dr Brynley F. 63n., 275
Roberts, Elen Wyn 196
Roberts, Elfed (Banc y Midland) 201n.
Roberts, Emrys 154, 222
Roberts, Goronwy Owen, yr Arglwydd Goronwy-Roberts 72n., 79, 81-90, 91, 120, 133, 171, 270
Roberts, Hugh Eifion Pritchard 48
Roberts, John Jones 269
Roberts, Kate 47
Roberts, Kate Jones 307
Roberts, Y Fonesig Marian Goronwy 87
Roberts, R. Silyn 269, 270
Roberts, Roger 215
Roberts, Siôn Aubrey 255
Roberts, Syr Wyn, yr Arglwydd Roberts o Gonwy 41, 48, 185, 188-9, 192n., 193, 196, 201, 209n., 252, 254n., 313
Robinson, Kenneth 149
Roddick, Winston 187-8, 201-3, 279-81
Roderick, Carwyn 175n.
Rogers, Allan 293
Rogers, William Morgan 101
Ross, Willie AS 65
Rosser, Syr Melfyn 203
Rosser, Philip 175-6
Round, Malcolm 60
Rowlands, Ted 175n., 208, 240, 284
Rowlands, W. Huw 269n.
Ryan, Richard 218

Samuel, Wynne 42, 55-6, 67
Seimon, Glyn 275
Seren y Dwyrain 41

Sharp, Evelyn 271
Schavione, Toni Gruffydd 289n.
Sherrington, Cath 272
Shinwell, Emanuel 55, 67
Shore, Peter 57
Short, Renee 158
Shortridge, Syr John 280n.
Siberry, Gweithgor 171
Silkin, John 138
Sir Benfro 79
Smith, Yr Athro J. Beverley 63n., 271,
    306, 310-11
Smith, John AS 237-9, 246
Smith, Dr Llinos Beverley 310-11
Snowden, Philip 270n.
Sosialaeth 13, 22, 36, 52, 69, 86, 92,
    94, 134, 230, 236, 238
Spurrel, Walter 56n.
Stacey, Yr Athro Margaret 154
Stanley, Yr Arglwydd 220
Stephens, Meic 19, 63, 71n., 199n., 316
Stewart, Donald 189
Streic y Glowyr, 1984-5 10
Sturgeon, Nicola 283
Swyddfa Gymreig 9, 132, 143, 157-8,
    163ff, 181, 195, 199, 201-2, 204-5,
    222, 244, 254, 256, 257-8, 271, 284,
    295-6, 315

Teddington 140
Thatcher, Margaret 176-7, 182, 185-6,
    216, 222
They Went to Llandrindod (1951) 77
Thomas, Syr Ben Bowen 101, 149-50,
    270n.
Thomas, Dr Ceinwen 74, 75-6, 146-7
Thomas, D. Hugh 135n., 201n.
Thomas, Dafydd Elis- 187, 189, 205,
    206, 209-10
Thomas, Dan (Porthmadog) 55
Thomas, David (Bangor) 22, 151,
    269n., 270, 313, 321, 326

Thomas, Dyfrig 114
Thomas, Elfryn 111
Thomas, Gareth 273
Thomas, George 122, 125, 132, 141-2,
    154-5, 167, 195, 228, 313
Thomas, Haydn (Gilfach Goch) 98
Thomas, Huw (Rhiwbeina) 98n.
Thomas, Iorrie AS 84, 121, 136, 228
Thomas, Jeffrey AS 175n.
Thomas, Lili 206-7
Thomas, Martin QC 237
Thomas, Syr Owen 269
Thomas, Peter 155, 216, 219, 222
Thomas, R. S. 51, 160, 202, 220-222,
    223-4, 304
Thomas, Rhodri Glyn 274-5, 278,
    290
Thomas, Dr Roger 189
Thomas, Russell 306n.
Thomas, Tecwyn 272
Thomas, Parch Tegwel (Castell-nedd)
    227
Thomas, Victor 178-9
Thomas, Wyn 300
Thorneycroft, Peter 107
Tomos, Angharad 189n., 267, 270
Torfaen 174
Trawsfynydd 269
Trefgarne, Yr Arglwydd 220
Trefforest 175
Tregaron 78
Treharne, Yr Athro R. F. 302
Tribiwnlysoedd Diwydiannol yng
    Nghymru 259-60
Trimble, David 264-5
Tryweryn 87, 93, 166
Tudur, Gwilym 200
Tudur, Huw (1713-1801) 26
Tŷ'r Arglwyddi 222-30
Tynged yr Iaith (1962) 97

Undeb Cymru Fydd 96, 111, 142
Undeb Chwarelwyr Gogledd Cymru
    268-9
Undeb Glowyr De Cymru 176, 249,
    270-1
Undebau Llafur 268-9
Urdd Gobaith Cymru 57, 185, 203

Valentine, Parch Lewis 23, 65, 74
Vittle, Arwel 11

Walker, Peter 201, 204, 208, 220n.,
    221, 222
Wardell, Gareth 189
Watkin-Jones, Elizabeth 87n.
Watkins, T. Arwyn 179-80
Watkins, Tudor 270
Waugh, Catrin, Llundain 16n., 35n.,
    43n., 97n., 299n., 309-10
Waunfawr, Aberystwyth 216
Webb, Harri 59, 61n., 63-6, 71, 73n.,
    75n.-7, 79, 85, 101, 104, 165, 215
Webb, Steffan 251-2, 258
Welsh Republican, The 53, 76
White, Eirene (née Jones) 16, 191n.,
    215, 220, 313
Whitelaw, Willie 184
Wigley, Dafydd 16, 173, 189-90, 192,
    199, 202, 204, 205n., 208-9, 241,
    243, 247, 260
Wiliam, Aled Rhys 101, 124n., 126n.,
    211
Wilks, Ifor Huws 61n., 65, 72
Williams, Abi 25
Williams Alan (AS Gorllewin
    Abertawe) 167, 175n., 228
Williams, Alan (AS Caerfyrddin)
    208, 240
Williams, Ceri 273

Williams, D. J. (Abergwaun) 23, 41,
    44, 70, 116
Williams, D. J. (AS Castell-nedd) 94
Williams, David 89
Williams, E. J. AS 73
Williams, Euryn Ogwen 201n.
Williams, Emlyn 176
Williams, Franklyn 148
Williams, Gareth (Yr Arglwydd
    Williams o Fostyn) 205
Williams, Yr Athro Glanmor 21n.
Williams, Yr Athro Gruffydd Aled
    311
Williams, Yr Athro Gwyn A. 20n.,
    222
Williams, Dr Huw Lloyd 58n., 59,
    175n., 214n., 282n., 288n.
Williams, Ioan (Ynyshir) 98-9
Williams, J. E. Caerwyn 15n.
Williams, J. Gwynn 62n.
Williams, J. Pentir (clerc Dinas
    Bangor) 268n.
Williams, J. Roose 68n.
Williams, John Roberts 48, 81-2, 87,
    133, 202, 219, 269
Williams, Parch J. S. (Llanelli) 99
Williams, Joyce Mair 61n., 65, 72
Williams, Marcia 233n.
Williams, Parch Rhydwen 201
Williams, Rhys 295n.
Williams, Stanley 88
Williams, Tom 61n., 65, 78
Williams, W. D. 45
Williams, Waldo 11
Williams, Walter (Dinas Mawddwy)
    106-7
Williams, William 20n.
Wilson, Gordon 189
Wilson, Harold 83, 103, 108, 111-12,
    119-20, 127, 132, 134, 158-9, 163,
    172, 233
Wrecsam 107
Wright, Canon Colin 237

Wright, George 175-6
Wyn, Hedd 269, 311
Wyn, Ieuan (Bethesda) 160

Y Cymro 86
Y Ffermwyr a'r Gyfraith (1967) 314
Ymddiriedolaeth Joseph Rowntree
    225
Ymddiriedolaeth Ultac 225
Ymgyrch Senedd i Gymru 111, 235
Ynys Môn 80
Ysbyty Glynebwy 156
Ysbyty Trelái, Caerdydd 151-2
Ysgol Feddygol Cymru 171
Ysgol Gymraeg Evan James,
    Pontypridd 228-9
Ysgol Gynradd Pantglas, Aber-fan
    126
Ysgol Ramadeg Aberpennar 302
Ysgol Ramadeg Tywyn 27-32
Ysgol Sir Tregaron 43
Ysgrifennydd Gwladol i Gymru 9, 93,
    112, 121, 144, 167, 175, 222
Ystrad Rhondda 227